《出版学基础研究》编写组

主　　编　罗紫初

副 主 编　吴 赟

　　　　　马北海

参编人员（按姓氏笔画排列）

　　　　　王秋林　牛晓宏　代　杨　刘　星

　　　　　严尚君　周　霞　胡　苗　唐小兵

　　　　　陶　莉　黄阿妮　黄晓燕

普通高等教育"十五"国家级规划教材《出版学基础》配套用书

出版学基础研究

Chubanxue Jichu Yanjiu

主　编　罗紫初

副主编　吴　赟

　　　　马北海

山西人民出版社

前　言

《出版学基础研究》是一本配合普通高等教育"十五"国家级规划教材《出版学基础》学习的参考书,可供高等学校编辑出版学专业师生和编辑、出版、发行实践工作者学习、参考。全书内容按照学习和研究出版学基础理论的实际需要分为七个部分,由多位作者分别编撰完成。作者的具体分工如下:

"观点集粹"部分,由吴赟、代杨、黄阿妮、严尚君等同志编撰,其中吴赟编撰的部分为:出版与出版物的概念,出版学的研究对象与内容,出版学的学科性质与学科体系,出版学的研究方法,出版物的属性,我国出版工作的性质、方针与功能,我国出版业的宏观调控与管理;代杨编撰的部分为:出版资源的构成,出版资源的优化配置与开发,出版物生产的特点,出版物生产的一般过程,出版物生产成本及其控制,出版物的定价;黄阿妮编撰的部分为:出版物市场构成及现状与发展,出版物市场需求及其基本特征,影响出版物市场需求的因素,出版物宣传与信息流通,出版物的商品交易过程,出版物的物流组织过程,出版物流通制度,出版物流通渠道;严尚君编撰的部分为:出版工作者的基本素质,出版教育与培训,新社会环境下的出版业,出版业的发展趋势。

"术语精要"部分,由严尚君同志编撰。

"习题解答"部分,由代杨同志编撰。

"案例实证"部分,由唐小兵、刘星、陶莉同志撰写。其中,《中信出版社的版权资源开发和利用》由陶莉撰写,《畅销书〈不过如此〉的出版运作》由刘星撰写,其他6篇由唐小兵撰写。

"论文索引"与"论著推介"两部分,由周霞同志编撰。

"模拟试题"部分,由罗紫初同志编撰。

全书由罗紫初同志审定与统稿,吴赟和马北海同志协助审稿。

本书的编撰工作从2001年设计编写思路开始,历经四载,从数以万计的文献资料中挑选出本书所需的材料，为数众多的作者付出了艰辛的劳动。除了上述直接执笔的作者外，参与前期资料收集与编撰工作以及后期整理、校改工作的作者还有王秋林、马北海、黄晓燕、胡苗、牛晓宏等同志。

在本书即将付梓之际，衷心感谢为此书及普通高等教育"十五"国家级规划教材《出版学基础》的编辑出版付出了大量心血的责任编辑郭立群同志，正是她强烈的事业心和高度的责任感，使我们在众多"争夺"本套书稿出版项目的出版机构中，毫不犹豫地选择了山西人民出版社。对于本书"观点集粹"部分所收录观点的各位作者，我们在此深表谢意。最后，我们还要感谢对本书的出版给予了关注和帮助的各位领导、专家及广大出版界和出版教育界同仁。

罗紫初

2005 年 9 月 26 日于珞珈山

目 录

一、观点集粹

出版与出版物的概念

《出版学基础》一书中提出:"所谓出版,是指将作品经编辑加工后,经过复制向公众发行";"出版物是指以传播为目的、存贮知识信息并具有一定物质形态的出版产品"。

读了下面我们所摘录的各家观点之后,你是否也同意我们的看法呢?

● 出版是通过一定的物质载体,将著作制成各种形式的出版物,以传播科学文化、信息和进行思想交流的一种社会活动。现在使用的"出版"一词,通常是指用印刷或其他复制办法将作品制成出版物在社会上传播。狭义的出版是指图书报刊的编辑、印刷和发行,广义的出版不仅是指图书报刊,还指录音、录像以及其他文字语音和图像的媒介载体的编辑、印刷、制作和传播。

——许力以. 出版和出版学. 见: 中国大百科全书编委会. 中国大百科全书·新闻出版卷. 北京: 中国大百科全书出版社, 1990. 8

● 出版(publication):通过一定的物质载体,用印刷或其他复制方法,将著、图画、声频、视频、符号等制成各种形式的出版物,以传播科学、文化、信息和进行思想交流、发表见解的一种社会活动。

——中国大百科全书编委会. 中国大百科全书 (简明版). 北京: 中国大百科全书出版社, 1990. 688

● 出版:对书籍、报纸、杂志、小册子等印刷品的选稿、编辑和发行。

——简明不列颠百科全书编辑部. 简明不列颠百科全书. 北京: 中国大百科全书出版社, 1991. 50

● 出版:指用印刷或其他方法把著作物复制成图书报刊、音像制品等,并在社会上广为传播。

——中国百科大辞典编委会. 中国百科大辞典. 北京: 华夏出版社, 1990. 413

● 出版:①把书刊、图画等印制出来,把唱片、录像带、光盘等制作出来。②书刊、画集等的编辑、印刷、发行等工作。有时特指书刊的编辑工作。

——商务印书馆辞书研究中心. 新华字典. 北京: 商务印书馆, 2001. 135

● 出版:把著作物编印成为图书报刊的工作。

    ——夏征农主编. 辞海. 上海:上海辞书出版社,1989. 2867

● 出版:将作品编辑加工后,经过复制向公众发行。

    ——夏征农主编. 辞海. 上海:上海辞书出版社,1999. 2955

● 出版:把书刊、图画等编印出来。

    ——罗竹风主编. 汉语大辞典. 上海:汉语大词典出版社,1988. 486

● 出版:把著作物编印成为图书、报刊、画片的工作。现代出版泛指出版、印刷、发行三方面工作,也可专指编辑部门关于组稿、审稿、编辑加工、出版设计和校对等工作。

    ——陈友政主编. 编辑出版辞典. 北京:北京科学技术出版社,1988. 87

● 出版:出版机构有目的地接受来自社会上的各种有价值的信息,审定和加工整理后,通过出版生产手段使其附以不同形式的物质载体,再经流通渠道(即发行)传播于社会,即为出版。出版的含义有广、狭之分。从广义上说,凡通过一定的物质载体来传播信息都为出版,它包括书刊、电影、录音、录像、幻灯、唱片等。从狭义上说,则专指书籍、报纸、杂志等印刷品的编辑、印刷、发行这三方面的工作。

    ——宋孟寅,马保超,董其芬,崔一润编. 实用出版词典. 太原:书海出版社,1988. 3

● 出版:印成图书报刊,以供出售或散布,称为出版。

    ——"教育部"重编国语辞典委员会. 重编国语辞典. 台北:商务印书馆,1981. 3853

● 出版系用印刷术或其他机械或化学方法,将著作物复制为文书(包括乐谱)或图画(包括照相)而出售或散布之谓。

    ——中国文化大学中华学术院中华百科全书编纂委员会编. 张其昀监修. 中华百科全书. 台北:中国文化大学出版部,1981. 520

● 出版:把著作物编印成图书报刊的工作。

    ——张之杰,黄台香主编. 梁实秋总审定. 新编名扬百科大辞典. 台北:名扬出版社,1984. 573

● 出版:把著作物编印成图书报刊的工作。

    ——三民书局大辞典编纂委员会. 大辞典 (上). 台北:三民书局,1985. 436

● 出版(publishing):用印刷或其他机械方法将文字、图画、摄影等作品复制成各种形式的出版物并提供给众多读者的一系列活动,总称为出版。

    ——〔日〕布川 角左卫门主编. 申非,祖秉和等译. 简明出版百科辞典. 北京:中国书籍出版社,1990. 1

● 可以考虑将"出版"的定义表述如下:"编辑和复制作品向公众传播。"

    ——袁亮主编. 出版学概论. 沈阳:辽宁教育出版社,1997. 103

● "出版"被最广义地解释为印刷媒介的刊行。

作者个人认为,"出版"就是书籍、杂志的出版。

波尔·奥特莱对"出版"下的定义,"表示某种知识的符号记载其上,并随时可叠可卷的,以某种材料扩展而成的一种载体。"

——〔日〕清水英夫. 现代出版学. 北京:中国书籍出版社,1991. 20

● "出版"一词,从文字本身解释,就是将书刊、报纸等出版物编印出来的意思,因此,有图书的出版、期刊的出版、报纸的出版,等等。

——王鼎吉. 图书出版业务基本知识. 北京:中国社会出版社,1990. 4

● 日本政府于明治二十年(1887年)颁布的《出版条例》将"出版"定义为:"凡以机械、化学或任何其他方法印刷之文书图画予以发售或散布者,均为出版。"

北洋政府在民国三年(1914年)颁布的《出版法》,参用了日本《出版条例》对"出版"的定义:"用机械或印版及其他化学材料印刷之文书图画出售或散布者,均为出版。"

《世界版权公约》(1971年7月24日修订于巴黎)第6条将"出版"定义为:"出版系指以有形形式复制,并向公众发行的能够阅读或可看到的作品复制品。"

《中华人民共和国著作权法实施条例》将"出版"定义为:"出版,指将作品编辑加工后,经过复制向公众发行。"

——王鼎吉. 书的出版知识170题. 北京:书目文献出版社,1994. 2~4

● 出版,是出版者对作者创作的作品进行选择、加工,然后以某种载体形式(如图书、报刊、声像制品、软件制品等)通过流通领域传播给读者(或用户)的过程。

——张小萍,米新美. 对出版社与作者关系的再认识. 见:孙五川主编. 市场经济与编辑出版. 天津:天津教育出版社,1994. 166

● "出版"这一概念,有大中小三种含义。出版工作可以理解为"把著作物编印成书报刊物的工作"。这是一个中等范围的定义。按照这个定义,出版工作是从向作者、译者组稿开始,经过编辑加工,制成够水平、可供发表的原稿,然后交付印刷厂印刷,使原稿成为书报刊物为止。……广义的出版工作,包括编辑、印刷、发行三个环节。……狭义的出版工作,其范围更小,仅包括组稿、审稿、编辑加工、出版设计和校对等项工作。……在出版社内部,对出版工作还有一种更狭义的理解,仅包括出版社编辑部门审定原稿后进行出版设计、校对、准备纸张和装帧材料,联系印刷厂和书店、交付印刷和联系发行等项工作,也就是出版社中出版部或出版处的工作。

——王益. 出版社必须关心发行、参与发行. 图书发行研究, 1988 (1)

● "出版"一词,在我国书刊上应用,最早是在1890年或1895年,比梁启超在文章中应用早4年或9年。

中国是最早有出版事业的国家,但至清朝末年,在引进"出版"一词之后一段时间,始终未形成"出版"这一概念,在观念上把出版看做是图书的印刷或(和)发行,不把出版看做独立的活动或事业。"出版"未形成概念,就不会有"版权"、"出版社"、"出版法"等概念。不把出版看作独立的活动,出版就不能与印刷、发行分离开来。这对于研究我国出版史有一定意义。

——王益. "出版"再探源. 出版发行研究, 1999 (6)

● 出版,是通过一定的物质载体,将著作制成各种形式的出版物,以传播科学文化、信息和进行思想交流的一种活动。

——许力以. 出版是人类进步的杠杆. 编辑学刊, 1989 (2)

● 出版的含义有广、狭之分。从广义上说,凡以通过一定的物质载体来传播信息都为出版,它包括书刊、电视、录音、录像、幻灯、唱片等。从狭义上说,则专指书籍、报纸、杂志等印刷品的编、印、发这三方面的工作。

出版:指把著编译者创作的精神产品,通过"物化"的手段,在法制的制约和管理下,广泛地被复制为可以输送给受众视听的出版物的综合过程。

——赵航. 论出版学界说. 编辑学刊, 1992 (2)

● "出版"就是制作载体,把信息"公之于众"。这个概念早在古希腊时期已经产生,直到现在仍被国际出版界所使用。它指的是通过某种方式将信息向大众传播的一类社会现象,可以包括声音、文字、图像等各种大众传播形态。这些传播形式构成了出版的子概念和传播整体。

——刘辰. 结构方法与编辑出版学. 出版科学, 2001 (1)

● 所谓出版,在我看来就是指一切为了适应社会受众需要,以一定的方式将作品公之于众的活动。

——杨晓鸣. 出版是什么. 出版科学, 2001 (3)

● 《牛津英语大词典》(1989年)第12卷对"出版"的定义:"发行或向公众提供用抄写、印刷或任何其他方法复制的书籍、地图、版画、照片、歌篇或其他作品。"

《伯尔尼公约》(1996年修正本)第3条对"出版"的定义:"无论复制

本以何种方式制作,只要可以满足公众的合理需要,即构成出版。"

——张敬华. 也论编辑学与出版学. 编辑之友, 2000 (5)

● 出版是为了满足社会公众合理的文化需要,经创作者(或继承人或代理人)同意,以一定非人体的文化载体方式复制作品,并将这些复制作品在社会上发行分销,以供公众阅读或其他方式接受作品中的文化信息的过程。

——于洪飞,朱四光. 出版科学体系和基本原理的研究 (1). 沈阳农业大学学报, 1994 (3)

● 托夫勒按人类创造财富的体系,把文明的进程归纳为第一波:农业文明;第二波:工业文明;第三波:资讯文明。

出版的形态也可以归纳为以下三种:

第一波出版,特点在于作者或编辑者个人的思想与创意,如同农业文明,强调创作本身的特点,尤其是文字的特点。

第二波出版,特点在于出版公司的企划,如同工业文明,强调企业的投资与团队作业,通路与促销,以及跨媒体、跨产业的合作。出版社与商品的概念紧密结合。

第三波出版,特点在于网络上的多媒体整合,如同资讯文明,强调界面与互动。作者与读者的身份,投资与通路的条件,都发生多元的变化。

——郝明义. 给当代出版定位. 中国图书商报, 2001. 9. 20

● 一、我的广义出版理念

……我认为,出版业,就是生产图书、报纸、期刊等多种传播媒体产品的文化信息产业。其产品形式即出版物,目前主要包括纸印读物、电子读物、音像制品和网络读物。从这些出版物的一般周期效应上看,我们可以将其分为短效媒体(简称"短媒")如报纸、中效媒体("中媒")如期刊和长效媒体("长媒")如图书;在具体的生产经营和流通反馈中,长媒、短媒、中媒可以实行资源、市场共享与共建。而且,更为重要的是,其产品一经进入市场流通,就同其他一切产业的产品一样,同时具备了一般商品的属性(不进入市场流通的媒体如各种"红头文件"和宣传材料等,不具有商品属性)。

基于此,我的广义出版理念可以表述为这样两个基本层次:一是"务虚"层面,即根据马克思主义政治经济学的基本观点,出版物既然也是商品,也就势必具有其特定的"价值二重性",就是说,出版物也必须同时具有"价值和使用价值",而其"价值二重性"恰与所谓"两个效益"同一;二是

"务实"层面，即本着"解放思想，实事求是"的精神，如何利用我国出版产业在现行经营管理体制中历史地形成的"行业法权"和垄断地位的合理性，实现出版产业与已经按照一般现代企业运行的从事其他商品生产的产业之间的制度性接轨。

二、我的狭义出版理念

……假如我是一位出版家，我将会力求实现的出版理念是：以出版行为的文化效应转动资本积累，在有形资产与无形资产的互动及多种媒体资源市场的共享与共建中，实现产业化，从而主动推进社会精神文化的创造与丰富。

由于这一出版理念的核心是"以出版行为的文化效应转动资本积累"，所以，其中蕴含的精神文化理念是其经营管理理念之纲。

——钱宏. 千禧之年：谈谈我的出版理念. 编辑学刊，2000 (1)

● 电子出版是指以数字代码方式将图、文、声、像等信息编辑加工后存储在磁、光、电介质上，通过计算机或其他具有类似功能的设备读取使用，并可复制(或下载)发行的大众传播媒体。电子出版既包括图书、期刊、报纸等出版物在生产过程中的计算机编辑排版，也指采用电子技术手段从事出版物生产制作，并且最终产品也是电子(数字)形式出版物的出版活动，还包括以电子(数字)形式出版和传播信息的其他任何活动，如文本、超文本、可视图文(videotext)、电子邮件、电视、广播等的制作、传递、浏览、阅读、下载、联网打印等。很明显，网络出版也是电子出版的一种方式。

——黄凯卿. 电子出版学科建设浅议. 出版科学，2003 (3)

● 所谓数字出版，是指在出版的整个过程中，从编辑、制作到发行，所有信息都以统一的二进制代码的数字化形式存储于光、磁等介质中，信息的处理与传递必须借助计算机或类似设备来进行的一种出版形式。

网络出版是指出版者采用一定的技术手段将其待出版的作品存放在网络服务器上，以有偿或无偿的方式提供给用户的出版形式。从广义来讲，信息通过互联网向大众传播的过程都可以叫做网络出版；从狭义来讲，网络出版是指出版单位通过互联网络向大众传播信息的过程，即出版主体限定为传统的出版单位。

在网络出版中，作品的复制和发行是同时完成的，这是网络出版最突出的特点。

——谢新洲. 数字出版技术. 北京：北京大学出版社，2002. 5，13，16

● 出版的核心价值在于收集、整理、选择、加工、保存和传播有一定价值的信息。实现这一价值的手段和方法，在不同社会历史条件下，不可避免地会受到一定的物质技术条件的限制。相应的，在不同历史阶段，使得出版作为一种持续健康发展的产业所必须采取的产业链形式，也必然有所不同。远的不说，在目前我们这个还没有脱离以纸为传播介质的时代，印刷材料的供应商、印刷企业、物流企业等，虽然他们在出版活动中创造的并非出版的核心价值，但却必不可少。因此，它们以间接的但却不容替代的角色在传统出版产业链上占据着一个席位、控制着其中的一段环节，也分享着这一产业链所创造的一部分价值。而网络技术的出现，使信息传播和接收的速度空前加快，方式和方法更为先进和丰富，效果也更为理想和神奇。采用网络技术的出版业，也必将更为高效和有效地实现其核心价值，并逐步剥离附着在其上的非核心价值环节。

——林全，贺峰涛. 网络出版：彰显出版核心价值. 中国出版，2004（4）

● 尽管对网络出版的定义众说纷纭，但还是可以从中找到许多共同点的。这些定义几乎都涉及：①将作品加工、制作成数字化作品；②以网络为传播载体和交易手段；③传播的互动性和个性化。

综合各学者对网络出版的认识，我们认为网络出版的内涵主要包括以下特征：

首先，网络出版是对作品进行选择、加工、制作成数字化作品，使之满足网络读者的需求。

其次，网络出版是以无形的网络为载体传播信息、实现交易。

再次，网络出版是"公之于众"的个性化传播活动。

从出版资源的再生性来看，网络出版可以分为传统媒体网络出版和网络自生出版。

从出版的规模来看，网络出版可以分为个人出版和组织出版。

从出版的互动性来看，网络出版可以分为浏览式网络出版和交互式网络出版。所谓浏览式网络出版是指网络出版者提供一些相对固定的栏目，将其收集整理的网上信息放在其选定的 ISP 网站中，供人阅读欣赏。……交互式网络出版是指根据读者提出的要求，网络出版者为读者制作有特定内容的网络出版物。

以上三种形式都是网络出版的外延形式。由于网络出版还刚刚起步，随着网络技术的日益完善，网络出版必将呈现更多的形式，网络出版的外延必将丰富多彩。

至此可以这样定义网络出版:"为了满足网络读者的需求,将作品在网络上公之于众的传播活动。"

——杨晓鸣,蒋保纬. 网络出版之我见. 中国编辑, 2003 (2)

● 新出版理念的确立最重要的是对"出版"概念本身的定位。"出版"概念长期受计划经济体制的束缚,它完全被视为国家意识形态的重要组成部分,片面强调其政治思想性,所以将编辑工作作为出版概念中必不可少的因素。另外,由于种种原因,长期以来出版仅仅定位在图书出版上。这种对出版的定义在当时的历史条件下是可以理解的,但这并没有说明出版的本质。我们认为出版是一种可以将社会知识信息复制并进行广泛传播的活动,其本质就是加速和扩大社会知识信息的交流和传播。

网络环境下,我国出版业将面临诸多重大的出版变革,即出版科学革命的变革将使得电子出版和网络出版成为出版业发展的新的经济增长点;现代科技与经济密切结合,推动和促进出版生产力的发展,最终决定我国出版产业的国际竞争力;我国出版产业结构的调整、出版管理体制从传统的计划经济体制向社会主义市场经济体制转变已势在必行;出版商从以生产为中心逐步转移到以提供出版信息和为读者提供优质服务为中心;网络出版技术的发展使人人可以从事出版成为可能,在出版业国内外竞争日益激烈的同时,出版者也开始有了其他出版形式的竞争对手,他们将共同分割着出版市场;出版者从长期注重编辑和促销功能开始向全程营销的观念转变;我国出版业参与国际竞争将是不可避免的事实。这些变革都依赖于出版思想观念和思维模式的变革,出版界业内人士为我国出版业的兴盛发达应尽快实现思想观念和思维模式的转变。最后,出版科学研究者应尽快建立起符合出版自身发展规律及出版业发展实际的现代意义上的出版科学,为出版业发展提供坚实的理论基础。

——师曾志. 网络环境下出版理念的变迁. 北京大学学报 (哲学社会科学版), 2001 (2)

● 出版物是用文字、图画、声音或其他符号表述精神内容,通过印刷和非印刷的方式复制在可供携带的载体上,以向公众传播的作品。简言之,出版物是将精神内容复制在物质载体上向公众传播的作品。

——袁亮主编. 出版学概论. 沈阳:辽宁教育出版社, 1997. 38

● 出版物是出版工作所生产和传播的物品,出版是编辑和复制作品向公众传播。

——王益,汪轶千主编. 图书商品学. 北京:人民出版社, 1999. 10

● 出版物:以纸张或其他材料印制成某种形式而出版发行的印刷品。

——〔日〕布川 角左卫门主编. 申非,祖秉和等译. 简明出版百科辞典. 北京:中国书籍出版社,1990. 98

● 出版物:分正式出版物和非正式出版物,合法出版物和非法出版物。经过正式新闻出版单位审查批准公开或内部印刷出版的各类读物,叫正式出版物。非出版单位印制的内部使用的小册子或教材(须由出版管理部门发准印证)叫非正式出版物。正式出版物如书、各种期刊杂志、报纸、图画等都是合法出版物。未经新闻出版单位审查批准,盗用别的出版社的书号,私自印制书籍或报刊的,称非法出版物。

——孙树松,林人主编. 中国现代编辑学辞典. 哈尔滨:黑龙江人民出版社,1991. 2

● 现代视听媒介和图书文献一样,都被称之为出版物。但是,它们实际上只是图书的邻接物,与图书这个概念并不相同,二者如何界定,尚有待于在进一步发展的过程中逐步明确起来。

现代出版物的非纸质载体形式,分三种类型:

(一)缩微出版物。

(二)电子出版物。电子出版物一般可概括为两大类:

1. 电子网络出版物。

2. 单行电子图书。

(三)音像出版物。

——曹悟善,黎昌福主编. 图书发行实用教程. 成都:四川教育出版社,1996. 90~92

● 出版物一般是指以纸张印刷成某种形式多份出版,并广泛发行的文献。

——曹悟善,黎昌福主编. 图书发行实用教程. 成都:四川教育出版社,1996. 81

● 电子图书,一般称为电子出版物。狭义地说,是指利用计算机和通信设备来制作和获取的出版物,不含音像制品。与传统的纸介图书相比,电子出版物有着鲜明的特点和优势:

1. 储存量大。

2. 检索快捷方便。

3. 成本较低。

——何彰道,王愈. 电子图书对书店的挑战. 图书发行研究,1997 (1). 见:中国出版年鉴 (1998). 北京:中国出版年鉴社,1998. 329

● 电子出版物,是指以数字形式存储在光、磁、电等存储介质(如 CD-ROM、磁盘)上,并通过计算机或远程通信进行阅读的出版物。

网络出版物是指以数字化形式存储在光、磁等存储介质上,通过计算机网络高速传播,并通过计算机或类似设备阅读使用的出版物。网络出版物亦是电子出版物的一种类型,与之相对应的是单机型电子出版物,两者的主要区别在于前者是通过计算机网络出版发行的,即其创作、交稿、审稿、编辑、出版、发行等都可通过计算机网络进行;而后者是通过实际的发行渠道发行的。

电子出版物与印刷型出版物之间的差异主要体现在以下几个方面:

1. 载体。

2. 记录方式。

3. 读取方式。

4. 信息表达方式。

5. 信息传输与复制。

6. 耐用性与寿命。

7. 体积。

8. 信息的组织与获取。

9. 人们的阅读习惯。

10. 可携带性和易获取性。

——谢新洲. 数字出版技术. 北京:北京大学出版社, 2002. 13, 16

● 所谓网络出版物,是指将信息以数字形式贮存在光、磁等贮存介质上,通过计算机网络高速传播,并通过计算机或类似设备阅读使用的出版物。网络出版物亦是电子出版物的一种。

——匡文波. 网络出版论. 中国出版, 1999 (2)

出版学的研究对象与内容

关于出版学的研究对象和内容,《出版学基础》教材作者主张:出版学的研究对象是出版物的商品供求矛盾;出版学的研究内容由基础研究与应用研究两大部分组成。具体而言,出版学基础研究是以揭示出版学研究对象的运动规律为基本任务的研究,包括学科基本理论研究、出版物生产流通基本规律研究、出版活动的基本特征及其事业组织规律的研究等;应用研究即探讨出版实践中各环节、各因素之间合理配合科学运行的理想机制,并寻求理想机制得以实现的具体方式方法的研究。

对此,出版界同仁有着不尽相同的理解与认识。我们特将各位专家、学者关于出版学研究对象与内容的观点摘录如下。仁者见仁,智者见智,接触不同的观点,会使我们的认识更加深入、全面,更加贴近科学真理。

● 出版学:研究出版业发生、发展的过程,探索其规律的科学,其分支学科包括编辑学、印刷学、发行学等。

　　——中国百科大辞典编委会. 中国百科大辞典. 北京:华夏出版社,1990. 413

● 出版学:研究出版活动的内在规律,出版与社会的联系,探索出版发生、发展的历史以及在人类文明中的地位和作用的学科。

　　——中国大百科全书编委会. 中国大百科全书 (简明版). 北京:中国大百科全书出版社,1990. 688

● 出版学:把出版作为一种社会文化现象进行研究的学科。以图书、期刊等出版物和出版业为研究对象,探讨其性质、任务、功能和发展规律。内容主要包括:出版学的对象、任务和研究方法;出版工作的一般规律;出版物的编辑;出版物的印刷、发行、出版三环节的相互关系;出版经营管理体制;出版物的社会效益与经济效益;著作权理论;出版队伍的建设;出版史;出版的国际合作与交流等。中国有悠久的出版历史和丰富的出版经验,在校雠学、目录学、书志学、版本学、图书馆学等中有一定程度的反映,也散见于编纂文集的序跋和札记等中。自20世纪80年代起,对出版学的研究得到较为普遍的开展,并正朝着总结实际经验、建立理论体系方向进行积极的探索。

　　——边春光主编. 出版词典. 上海:上海辞书出版社,1992. 3

● 出版学(editology)是对作为社会现象的出版进行科学的调查研究的一种学科。它和以报纸、广播等群众性宣传手段为对象的新闻学很接近,但它研究的对象不仅限于出版本身,与出版有关的目录学、图书学、图书馆学、读书学、印刷学等向来就属于出版范畴。出版学是综合上述诸学科,并借助法学、经济学、经营学、心理学、美学等邻近学科,对出版的机能、过程、效果进行历史的及现实的阐释。主要是以书籍、杂志等印刷媒介为研究对象,包括理论上的说明与技术上的研究两个方面。出版学在国际上也是一门全新的社会科学,它的主要任务在于给既古老又不断进步的出版这种宣传媒介以科学的解释。1969年3月,日本出版学会成立的同时,作为国际用语采用了editology这个名称。

　　——〔日〕布川　角左卫门主编. 申非,祖秉和等译. 简明出版百科辞典. 北京:中国书籍出版社,1990. 3

● 出版学,简单地说,就是把"出版"作为社会现象,给予科学地研究,并使之系统化,成为一门独立的学科。

——〔日〕清水英夫. 现代出版学. 北京:中国书籍出版社,1991. 20

● 出版学的研究对象是书刊出版的技术、经济、版式工艺,以及书刊出版过程中各环节、各工序间相互关系的内在联系和规律。

——叶再生. 编辑出版学概论. 武汉:湖北人民出版社,1988. 1

● 编辑出版学是研究通过组稿等编辑活动,用纸张或其他媒介复制著作和其他可见、可触及、可听到的符号或信号系统(如图画、乐谱、音频、视频等),以传输、交流、积累知识信息的专门学科。它的研究对象,是知识信息的整理、交流和积累的规律,书刊编辑、制作和销售的规律,充实人们的精神生活、提高和美化人们的物质生活的规律,编辑出版的体系结构、经营管理,以及它们的基本工作方法的规律。

——叶再生. 编辑出版学概论. 武汉:湖北人民出版社,1988. 1

● 出版学有广义与狭义两种。广义的出版学中的"出版"两字,指社会大分工中的出版事业,与新闻事业、广播事业并列,这种广义的出版学包含编辑、印刷、发行三大项业务。狭义的出版学中的"出版"两字,专指编辑的下一道工序而言。……狭义的出版学研究编辑后续工序中的规律和本质。

——高斯,洪帆主编. 图书编辑学概论. 南京:江苏教育出版社,1989. 10

● 出版学是研究出版物的生产和流通之矛盾产生与发展规律的科学,或者更具体地说,出版学是研究著作物的选择、整理、复制和流通的矛盾运动规律的科学。

一门学科的研究内容是由研究对象所决定的,出版学的研究内容也就由出版物生产和流通的矛盾运动所决定,它们包括以下几方面的内容:

(一)出版学的基础理论。

(二)出版业务。

(三)出版经营管理。

(四)出版史。

——彭建炎. 出版学概论. 长春:吉林大学出版社,1992. 70~72

● 出版学的研究对象可以表述为:出版学是研究出版物、出版工作的性质、功能和发展规律的学科。

出版学是一门新兴的综合性的社会科学。

——袁亮主编. 出版学概论. 沈阳:辽宁教育出版社,1997. 14~15

● 出版学的基本内容和知识体系,大体要包含以下几个方面。

1. 出版物和出版工作的性质和功能。

2. 出版工作与社会的关系以及出版工作内部各个环节的关系。

3. 出版工作与市场的关系。

4. 出版工作的国际交流。

5. 出版工作的原则和法规。

6. 出版队伍建设。

7. 出版工作的管理。

——袁亮主编. 出版学概论. 沈阳:辽宁教育出版社,1997. 18~19

● (韩国出版学学术性问题)

出版学是研究对著作物从计划到完成全过程和分配(供应)中对社会、文化的影响;有关法规、政策;出版有关方面的历史、现实的一门学科。

现将存在于韩国出版学研究方法论中的矛盾性问题,归纳为3个方面:①出版学是交叉性学术领域的观点。②在学术界内部尤其在社会科学领域中,把出版学纳入传播媒体或传播媒体现象,不承认其独立性的观点。③以出版学的固有性特点为研究对象的观点等。

对上述矛盾观点的认识,首先要把出版学作为一个独立领域的前提,并了解其特点,出版学是对出版以科学态度进行调查研究的一门学术领域。在这点上比较接近于新闻广播等传播媒体学。但出版不只是为一种传播媒体特点而存在,还具有"其他特点",因而需要进行独立的研究。那么"其他特点"是什么?独立研究的核心主题又是什么?这个问题可以从5个方面做出解释:

(1)首先要重视,出版是传播媒体的母体与源流。

(2)如果以出版为研究对象,那么其探讨对象,便是与出版现象有关的各种问题。

(3)传播媒体学主要是研究新闻、广播等大众传播媒体领域。而出版学主要研究的则是图书、杂志(包括电子媒体)等固有性媒体,在这个基础上研究传播媒体现象。

(4)传播媒体只与出版学有协同的关系,没有必要把一个独立的出版学硬拉到传媒一边,组成一个分科。

(5)要牢记出版学研究的固有对象是"编辑"。

——余敏主编. 出版学. 北京:中国书籍出版社,2002. 257~260

● 在欧美,出版研究的起步是非常早的,但把图书出版业作为一种商业行为系统地研究则始于 20 世纪 30 年代。这便是 O. H. 切尼 (O. H. Cheney)于 1931 年发布的著名的《切尼报告》(The Cheney Report)。

纵观欧美各国开展出版研究活动的情况,应用研究成绩突出,理论研究有些不足。此外,由于图书出版已经成为国际知识体系的一个重要组成部分,因此,出版研究势必要国际化。目前欧美出版界有关人士已经开始酝酿组建国际出版研究协会,并提出 21 世纪的出版研究方向:出版史研究、版权研究、出版国际化、出版经济学和出版社会学。

———余敏主编. 出版学. 北京:中国书籍出版社, 2002. 269, 281~282

● 出版学是研究出版的形成与发展以及探讨出版工作规律的社会科学。

———张志强主编. 现代出版学. 苏州:苏州大学出版社, 2003. 16

● 摆在我们面前的一个理论问题,也是实际问题:什么是有中国特色的社会主义出版事业?这是在今后出版体制的改革中,在出版事业的自身建设中,需要认真总结、努力探索和逐步明确的问题,否则我们的工作就带有不可避免的盲目性。为了总结、探索和逐步明确这些带有规律性的问题,迫切需要建立社会主义出版学。

现在,和我们接近的新闻工作,有新闻学;图书出版以后收藏的工作,有图书馆学,惟独没有出版学。出版难道无"学"可言,可以"不学无术"吗?当然不是。

———宋原放. 迫切需要建立社会主义出版学. 出版工作. 1984 (1)

● 我国历史上虽少见"出版学"这个名目,但是,对图书出版的某些方面进行研究的学术论著,确也不少。为我国历来一些学者视为毕生专业的"目录学"、"版本学"、"校勘学"以至"出版史"的研究等等,著作之多,世所罕见。把这些学科囊括在"出版学"这个大题目之内,列为分支,这样设想,未必不妥当。"出版学"作为众多科学门类中的一个部类,下面当然可以有分支学科。除上面提到的目录学、版本学、校勘学、出版史而外,还可列出一些分支,诸如:编辑学、发行学、图书艺术、出版管理、读者学等等。

对于我国悠久的出版历史,前人已经做过不少研究,积累了大量有价值的研究成果,值得我们好好继承。

出版研究的重点,无疑应放在现状的研究上。

还有一个对出版研究不算不重要而目前尚少涉及的问题,就是对未来的研究和预测。

——倪子明. "出版学"小议. 出版工作, 1984 (6)

● 出版学是人类长期从事出版工作经验的总结和理论概括。

出版学是一门以社会主义出版工作及其发展规律为研究对象的学科。

——宋原放. 关于出版学的对象和任务. 编辑学刊, 1986 (1)

● 社会主义出版学的主要内容:

1. 关于出版对象和出版系统的理论。

2. 关于出版循环的理论。

3. 关于出版质量和出版交流的论述。

4. 关于出版物的商品性和出版价格理论。

5. 关于出版宣传和效果评价的问题。

6. 关于出版布局的问题。

7. 关于出版管理原则和出版体制改革问题的探讨。

——杨斌.《社会主义出版学》导言. 见:中国出版工作者协会编. 1985 出版研究年会文集. 太原:山西人民出版社, 1986. 1

● 出版是一门科学,有它自己的研究对象。这门学科同许多学科相交叉,相渗透,比如文化探索、信息传播、管理科学、系统综合等方面的学科,就有出版这个门类必须研究或者涉及的学科。所以,认为出版无学的说法是不能成立的。……我们评价出版工作,除了要看出版物的数量和质量以外,还应当看出版研究理论著作的水平,因为只有系统的理论指导,才能推动实践不断向前发展。

——边春光. 加强出版科学研究工作的意见. 出版工作, 1987 (5)

● 研究出版活动中的内在规律、出版各个环节之间的联系和发生的社会影响;探索出版在社会上发生、发展的历史,以及对人类文明的作用,称为出版学。

——许力以. 出版是人类进步的杠杆. 编辑学刊, 1989 (2)

● 狭义出版学的研究范围,包括三个组成部分,即读者(阅听人)、出版物和出版业。

——林穗芳. 明确"出版"概念,加强出版学研究. 出版发行研究, 1990 (6)

● "出版学"的重心无疑应放在把精神成果物化为物质产品的全过程之中。凡是对这一过程起作用、有影响的内涵与外延都应在这门学问之内,其他则为余赘。这应该成为"出版学"之界域。

——赵航. 论出版学界说. 编辑学刊, 1992 (2)

● 面向现代化面向未来的出版研究，可以有一系列非常有吸引力的研究主题。而对这些主题的深入研究，有利于为人们编织一幅幅从现在到未来的出版业发展的"图景"，从而指导我们的出版实践。

1. 未来出版业的主体。

2. 对传统书籍的冲击。

3. 出版与环境问题。

4. 阅读心理问题。

5. 版权问题。

可以研究的课题还有很多，笔者认为，加紧对这方面问题的研究，对于我们来说已具有切实的意义。而从研究方法上，则不妨如上所示一个主题一个主题地深入研究，这是进行完整的理论建构的基础。没有这些基础工作，理论永远只是一种似有实无的状态。

——金兼斌. 出版研究要面向现代化面向未来. 编辑之友，1995 (4)

● 出版学是研究以书刊为主的商品出版物所涉及的阅读需求、传播渠道、书籍印刷、经营销售、经济核算等一系列生产与流通的管理问题的学科。

——孙鲁燕. 有关出版学研究的回顾. 出版发行研究，2000 (2)

● 综合起来，出版学的研究内容主要有这样几项：研究出版活动带有普遍性质的内在规律，研究出版活动的性质和地位，研究出版活动的生产和经营管理，以及出版的业务知识，出版的历史，出版的法律法规等。

——孙鲁燕. 有关出版学研究的回顾. 出版发行研究，2000 (2)

● 出版学研究的对象是以书刊为主的商品出版物所涉及的阅读需求、传播渠道、书籍印刷、经营销售、经济核算等一系列生产与流通的管理问题。

——张敬华. 也论编辑学与出版学. 编辑之友，2000 (5)

● 广义的出版学就是研究各类出版活动的过程和规律的一门学科，其研究范围包括出版理论、出版编辑、出版管理、出版技术、出版发行、部门出版、出版史等内容。狭义的出版学实际上等同于编辑学。

——鲍明，张麟. 走进传播学：编辑学、出版学的战略选择. 辽宁教育学院学报，2001 (7)

● 目前的出版学研究可归纳为三个领域：出版管理、出版技术、出版文化。

——王余光，李天英. 出版文化学初论. 出版发行研究，2001 (12)

● 现代出版学是对现代出版传播活动的整体属性、功能和规律进行综合研究的一门学科。

现代出版学的主要范畴包括出版人、出版物、出版作者、出版受众、出版机构、出版理念、出版策划、出版编辑、出版流程、出版品牌、出版营销、出版市场、出版管理、出版法制、出版审美、出版教育等等。

出版学的核心范畴是出版理念，即贯穿出版机构和出版人的行为准则、处世信念和哲学纲领，是最能代表一个出版机构外在形象的内在精髓，是出版机构活的灵魂。

现代出版学的中心问题就是研究现代出版活动的动力、机制和不断革新等深层次的带有规律性的问题。

——张涵，苗遂奇. 建立一门较为成熟的现代出版学. 中国出版，2002 (12)

● 出版学的学科特色体现在出版学拥有独特的研究对象。校雠学、目录学、版本学等传统"治书之学"主要是围绕文献的整理、校正、检索来开展研究，而出版学是一门系统地研究出版物生产、流通、消费的现代社会科学，与单一以出版物为研究对象的上述传统学科是有本质区别的。出版学的研究对象和范围也有别于传播学和新闻学。传播学是研究人类传播活动及其规律的一门科学，而新闻学研究的对象和主体是新闻传播活动和新闻事业(其研究集中在报纸、广播、电视等几种媒体上)。

科学研究的区分，要以研究对象所具有的特殊矛盾性为依据。出版学研究对象应界定在本学科研究领域中的核心问题，即出版物商品的供求矛盾。这里出版物商品的供求矛盾，不仅是指经济学意义上的供求矛盾，而且也指社会学、文化学、传播学层面上的供求矛盾。出版学是围绕出版物商品供求矛盾这一核心问题研究出版活动中的经济、人文、社会现象，并探求蕴含于这些现象中的出版活动规律的一门学科。

将出版学研究对象界定在本学科领域中的核心问题，具有多方面的合理性，它满足了以下要求：

(1)从科学产生与发展的角度看，科学理论来源于实践，出版学研究对象要体现出版学理论的实践基础。

(2)以科学史和文化史的眼光来看，出版学研究对象所体现的核心问题应决定着人类出版活动的产生、发展并贯穿其始终。而出版物供求矛盾正是推动出版业产生、发展的内在动力。

(3)出版学研究对象要适应不断更新的传播技术和传播环境。在网络传播环境下,传播速度大为提高,成本大为降低。以往突出的出版物生产与流通的矛盾会居于很次要的地位。但出版物商品供求矛盾依然存在,即使作者绕开出版者、直接面向读者,知识信息供应一方的作者与知识信息需求一方的读者的社会关系依然存在。

(4)出版学的研究对象反映了出版学的学科定位和发展走向。出版物供求矛盾,一方面反映了文化、信息的供应、传播与需求之间的关系,这意味着出版学可以借鉴传播学、文化学的理论和方法;另一方面,这一核心问题决定着出版活动还必然受经济规律的制约,这样,出版学还应借鉴经济学的原理和方法来研究出版活动中的经济现象与经济关系。

——吴赟. 关于深化出版学研究的几个问题. 图书情报知识, 2003 (4)

● 对出版学研究对象的认识, 首先由创建韩国出版学会的安春根先生提出, 他认为: 出版学应把出版作用与社会机能及影响作为主要研究对象, 即选题、制作、流通程序形成出版物并公开发表的活动。通过这三大程序, 出版现象分成出版行为和出版物两个部分, 这两个范畴形成出版研究对象的中心。后来, 闵炳德先生把这种理论更具体化之后指出: 出版学是研究著作物的选题、制作、流通的经营活动, 以及对社会、文化的影响及法规、政策、出版发展史的一门科学。这种观点现在仍然是韩国对出版研究认识的基础。

但是, 出版的主体并不仅仅是著者、编辑、出版者, 还有利用者(读者)和高新科技。

在未来的出版研究中, 应注意以下发展方向。

第一, 出版学研究需要扩大研究范围, 注意与其他各学术领域相结合进行研究。

第二, 在纸张、磁盘、网络等三大出版载体共存的情况下, 要清楚地认识到这三大载体的机能都是从出版遗传下来的概念。

第三, 根据出版物的信息内容和必须靠编辑技能控制的原理, 以编辑学来研究出版学是必要的。

第四, 信息传播内容比媒体、技术改革更重要。

第五, 新技术的发展促进出版的进化发展。

第六, 在高科技迅猛发展的环境中, 出版学研究重点应放在对阅读、感受、思考手段的创新与应用、变化方面。

现在出版研究面临着媒体环境的急剧变化, 研究核心不应放在出版命运问题上，而是放在以丰富多彩的图书为基础不断变化发展的出版现象方面。

——〔韩〕李钟国. 韩国出版学研究回顾与展望. 出版发行研究，2002 (5)

● 在日本有两个研究媒介和大众传播问题的学会，其一是日本传播学会，其二是日本出版学会。其中，日本传播学会原名为日本新闻学会。该会成立于 1951 年，前年迎来了创立五十周年纪念日。……事实上，专门研究出版问题的日本出版学会已于 1969 年设立，至 1999 年，该会创立了三十周年。就这样，日本存在两个研究媒介和大众传播问题的学会，且在日本传播学会的前身——新闻学会设立约二十年之后，又设立了日本出版学会，这一事实说明了日本出版研究的独特性。……要想了解日本出版学会是以怎样的形式构筑出版学的，还是刊登在《出版研究》第 1 号卷首上的第一任会长野间省一先生的文章——《〈出版研究〉发行之际》最具启发性。文章中写道：自不待说，出版学诞生时日尚浅，仍是一门处于形成阶段的年幼的学问，要谈及成果还需相当长的岁月。虽然如此，国内外的书志学、书籍学、印刷学等已经在相当长的时间里，不仅经历了作为学问的体验，而且关于新闻学等的传播媒介的研究，在战后，更得到了显著的发展。在充分吸取这些成果的同时，探求综合性的出版传播的科学，这正是我们的目标。

——〔日〕植田康夫. 日本的出版研究及出版教育. 中国编辑，2003 (3)

出版学的学科性质与学科体系

出版学的学科性质问题，与其研究对象和研究内容一样，是出版学研究中需要明确的重要的学科基点问题。探讨出版学的学科性质，旨在理清出版学与其他学科的关系，尤其是与相关学科的关系，从而更好地认识出版学在科学体系中的地位。而学科性质又与学科体系有着密切联系。《出版学基础》一书的作者认为：出版学是一门应用性的社会科学学科；出版学的相关学科主要有传播学、文化学、经济学、新闻学、图书馆学和文献信息管理学等学科；出版学的学科体系应包括探讨出版活动基本原理与一般规律的学科、研究出版活动构成要素的学科、研究出版物生产流通过程的学科、研究出版活动环境的学科、研究出版活动的组织技术与方法的学科等五类分支学科。

在出版学产生和发展的历史中,一批专家、学者从不同的视角对出版学的学科性质与学科体系问题提出了自己的观点。以下所摘录的即为其中较有代表性的观点,或能帮助我们清晰而全面地认识出版学的学科性质和学科体系问题。

● 出版学就是研究读者、出版物、出版业及其相互关系以揭示出版的规律和社会作用的综合性社会科学。

——林穗芳. 明确"出版"概念,加强出版学研究. 出版发行研究, 1990 (6)

● 出版学是一门属于社会科学的新兴学科。概要地说,它是研究"出版"这一社会活动发展规律的科学。

——边春光主编. 编辑实用百科全书. 北京:中国书籍出版社, 1994. 150

● 出版学是一门既属于社会科学范畴,又属于技术科学和应用科学范畴的学科,是社会科学、技术科学和应用科学相互渗透、相互交叉、整体结合而成的一门综合性学科。

——彭建炎. 出版学概论. 长春:吉林大学出版社, 1992. 82

● 编辑出版学是一门社会科学与自然科学相互渗透、相互结合的交叉学科。……根据现代科学、技术、经济和出版工业的特点,它的分支学科大致有:图书编辑学、出版学、非印刷出版物制作学、图书印刷工程学、图书销售学、报纸编辑学、出版管理学、国际合作学、出版人才学、校勘学、版本学、出版史。

——叶再生. 编辑出版学概论. 武汉:湖北人民出版社, 1988. 1~3

● 现代出版学是一门综合性很强的交叉学科, 因为现代出版活动既是一种物质活动,更是一种精神活动;既是一种经济活动,更是一种文化活动;既是一种科学活动,更是一种审美活动。

——张涵, 苗遂奇. 建立一门较为成熟的现代出版学. 中国出版, 2002 (12)

● 现在的问题是,我们究竟需要建立什么样的出版学。在这个问题上,我们既没有现成的"版本"可以沿用,也不能简单地搬弄外国的模式,只有在总结我们自己经验的基础上,不断探索,逐步完善。

马克思主义的出版学的理论体系,应该包括什么? 这方面,目前大家正在讨论、求索。从我国实际情况出发,似应包括:从理论到实践,从历史到现实,从出版方向到出版管理,从研究服务对象到研究服务手段,从基础理论到应用工艺,从研究整个出版事业在各个革命阶段的地位、作用,到一社一店一书的客观发展规律。其中若干部类还可以分门别类，根据自己的特点，作专门的研究。

——肖月生. 建立 "出版学" 随想. 出版工作, 1984 (10)

● 我以为出版学就是要研究、发掘和掌握出版规律的一门学问，属于理论建设范围。它和《出版史》、《出版概论》当然有密切关系。"史"是以时间先后为序，从纵的方面论述出版的发生、发展和趋向，从中吸取经验，对今天的发展有所借鉴。"论"是某一学科的横断面，就其内涵分门别类地提供有关分支的必要知识，勾画出各自的概貌。史、论交叉，便可有系统地看出这一门学科在时间上的推移，即历时性；同时也可以观察它在一个平面上运动的状况，也就是所谓共时性。不管是史或论，都不能够代替"学"的地位和作用。不妨说，"学"是更概括、更深入地揭示事物本质规律，要言不烦而带有纲领性、指导性的原理。它是史、论的高度概括和指导原则，而史、论又是构成"学"的必要条件。史、论正确与否，往往与"学"本身的科学体系有关，正如部门经济纵然包罗万象，但它不能取代政治经济学一样。

出版学是灵魂，是原理，它确定出版的方向、性质和任务，起着带有规律性和指导性的重大作用。但灵魂不能出窍，必须有所附着，它就附着在史和论两个方面。因而对出版学的探讨和研究应当是多方面的，不能过于局限，见木而不见林。

在具体做法上，不妨先写专论，然后再集合、发展成为专著。史、论、"学"三管齐下，同步进行。

——罗竹风. 对出版学的点滴看法. 见：中国出版工作者协会编. 中国出版年鉴 (1985). 北京：商务印书馆, 1985. 342

● 出版学是一个多层次的理论体系，有三个大的层次：基础理论和基本出版知识，包含出版学(或出版学概论)、出版管理学、发展出版学、中国出版史、外国出版史等；应用理论和部门出版知识，影视编辑学、印刷学、图书发行学、书籍装帧艺术、中外编辑史、印刷史、发行史及其他分支学科；应用出版业务和技术知识，包含书刊编辑业务、校对业务、图书版式设计、印刷技术、信息资料业务、出版社经营管理、印刷厂经营管理、书店经营管理等。

——宋原放. 关于出版学的对象和任务. 编辑学刊, 1986 (1)

● 出版学的学科结构，应是多门类、多层次的。从门类来说，应包括基础出版学或理论出版学、应用出版学、专门出版学或边缘出版学、历史出版学等。从层次来说,在以上几个门类出版学之下,还有第二层、第三层的分支学科。

   ……这里说的分支学科,主要是指各门类之下的分支学科。如编辑学,有书籍编辑学、杂志编辑学、音像读物编辑学等;……又如发行学,有图书进销学、图书储运学、发行心理学、宣传推广学、图书外贸学、发行管理学等。

   ——袁亮主编. 出版学概论. 沈阳: 辽宁教育出版社, 1997. 20

● 出版学是一门有特定研究对象的独立的学科,但与出版学相关的邻近的学科很多,如传播学、新闻学、图书学、图书馆学、版本学等。

   ——袁亮主编. 出版学概论. 沈阳: 辽宁教育出版社, 1997. 21

● 根据我国出版体系的发展历程,我们认为出版学的理论体系应该包括理论出版学、应用出版学、出版史学三大部分。

   理论出版学从宏观上探讨出版业及其发展的规律。……它是整个出版学理论体系的基础。

   应用出版学是对具体的出版工作环节及其规律的研究。

   出版史学对出版的历史进行总结归纳、研究出版业发展的历史规律。

   ——余敏主编. 出版学. 北京: 中国书籍出版社, 2002. 5~6

● 出版学的理论体系应该包括理论出版学、应用出版学、出版史学三大部分。

   理论出版学从理论上探讨出版业及其发展的规律。

   应用出版学是对出版工作及其规律的研究。

   出版史学对出版的历史进行总结、归纳,研究出版业发展的历史规律。

   ——张志强主编. 现代出版学. 苏州: 苏州大学出版社, 2003. 17~18

● 出版学作为一种新兴学科,还不具备系统的规范和完整的理论体系,其内部又可大致分为出版史学、编辑学、版权学、书评学等若干领域。

   ——李明. 论出版经济学. 见: 中国出版科学研究所编. 全国首届出版科学学术讨论会论文选集. 重庆: 重庆出版社, 1987. 106

● “出版学”经常被称之为“出版理论”,但作为它的分支领域却有“书籍论”、“杂志论”、“出版企划论”、“出版产业论”、“出版经营论”、“编辑论”、“著作权论”、“书店论”、“读者论”、“读书论”等等。

   ——〔日〕林伸郎. 日本的出版学研究——历史、现状及问题的焦点. 出版发行研究, 1991 (1)

● 在许多领域里,出版研究还是存在的,尤其是在书志学、出版文化史、书刊形态学、出版史等领域,还是进行了一些重要研究。

——〔日〕清水英夫著. 金山译. 出版学与出版学会——就日本的情况而言. 编辑之友,1994 (3)

● 出版学包括出版文化学、实用出版学和出版教育学三大块。出版文化学包括出版伦理学、出版政治学、出版经济学、出版社会学、出版的本质、出版史学、比较出版、出版传播学和出版人类学。实用出版学,如按出版物的形式划分,可分图书出版学、报刊出版学、电子出版学、广播编辑学和电视编辑学;如按出版过程划分,可分作者学、编辑学、出版工程学、复制学、发行学和读者学。

——张立. 关于出版学理论体系的构想. 编辑之友,1992 (3)

● 我国学术界对出版学与出版业一直缺少系统研究,近几年来这方面的研究才开始起步。对于研究者来说,对下面几个重要领域应予足够的重视:出版学理论研究,出版管理学研究,出版经济学、对外版权贸易与合作出版的研究,出版社会学与版权立法的研究,出版机构、出版家与出版史的研究。

从出版学各个研究领域来看,出版学与图书馆学、目录学、文献学、情报学有着密不可分的联系,同时,它也将成为这个大学科体系中的一个重要分支学科。

——王余光. 出版学与一个大学科体系的初步形成. 图书情报工作,1996 (3)

● 出版是由编辑、印刷和发行三个主要部分组成的,因而图书出版学也可以分解为三门独立的分支学科,即图书编辑学、图书印刷学和图书发行学。

——高斯,洪帆主编. 图书编辑学概论. 南京:江苏教育出版社,1989. 2

● 出版学的相关学科

1. 出版学的基础学科

(1)哲学。

(2)信息科学。

(3)经济学。

(4)传播学。

除上述学科外,情报学、文化学、社会学等也是出版学的基础理论学科。

2. 出版学的工具和方法学科

这些学科如:在出版复制过程中得到广泛运用的一般印刷学、声学、光学、电子技术、缩微技术,还有计算机科学、数学、统计学、会计学、管理学等。

3. 出版学的交叉学科

对出版学来说,它与图书馆学、文献学、情报学、目录学、档案学共同对图书文献进行研究;它要与教育学共同研究教材和教育效果;与新闻学共同研究报刊出版物和音像制作。出版学要应用心理学、历史学、法学、校勘学、艺术美学等成果和结论来研究读者心理、出版史、出版法规、校对、装帧等等,这些学科便成为出版学的交叉学科,随着学科之间交叉综合的加剧,出版学的交叉学科将会越来越多。

——彭建炎. 出版学概论. 长春:吉林大学出版社, 1992. 85~86

● 出版学分为广义出版学和狭义出版学。广义出版学主要分为三个部分:理论出版学、应用出版学和历史出版学;此外还包括与其他学科交叉产生的边缘学科,如出版管理学、出版经济学、出版心理学等。狭义出版学即理论出版学,它是"指对出版理论的研究探讨,包括出版事业的性质、地位、作用、发展规律及出版工作的原则、方法等基本知识"。

——王业康. 简明编辑出版词典. 北京:中国展望出版社, 1988. 12

● 出版学的研究范围较广,其分支学科有编辑学、印刷学、发行学。

——许力以. 出版和出版学. 见:中国大百科全书·新闻出版卷. 北京:中国大百科出版社, 1990. 8

● 出版学是研究出版工作及其发展规律的科学。出版工作,包括编辑出版、印刷、发行,以及出版物资供应、出版管理等各项工作。出版学就是在对这些工作进行综合研究的基础上建立起来的,这是一门综合学科,它包括编辑学、书刊印刷学、书刊发行学等分支学科。

——孙树松,林人主编. 中国现代编辑学辞典. 哈尔滨:黑龙江人民出版社, 1991. 2

● 有些学者根据出版学研究的主要内容,认为其学科体系包括出版概论、出版管理学、出版经济学、编辑学、读者学、作者学、书刊印刷学、图书发行学、书籍装帧艺术论和出版史等。在国外,一些国家也在从事出版学的研究。如日本于1969年建立了以研究出版学为宗旨的日本出版学会,有的学者构拟的出版学学科体系包括书志学(目录学)、书籍学、图书馆学、读书学和印刷学等;苏联则把出版理论研究纳入图书学范畴。

——边春光主编. 出版词典. 上海:上海辞书出版社, 1992. 3

● 建构出版科学学科体系的框架,目前应从三个层次研究入手:

第一层次,出版科学总体研究,研究出版系统的各种内部和外部联系,以及出版活动的最一般的矛盾运动特点和发展变化规律。首先,要廓清出版科学研究中存在的某些混乱现象,给出版科学以客观、准确和符合实际的定位。其次,要加强总体研究,为其他多层次、多方面、多角度的研究提供"坐标"和规范。

第二层次,出版科学的分类研究。横向方面主要包括出版社会学、出版文化学、出版传播学、出版管理学、出版经济学、出版效益学、出版伦理学、图书推介学等学科的研究。纵向方面是对出版过程中编、印、发诸环节的运作规律进行分别研究。

第三层次,出版科学深化研究,包括三个方面:①对出版工作各个具体领域和具体环节的运行规律进行直接的、具体的研究。②借鉴和运用其他学科知识,特别是当代众多新兴学科的有关思想和方法对出版科学进行跨学科交叉性研究,以拓展研究视野,创设富于时代感的研究新领域。如出版管理系统论、出版控制论、编辑出版信息论、出版人才学、编辑心理学、编辑美学、编辑伦理学、印制工艺美学、装帧设计方法论、发行心理学、图书市场学等。③出版史学研究。

——张海潮. 出版科学体系研究构想. 中国出版, 1998 (3). 见:中国出版年鉴 (1999). 北京:中国出版年鉴社, 1999. 347

● 根据出版学的研究对象,应建立能够整合现代出版活动的整体属性、功能和规律的出版概念,这是对出版学学科的基础研究。

根据现代出版的文化属性,应建立出版文化学、出版文化史学、出版编辑学、出版物评论学等门类学科。

根据现代出版的产业属性,应对现代出版的产业规律进行重点研究,特别是要关注现代出版产业的一般理论和专业理论。应加强对出版产业经济、出版管理、出版市场、出版品牌、出版营销、出版法规、出版教育等的综合研究,并在此基础上建立分门别类的出版产业专业理论研究。

根据现代出版的工程属性,应对出版流程中的编、印、发系统进行整体研究和分别研究,建构相应的出版技术编辑理论、出版印刷工艺理论、出版发行系统理论、出版工程评价理论以及对上述内容进行整合升华的出版策划学和出版工程美学。

根据现代出版的科技属性,应对现代高新技术与现代出版的关系进行深入研究,应对电子出版、网络出版与数字出版等进行全面研究,从原理上揭示新媒体出版给现代人的学习方式、生活方式和思维方式带来的深刻变革。

——张涵,苗遂奇. 建立一门较为成熟的现代出版学. 中国出版, 2002 (12)

● 编辑学就是研究和揭示编辑工作中的规律,阐明编辑工作在整个人类文化活动中的地位和作用的学问。编辑学既是出版学的一个分支,又是一门独立的综合学科。它的研究对象是作为社会主义文化现象的整个编辑活动。

——孙树松,林人主编. 中国现代编辑学辞典. 哈尔滨:黑龙江人民出版社, 1991. 20

● 如何理解以编辑工作为中心,也直接关系到编辑学和出版学的关系。在我国出版界,比较普遍的看法是:认为编辑学是出版学的一个分支,或者说是一个重要的分支,也就是认为编辑学是出版学的一个组成部分。但是,近年来也有同志认为既然编辑工作是出版工作的中心,为什么不能设想以编辑学为主题、为中心,而把出版学作为编辑学的一个分支、一个组成部分。他们认为这样有利于突出图书作为精神产品的应有地位,有利于揭示社会效果是精神生产的最高准则这个思想的客观真理性。

——邵益文. 编辑学研究在中国. 武汉:湖北教育出版社, 1992. 109~110

● 编辑学应是广义出版学的组成部分,而后者则并列于文学、历史学等学科,参与组成社会科学的学科体系。

参与组成广义出版学的 "出版物物化学"、"出版物传播学"、"出版管理学"等学科,其所要研究的社会活动,应是与编辑活动同时产生的。

——蔡克难. 试论编辑学研究的基本问题. 见:孙五川主编. 市场经济与编辑出版. 天津:天津教育出版社, 1994. 399

● 在出版业的范围内,密切联系出版实践来展开编辑学研究,把编辑学作为出版科学的一个组成部分,自然成为多数研究者的共识,即使后来有同志提出"把编辑学研究的范围从书报刊扩大到影视声像领域",也还是要求研究范围的扩大,而不是对学科性质的改变。

——王华良. "人类编辑学" 评析. 编辑之友, 1995 (6)

● 编辑学不是出版学的分支,出版学也不是编辑学的分支,两者不相隶属,都是独立的学科。但编辑学可以和出版、新闻、影视"结亲"产生出图书编辑学、杂志编辑学、报纸编辑学和影视编辑学等等。它们既是有关学科的组成部分,又是编辑学的分支学科。

——邵益文. 论编辑学与出版学、传播学的关系. 编辑之友, 1995 (4)

● 编辑学、出版学是既有性质区别，又有必然联系的两门相对独立的学科。

出版学主要研究书刊传播媒体的物化制作、批量生产、发行销售、经营管理等实业运作问题，编辑学则主要研究各种传播媒体的思想创意、整体结构、文化符号与模式构成等精神内容的保存与传播问题，二者在本质上有所不同。

——王振铎. 编辑、出版与编辑学、出版学. 编辑之友，1995 (6)

● 在 80 年代前期，编辑学被定位于是出版学的一个分支，可是到了 80 年代后期，有些学者在编辑学科研和教育成就斐然的背景下，提出编辑学是一门和出版学彼此独立的学科，不再承认编辑学是出版学的一个分支。

我们认为，编辑学是出版学的一个分支，这是出版学与编辑学关系的核心内容。

……如此断言的理由是：

(一)在具有世界声誉的百科全书中，"编辑"都是一个涵义较小的词，隶属于"图书(book)"或"出版(publishing)"之下，反映了人们对出版与编辑关系的基本看法。

(二)日常用语中的"出版"并非科学概念，科学的出版概念必然包括编辑、复制、发行这三项基本内容。不经编辑的出版是盗版，抽去编辑学的出版学是盗版学。

(三)出版和编辑都有广义和狭义之分，如果不用广义的编辑概念去对应狭义的出版概念，那么编辑就越不出出版的范围，编辑学就改变不了是出版学分支的地位。

(四)《出版词典》、《编辑实用百科全书》、《中国大百科全书·新闻出版卷》这三种专业权威工具书一致认为编辑学是出版学的一个分支。

(五)面向世界，面向未来，出版学的研究内容十分丰富，研究范围十分广泛。随着时间的推移，编辑学作为出版学分支的地位将会日益被人们所认清。

笔者认为，编辑学在出版学范围之内有相对的独立性。这种独立性表现在两个方面。

(一)编辑学有自己特殊的研究对象，自成体系，编辑学的发展是对出版学的充实，出版学不会取代编辑学。

(二)编辑史早于出版史，编辑学研究完全可以延伸到独立的出版行业形成之前,但对其定位一定要根据其"重心",而不能根据其枝蔓。

——王波,王锦贵. 论编辑学是出版学的分支. 编辑之友,1999 (4)

● 关于编辑学与出版学关系的几种观点

经过长期的争鸣,我国编辑学界对此有较成熟的认识,较有价值的主要有以下三种:

1. 编辑学与出版学是相对独立的学科

该派认为编辑学与出版学是既有性质区别,又有必要联系的两门相对独立的学科,编辑学绝不是出版学的分支学科。

显然,该学派是从编辑活动的历史与现状出发,站在建立普遍编辑学的高度,对编辑学本身的概念、理论和知识体系进行了深入的研究,归纳出编辑活动的共同特征,抽绎出学科的规律性。虽有些尚待完善的地方,这种观点仍得到了多数研究者的响应。该派代表人是王振铎和邵益文两位先生。

2. 编辑学从属于出版学

该学派认为,有出版才有编辑。……所有编辑都存在于并发展于传播业中。编辑学不是一门独立的学科。……该派代表人是刘光裕、王华良两位先生。

在该派论据中,编辑是指作为出版工作一部分或作为一种专业工作的编辑。编辑活动在出版活动之前就已存在,如孔子编定"六经",不能以现代的职业编辑概念去规定古代的编辑活动。把传播业等于出版业,显然不恰当,传播业包括出版业,若承认编辑活动存在于传播业中,编辑活动是传播业中专业工作,那么必须承认广播影视编辑也属编辑活动,若把这类编辑列入出版,有以狭义的编辑对广义的出版之嫌。

3. 把编辑学与出版学混杂:编辑出版学

编辑出版学似乎与口头上或日常表述中的编辑出版有一定渊源,大概指编辑学和出版学,但未从本源上区分两个学科,表述含糊,似视编辑学等同出版学,二者或交叉混杂,或实质内容混杂。

编辑出版学著作目前仅有《编辑出版学概论》一本,该书把编辑出版学视为出版过程的简单相加,学科分类标准也存在一定的偏差,因此不能为多数人接受。但该书出版于1988年,从当时的背景看,编辑学研究有了一定的进展,但未深入到梳理编辑学和出版学关系的地步,学界对二者关系认识模糊,编辑学教育也急需教材,因此,该书作者叶再生先生敢为人先,勇于探索的精神值得肯定。该书也为后来者提供了借鉴,对编辑学的理论建设有一定推进作用。我们无法也不应该求全责备。

编辑学是一门独立的应用学科,不从属于出版学,但与出版学和新闻学有一定的联系。

——张敬华. 也论编辑学与出版学. 编辑之友, 2000 (5)

● 出版学先提出而结果编辑学异军突起是一个很能体现中国国情的现象。这虽是以编辑为中心的中国传统出版观的反映,但更深层的原因却在于当代中国的出版体制以及出版研究发展的时代环境。中国出版业长期强调的是意识形态和宣传教育的性质,市场属性与产业特征被人为地忽视,于是无论是在出版中的地位、作用还是自身素质,编辑从业者都远远高于出版业的经营管理者。这使编辑研究较之出版研究有了先天的优势。20 年来改革开放,在不断反对错误思潮的斗争如"反对精神污染"、"反对资产阶级自由化"中又在强化对编辑人员的政治、业务上的要求,这更使得在相当长时间里,出版工作被看做几乎等于编辑工作,结果是从一门学科建立的角度看,编辑学走在了出版学之前。

——孙琇. 当代中国出版研究述评. 山西师范大学学报 (社会科学版), 2001 (4)

● 普通编辑学(或称广义编辑学)与出版学相互独立,但不相互排斥,两者有交叉。显然,编辑学中各种编辑活动规律只有一部分对出版有用;而出版学中的三部曲,即编、印、发,编只是其中一部分。所以两者的关系是并立的,但有一部分是交叉的。因此,所谓编辑学是出版学的分支或出版学是编辑学的研究对象,都是不确切的,理由有以下四点:

(一)编辑与出版概念外延上的时效性

有些概念是带有时代或历史烙印的,但随着时代的变迁,概念在外延上会发生根本性的变化。

(二)编辑学和出版学有交集存在

有交集存在并不影响它们成为独立学科的前提。普通编辑学与出版学存在交集的现象是显见的,普通编辑学解决了人类认识活动中的各种编辑行为,并不一定都是为了出版。……同样,出版学中的印刷、发行部分肯定是编辑学中不需研究的部分。我们平时片面地认为编辑是出版中的编辑,而出版是编辑之后的必然产物,实际上是指书、刊、报中的编辑,是狭义的编辑,是普通编辑学与普通出版学的交集。

（三）编辑学与出版学粘连而后分裂的根由

出版学中需要编辑这一主要环节，没有编辑，出版就无法进行下去；而编辑也需要出版物作为它的具体表现形式。它们如同一对孪生姐妹，刚出生时，彼此的行为习惯都相仿，但随着后天生活上的各自独立，个性产生极大的差异。编辑与出版这对姐妹也一样，由于编辑学与出版学没有得到平衡发展，产生了后期发展迅速的编辑学。……编辑学与出版学之间存在的这种先后发展不平衡带来的矛盾，与其他学科的发展存在着相似的关系。由于近几年编辑学的发展规模远远超出出版学，因此，造成目前这种分也难、合也难的尴尬局面。

（四）相互独立又允许交叉才能使编辑与出版协同发展

恰恰是它们的相互交叉关系，才使编辑学在研究编辑时也研究了出版，出版学在研究出版时也研究了编辑，使其在知识体系上形成一个网络型结构，以培养出一批既懂编辑又懂出版的双料学者，以推进编辑与出版的协同发展。

——杜立民．编辑学学科体系的科属种问题．中国编辑，2003（2）

● 所谓比较出版学，是对跨国度的出版活动实践和理论进行比较，以发现其异同、特点及其形成原因，并由此揭示人类出版活动普遍规律的科学。

比较出版学以跨国度的出版活动为研究对象，具体研究内容可按不同的分类标准划分为多种类型。按比较对象的相互关系，可分为简单比较与复杂比较。简单比较是对两种不同环境中的同一类现象进行比较，比较对象间是一种简单对立关系，如中德图书流通渠道比较；复杂比较是对具有平面网状和立体网状结构的研究对象进行比较，如美英法德日五国书业比较。按比较对象的范围大小，可分为：地域研究，即将两个或两个以上地域的出版现象进行对比分析，如北美与西欧的出版情况比较；国家研究，即将两个或两个以上国家的出版现象进行比较，如日本和韩国出版情况比较；专题研究，即以某个专门的出版问题为对象，把跨国度的情况进行比较，如西欧诸国版权保护情况比较。按比较对象的层次关系，可分为同层级比较，即对同一层次发展水平的两个或两个以上国家、地区的出版业进行比较，如英、法、德出版业比较；跨层级比较，即对处于不同层次发展水平的国家与地区的出版业进行比较，如中美出版业比较。按比较研究的深度，可分为：描述性研究，即在充分占有材料的基础上，对被比对象进行客观、详尽的描述,以区别异同,突出其特点的研究;解释性研究,即在描述研究的基础上,对彼此对象的异同、特点及其成因做出理论解释的研究。由此可见,比较出版学研究,有着十分丰富的内容。

　　——罗紫初,徐丽芳. 顺应世界潮流推进比较出版学的建立与发展. 出版科学, 2003 (4)

● 出版经济学研究的主要任务包括:

(一)研究出版物商品生产和流通过程,分析出版物商品和出版产业运行的矛盾特殊性,向人们揭示出版物商品运行的经济规律。

(二)由于出版物商品所具有的经济和文化双重特殊属性,出版经济学应从这双重特殊属性出发,考察出版物商品在生产和流通过程中以及进入人们消费过程中所产生的社会影响或社会效果,即人们常讲的出版物商品的社会效益。

(三)对出版物商品和出版产业的考察和观察,和对其他产业部门的考察和观察一样,可从微观和宏观两个方面进行。出版经济学考察一家出版单位的经济运行状况,考察出版物商品的微观生产和流通过程,可称为出版经济学的微观分析或微观出版经济学。如若从整个国家或地区(如省、市、自治区)来观察出版物商品和出版产业的经济运行状况,又称为出版经济学的宏观分析或宏观出版经济学。

　　——彭松建. 出版经济学研究的主要任务. 出版经济, 1999 (2)

● 图书出版商就是图书投资商。出版商一方面向作者、译者、美工人员、编辑、印刷商、造纸商及参与图书生产的其他人员如销售人员、广告宣传人员支付工资或费用;另一方面从书商和那些购买图书或购买图书内容使用权的人们那里获得收入。每个出版商总是希望收入大于支出,这就是"出版经济学"的全部含义所在。

　　——〔美〕D. C. 史密斯. 季风译. 出版经济论. 出版发行研究, 1990 (5)

● 出版经济学是一门边缘学科,既属于出版科学体系,又属于经济科学体系,在这两个方面的科学体系中,都占有重要地位。

　　——梁宝柱. 出版经济学导论. 北京: 中国书籍出版社, 1991. 12

● 出版经济学是一门边缘学科,它是出版学与经济学的结合。

　　——李明. 论出版经济学. 见: 中国出版科学研究所编. 全国首届出版科学学术讨论会论文选集. 重庆: 重庆出版社, 1986. 106

● 出版经济学是一门新兴的部门经济学,也是出版学的一个重要的分支学科,其理论是建立在出版学和经济学的基础之上的。

　　——彭建炎. 出版学概论. 长春: 吉林大学出版社, 1992. 171

● 电子出版学的研究对象主要包括下列内容：1.电子出版涉及的计算机技术、网络技术、多媒体技术和电子技术；2.电子出版活动中的选题策划、内容组织、制作方法、业务环节和质量控制；3.电子出版物的载体形态、流通方法、阅读和利用的特点及规律；4.电子出版与传统出版的区别与联系，电子出版对传统出版的作用与影响等。

电子出版学研究的是利用电子（数字）技术、多媒体技术、网络技术实现出版的过程和结果，所以电子出版学研究的主要内容包括以下几方面：1.电子出版基础理论研究；2.电子出版产品类别研究；3.电子出版物的生产技术研究；4.电子出版政策保障研究；5.电子出版流程管理研究；6.国内外电子出版比较研究。

——黄凯卿. 电子出版学科建设浅议. 出版科学, 2003 (3)

● 数字出版学所研究的是利用电子（数字）技术、多媒体技术、网络技术实现出版的过程和结果，是一门包含多种学科门类、实践性强的综合性学科。其内容包括数字出版的环境，数字出版物的制作，数字出版物的形态、内容、视觉效果，如何使用电子、网络及多媒体技术，数字出版活动的规律及对传统出版活动的影响，建设数字出版学的措施和方法等。数字出版学还是一门应用性学科。它研究数字出版行为、数字出版物的制作和销售方法与技术的学科，涉及电子、网络、多媒体等多种现代技术以及市场、物流、资金流、人力资源的管理，具有很强的应用性特点。数字出版学是文理结合的边缘性学科，涉及出版经济学、信息管理学、计算机及网络应用、编辑出版发行学、出版法律法规、营销学、物流学等相关的学科和知识。

——滕跃民. 试论我国出版界与高校组建产学研战略联盟的必要性和重要性. 出版与印刷, 2004 (1)

● 翻译出版学是研究以文字出现的翻译作品的传播的一门社会科学。它的任务是：阐明翻译出版体系的基本原理和历史演变；揭示翻译出版的运动和发展的普遍规律及其在不同状态下的特殊规律；研究和调整翻译出版全过程中各种环节的制约因素。

——孙树松，林人主编. 中国现代编辑学辞典. 哈尔滨：黑龙江人民出版社, 1991. 3

● 图书商品学是研究图书商品使用价值兼及价值的科学。

图书商品学是图书出版学和图书发行学的组成部分，是图书出版学和图书发行学的分支学科。

——王益，汪轶千主编. 图书商品学. 北京：人民出版社, 1999. 30, 34

● 图书发行学,就是研究图书商品流通规律的科学。

我们认为,图书发行学的研究对象是图书商品供求矛盾。

图书发行学的研究内容,从总体上来说,包括基础研究与应用研究两大部分:基础研究是以揭示发行学研究对象的运动规律为基本任务的研究……应用研究即探讨发行实践中各环节、各因素之间合理配合、科学运行的理想机制,并寻求理想机制得以实现的具体方式方法的研究。

——罗紫初. 图书发行学概论 (第二版). 武汉: 武汉大学出版社, 1992. 9~10, 14

● 图书发行学是出版学的一个分支,是研究图书商品流通领域里的矛盾运动及其发展规律的科学,是以图书发行领域的文化经济关系,文化经济矛盾统一规律作为研究对象的。

——林岳生. 图书发行学研究对象的研究. 见: 吴湜澄, 赵德成, 杨惠民编. 全国新华书店第二届发行科学研讨会论文集. 武汉: 湖北科学技术出版社, 1993. 42

● 发行学是研究出版物在流通领域的科学。发行学研究的范围是:出版物如何迅速地供应读者和满足读者的需要;出版物在流通领域中的储存保管、运输和销售;出售书目的整理和编辑;宣传、广告的形式和效应;社会各阶层读者对出版物的需求;社会各种图书馆、图书室、情报信息系统和其他集团对出版物的采购能力;出版物的海外贸易;发行系统的经营管理;发行系统的现代化建设和信息设备的放置;发行工作人员和干部的培养;发行工作的历史和世界发行工作的现状等。

——许力以. 图书传播和社会文明. 见: 许力以出版文集. 北京: 中国书籍出版社, 1993. 113

● 图书发行学的研究内容总的来说包括以下两方面,即基础理论研究和应用方法研究。图书发行学基础理论研究,是对图书发行学基本理论、基本方法的研究。……它的内容包括学科理论研究和图书发行规律的研究两个相对独立的部分。

应用方法研究,是指探索图书发行理论机制,并研究使这套理论机制或部分内容现实化的方法,它是联系图书发行理论与实践的纽带。……其主要内容是,第一,对图书发行生产力的研究。第二,对图书发行生产关系的研究。第三,图书发行经营方式。

——孟凡舟. 对图书发行学的研究目的、研究内容及研究方法的思考. 见: 图书发行学研究——湖北省第二届出版发行学学术讨论会论文选. 武汉: 湖北人民出版社, 1988. 5~9

● 读者学,作为出版学的一个分支学科,其主要目的在于了解和掌握读者心理和行为与出版发行工作的关系,为出版发行具体实践提供理论和方法，为市场营销提供依据和策略，以便根据读者的需求变化和心理特点，组织或指导图书的生产和销售。

——梁彦斌. 读者学. 哈尔滨：黑龙江教育出版社，1990. 16

● 在研究图书规律性的时候，不可避免地要研究和其他系统规律性的关系。因此，有必要注意和了解相关学科的研究课题。其中不可缺少的有：一、出版学以及它的重要分支编辑学、印刷学、出版管理学等科目。二、商品经济学和市场学。三、读者学、广告学等。读者学是"图书发行学"的研究从出版学大系统中逐渐分解以后出现的一门学科。……"图书发行学"要揭示图书商品的供求规律，就不能不对作为书店图书销售服务对象的读者进行研究分析。

——高斯主编. 图书发行学概论. 南京：江苏教育出版社，1991. 7~8

● 图书信息传播学的研究对象可以简略表述为：图书信息传播过程中，传播者的传播行为与接收者的接收行为之间的矛盾关系，是图书信息传播学的研究对象；而图书信息传播学是关于图书信息传播行为和关系产生、发展的一般规律的科学。

图书信息传播学是图书出版发行学不可分割的组成部分。此外，图书信息传播学还与新闻学、语义学、统计学和计算机科学有着密切的联系。

——胡汉军. 图书出版发行信息传播学的研究. 见：图书发行学研究——湖北省第二届出版发行学学术讨论会论文选. 武汉：湖北人民出版社，1988. 275，278

出版学的研究方法

关于出版学的研究方法，《出版学基础》一书是分为四类研究方法加以介绍的，即出版学研究的哲学方法、课题选择方法、论证材料的获取方法，以及课题的综合论证方法。在出版科研实践中，不少专家、学者都对出版学的研究方法进行了探讨。我们从中精选了一部分观点，以帮助我们更好地认识和掌握出版学的正确研究方法。

● 至于研究方法，可以探索问题也不少。我国著名科学家钱学森曾经说过：图书出版也是一项系统工程，应该用系统工程学来研究改进我们的出版工作。……如此说来，怎样引用系统工程学于出版研究，似也可以列入我们的研究课题。还有比较研究方法，将中外图书出版的历史和现状作比较研究,抉其异同,吸取于我有益的东西以资借鉴,也是颇有意义的事。

——倪子明."出版学"小议. 出版工作, 1984 (6)

● 我们必须运用"面向未来"的思维方式,发挥思维的敏感性,以时代精神,冲破传统观念和旧框框的束缚,广泛研究传统出版业的历史和现状,同时深入探讨新技术革命带来的新的出版业的产生、发展、作用、结果,找出其客观和内在的发展规律,及其两者之间的内在关系,以建立符合时代和我国国情的"现代出版学"、"现代编辑学"及其有关的"读者学"。

我们建立"出版学"、"编辑学"必须注意承前启后,继往开来。同时也要重视现在,展望未来。也就是说,我们既应组织人力去研究整理建立"目录学"、"版本学"、"校勘学"以及编写"出版史",以延续继承我国科学文化传统,惠及于后世,更要积极组织力量研究探讨现代出版的新发展、新规律、新问题,而且更要注意对未来的研究,以更利于指导和推动现代出版事业的发展。

——康秉礼. 要建立现代出版学. 出版工作, 1984 (12)

● 日本出版学会的成立,旨在倡导把出版设立为一个学问领域,集结出版研究者(或今后有志于出版研究的人)。但是,正如对其成立起到领导作用的清水英夫先生所言:"坦率地说,出版学的方法是今后的问题。"后来,方法问题被箕轮成男先生提出。他发表两篇文章,对于以主观价值判断为前提来论述出版现象的教条式立论,和指望出版研究直接有实用性的态度,予以严厉批判,阐明没有科学手法则出版学不成立。他说:"作为社会功能的部分表现形态,出版是部分社会。为解释社会现象,我们有社会学、经济学、政治学、历史学等。我们就是要用这些学问的方法,更详细地剖切作为部分社会的社会出版活动。"就是说,出版学是部分领域的学问,其方法是边缘学科性的。

——〔日〕吉田公彦. 关于出版学的建构问题. 河南大学学报 (社会科学版), 1994 (2)

● 哲学方法是科学研究的最高层次,具有最高的概括性和最普遍的适用范围,当然对出版学的研究同样是适用的。

出版学的一般研究方法,就是对出版学适用的其他科学研究的方法如观察方法、逻辑推理方法、比较方法等,这是出版学研究方法论的主要方面。

出版学的特殊研究方法是指在出版学中使用的特殊方法。……对出版学研究来说,目前尚未找到这种特殊的研究方法,也有人认为出版学没有自己的方法。

——彭建炎. 出版学概论. 长春：吉林大学出版社，1992. 78

● 出版学研究的方法，最基本的就是马克思主义哲学的方法论。

以马克思主义哲学为指导，出版学的研究可以采取下述一些重要的具体的方法：1.调查研究法，这是根据唯物辩证法原理提出的一种重要方法；2.古今中外法，又叫做历史主义的方法，这也是唯物辩证法的具体运用；3.分析综合法。

还有一些邻近学科的理论、原则和方法，也可以作为研究出版学的工具和方法。例如，文化学、社会学、心理学、传播学、系统论、控制论、信息论等等，它们的一些理论和方法，也可以应用于出版领域，为建立出版学服务。

——袁亮主编. 出版学概论. 沈阳：辽宁教育出版社，1997. 27~29

● 哲学方法通常是科学研究方法的最高层次，有高度的概括力和较强的适用性，它是出版学方法论的基础，出版学研究仍然需要哲学的指导。……其中的唯物论、辩证法、矛盾分析法、唯物史观、普遍联系的观点等都是指导出版学研究的重要方法，仍具有现实意义。

出版学的一般研究方法主要指出版学从其他学科中借用的对自己仍然适用的方法，这些方法有很强的适用性，往往对于许多学科都是行之有效的。如观察法、分析法、归纳法、比较法等，它们不仅适用于自然科学，而且也适用于包括出版学在内的社会科学。

——余敏主编. 出版学. 北京：中国书籍出版社，2002. 7~8

● 出版学研究也可以应用其他学术领域普遍应用的研究方法。比如应用历史学研究方法、社会科学研究方法、人文科学方法、艺术论方法、技术论方法等等。

围绕研究方法与对象问题，韩国理论界提出了各种不同意见，归纳起来大致认为：第一，出版学是一门独立的学术领域；第二，根据出版物的制作、流通等一系列现象，可以借助社会条件与环境、传播媒体学、大众传播媒体学的方法，更加充实出版学研究方法。

——〔韩〕李钟国. 韩国出版学研究回顾与展望. 出版发行研究，2002 (5)

● 1. 比较出版学研究应遵循的基本原则。

（1）可比性原则。这是指在比较研究中要使被比对象具有可比性。可比性包括两种情况：一种是指用来比较的现象必须是同类的，如被比对象的基本属性相同，或是某种重要属性达到相似的程度，比较就是可行的；另一种是在不同现象之间，通过特定研究主题的设置使其产生一定的联系，与这种联系相关的要素便形成了被比对象的可比性。

(2)客观性原则。这是指比较研究应实事求是，客观公正。贯彻客观性原则，首先，要保证材料的客观性。一是材料的来源、出处可靠；二是材料要具体、真实；三是材料要对称，要使反映被比对象的同类材料在时间、含义、计量单位等方面大体一致。其次，要保证对比分析过程的客观性。对现象的分析要实事求是，分析解释要力求全面、深入，不能把比较扭曲成对主观结论的注解。最后，还要保证结论的客观性。结论要建立在对实践事实进行辩证、科学分析的基础之上，既要防止狂妄自大、盲目自傲的"夜郎"式心态，也要反对"外国月亮也比中国圆"的崇洋媚外倾向。

(3)动态性原则。这是指比较研究要适应出版实践不断发展的要求。比较的目的是要揭示实践活动发展的规律，因此，比较研究要在静态研究的基础上体现动态研究的特点。首先，要用发展的眼光看问题，要以揭示被比对象的发展趋势作为比较研究的主要任务；其次，比较既要重现实状况描述，又要重事物发展过程的探讨，不能人为地割断被比对象的历史与现实的联系；此外，还要重视相关因素对被比对象的影响，要善于从这些因素的消长中把握被比对象状况的变化。

2. 比较出版学的研究方法。

(1)影响比较。这是以探求不同国家出版活动之间相互影响为主要内容的比较。即通过对影响类型、影响流传途径和影响接受方式的事实考证，以求得被比对象间同源性规律的比较。

(2)平行比较。这是综合运用出版学与其他学科理论，对被比对象的相似与相异之处进行对比或作"同中有异"与"异中有同"的辩证分析和解释，以探求被比对象间的同类性规律的比较。

由于影响比较与平行比较各有所长，并且其切入对比的角度不同，因此，比较出版学强调把两种方法有机结合起来。除此之外，在具体研究实践中，还要运用各种辅助方法，如观察法、调查法、统计法、描述法、历史分析法、因素分析法等，以使比较研究收到深刻、全面的效果。

3. 比较研究的一般程序。

一项完整的比较研究是将上述多种研究方法交织在一起共同发挥作用的过程。这个过程可分为前后相续的四个阶段，即描述、解释、并置、比较,这就是比较出版学研究的一般程序。

——罗紫初,徐丽芳. 顺应世界潮流推进比较出版学的建立与发展. 出版科学, 2003 (4)

● 当前出版学研究者的注意力多集中在出版理论和实务的层面上,对出版学研究方法的深入探析则不够。而研究方法正是制约出版学研究深化的一个重要环节。研究方法直接影响着出版学的研究方向和结论,完善研究方法是深化和规范出版学研究的必由之路。

出版学研究应加强不同层面方法的互补:描述性研究和解释性研究互补,思辨研究与实证研究互补,定性研究与定量研究互补。

出版学研究方法的改进方向:

首先,应采用多样化的研究方法,使出版学研究得以深化。要加大对比较研究、调查研究、系统研究、历史分析、思辨推理、定量研究等方法的重视和运用。

其次,要根据研究内容的不同,选择与之相适合的研究方法,要注意研究方法操作上的规范性,这样才能得出科学的结论。

再次,出版学要吸收新的技术方法,研究者要密切关注新兴的互联网研究方法。

最后,在研究方法的采用上,要更多地考虑出版业的实情,使研究更有现实针对性,要走产学研并举之路。

——吴赟. 关于深化出版学研究的几个问题. 图书情报知识, 2003 (4)

出版物的属性

对出版物属性的认识,我们主张既要认识出版物的商品性,又要认识出版物不同于一般商品的特性;出版物是具有商品属性的文化产品。下面引用了各位专家、学者对出版物属性的论述,读者阅读之后或许会对出版物的属性拥有更加清晰、全面的认识。

● 出版物有精神和物质两个生产过程,前一个过程生产产品的思想内容及其表现形式,后一个过程生产产品的物质内容及其表现形式,这是它不同于一般商品生产的特殊性。

出版物究竟具有哪些效用呢?

第一,出版物是传播知识的基本工具。

第二，出版物是宣传思想的有利武器。

第三，出版物是表现艺术的一种良好形式。

第四，出版物是百家争鸣的主要园地。

第五，出版物是交流信息的重要手段。

第六，出版物是积累文化的主要方法。

——巢峰. 出版物的特殊性. 见：中国出版工作者协会编. 1983 出版研究年会文集.
太原：山西人民出版社，1984. 414

● 书籍是人类智慧的结晶，是积累和传播思想、文化、科学知识的有力工具。它是精神劳动和物质劳动相结合的产品。……大量印行的书籍实际上是原稿的复制品。原稿＋编辑加工＋纸张＋印刷＋装订＝书籍。把书籍称为精神产品是为了突出它在精神文化领域的作用。精神产品是书籍的本质属性。

为销售而由出版社和印刷厂合作生产的书籍是商品；从出版社和印刷厂送到书店的批发部门和零售部门供读者选购，处于流通过程中的书籍是商品；书店将书籍卖给了机关、团体或个人，流通过程结束，书籍成了机关、团体或个人供自己阅读用的藏书，即不再是商品。

——王益. 论书籍的精神产品属性和商品属性. 出版与发行，1987 (6)

● 图书区别于其他商品的最特殊的本质，在于它是具有积累文化、传播知识、影响人们精神世界和指导人们生活实践功能的精神产品。……图书的使用价值，不在于满足人们物质生活的需要，而在于满足人们精神生活的需要。它的生产和流通，不同于一般的经济工作。它是文化教育工作，属于意识形态和上层建筑范畴，具有鲜明的阶级性和党性。

（一）品种多。

（二）品种差异大，可替代性小。

（三）了解内容难，判断其价值不易。

（四）预测需求难，决定印数、订数难。

（五）在批量生产前无试产试销过程。

（六）文明社会的生活必需品。

（七）小商品。

（八）实行定价销售制。

（九）耐用消费品。

（十）图书储藏条件要求不高，运输方便。

——王益. 论图书商品在生产和流通中的若干特点. 中国出版，1991 (6)

● 在出版理论研究中,有些习以为常的提法,很有重新思考的必要。例如"图书的商品属性"。这个提法的目的是在不抹杀图书是精神产品的前提下,说明图书是商品,有商品性。事实上,一切经过交换为人们所使用的产品,包括物质产品和精神产品,都是商品,没有必要冠之以"商品属性"。把经过交换的图书明确为商品,去掉"商品属性"的提法,并不影响图书是精神产品这个客观事实。

——肖月生. 出版研究中两个提法的再思考. 新闻出版报, 1994-01-28. 见: 中国出版年鉴 (1995). 北京: 中国出版年鉴社, 1995. 306

● 正如现代出版活动作为一种产业在国民经济中占有极其重要地位一样,出版活动中的成果——出版物在人的社会生活及人的生命活动中也具有不可替代的重要地位。这是因为:

(一)出版物的繁荣与否是社会发达程度的标志之一。

(二)出版物与人的生命活动有着特殊的关系。

出版物对社会生活及人的生命活动所起的巨大推动作用主要是通过出版物的诸多功能来实现的。其主要功能体现在如下几个方面:

1. 出版物是实施教育的基本手段。

2. 出版物是保存积累文化知识的最主要的工具。

3. 现代出版物是传播文化知识信息的能量源。

4. 文化交流的功能。

5. 创造经济效益的功能。

6. 娱乐、消遣的功能。

——于友先. 现代出版产业发展论. 苏州: 苏州大学出版社, 2003. 157~159

● 出版物的一般属性表现为两重性。这在两个层次上反映出来。出版物是知识信息的一种物质载体,是由精神内容和物质形态两部分组成的,它既是精神产品,又是物质产品。因此,它具有精神产品和物质产品的两重属性。同时,出版物的大多数或绝大多数要作为商品出售,它既是精神产品,又是商品,因此它具有精神产品和商品的两重属性。

——袁亮主编. 出版学概论. 沈阳: 辽宁教育出版社, 1997. 58

● 出版物与一般物质产品相比,具有自己独有的特性。

第一,出版物作为物质化的精神劳动成果,其思想内容和形式,是通过脑力劳动来完成的,这一生产过程是精神生产过程。

第二,与一般物质产品作用于人们的物质生活不同,出版物作用于人们的精神生活，因此，它对整个社会的影响和作用比一般物质产品更深远。

第三，出版物具有意识形态的属性。

出版物是商品化的精神产品。

我们所说的出版物，它的特殊性就在于它既是一种精神产品，又是一种商品，通过商品的流通，实现它的社会效益和经济效益。严格的表述，应是"以印刷品形式出现的商品化的精神产品"。

——笪林华，甘于黎. 出版物属性析谈. 见：孙五川主编. 市场经济与编辑出版. 天津：天津教育出版社，1994. 294

● 图书既是物质产品又是精神产品，它的特性主要表现在以下方面：

(1)使用价值的精神性。

(2)社会效用的潜在性。

(3)价值价格的背离性。

——新华书店 60 周年纪念活动组织委员会办公室编. 图书发行业务知识读本. 北京：开明出版社，1996. 23

● 从生产图书商品的劳动过程看，图书商品生产和交换与一般性商品相比，呈现两个特征：首先是生产图书商品的劳动过程的非模式化。图书商品生产是一种文化生产，是作者、编辑复杂的脑力劳动的凝结。这就意味着图书商品生产具有创造性、探索性和单一性，并不像物质商品生产那样简单重复。其次是生产者的可转移性。根据《中华人民共和国著作权法》规定，出版者一旦与著作权人就书稿出版达成共识，并签订出版合同，即依法取得专有出版权。但图书专有出版权受时间和地域的限制，我国著作权法规定为 10 年，到期可续订。也就是说，期满如不续约，专有出版权就可以位移。另一方面，同一图书可以不同的文字在同一地域出版，或在不同的地域以同一文字出版。这就出现另一种情况，即同一时期同一图书具有不同的生产者。

图书商品使用价值的特殊性主要有三：首先是非实物性，即图书商品不以自然属性来满足消费者的需要，而是以其载体中的科教文化知识、技艺、智慧等来满足社会需要。……其次是不灭性。一般性商品在使用中会随着其物质外壳的磨损而逐渐失去使用价值，而图书商品则不然，无论怎样使用或千百万次重复磨损，损耗仅仅是其物质外壳，而思想内容丝毫不会受损。……再次是单一性。商品的使用价值是由其自然属性决定的。随着科技的进步和人们认识的深化，商品新的使用价值会不断被发现……然而对图书商品来说，它满足人们文化生活消费需求的功用千百年来依然如故。

——刘进社. 图书商品特殊性琐谈. 见：孙五川主编. 市场经济与编辑出版. 天津：天津教育出版社，1994. 307~308

● 图书是出版物的主要形式。

图书是精神与物质相结合的产品，作为精神物化的载体，它具有以下两大特征：

(一)精神内容是图书的本质属性。

(二)以文字、符号或信息系统为表达方式，以纸张等物质材料为载体，经过编选制作、印刷装订，使精神内容得以物化，是图书的另一种特征。

——曹悟善，黎昌福主编. 图书发行实用教程. 成都：四川教育出版社，1996. 82~83

● 图书是一种精神产品，它的使用性在于物质载体所体现的内容。

图书商品的使用范围，是人们的精神生活领域，它满足人们的精神食欲。

图书商品的使用方式，是以情感人，以理服人。

——刘秉书. 试论图书商品的使用价值. 见：安徽省图书发行学会编. 安徽图书发行论文集. 合肥：安徽人民出版社，1992. 28~31

我国出版工作的性质、方针与功能

出版业所处的社会环境对其发展会起到一定的规制作用，同时出版业又以某些形式反作用于社会的政治、经济、文化等各个层面。无论是从理论层面上讲，还是从实践需要来看，科学地认识出版工作的性质与功能，都具有非常重要的意义。《出版学基础》一书的相关部分阐释了出版工作的文化属性与经济属性及其相互关系；阐述了我国出版工作应该贯彻的"两为"方针、"双百"方针、"两用"方针；分析了出版工作对政治、经济、文化的影响与作用。以下摘录的有关论述将帮助我们深入理解这一问题。

● 我国的出版事业，与资本主义国家的出版事业根本不同，是党领导的社会主义事业的一个组成部分，必须坚持为人民服务、为社会主义服务的根本方针，宣传马克思列宁主义、毛泽东思想，传播一切有益于经济和社会发展的科学技术和文化知识,丰富人民的精神文化生活。

1. 社会主义的出版工作,首先是宣传教育工作,具有鲜明的思想性和革命性。

2. 社会主义的出版工作,又是一次科学文化工作,具有很强的知识性和科学性。

3. 社会主义的出版工作,是为最广大的人民群众服务的,具有广泛的群众性和计划性。

4. 社会主义的出版工作,是出版工作者和著译者共同的工作,他们之间的关系是同志式的互助合作关系。

5. 社会主义的出版工作,首先要注意出版物影响精神世界和指导实践活动的社会效果,同时要注意出版物作为商品出售而产生的经济效果。

——中共中央、国务院关于加强出版工作的决定. 中国出版工作者协会. 中国出版年鉴(1983). 北京:商务印书馆,1983. 1

● 出版是一种特殊的行业。广义的出版包括出版、印刷、发行三部分。其中书刊印刷是工业,又不完全等同于一般工业;发行是商业,又不相同于一般商业。出版也是生产,是一种特殊的生产。它生产的是精神产品,又是物质产品。出版社内的生产如编辑、书籍装帧、技术设计、美术摄影以及图书资料工作等主要是脑力劳动。……由于这种特殊性,所以,不能把出版生产看做一般工业企业的生产,不能把编辑当做一般工业劳动者,也不能把图书、杂志当做一般工业品看待。

——王仿子. 谈谈出版改革的几个问题. 出版工作,1988 (3)

● 出版工作的一般特性表现为两重性。出版工作的两重性决定了出版物的两重性;出版物的两重性来源于出版工作的两重性。

出版工作具有文化性质和商业性质的两重属性。

——袁亮主编. 出版学概论. 沈阳:辽宁教育出版社,1997. 112~113

● 出版工作属于意识形态范围,其主导部分具有意识形态的性质。这是马克思主义的基本常识问题,也是各个不同性质的社会所公认的。出版物宣传、传播、交流、积累的内容,有一部分是哲学和社会科学,这是意识形态,具有阶级性的。还有一部分是自然科学,这是非意识形态,它的内容本身没有阶级性。但是出版和利用自然科学,也要受不同的社会制度和不同的阶级利益所制约,也和意识形态有密切联系。

出版工作是精神生产活动,同时又包含有物质生产内容。出版物是由精神生产活动和物质生产活动两者结合的产物，是精神内容和物质外壳的结合体。它的本质属性是精神产品，同时又具有物质产品的特点。

由于在客观上，出版工作和出版物具有两重属性，所以带来了认识和处理这个问题的复杂性。我们既不能只承认其精神产品属性，而不承认它的商品属性；也不能否认其精神产品属性，而只承认其商品属性。……出版物具有的这种两重性，给出版工作带来的影响全局的问题，就是社会效益和经济效益的矛盾。

——袁亮. 建设有中国特色的社会主义出版的思考. 出版发行研究，1992 (1)

● 新闻出版已经逐步具备了作为产业的本质特征。产业是一个重要的社会经济范畴。在社会主义市场经济条件下，相对于主要依靠国家和社会投入的非赢利性的公共事业而言，凡是能够提供社会所需要的商品或服务，并能够通过市场直接创造社会财富的社会分工系统，都应该属于产业的范畴。产业和事业的最大区别在于，除了最大限度地保证社会效益以外，产业还必须根据社会主义市场经济的规律，通过市场求生存谋发展，努力提高经济效益，在为国民经济发展作贡献的同时为创造社会效益提供强大的物质保障基础。

总而言之，新闻出版业之所以是一个产业，是因为它在国民经济中已占有相当的比重。……新闻出版是产业，但不等于产业化，如同教育是产业但不能简单地提产业化一样。出版产业化是一种误导。产业化就是只以赢利为标准，把出版产业化，势必危及党的出版方针的全面贯彻执行，和社会主义精神文明是相违背的，如果简单地把出版纳入产业化的轨道，就是忘记了出版的性质，把出版引入了歧途。

——王建辉. 关于出版工作和出版业的演讲. 湖北图书通讯，2000 (2)

● 出版活动的性质

首先，出版是一种文化活动，它的任务是传播和积累人类文化。

其次，由于绝大多数的出版物以商品形式出现，所以出版又是一种经济活动。出版社将作者创造的精神产品加工后转变为图书、录像带、软件等商品，投放到市场，在实现文化传播的同时，获取一定的经济利益。另一方面，出版社向这些精神产品的所有者支付报酬。

——张小萍，朱新美. 对出版社与作者关系的再认识. 见：孙五川主编. 市场经济与编辑出版. 天津：天津教育出版社，1994. 167

● 最早提出出版工作党性原则问题的是列宁。列宁在《党的组织和党的出版物》一文中明确指出："出版物应当成为党的出版物。与资产阶级的习气相反,与资产阶级企业主的即商人的报刊相反,与资产阶级写作上的名位主义和个人主义、'老爷式的无政府主义'和惟利是图相反,社会主义无产阶级应当提出党的出版物的原则,发展这个原则,并且尽可能以完备和完整的形式实现这个原则。""党的出版物的这个原则是什么呢?这不只是党,对于社会主义无产阶级,写作事业不能是个人或集团的赚钱工具,而且根本不能是与无产阶级总的事业无关的个人事业。……写作事业应当成为整个无产阶级事业的一部分,成为由整个工人阶级的整个觉悟的先锋队所开动的一部巨大的社会民主主义机器的'齿轮和螺丝钉'。"成为"有组织的、有计划的、统一的党的工作的一个组成部分"。他还说:"出版社和发行所……都应当成为党的机构,向党报告工作情况。"接受党的监督。

无论是马克思主义经典作家,还是老一辈无产阶级革命家和新一代党的领导人,他们在对于出版工作党性原则问题上的思想、要求都是一致的。概括起来可以有以下几条:

第一,党性是阶级性的集中体现。

第二,党的文化事业(包括出版事业)是整个革命事业的有机组成部分,是一支文化军队,是战胜敌人的重要力量,它在革命事业中发挥着宣传马克思主义,团结人民、教育人民的重要作用。

第三,党的出版事业,必须接受党的领导,接受党的监督,向党汇报工作,按照党的统一布置、统一计划去工作。

第四,党的出版事业,不能成为个人或某个集团用来赚钱的工具,不能把党的出版事业混同于资产阶级的出版商,党的出版事业应当把社会效益作为自己的最高准则。

——中央党校出版社研究组. 坚持出版工作的党性原则. 出版发行研究,1991 (6)

● 毛泽东的出版思想

出版在社会中的地位和作用:

一、包含出版在内的文化,是政治和经济的反映,又给予"伟大作用"于政治和经济。

二、出版物和出版工作是一个有利的武器,它对推动革命和建设事业有着"伟大的作用"。

三、搞好出版事业建设,是我国奋斗总目标总任务中的一个组成部分。

出版的社会属性和指导思想:

一、包括出版在内的文化的性质,首先取决于经济和政治的性质;由社会主义政治和经济决定的出版,就具有社会主义的性质。

二、出版属于上层建筑领域,它的主体部分是意识形态工作,具有阶级性和党性。

三、新民主主义的和社会主义的出版,只能以马克思主义为指导思想。

出版的方向和基本任务:

一、出版要为人民服务,为革命和建设事业服务,这是出版的根本方向。

二、出版的任务是,宣传马列主义,宣传党的路线和方针政策,传播科学文化知识。

——袁亮. 毛泽东 邓小平与中国出版. 北京:中国书籍出版社,1995. 4~11,12~14,17~19

● 作为毛泽东出版思想核心的"认真作好出版工作",我们应该怎样去认识它的理论根据呢?

首先,"认真作好出版工作"是社会主义物质文明建设,特别是社会主义精神文明建设的需要。

其次,"认真作好出版工作"是文化建设的需要。

再次,"认真作好出版工作"也是丰富人民文化生活的需要。因而,"为人民服务"也是"认真作好出版工作"的一个理论依据。

——徐柏容. 论"认真作好出版工作". 见:袁亮主编. 毛泽东 邓小平出版实践出版思想探论. 南京:江苏教育出版社,1995. 69~70

● 邓小平的出版思想

1. 出版工作是有阶级性的,一定要坚持和加强党对出版工作的领导。

2. 出版工作是一项重要的宣传教育工作,要坚定不移地为我们党的方针路线服务。

3. 出版工作要以社会效益为最高准则。

邓小平关于出版工作应以社会效益为最高准则的思想就是建立在对图书使用价值的特殊性的认识上的。

4. 出版工作应为社会主义经济建设服务。

出版工作为经济建设服务包括两个方面的内容,一是为经济建设提供良好的舆论环境和精神动力,主要是宣传改革开放的理论,宣传党的方针路线等。二是为经济建设提供智力支持。

——魏玉山. 邓小平的出版实践与理论初探. 见:袁亮主编. 毛泽东 邓小平出版实践出版思想探论. 南京:江苏教育出版社,1995. 307~311

● 出版工作的性质和指导思想

一、出版工作同其他文化工作一样,是思想战线一个重要组成部分,是社会主义的意识形态工作。

二、出版工作同其他文化工作一样,要坚持以马列主义、毛泽东思想为指导。

——袁亮主编. 毛泽东 邓小平与中国出版. 北京:中国书籍出版社,1995. 119

● 出版工作与"百花齐放、百家争鸣"的方针

一、"双百"方针是一个基本的、长期的、具有广泛意义的方针。

二、从学术、艺术领域到出版领域,都要坚持"双百"方针。

三、正确地对待非马克思主义和反马克思主义的思想,是坚持"双百"方针的一个重要问题。

四、实行"双百"方针,要坚持马克思主义的指导地位和宪法的基本原则。

出版工作与"古为今用、洋为中用"的方针

一、"古为今用、洋为中用"的方针,是运用文化发展的客观规律,促进社会主义文化建设的方针。

二、"古为今用",就是要用马克思主义的辩证方法,批判地继承我国的文化遗产,来为今天的现实服务,既要反对"否定历史",又要反对"颂古非今"。

三、"洋为中用",就是要用马克思主义的辩证方法,批判地吸收外国的文化成果,来为发展和丰富中国文化服务,既要反对"排外主义",又要反对"全盘西化"。

四、认真执行"古为今用、洋为中用"的方针,重视古典著作的整理出版和外国著作的翻译出版。

——袁亮主编. 毛泽东 邓小平与中国出版. 北京:中国书籍出版社,1995. 33~39,41~46

● 当前我国出版工作的主要方针和原则

本书着重对几条最基本的方针和原则加以论述。即阶级性和党性原

则;为人民服务、为社会主义服务;重在建设,弘扬主旋律,提倡多样化;百花齐放、百家争鸣,古为今用、洋为中用;坚持社会效益第一,经济效益与社会效益相统一;坚持走改革开放之路,等等。

——袁亮主编. 出版学概论. 沈阳:辽宁教育出版社,1997. 203

● 出版工作必须贯彻执行以下方针原则。

1. 坚持"为人民服务、为社会主义服务"的方向。

2. 实行百花齐放、百家争鸣,古为今用、洋为中用的方针。

3. 将社会效益放在首位,实现社会效益与经济效益相结合。

4. 坚持质量第一的原则。

——全国出版专业职业资格考试办公室编. 出版专业理论与实务·初级. 武汉:崇文书局, 2004. 31~36

● 一个出版单位是不是真正在行动上而不是在口头上坚持了"二为"方针,应该以什么为衡量依据呢?首先要看它出了一些什么书及其价值和影响。书是出版社影响并作用于社会的媒介,对社会和人们的思想、道德、行为起着重要的导向作用。坚持"二为"方针在出版社里可具体化为多出好书。这是出版工作的永恒主题,也是出版工作者最重要的历史使命。

多出好书与坚持方针是互为作用的。只有坚持了方针才能多出好书,只有多出好书,才算坚持了方针。

要永远坚持出好书而不出坏书,必须坚持出版工作的党性原则,认真贯彻执行国家有关出版管理规定,正确处理社会效益与经济效益的关系,明确评价出版物质量或水平的判断性标准。即(1)出版物本身所达到的学术、艺术、科学水平;(2)出版物对文化教育、智力开发可能产生的社会效果;(3)出版物对人们的政治、思想、道德品质和社会风气可能产生的作用和影响;(4)出版物对社会文化积累所具有的意义。总之,判断一种出版物所具有的出版价值,必须以对社会发展和在社会主义精神文明建设与物质文明建设中所起的作用为衡量标准。

——许仲. 对出版工作几个关系问题的思考. 出版发行研究,1991 (2)

● 任何时候出书都要坚持社会效益为最高准则,不管出现什么困难,都不能转向。这是出版工作的性质决定的。在出版工作中,有一个正确处理社会效益和经济效益的关系问题,我们只能在坚持社会效益的前提下,实行严格的经济核算,加强经营管理,精打细算,积累适当的资金,用以发展出版事业,使出版工作逐步适应两个文明建设的需要。

任何时候都不能放弃出版工作对社会负责的高度责任感。出版工作是现实社会生活的综合反映,出版工作中的问题会在社会的各个方面反映出来。因此每一个出版工作者胸中都要有全局观念。什么是全局？四化建设是全局,精神文明建设是全局,安定团结是全局。出版工作必须从这个全局出发。

在贯彻党的出版方针时,必须正确处理好三个关系:

(一)出版物的经济效益和社会效益。

(二)创作自由和编辑责任。

(三)允许和提倡。

——边春光. 总结经验端正思想繁荣社会主义出版事业. 见: 中国出版工作者协会. 中国出版年鉴 (1986). 北京: 商务印书馆, 1986. 2

● 出版物必须以社会效益为最高准则,这是因为,出版物的内在属性是精神产品,在社会精神领域发挥其传播功能,具有重大的社会、政治作用。也就是说,出版物的最重要功能,就是其社会、政治的功能。

——笪林华, 甘于黎. 出版物属性析谈. 见: 孙五川主编. 市场经济与编辑出版. 天津: 天津教育出版社, 1994. 302

● 社会效益,简言之,是指图书出版发行后,对社会所产生的有益的作用。经济效益,是指图书发行后,给相关的出版者带来的利润,实际是经济收益。

如果就图书对社会所产生的作用而言,所谓经济效益,实质上只是社会效益内涵的一部分。因为,图书是通过其自身所负载的自然科学和人文科学的内容,来给人们传授知识,提高人的素质,推动社会生产发展;创造出经济效益。……所以说社会效益本身就包括了经济效益,二者之间,是总体与部分的关系。

——卢福威. 社会效益是评介图书的惟一标准. 见: 孙五川主编. 市场经济与编辑出版. 天津: 天津教育出版社, 1994. 234

● 图书的社会效益,即图书出版发行后对社会的思想、心理、感情和科学文化知识、生产技能及精神生活产生的正面有益的效益。联系到出版工作的任务,主要的可分为以下几点:

1. 通过宣传马列主义和党的方针政策,出版物要对提高人民的政治、文化、道德水平产生积极的影响,达到良好的效果。

2. 通过出版有学术价值、研究价值、历史价值的各种著作,对促进社会发展、科学进步和文化积累起积极作用;特别是在新时期为经济建设发挥"能源"效益作用。

3. 为丰富人民文化生活,满足人民群众工作和生活需要而产生的效益。

——喻建章. 谈谈如何建立双效益机制及其结合点. 见:孙五川主编.市场经济与编辑出版. 天津:天津教育出版社, 1994. 181

● 对于经济效益的理解,并不是如业内人士狭隘地理解的只是一种经济数字,要特别注意三点:1.经济效益的内涵是管理。经济效益既是指向社会提供具有使用价值的图书商品和有效服务,更是投入与产出的比例关系,要以最小的劳动消耗,获取最大经济报酬。2.经济效益更是宏观效益。就出版业规划而言,讲经济效益并不是绝对要求每一件产品的微观经济效益,而是追求一种相对的宏观效益,是一种丰歉互补的经济效益。3.出版业经济效益是两种生产的产物。……出版业同时是两种生产,既是精神生产,也是物质生产,它要按照两种生产的规律来运作,在新的世纪,按照经济规律这一条,不是弱了,而是更明显了。把握了这样三点,才能真正把握两个效益的辩证统一。

——王建辉. 出版业:面向新世纪的八大关系. 中国图书商报, 1998. 4. 17

● 什么是衡量出版物社会效益的客观标准呢?"代表先进生产力的发展要求"当然是最关键的客观要求。

经济效益有内在与外在之分,内在的即本出版社的赢利指数,即硬指标;外在的即给社会所带来的经济效益。如果说经济效益实际上也是一种社会效益的话,那么外在的经济效益就更明显地具有社会效益的性质。

社会效益与经济效益的关系从总体上讲,应该是一致的。但从局部来说,也不能不承认具有矛盾的现象,对此必须具体问题具体分析、具体处理。

——李金龙. 换一个角度看"双效". 编辑学刊, 2004 (2)

● 出版的社会功能

一、获得知识信息,参与社会生活的工具

二、社会化、一体化

三、教育功能

四、社会进步与变革的动力

五、娱乐功能

出版的文化功能

1. 出版是文化生产的组成部分。

2. 出版是文化积累的重要途径。

3. 出版是文化交流和传播的主要手段。

4. 出版是文化发展的标志。

——彭建炎. 出版学概论. 长春：吉林大学出版社，1992. 55~60, 62~66

● 出版物的功能可归纳为以下六项。

一、宣传思想的功能

二、教育群众的功能

三、传播知识的功能

四、交流信息的功能

五、表现艺术的功能

六、积累文化的功能

在出版物的生产和流通过程中，一般来说，出版工作具有编辑、复制、传播的功能，具体地说，具有导向、规划、优化、物化、传播、组织等项功能。

在人类社会的历史发展中，出版工作具有编辑、复制、传播出版物以影响社会政治、经济、文化的功能。

——袁亮. 出版学概论. 沈阳：辽宁教育出版社，1997. 79~87, 138, 145

● 在社会主义事业中，在人民的精神生活中，在人类历史特别是党的历史中，出版工作处于非有不可的十分重要的地位。可以说，出版是整个社会主义事业离不开的一项重要事业，是为人民提供精神食粮的一个重要基地，是思想战线能发挥很大作用的一支劲旅，是党组织一个有力的宣传工具。

既然出版工作的地位是如此，那我们应从中得出什么结论呢？第一，希望有关领导部门给出版以更多的指导和帮助；第二，出版部门本身要从这种地位看到自己的重要责任，要给广大读者提供质量好的丰富多彩的图书和刊物，而不能提供质量低劣甚至有害的出版物。

——袁亮. 漫话出版的地位. 出版工作，1981 (12)

● 出版工作的地位和作用：

一、经济与文化、物质文明与精神文明存在互相依存、互相促进的辩证关系，我们"不能顾此失彼"；精神文明搞不好，物质文明也要"受破坏"。

二、书报刊的出版发行工作，对宣传党的方针政策，发展科学教育文化事业，形成全社会"共同行动准则"，有着"更有效、更广泛"的作用。

——袁亮主编. 毛泽东　邓小平与中国出版. 北京：中国书籍出版社，1995. 116~117

51

● 简单地说,出版工作的社会功能,就是出版工作对社会各方面所产生的有利的、积极的作用和影响。出版工作的社会功能主要有文化功能和政治功能两大类。出版工作的文化功能,就是积累和传播科学文化知识,为文化建设服务。出版工作的政治功能,就是宣传统治阶级的政治主张,为统治阶级利益服务。出版工作的政治功能是阶级社会的特有产物。至于还可有出版工作的教育功能、心理功能、交流功能、信息功能等等,都是从出版工作的"文化功能"中延伸、派生出来的。出版工作的最终目的或最后结果,是生产出出版物。出版工作的社会功能就是通过它所生产出来的信息载体即出版物来实现的。从本质上讲,出版工作的社会功能也就是出版物的社会功能。而出版物(各种形式的信息载体)的社会功能,就是积累和传播人类历史上的各种科学文化知识。这可以从出版物产生和发展的历史中清楚地认识到。一句话,出版物的文化功能是其本质功能。

——孟祥林. 也谈出版工作的社会功能. 出版发行研究, 1990 (3)

● 出版工作具有双重功能,一种是自身的生产功能,即作为一种精神生产和物质生产的复制和传播出版物的功能。……另一种是社会功能……概括为这样四个方面:1.出版是人类发布信息、传播知识、积累文化、延续文明的最主要形式。2.在思想文化史上,人类思想的每一次重大进步都是由出版推动的。3.从宗教的角度看,世界的宗教人口大于非宗教人口,世界三大宗教的传播就得助于《圣经》这样的宗教典籍的印刷出版,从而达到影响人的心灵的目的。4.社会物质生活以至整个人类历史进程中,出版都起到了不可替代的作用。……这是从历史的眼光而言。从现实的角度看,出版的社会功能表现为对于社会政治(如舆论导向)、经济(如知识资源)、文化(如文化积累)和社会生活(如人际沟通)的影响。总起来说,出版工作具有通过编辑复制传播出版物影响一个社会政治的进步、经济的发达和文化的上扬这样一种重要功能。

——王建辉. 关于出版工作和出版业的演讲. 湖北图书通讯, 2000 (2)

● 出版是一种文化建设和文化传播,对一个民族、一个国家乃至全人类的文明进程起着至关重要的作用。无论是传承民族文化、普及科学知识、弘扬文学艺术创作、昌明社会科学,还是吸纳外国文明成果,都是为社会大众提供健康的精神食粮,属于社会主义精神文明建设的范畴。出版物走向社会,就会被读者阅读、接受、吸收,从而内化为一种精神能量,充实、愉悦接受者的心灵。因此,出版物走向社会不仅是一个流通过程、消费过程,更是一个接受过程、教育过程。它还是个体文化得以发展的机制，个体因此而社会化。

……可以说，出版物具有天然的教化功能，教育特征是其与生俱来、不可磨灭的本质属性，虽然因出版观念、时代风貌乃至文化氛围不同，其教育特征的表现程度与层次可能会有较大差别。

——赵小兵. 出版的教育功能新论. 编辑之友，2002 (5)

● 20世纪80年代以来，迅速发展的新增长理论从一个方面对出版的产业性质和经济功能给予了很好的解释。新增长理论的基本观点是，经济增长是由内生变量决定的，而不像以前的经济学家那样，把经济增长中很多重要的因素如技术、知识等作为外生变量。新增长理论认为，内生技术进步、知识积累、人力资本溢出等是实现经济持续增长的决定性因素。运用新增长理论可以很好地说明出版产业在经济增长中的作用。

——周蔚华. 现代出版的产业定位和经济功能. 中国人民大学学报，2003 (5)

我国出版业的宏观调控与管理

出版业作为知识生产和知识传播的文化产业，随着社会经济发展和文明进步而不断壮大和发展。出版产业要实现持续、健康发展，出版业与社会其他部门之间、出版产业内部之间的协作与协调是必不可少的，因此，出版业管理也就理所当然地成为推动出版业发展的首要动力。出版业的宏观调控与管理是出版业管理的一个重要层次，《出版学基础》一书对出版业宏观管理的内涵、必要性进行了阐述，并分析了我国出版业宏观调控与管理的目标、内容、体制与手段。出版业宏观调控与管理也是出版学研究的重要内容，了解这一领域的各种观点，能对我们学习、研究这一问题起到促进作用。

● 所谓的出版管理，是政府机构、行业组织或出版企业为实现一定的目标而对出版的全过程(包括编辑、出版、印刷、发行、外贸、物资供应、教育、科研等)的一切活动及与出版业相关的部门(如税务、运输、邮政等)进行计划、组织、指挥、协调、控制和监督等的总称。

出版管理有宏观管理和微观管理两类，一般来说，国家、政府、行业组织的管理为宏观管理，出版企业内部的管理为微观管理。

对出版活动的管理有两个方面:一是对精神生产活动的管理,主要对出版物的内容进行监督和引导,管理的主要原则是精神生产规律,如精神生产由物质生产所决定所制约的规律,精神生产由社会生产所决定所制约的规律,精神生产双重性的规律,精神生产加速增长的规律等;二是对物质生产活动的管理,它包括制定产业发展政策,调整产业结构和布局,提高产品的编校质量、印装质量,提高出版企业的经济效益,对物质生产的管理主要的原则是符合经济规律,如价值规律、生产关系一定要适应生产力性质的规律等。

出版管理手段是出版管理机构为行使出版管理职能和实现出版管理目标而采取的方法、途径的总称。出版管理的手段有许多,如行政的手段、法律的手段、经济的手段、政治的手段、思想教育的手段、舆论的手段等等,这些手段既可单独使用,又可同时综合运用。

——袁亮. 出版学概论. 沈阳:辽宁教育出版社, 1997. 265~266, 270, 276

● 所谓出版业宏观调控机制,是指构成出版业宏观调控活动的各种要素之间互为因果、相互制约的联系与作用方式。它是整个出版业运行机制的核心组成部分。中外出版业发展中的许多差异,就是因宏观调控机制不同而形成的。

宏观调控机制包含内容很多,其中核心部分是调控体制与调控手段。

一、中外出版业宏观调控体制比较

比较中外出版业的宏观调控体制,我们可以得到以下三点认识。

(一)行业组织在中外出版业宏观调控中所处的不同地位。

各国对出版业的宏观调控,大体分为四种类型:一是由政府设立专门机构来负责全国出版业的宏观管理;二是政府不设专门机构,全国出版的宏观调控任务由出版业的各种行业组织担负;三是由执政党的有关机构和政府专门机构共同对出版业实施宏观调控;四是政府专门机构与出版业行业协会共同担负宏观调控任务。世界上出版业发达国家,大多采用第二、四种宏观调控模式。

第二、第四种宏观调控模式的共同特点,是出版业的行业组织在全国出版业的宏观调控中处于主导地位。

与此相比,我国书业界的各种行业组织在我国出版业宏观调控中则处于附属地位。

(二)政府专职管理机构在出版业宏观调控中所履行的不同职能。

尽管一些国家如法国、加拿大、日本、瑞典、印度等国政府也像我国一样设立了专门机构管理全国的出版业，然而国外此类政府专门机构对出版业的宏观调控职能却与我国此类机构的职能有着很大的差别。

国外政府专职机构对图书出版业的宏观调控职能，主要表现在以下四个方面：

(1)制定或协助其他政府机构制定发展出版业的有关法律，并监督书业界执行，以执法为手段来调控市场；

(2)掌握一部分政府资金，对出版业的发展进行财政上的扶持；

(3)通过倡导读书、扶持作者等社会功能的发挥来协助书业界开拓市场，改善经营环境；

(4)组织书业界的国际交流与促进图书进出口贸易的发展。

从这些职能可以看出，国外专职政府机构对书业的宏观调控是一种间接的粗放型调控。

我国政府专职机构对书业的宏观调控，则以直接管理国有出版发行企业为主要特征。

(三)企业自我约束在中外出版业宏观调控中的不同意义。

在国外，出版发行企业的自我约束对书业运行秩序的建立有着非常重要的意义。……在利益机制的驱力、竞争机制的活力以及风险机制的压力三者共同作用下，在市场规律的指挥下，出版企业自我调节、自我约束，以及通过行业组织互相监督、相互约束，构成了国外书业宏观调控体系的重要环节。

我国的出版发行企业在宏观调控中则处于较为被动的地位。加之目前我国出版法制尚不健全，企业的自我约束缺乏依据。

二、中外出版业宏观调控手段比较

中外出版业宏观调控，通常都运用以下三种手段：一是行政手段，这是利用行政上的隶属关系，通过行政指令来调控出版业运行的手段；二是法律手段，这是通过各种法律、制度来规范出版行为，调控书业运行的手段；三是经济手段，这是通过价格、利润、税收等经济因素来调控书业运行的手段。这是中外出版业在宏观调控手段上的相同之处。不同的地方主要表现为各种调控手段在中外出版业中运用范围、调控力度以及所发挥的作用有所区别。

(一)行政手段在中外出版业宏观调控中的不同地位。

虽然行政手段在国外出版业的宏观调控中偶然也被采用……但总的说来,在国外书业的宏观调控中,行政手段仍处于一种从属地位。

与国外的情况恰恰相反,在我国书业的宏观调控中,占主导地位的是行政手段,而法律手段与经济手段则处于从属地位。

(二)法律手段在中外出版业宏观调控中的不同使用范围。

在发达国家的书业宏观调控中,法律手段的运用范围几乎囊括了书业经营的各个方面。其中主要的调控范围包括以下几个方面。

1. 对书业经营者资格与应具备条件的规定;

2. 对经营品种的控制;

3. 对市场竞争的规范;

4. 对购销业务的调节。

与国外法律手段的调控范围相比,我国书业调控中运用法律的范围还十分有限。目前法律手段的运用还仅仅限于图书市场管理,其调控对象也主要是集、个体书业经营者。

(三)经济手段在中外书业宏观调控中的不同力度。

经济手段在国外书业宏观调控中不仅运用十分普遍,而且其调控力度也达到了足以对出版业的发展形成强有力导向的地步。

1. 税收调控:

就整体而言,世界上许多国家都能从出版业的文化性考虑,用零税率或低税率的政策来积极扶持本国出版业的发展。……除此之外,通过对不同品种的经营实行有差别税率的办法来引导经营者按政府意图运作,也是各国的普遍做法。

2. 财政调控:

许多国家的做法是,通过由政府拨款资助的方式,扶持与鼓励出版业中的某些项目、某些环节或某些单位的发展。

3. 信贷调控:

通过提供优惠信贷方式扶持某些出版项目及出版企业的发展,也是各国政府调控书业的重要经济手段。

4. 价格调控:

这主要是通过销售价格的控制来调节图书市场的供求。

与国外通过上述四个方面的调控对出版业发展形成强有力引导的情

况相比,我国书业市场经济手段的调控力度则显得明显不足。

——罗紫初. 中外出版业宏观调控机制比较. 见:赵劲主编. 中国出版理论与实务. 北京:中国书籍出版社,2000. 151~161

● 出版管理体制是指国家在出版事业管理机构设置、领导隶属关系、管理职能权限、管理制度和运行机制等方面的一系列制度的总和。……在形式上,我国的出版管理体制是预防制(又叫预惩制)和追惩制相结合;在管理手段上,我国的出版管理综合了法律、行政、行业、经济等多种手段,是直接管理和间接管理相结合。

——朱静雯主编. 现代书业企业管理学. 苏州:苏州大学出版社,2003. 21

● 行政管理是我国对出版业进行管理的重要方式之一。……从出版流程来看,我国出版行政管理可划分为出版前管理、出版中管理和出版后管理三种主要管理方式。出版前管理是对设立出版单位、确定出版物选题等的管理,出版中管理是对出版物印刷、复制等的管理,出版后管理则是对出版物市场的管理,其重点就是"扫黄"、"打非"和反盗版。

——朱静雯主编. 现代书业企业管理学. 苏州:苏州大学出版社,2003. 31

● 我国已经加入 WTO,政府的职能逐步实现从直接管理向间接管理、从微观管理向宏观管理的转变,出版行业协会将承担以前没有承担的工作和职责,发挥出比以往更大的作用。出版行业协会是按照出版业公认的原则,由出版行业从业人员自愿组织起来,进行自我调节、自我服务的群众团体性机构。出版行业协会既是企业与政府间联系的纽带,又是出版企业成员间相互协调的中介,更是出版业与其他行业之间、出版业与社会之间相互沟通的桥梁。

——朱静雯主编. 现代书业企业管理学. 苏州:苏州大学出版社,2003. 39

● 出版业宏观经济调控的职能包括以下几方面:

1. 保持出版经济的综合平衡和稳定协调的发展

2. 遏制出版物市场由竞争走向垄断

3. 补偿和纠正出版经济外在效应

4. 调节地区和出版企业间的收入与分配

5. 划定出版物市场主体的产权和利益边界,维护出版经济秩序

——朱静雯主编. 现代书业企业管理学. 苏州:苏州大学出版社,2003. 45~46

● 我国应从以下几方面加大经济管理手段对出版业的调控力度:

首先,要利用国家财政拨款加强国家对出版业的控制能力。

其次,要进一步完善出版基金制度。……国家一方面应该制定优惠政策,鼓励社会各界设立出版基金;另一方面,还需制定出版基金的实施政策,规范出版基金的管理。

最后,应充分利用税收政策,对我国出版业进行宏观调控。税收是国家管理出版业的重要经济手段,通过对不同的出版企业、不同的出版物采用不同税率的方式,来优化出版资源配置,引导出版业向着符合国家利益的方向发展,其所达到的效果是其他管理手段无法达到的。

——朱静雯主编. 现代书业企业管理学. 苏州:苏州大学出版社, 2003. 52~53

● 就出版管理工作而言,宏观管理主要是指对事业的总体规划,抓导向,抓总量,抓结构,抓效益;微观管理主要是指日常性、经常性的管理,是对出版行为的规范和引导。

——石峰. 出版战略转移中的十大关系. 新闻出版报, 1995. 11. 22

● 中国的出版管理就图书出版而言,可以分成这样几个方面。

(1)计划:指导(而并不是代替)出版社编制年度的和更长期的出书计划。用这个手段来引导出书方向,防止出版物在内容分布上出现过于严重的不平衡。

(2)促进:政府对于某些大型出版项目起着直接的确定计划、组织人力、资助经费的作用。对于整个出版工作所需要的出版资源也起到一定的保证供给的作用。

(3)核批:我国实行出版单位需经批准方可建立,非出版单位不可从事出版业务的制度,以此达到出版事业在宏观上有计划发展的目的。

(4)禁止:即根据法律、法规禁止某类出版行为。

——赵斌. 中国出版事业的发展和管理 (1979—1989)——一个简短的介绍. 出版发行研究, 1990 (3)

● 部门管理不能代替行业管理。当然,过去实行部门管理,我国图书发行事业所取得的成就是有目共睹、不可否认的。但随着改革的深化,部门管理方法已不尽适应国营、集体、个体书刊发行系统的改革,关键就在于如何改变原来的部门管理。现在, 积极筹建全国和地方的书刊发行业协会,推行行业管理,是为书刊市场的健康发展而创造条件。

——吕瑜. 试论行业协会与行业管理. 出版发行研究, 1990 (3)

● 中国出版业要由行政管理体制向市场经济体制过渡,是一个根本性的变革,它必须在宏观管理体制上进行改革。出版企业是从事精神产品生产的特殊企业，与市场经济既相容又相斥，决定了它不可能只有一种模式，而应该建立"国家主导型"和"市场主导型"两种不同类型的企业。前者以国家利益为重点，后者以市场需求为导向。前者首先考虑社会效益，后者以经济效益为准则。对这两种类型的出版企业实行不同的政策措施和管理体制，使出版企业在经济效益和社会效益兼顾的基础上，得到充实和发展。

——朱小平. 宏观出版体制改革二探. 中国出版, 1994 (6)

● 必须进一步转变出版的行政管理职能和手段：

①政企分开，出版管理机构属事业性质，履行依法管理、监督、检查的职能；②从直接控制向间接管理转变；③从计划、整顿为主向培育、繁荣出版市场为主转变；④从行政管理手段为主，向依照法律、政策为主，辅以计划、行政管理手段转变；⑤从单纯的管理职能向管理与服务相结合的职能转变；⑥在计划和市场双重体制此消彼长的进程中及时建立、完善适应市场经济要求的宏观调控体系。

——朱棣云. 出版的市场培育和出版的观念变革. 见：孙五川主编. 市场经济与编辑出版. 天津：天津教育出版社, 1994. 124

● 在社会主义计划经济向社会主义市场经济转变的过程中间，我们的出版管理工作要处理好这样三个关系：

第一个关系，是坚持正确方向与深化出版改革的关系。

第二个关系，是要处理好政府的简政放权与宏观管理的关系。……简政放权必须以加强宏观管理为条件。

第三个关系，扩大企业自主权与增强社会责任感的关系。

——杨牧之. 对社会主义初级阶段出版工作的思考. 光明日报, 1995—02—09

● 出版宏观调控的必要性

作为一个独立经济产业的出版业，理所当然地要纳入国家宏观调控的范围内，并根据国民经济的要求，制定和实施自己的产业发展计划。……从出版业的意识形态性质来看，宏观调控较之一般的经济产业显得更为重要。

从出版业的内部规律来看，宏观调控也是必不可少的。其一，受大众文化水平的限制，出版物市场上畅销的图书大多是通俗读物。其二，在市场经济条件下，出版生产只能满足读者现实的需要，而一些能代表社会和时代最高水准的大型出版文化建设工程，由于要求高、投资大、时间长、见效慢,靠某个出版社自身的力量显然难以完成。其三,目前书报刊市场日趋活跃,但无序竞争、不正当竞争日趋严重;出版单位经营灵活,但缺乏自律,缺乏约束等等。

出版宏观调控的基本目标是合理有效地进行出版资源配置,保障出版物的总供给与总需求的平衡,使出版生产良性循环,并在不断提高社会效益和经济效益的基础上加快出版业的发展,为经济建设和改革开放服务。具体地说,就是政府通过市场对出版资源,主要是现实的编辑出版能力、发行能力、印刷能力及纸张等出版物资的供应能力进行合理的配置,使出版物总供给与总需求达到平衡。这种平衡包括三方面内容:一是出版生产与出版资源的平衡;二是出版生产总量及其结构与读者的需求及结构保持平衡;三是出版物价格要与读者的购买力保持平衡。

要实现这三种平衡,一方面要靠出版市场的调节,另一方面是靠国家的出版宏观调控。

——路用元. 论市场经济条件下的出版宏观调控. 见:袁亮主编. 建立出版机制的经验和理论. 哈尔滨:黑龙江教育出版社, 1995. 58

● 改革出版管理体制,建立宏观上的多元化调控体系,保证社会主义方向。

新的出版管理体制包括以下几项内容:

1. 科学化决策体系。

2. 多元化调控体系。

3. 严密的监督体系。

4. 准确的评估体系。

——唐似葵. 社会主义市场经济与出版体制的改革. 见:袁亮主编. 建立出版机制的经验和理论. 哈尔滨:黑龙江教育出版社, 1995. 51

● 这里说的出版管理,是指宏观范围对出版事业和出版活动的管理。对全国的出版事业和出版活动的管理(宏观的),同一个出版单位内部的管理(微观的),互相衔接又互相区别。

出版管理的对象,主要是国家批准建立的出版社、书刊印刷厂、书店,以及出版单位和非出版单位所进行的出版活动。

出版管理的主体,主要是国家出版行政管理部门。此外,还有两个方面:一是国家司法机关;二是出版行业的行业协会。

出版管理的依据,是指宪法、有关的专门法律(出版法)、法令,有关的行政法规，以及国家出版行政管理部门制订的有关出版行政管理的行政规章。

出版管理的本质，是调整出版活动当中发生的各种关系。

出版管理的基础，是在社会主义制度下，国家、出版单位和公民个人，根本利益的一致性。出版管理的目的，是促进出版事业和出版活动的健康发展。

出版管理应该得到改善和加强。

——刘杲. 漫谈出版管理. 见：刘杲出版文集. 北京：中国书籍出版社，1996. 196~197

● 市场经济新形势下，针对出版物市场秩序存在的缺陷与不足，出版物市场管理的主要内容应该包括市场主体资格管理、市场客体管理、市场行为管理以及市场主体违法经营后的惩处等。

一、市场主体的资格管理

市场主体是指参与市场活动的法人、经济组织和个人。在市场经济条件下，市场主体在市场上以不同的经济角色支配着市场客体，成为市场交换中最活跃的因素和市场运行的基础。

实行出版物市场准入制度，尤其是出版物市场主体准入制度，就是通过培育市场主体，引导市场主体依法进入市场，确保市场主体的公平性、市场竞争行为的公正性和市场交易规则的统一性。市场主体准入制度就像是蓄水池的一道"闸门"，可以调节市场主体的量，确保市场主体的质，从而使市场对出版资源的配置趋于合理。因此，市场主体准入制度是国家对出版物市场进行干预的一项主要措施，这也是当前市场经济国家通行的制度。

二、市场客体管理

出版物市场客体主要指出版物市场上交易的出版物商品，包括图书、报纸、期刊、音像制品和电子出版物等，是出版物市场上批发、零售活动赖以存在的物质基础。作为出版物市场客体的出版物商品，具有使用价值和价值的双重属性，是构成出版物市场的基本要素。对出版物市场客体的管理主要表现在对出版物的合法性进行管理方面，既包括对出版物内容的合理性进行规定，也包括禁止盗版盗印等非法出版活动的产生。

三、进入市场后的行为管理

出版物市场主体的市场行为主要包括出版物市场经营者在合法地取得经营资格后进行出版物的批发、零售、出租、进口等经营行为时的价格行为、合同行为、竞争行为等。

1. 对价格行为的管理

对价格行为进行管理主要包括对出版行政管理部门价格行为和出版物市场主体的价格行为进行管理。对出版行政管理部门价格行为进行管理，可以通过调查研究、价格听证、价格公告等制度来进行；对出版物市场主体的价格行为进行管理，可以通过禁止非法提价、禁止非法降价、禁止价格欺诈等制度来约束。

2. 对合同行为的管理

对合同行为进行管理主要包括对合同的订立、合同的效力、合同的履行、合同的变更和转让、合同权利义务的终止、违约责任以及合同纠纷的解决等方面进行管理。

3. 市场竞争行为的管理

对出版物市场上的竞争行为进行管理可以采取禁止垄断经营、禁止独家经营、禁止强制交易、禁止商业贿赂、禁止商业诽谤、禁止商业倾销以及禁止恶意促销等措施来进行。

——黄先蓉. 谈出版物市场管理主要内容. 出版发行研究, 2003 (9)

● 出版自由是公民的一种基本政治权利，是人权的一种。其内涵是：公民依法享有通过出版物的形式表达自己思想观点的自由。……社会主义出版自由和资本主义的出版自由在内涵上有三点区别，一是阶级性不同，二是享受主体不同，三是保障体系不同。在出版操作方面也派生不同的方式。在国外一般实行工商企业式的"登记制"，我们实行"审批制"。国外实行市场分工制，我们实行专业(行政干预)分工制。

——王建辉. 关于出版工作和出版业的演讲. 湖北图书通讯, 2000 (2)

● 非法出版活动是指违反一个国家的法律、法规的出版行为；在非法出版活动中产生的出版物是非法出版物。

非法出版物的不合法性主要表现在下列两个方面：一是从事出版活动的主体不具备法定的资格。二是在主体合法的前提下其出版行为本身的非法。如国家批准成立的出版单位出版含有国家法律、法规禁载内容的出版物；出版单位通过卖书号、卖刊号、卖版号等方式从事出版活动等等，由此产生的出版物也是非法出版物。

根据我国现行的法律、法规，非法出版活动具有下列特征之一：

1. 出版者不具备法定的资格。

2. 未经批准在社会上公开发行。

3. 出版行为不符合国家有关规定。

4. 出版物内容违反国家法律、法规。

——张志强主编. 非法出版活动研究. 贵阳：贵州人民出版社，1998. 1~3

● 利用《消费者权益保护法》打击非法出版活动的几点设想

传统的打击非法出版活动方式，在很大程度上忽视了读者作为精神产品消费者的参与。只有发动广大读者参与，才能从根本上抵御非法出版的泛滥。由于利用《消费者权益保护法》打击非法出版活动存在着上述问题，笔者认为需做好下列工作。

1. 加强宣传力度，唤醒读者的权益意识。

2. 教会读者保护自己权益的方法。

3. 完善管理机构，及时处理读者投诉。

4. 出版单位积极配合，主动防范。

5. 对集个体书店、书摊推行承诺制，预先交付保证金。

——张志强主编. 非法出版活动研究. 贵阳：贵州人民出版社，1998. 178

● 协作出版是指国家教学、科研单位、党政机关、国有企业事业单位等供稿单位，取得出版社的同意，经过出版社的审、校工作，使用出版社的社名和书号出书，并且承担编辑、印刷、发行等任务。

买卖书号是指一些出版单位以管理费、书号费或其他费用的名义收取费用，出让国家出版管理部门赋予的编辑、印刷、发行等权利，给一些非出版单位和个人提供书号，使他们以出版社的名义出书牟利。凡超出规定的范围进行协作出版，或虽属协作出版的范围，但出版社未认真履行审、校责任就把书号提供给协作单位的，均属卖书号行为。

——张志强主编. 非法出版活动研究. 贵阳：贵州人民出版社，1998. 151~152

● 买卖书号，对于出版事业的繁荣和发展，对于图书市场的管理，对于社会主义市场经济体制的建立，已经或正在产生严重的危害。

为了坚决刹住买卖书号的歪风，应当在认真执行有关规定的基础上，进一步采取以下措施：

（一）深入进行社会主义出版工作的性质、任务和方针政策的教育，使广大出版工作者深刻认识出版社卖书号就等于自杀。

（二）健全出版管理体制，严格依法办事。

（三）抓住要害，切实加强检查监督。

——张训智. 论买卖书号的性质、危害和对策. 出版发行研究，1993 (6)

● 盗版犯罪就像水中的葫芦,按一按它沉下去,稍一松手又浮上来。缘何会出现如此局面?其一是用刑和经济打击力度不够。……其二是作者和出版社反盗意识不强。……图书出版超出各行业的高利润是犯罪分子追逐盗版的又一原因。

打击盗版需要联合行动。首先,应加大对盗版犯罪的打击力度,希望在修改刑法和著作权法时,明确在刑事处罚的同时提起民事诉讼,增加盗版犯罪经济风险,从刑事、民事、经济上给予重罚,以威慑犯罪。其次,出版社和作者要增强维权意识。其三,出版社要加强管理,降低单本出版物的成本和利润率,以物美价廉击退对手。其四,进一步加强图书和电子音像制品出版市场管理,加大对制作和销售非法出版物的打击力度,堵源截流,遏止非法出版物的蔓延。

——邵蔚,新月. 盗版犯罪猖獗,打击要用"组合拳". 出版广场,1999 (2). 见:中国出版年鉴 (2000). 北京:中国出版年鉴社,2000. 397

● 低层次重复出版行为的治理设想:

1. 加强选题管理的力度,各级出版管理部门应对出版社所报选题严格论证筛选,把住第一道关口。

2. "以书养书",建立出版利润的合理流向、合理调节制度。

3. 建立严密高速的查重制度。应抓好以下三个方面的工作:①扩大查重图书范围,除翻译、科技图书外,还应包括辞典工具书、中外古今名著、各类文集、社科理论专著、传记类图书等。②建立新闻出版署、各新闻出版局、各出版社贯通的计算机高效查重网络。③下达出版管理文件,对一些重复出版严重的图书制定限额出版的法规。

4. 完善著作权管理工作。

——张炜. 低层次重复出版的思考和治理设想. 书海,1997 (3)

● 关于出版调控与出版社专业分工。一种意见认为,应打破垄断,办出版社可以完全放开,现有专业分工是计划经济的产物,要取消限制,通过竞争优胜劣汰,形成各自的出书特色,并认为利益不均、买卖书号是垄断和专业分工限制造成的。另一种意见认为,不存在绝对的出版自由,从我国国情出发,出版管理不能削弱;现有专业分工主要是在改革中逐步形成的,适应和促进了出版事业的发展,不需彻底打破,可在现有基础上,对一些专业面较窄的出版社的出书范围作适当调整,以解决利益不均等问题。出版管理既要加强,又要改善,该管的管住,不该管的放开,使出版社具有必须的自主权。

——蔡学俭. 当前出版理论研究观点综述. 见：中国出版年鉴（1995）. 北京：中国出版年鉴社，1995. 304

● 突破口就是实行出版社分流，即把出版社分为事业型出版社与企业型出版社两类。具体设想为：

1. 事业型出版社。此类出版社的主要任务是出版国家整体需要、有价值、但又易亏损的图书。这些出版社属非赢利事业单位。改革主要是内部管理机制的改革而不是实行全方位的市场管理。经费来源主要是：(1)国家财政拨款(或收"补贴"，即从企业出版社上缴的利税中提取一定比例)；(2)各种社会基金(包括其他企业赞助)；(3)自身经营所得。

2. 企业型出版社。此类出版社完全没有计划经济成分，完全按照市场规律运作，是独立的经济实体。(1)关于出书范围，不受限制。(2)关于书号数量，不应限制。(3)关于领导成员，不应实行全员任命制。(4)关于出版社的政策，必须改变目前出版社既承担企业责任却没有企业自主权的现象。

——吴海. 寻找中国出版业改革的突破口. 编辑学刊，1999 (2)

● 现行的专业分工制度具有：①原发性；②外生性；③附属性；④主观性；⑤垄断性；⑥终生性。它在理论上的漏洞，是和社会主义市场经济公平竞争的要求不相符合，是把作为出版行政管理手段的专业分工当成了作为出版体制的专业分工，因而在实践中产生了很多弊端，表现为：①造成了出版社之间严重的苦乐不均；②限制了出版社之间合理的公平竞争；③不利于出版社之间的协作和融合；④对科学文化事业的发展产生了一定的负面影响；⑤对出版人才的成长产生了一定的消极作用。本文对改革专业分工提出了八点建议：

第一，把作为出版管理手段的专业分工改革成为出版体制的专业分工。关键在于要认识到手段与体制的根本区别：手段是外部的，带有主观性的，是靠强制力推行的，以行政命令为主的，对出版社来说是被动服从的；体制是内部的，带有客观性的，是靠自觉性维系的，以法律规范为主的，对出版社来说是主动的选择。

第二，从以指令性专业分工为主转到以指导性专业分工为主。

第三，从以强制性专业分工为主转到以竞争性专业分工为主。

第四，从以确定性专业分工为主转到以限制性专业分工为主。

第五,从以身份限制为主转到以资格限制为主。

第六,从以行政手段为主转到以经济、法律手段为主。

第七,从以行政处罚为主转到以公平竞争条件下自然淘汰为主。

第八,逐步建立"以专业性出版社为主,以综合性出版社为辅"的出版格局。在这一格局中的专业化分三种形式:第一种是强制性的专业化,即一种特殊的专业出版社;第二种是半强制性的专业化,即党政机关、群众团体和企业事业单位主办或主管的出版社;第三种是非强制性专业化,即出版社根据统一的"游戏规则"和自己的特点,自主地选择专业化道路。这种专业化不具备排他性,可随形式的变化随时调整专业化方向。综合性出版社数量不应太多,应做出严格的条件限制。

——曹光哲. 出版社专业分工制度亟待改革. 出版发行研究, 1998 (3). 见:中国出版年鉴 (1999). 北京:中国出版年鉴社, 1999. 349

● 出版产业政策是国家出版管理机构依据出版产业在国民经济运行中资源配置结构进化的客观规律,依据出版产业的市场作用机制,对出版产业资源配置结构及其形成过程进行科学的、系统的、适度和适时的干预、介入和参与,从而达到提高出版产业整体经济效益的目的,并寻求最大限度的社会与经济效果的经济政策。

出版产业政策的调控功能表现在以下几个方面:

1. 资源配置结构的政策导向功能
2. 产业运行态势的政策协调功能
3. 产业运行机制的政策组合功能

——毕伟. 出版产业的市场作用机制及产业调控政策. 中国出版, 1998 (6)

● 中西出版业法律调控之比较

一、中西出版立法之比较

通过比较我们可以发现,西方国家的出版法律体系普遍比较健全,以法律作为调控出版业的主要手段。西方国家的通行做法是在出版专门法或其他普通法中对出版活动加以规范和限定。而且西方各国法律理念和对出版业认识的差异鲜明地反映到出版立法上。法、德等国的法律理念崇尚理性主义,有成文法的传统,且法、德等国认为,出版业是特殊的文化产业,关系到民族和文化的认同,为保护出版业的发展,这些国家制定了针对出版业的专门法。美、英等国的法律理念崇尚经验主义,有判例法的传统,同时,在这些国家出版业的经济属性胜过其文化属性,出版业并不被视为特殊行业,因此更多是靠判例法和衡平法来规范出版业的发展。

我国迄今没有专门的出版法,但必要的出版法律体系已经具备。我国是有成文法传统的国家,审理任何案例都要依据成文的法律、法令的条文,判例只是在司法实践中起参考作用。目前我国专门针对出版业的法规的规格较低,有些规章、政策还带有一定的滞后性,这与《宪法》中有关出版活动的规定的进步性、严肃性和高规格不太相称。我国可在修订的《出版管理条例》的基础上,制定更高规格、系统、完整的专门法;加大对出版业进行保护立法的力度,尽快建立与WTO例外规章相适应的规章条例;完善与社会主义市场经济相适应的出版法制体系,实施有效的出版发展政策。

二、中西出版法律对创办出版机构的管理之比较

我国对创办出版机构实行比较严格的许可和管理制度,对创办出版单位的主体实行主办主管单位制。我国公民的出版活动,须通过出版单位实现,出版单位都属国家所有。这主要是因为目前我国经济、文化发达程度还不是很高,以及由于长期实行许可制的惯性,公民出版权利的实现要靠出版单位来保障。我国出版单位属国家所有,有利于确保党和政府对出版业的领导,能起到预防非法出版的作用。我国对创办出版机构的法律调控机制,符合我国国情,有利于出版业的健康、有序发展。

三、中西出版法律对出版物内容的管理之比较

通过比较我们可以发现,尽管由于社会制度和国家性质的不同,各国对出版物内容限制的目的有很大差别,甚至截然对立,但从形式上看,不外乎两大类:一是为保障国家利益而设的限制,如对煽动性言论、泄漏国家机密的限制;二是为保障公民和社会组织的利益而设的限制,如对诽谤性言论的限制。我国法律对出版物内容已有一系列的规定,但是对于出版物禁止内容的判断标准及处理措施尚需继续完善。从宪法对出版权利保护的内涵来看,如何进一步完善有关规定,是一个至关重要而又十分复杂的课题。

四、中西出版法律对出版活动的调控之比较

对出版活动的法律调控涉及多方面的内容,但理论上通常着重分析预防制和追惩制。预防制是指事先限制的出版管理制度。追惩制是对出版主体的过失采取事后惩治的出版管理制度,即在出版物出版发行后,通过有关机构审读样书或社会舆论监督,发现违法行为时,依照出版法律或其

他法律予以惩处。

西方国家对出版活动的调控采取追惩制，绝大多数西方国家的法律规定要对出版、印刷、发行责任人予以明确，规定实行出版物版本呈缴制度。

我国《出版管理条例》第二十条、第二十三条、第三十三条分别规定实行出版计划和重大选题审批备案制度、出版物样本送缴制度、印刷或复制许可证制度。第二十五条规定实行出版单位编辑责任制度，即如果编辑失职，就要追究出版单位法人和责任人的法律责任，这种出版单位的内部工作制度带有一定追惩制的成分。总的来说，出于历史、社会原因，我国对出版活动的调控采取预防制，这有利于保证出版活动在法制轨道上良性发展。

西方国家用以调控出版活动的法律比较细化，调控范围很广，几乎囊括了出版活动的所有方面。

利用 WTO 例外规章进行立法，是一些西方国家对出版业进行保护的通行做法。我国应尽快建立健全与 WTO 例外规章相适应、与社会主义市场经济发展相适应的出版法律体系。

西方国家近年来出台的涉及出版业的信息法律较多，如美国自 1998 年以来陆续颁布了《数字千年版权法》、《下一代因特网研究法》、《2000 年信息和准备情况披露法》等法律。为适应社会信息化的发展，我国要尽快制定、完善与出版业有关的信息法规和政策，推动出版业快速、健康发展。

五、中西出版法律对违法出版行为的法律处分之比较

我国的出版法律对违法出版行为的法律责任规定比较详尽，这对出版业沿着法制化轨道发展具有重要作用。但我国的一些出版规章、政策不像法律法规那样具体、可操作，也不太容易进行司法解释，而西方出版法律体系中的行政法规则较为全面、可操作性强。我国的出版法律法规有必要向更明确、更清晰、更全面的方向完善，在管理上要加大"依法行政"的力度，这对守法和执法都十分重要，西方国家在这方面的经验值得我们借鉴。

——吴赟，何春华. 中西出版业法律调控之比较. 新闻出版交流，2003（4）

● 一般来说，我国出版产业应当交纳增值税、营业税、城市维护建设税、房产税、车船使用税、城镇土地使用税、印花税、契税、关税等，赢利还要缴纳企业所得税，此外还有教育附加等项目。这些税种又可归纳为两大类：对出版物征收的税种和对出版企业征收的税种。目前，我国出版产业的有

关特别税收优惠政策主要涉及对出版物征收的税种,集中在流转税方面,而其中又尤以增值税为主。

另外,在所得税方面也有一定的优惠政策。事实上,从20世纪80年代开始,我国对出版业就实行了所得税返还政策。

面对经济全球化和国际出版强势媒体已兵临城下的新形势,我们应充分利用加入WTO后大约三至五年左右的过渡时期,采取积极有效的产业税收政策,增强我国出版产业的竞争实力和文化抵御能力。这主要可以从以下三个方面来考虑:

1. 增值税

实际上,国外许多国家针对不同产品实行不同的增值税率,如德国,对一般商品征收14%的增值税,对图书、报刊征收7%的增值税,对音像制品征收14%的增值税。

因此,我们建议,对出版产业征收增值税,应实行差别税率的方式开征。……我们所要争取的是将音像产品、电子出版物增值税率由17%降至13%,和书报刊享受同样的优惠待遇。同时,对有些门类的产品继续实行先征后退的政策,真正实现税负公平,为出版产业的繁荣、发展创造良好的政策环境。

2. 企业所得税

建议利用我国加入WTO后尚存的三至五年保护期的黄金时段,采取像我国从前鼓励、扶持"三资企业"发展一样,对现有出版企业实行"两年免征三年减半"的做法。与此同时,也要制定相关政策,规定出版企业利润的70%必须用于生产性的再投资,促使出版企业做大做强。

同时,在我国现有所得税体制上做相应的改革,使之有利于出版企业的资产重组、集团化建设,实现出版资源的优化配置。……必须对现行企业所得税体制加以改革,使企业所得税成为中央税。改革现行企业按行政隶属关系缴纳企业所得税的做法,使征税权与产权分开,不论产权主体如何变化,纳税主体不变。

此外,可以将出版机构按经营性质分为营利性和非营利性两大类,对非营利性出版机构实行相对于营利性出版机构更优惠的企业所得税税率。

3. 内外有别的税收保护政策

税收保护政策主要指关税方面,其他税种的税收保护政策则相对较少。就保护国内产业的关税而言,征收关税的作用是增加了进口商品的成本,从而降低进口商品的竞争力。

我们国家必须形成我们自己的与WTO例外规章相适应的产业税收保护政策,对国外假借经营高利润产业的幌子进入我国出版产业、实行文化侵略、传播西方思想意识形态的非营利性企业实行限制,保证我国出版产业的健康、快速发展。

建议借鉴美国和加拿大的做法,在对本国出版产业实行低税率或零税率政策的基础上,对来自不同地区的出版权征收不同的关税;还可以根据各种出版物对舆论及意识形态的影响,对出版物采用差别税率,如对报纸、期刊,对音像及电子出版物可以按照承诺的关税幅度从高征收。

——曾庆宾,刘明勋. 我国出版产业税收政策的思考. 中国出版,2004 (4)

出版资源的构成

出版资源是指与出版产品形成直接相关的各种要素的集合。出版资源由两大基本类型组成:一是核心资源,即直接构成出版物使用价值的知识内容的来源,出版界通常称其为选题资源;二是其他生产要素资源,这是形成除产品内容之外出版物其他直接生产要素的资源。下面摘录的内容,即是探讨对出版资源概念本身的理解,以及对构成出版资源的各种类型资源进行研究的各种观点,相信大家读了下面的内容之后,对出版资源的内涵会理解得更为全面、更为深刻。

● 广义的出版资源是一个系统结构,涵盖与出版经济活动密切相关的各种生产要素。包括图书选题资源、出版物资资源(纸张、器材等)、印刷技术资源、出版人才资源、出版资金资源、出版劳动力资源等。狭义的出版资源则主要指与图书的编辑加工有着密切联系的各种信息和选题资源。

出版资源的存在方式。1.自然资源与社会资源;2.静态资源与动态资源;3.间接资源与直接资源;4.潜在资源与显在资源。

——张辉冠. 论出版资源. 出版发行研究,1996 (3)

● 在出版社的财力、物力、人力资源中,人力资源起着决定性的作用,有了人力资源,财力、物力资源才能结合在一起并产生效益。……出版社人力资源的特点包括:一、再生性;二、持续增值性;三、同步性;四、中介性。

——朱胜龙. 出版社人力资源的开发. 出版发行研究,1996 (5)

● 出版资源是指构成出版经济活动的各种要素的集合，它包括出版人力资源、资本资源、出版技术资源、出版信息资源和选题文化资源。出版资源具有物资和精神的双重性、稀缺性、可再生性和区域性。

——钱建国，田方斌. 论出版资源的政府配置. 图书情报知识，1998 (4)

● 出版资源涵盖了与出版物生产活动密切相关的各种生产要素，如选题资源、高新出版技术资源、人才资源、资金资源等。

——李祥洲. 出版业的可持续发展. 见：中国出版年鉴 (1999). 北京：中国出版年鉴社，1999. 26

● 所谓出版资源，是一个较为宽泛的概念，一般是指有待开发和利用的古今中外优秀的文化遗产、先进的科学技术、能满足和丰富人民群众不断增长的不同层次的文化生活需要，促进人类思想道德发展的一切精神产品，具体可分为原生资源和再生资源。原生资源，是指出版资源的主体，即人力资源，也就是编辑和作者；亦是指客体，即出版物内容，也就是出版物所负载的精神产品，以及物质载体和实现手段，即使出版物得以完成的物化资源。再生资源，是指已开发成某种媒介的出版物，但仍蕴含着潜在市场价值的资源，如果是图书，可转换成音像、电子出版物，甚至可延伸到电视、电影。此外，对原有出版物进行整理、完善、提高、翻译、引进、输出等，也是一种重要的出版资源。出版资源具有的特征是：1.开发性和共享性；2.可塑性和重复使用性；3.资源和市场的依存性，但要注意精神产品的特殊性，注意市场对出版物的负面影响和作用。

——梁春芳. 知识经济形态下出版资源的战略开发. 新闻出版交流，1999 (1)

● 从地理上讲，出版资源可以解构为"两岸三地四方"资源，由于各地政治、经济、文化等的不同，各地资源的利用是不同的，有的利用程度较高，有的利用程度较低。为使出版资源得到有效利用，需要对出版资源进行整合。一般说来，西部地区出版资源利用程度较低，有的地方社甚至要靠买卖书号维持生计；中央出版社文化资源丰富但没有市场腹地；海外出版资源没有得到充分的开发，港澳台地区与祖国大陆之间的出版资源的交流仍然不畅。从媒体来讲，出版资源包括报刊出版资源、影视出版资源、电子音像出版资源、网络出版资源等等。这些资源从现在的状况来看，是不需要解构的，它们基本上仍处于一种独立的状态。这种独立的状态为整合提供了一种必要性。

——阎富东. 出版业的解构与整合. 出版发行研究，2001 (1)

● 出版发行机构的资源可分为有形资源、无形资源和知识资源。在竞争逐渐发展的过程中，出版的有形资源，如设备、场所、工具、资本金等，其重要性会下降，而作为无形资源的版权、社标、品牌等的作用越来越重要。……出版业作为知识密集型产业，其最重要的资源是上述三种资源。……知识资源，它存在于作者队伍、编辑队伍、经营管理队伍中，是个人、社会积累的各种知识、思想、文化理论、技术、技能。资源的多少，决定了出版单位的经营定位、持续发展和经营成果。

——朱华明，陈文渊. 出版发行企业核心竞争力分析. 出版发行研究，2001（2）

● 出版资源是指出版业整体运作的原料、生产对象，包括信息资源（含智力知识资源）、物质资源、人力资源等。从出版资源的角度看，出版活动实际上就是智力知识资源由少数人掌握到被社会所拥有的结构化传播过程。

出版信息资源包括作为出版活动主要对象的知识资源，以及出版管理信息资源等，其中知识资源是出版资源中最重要的部分。出版业的物质资源包括出版活动的物质条件、经济资源，中国出版企业的经济资源均为国家全民所有，属性单一，但资源控制上却具有双重性，也就是说存在着直接的行政组织控制和非直接的市场组织控制。出版业的人力资源包含出版物的生产者、流通者和管理者，但是不包括出版物的消费者。在不同环节对于人力资源分配的要求是不同的。

对出版资源可以在宏观上进行必要的控制，以达到一定的宏观管理目的。合理配置社会整体出版资源，可以更大限度地发挥出版资源的潜力，提高出版资源的利用效率。

——李东明，王伯华. 出版业的四大基本要素. 中国出版，2002（1）

● 出版资源由单纯狭义型向多元广义型转变。

出版业是服务行业，像所有的服务行业一样是由供应链、客户以及自身业务流程组成的，说到底它是一种开发资源、重组资源与传输资源的行业。重视上游资源——作者资源，竭力开发中游资源——自身的出版流程和知识管理，努力开拓下游资源——市场客户与受众读者，应是出版行业的核心业务所在，将三者系统地归于一个共同的理念之下才是完整的出版资源的概念。

——耿相新. 今后五年出版业走势预测. 出版发行研究，2002（7）

● 出版活动是一项社会性的经济活动，而出版资源则是出版活动的基本条件。出版业作为文化产业的一个方面有物质方面的，也有精神方面的，不能片面地认为作者、选题、资产等就是出版社的资源，而通过自身劳动所创造的促进生产力发展的要素，如科学、技术、管理、信息及人的智慧性劳动就不是资源，恰恰相反，在"知本经济"发展的时代里，后者的作用往往要大于前者。诺贝尔经济学奖获得者、美国著名经济学家克莱因教授提出的"知识经济"的观念，就很好地说明了这一点，这种观念已被越来越多的企业所认同。这种观念认为，现在世界经济已经进入知识经济时代，和传统经济相比较，原材料、资金等生产要素已经下降到相对次要的地位，而人力资本则上升到经济的主要地位，获得了人才的同时就获得了经济发展的主要条件。这种观念也必须深入到出版行业中。

我们认为，出版资源是很多的，只要是能够产生经济价值的，就可以称为出版资源。它既有自然资源，也有社会资源，作为资源的构成，有些资源是必不可少的，它决定出版社的发展方向和目标，它处于出版社矛盾的主要方面。但作为核心资源来说，主要包括人力资源、作者资源、管理资源、信息资源、渠道资源五个方面的内容。

——雷戎. 论出版社的核心资源发掘. 见：罗紫初，方卿主编. 出版探索——纪念武汉大学编辑出版学专业创建廿周年校友论文集. 武汉：武汉大学出版社，2003. 245

● 出版资源，不仅指有待于挖掘出版的古今中外优秀文化遗产和先进的科学文化知识，以及能够满足和丰富人民不同层次的文化需求并促进人类社会文明发展的一切精神产品，而且还包括出版人才、出版技术和设备、出版原材料、出版管理技术等。而使用和运用出版资源，生产出图书、报纸、杂志及音像制品等一切有利于人类社会文明发展的精神产品（出版物），就是出版资源的开发。

——王坤，陈丽华. WTO环境下生态出版的内涵与功能. 科技与出版，2003 (3)

出版资源的优化配置与开发

出版资源的优化配置，是资源配置乃至整个出版物生产活动所应追求的理想目标，是出版资源配置的一种最为理想的运行状态。出版资源的优化配置是指出版资源在各项不同的出版活动之间，以及出版活动的各项不同用途之间进行科学而合理的分配。衡量出版资源配置是否科学、合理的标准有：所开发的出版资源的价值是否得到了充分利用；关于某一产品生产过程的各类出版资源的配置是否相互协调；用于配置出版资源的成本是否合理。出版资源的配置有两种基本手段：一是市场配置，二是政府配置。这两种资源配置手段，有着各自不同的运作机制与实现条件。要顺利地实现出版资源优化配置的目标，应遵循以下基本原则配置出版资源：统一目标原则、协调配置原则、择优配置原则。在具体的出版实践中，应该如何实行出版资源的优化配置呢？相信大家会从下面引用的众多论述中寻找到自己满意的答案。

● 合理配置出版资源的目的在于正确地引导出版资源消费，亦即要最大限度地发挥各种资源产品的价值和使用价值，把出版资源配置到效益和效益系数较高而又最为必需的出版生产领域或部门，使出版生产的各个领域、各个部门都能在已有资源总供给的范围内最大限度地满足需要。……出版资源的配置有其定性和定量分析的客观指标。……在社会主义市场经济条件下，资源的配置将更多地受市场规律的制约，但加强出版资源配置的宏观调控和市场调节，仍具有十分重要的实践意义。

———张辉冠. 论出版资源. 出版发行研究, 1996 (3)———

● 目前，在出版资源开发方面，尚存在一些问题，如对出版资源开发凌乱无序、浅谈辄止、热点转移快、重复雷同、粗制滥造等，合理配置和深度开发利用出版资源，这是培育新的经济增长点的有效途径，也是繁荣和发展出版业的战略意义之所在。

———梁春芳. 知识经济形态下出版资源的战略开发. 新闻出版交流, 1999 (1)

● 近年来，我国的出版资源配置不够合理，结构有些失衡，主要表现在：一是教材教辅读物所占比重过大。二是出版社开发出版资源的方式比较单一，大多数出版社只有开发图书一种方式。三是选题重复，存在"散滥"现象。四是面向农村的出版发行工作比较薄弱，适合农民需求的图书品种不多。五是面向国际的出版发行工作也比较薄弱，外向型出版物品种较少。为了改变上述局面，出版发行企业应合理配置出版资源。

———王桂平. 我国出版发行业面向21世纪的发展. 图书情报知识, 1999 (3)

● 从现实看，我国出版业发展中资源利用效率低、浪费大、经济效益差的一个重要原因是产业组织不合理。因此，要转变出版业的经营方式，壮大出版产业实力，使其在面临国外出版业挑战的情况下免受冲击并有所发展。必须优化产业组织，即通过改善产业组织来充分合理有效地组织生产要素,使资源有效利用、合理配置和不被浪费。

——王晨. 产业组织优化与中国出版产业发展. 中国出版, 2000 (2)

● 出版资源配置与出版产业之间存在着关联性。从宏观层面分析,资源配置可分为初始配置和再配置两个层次。……一般说来,某一时期内资源的初始配置形成该时期的产业结构,而资源的再配置则会调整后期的产业结构,也就是说,产业结构的形成和调整分别是由资源的初始配置和再配置决定的。从微观层面分析,各出版资源要素是出版产业赖以生存和发展的基础。……从历史的眼光来看,不同时期出版资源配置状况直接决定着当时出版业发展的速度、规模与结构,因此出版产业的发展问题归根到底是资源的配置问题。

由于历史原因的长期影响,目前我国出版资源的配置仍存在许多问题,主要表现在:1.出版资源拥有量并不富裕。2.出版资源配置很不合理。"出书滥"与"出书难"的状况同时并存,低水平印制能力过剩与高水平印制能力不足相伴而生,出版膨胀与发行滞后反差显著。3.出版资源严重浪费。4.出版资源意识薄弱。

出版资源优化配置是出版资源配置最理想的运行状态,目的在于减少配置成本,提高出版资源的使用效益。1.通过资源的倾斜配置,调整出版业的产业结构、品种结构、区域结构。……2.提高出版资源在出版产业组织配置上的集中程度,培养若干个超大型的出版组织。……3.增强出版业多媒体综合经营能力。

优化出版资源配置的有效途径包括:1.转变政府职能,加强宏观调控。2.调整产业结构,提高出版业的产业化、集约化程度。3.积极参与国际出版活动,实现出版资源共享。4.促进产业技术进步,提高出版资源的综合利用能力。……首先要以加大科技投入,优化产业结构……形成新的利润增长点。其次是运用高新技术优化产品结构……最后是在优化资本结构方面,以资产重组为契机,直接与高新技术产业联姻。5.合理配置人力资源。

——毛娟. 出版产业与出版资源配置. 编辑学刊, 2003 (1)

● 1.强化出版资源意识,调整出版产业结构。出版业作为社会文化产业的一个重要分支……要充分重视出版产业结构的动态调整,优化出版资源消费。要尽量减轻综合性出版社"大而全"的生产重荷,缓解其日益加重的资源压力;要尽量减少同类、同专业出版社的重复建设,避免因资源竞争而导致的生产力浪费;2.加强出版资源调控,优化出版生产要素。……

加大对出版品种、专业分工等生产要素的管理力度,压缩平庸、重复的选题,删减低级庸俗和超专业分工的品种;3.开辟出版资源市场,培养出版竞争机制;4.推进出版科技进步,完善出版信息网络。

——张辉冠. 论出版资源. 出版发行研究, 1996 (3)

● 如何开发人力资源:

一、建立激励机制。出版社的激励机制一般由五种要素组成,一是行为激励;二是形象激励;三是目标激励;四是民主激励;五是价值激励。

二、引进竞争机制。如有的出版社实行动态岗位制……有的出版社对中层领导实行了聘任制……有的出版社对比较薄弱的环节开展专项检查评比。

三、完善培训机制。

——朱胜龙. 出版社人力资源的开发. 出版发行研究, 1996 (5)

● 市场和政府是出版资源配置的两种形式。其中,市场配置对于出版资源的优化配置,起着基础性作用。由于市场机制本身的局限性,加之出版企业作为文化企业,其出版资源的有效配置又具有它的特殊性,因此,政府配置在出版资源配置中有着重要作用。

出版资源的政府配置,是指通过政府行为来引导、规范、组织和协调出版资源在出版产业间、出版企业间的分配、组合及使用。政府配置出版资源的总原则是:保护和促进市场机制配置出版资源的积极作用,限制市场机制的消极作用;弥补市场机制配置出版资源中的缺陷。

——田方斌,陆伟. 论出版资源的政府配置. 中国出版, 1996 (6)

● 出版资源配置是指出版资源在出版企业之间和出版企业内部,以一定的方式进行分配和组合,其目的在于降低出版资源组合成本,提高出版资源的使用效益。

指导性计划对出版资源的配置

国家新闻出版行政管理机关通过制定和发布出版业发展规划,来引导、规范出版资源的配置。这通常是通过一些经济增长指标、制定重点图书选题规划等方式来体现的。

出版行政管理对出版资源的配置

国务院出版行政部门对全国的出版活动实施监督管理……直接和间接地起到了有效配置出版资源的作用。其途径主要有:第一,出版行政管理通过对微观出版组织的总量与结构的调整来影响出版资源配置。第二,行政部门通过对出版市场管理来影响出版资源配置。第三,出版行政部门及其他部门通过打击非法出版经济活动来影响出版资源配置。

经济政策对出版资源的配置

(1)间接配置出版资源。国家对出版业实行一系列优惠经济政策,实质上是间接加大了对出版业的资本投入,间接加强了对出版业的资源配置。(2)直接配置出版资源。国家建立了"出版企业发展专项基金"、"一般图书发行专项基金"、"国家科学技术著作出版基金"……由于政府集中财力,直接投入出版经济活动,起到了直接配置出版资源的作用。

产业政策对出版资源的配置

合理、高效的产业结构的形成和发展,除了需要充分发挥市场机制配置资源的基础性作用外,更需要有科学、合理的产业政策……《新闻出版业2000年至2010年发展规划》具有出版产业政策性质,它对优化我国出版资源的配置,推动我国出版业持续、稳定、健康发展,必将产生深远的影响。

——钱建国, 田方斌. 论出版资源的政府配置. 图书情报知识, 1998 (4)

● 从可持续发展的观点看,重视优化利用出版资源,是出版业良性发展的重大战略问题。

(一)调整产业结构,提高出版业的产业化、集约化程度。……站在出版业可持续发展的长远利益看,必须打破目前均衡发展的局面,对原来重复建设,在人才、条件等方面不具备办社条件的出版社,应坚决予以淘汰;同时调整出版结构,鼓励以优势出版单位为核心的兼并联合,使出版资源向高素质、高效率的出版企业倾斜,走出版产业的集约化发展道路。

(二)重视图书市场的信息工作,提高图书选题深层次开发利用。

(三)重视图书的版权贸易工作,实现出版资源共享。……重视图书的版权贸易工作,已成为出版业可持续发展的又一经济增长点。……对版权贸易有了正确认识后,就要在图书的选题开发、版权贸易的人才、机构设置等方面下工夫。这也是调整出版结构的一个方面。不仅引进国外的优秀出版物,还要拓展、开发我们民族的优秀文化遗产及先进成果方面的图书选题,以高标准的出版物打入国际图书大市场中。

(四)加快新技术投入,提高出版资源的综合利用能力。出版新技术,主要是指电脑编排技术、多媒体出版技术、网络出版技术。

(五)重视出版人才培养与使用,为出版业可持续发展提供有力的保证。

——董中山. 出版资源的优化利用与出版业的可持续发展. 编辑之友, 1998 (6)

● 知识经济形态下出版资源的开发战略：

1. 树立大出版观，开发编辑人才资源。

2. 拓展作者资源，增加原创作品。

3. 优化选题，实现出版资源在多元媒介中的综合利用。

4. 实现出版资源多媒介间的多元开发，开拓新的经济增长点。

5. 做大版权贸易，向出版再生资源要效益。

——梁春芳. 知识经济形态下出版资源的战略开发. 新闻出版交流, 1999 (1)

● 出版发行企业应合理配置出版资源。第一，实行教材、教辅读物单独出版发行。第二，打破出版社只开发图书的单一模式，鼓励一些实力雄厚的出版社综合开发图书、期刊和电子出版物。第三，尽量避免重复选题的图书出版。第四，拓展农村图书发行市场，重视农村发行网点建设。第五，要大力开拓国际出版物市场，加强外向型选题的开发。第六，要进一步搞好电子网络出版。

——王桂平. 我国出版发行业面向 21 世纪的发展. 图书情报知识, 1999 (3)

● 目前，出版资源的重新配置主要在两个方向进行，一是基本上在行政干预方式下进行的出版集团组建。这种组建方式是外延式的，在实际操作中往往难以达到预想的活力和竞争力。二是有些出版单位在得到政府出版管理部门的批准后，同时办报、办刊……但是这种出版联合体或集团建立的首要决定权在管理部门手中，在数量上受到严格控制，因而直接受市场导向的出版资源配置与重新组合行为在很多情形下受到抑制、不能充分实现。

——余健波. 课题丛中的探索——对转型期中国出版业的透视. 中国出版, 1999 (10)

● 资源是特色的基础，特色是资源的升华，没有出版资源的图书特色是无米之炊，谁也做不出来。只有以资源的特色来定位图书特色，才能把特色建立在可靠的基础之上。……决不能轻视地方出版资源，一定要充分认识地方资源的价值，下工夫挖掘资源的深刻内涵。……出版社对一些出版资源的认识和开发是逐步深化的。对一些有重要价值的资源要像认识稀有资源那样，进行反复研究，再度开发。

——王占英. 挖掘本地出版资源创造地方特色品牌. 出版发行研究, 2000 (10)

● 整合出版资源，需要西部地区打破地方保护主义，加强与东部、中部地区的合作；中部、东部地区要以自己高效的资源配置能力，通过与西部地区的联合，促进西部出版资源的开发和利用，实现共同发展；中央社和地方社要摒弃门户之见,利用各自的优势,在编、印、发诸方面加强彼此之间的合作,国内的出版社要积极拓展市场,在海外华人聚居地区设立出版的分支机构,大力开展外语出版业务,开发海外资源;港澳台之间要通过多种多样的方式,加强彼此了解,进行更加密切的交流和合作。

整合各种媒体的出版资源就是要加强出版资源的多媒体综合开发,最大可能地占有市场,最大可能地满足消费者的需要。

出版社在操作选题时,如果能够与其他相关的出版单位进行合作,共同开发,充分利用各自的编辑、著者资源及技术资源,会取得很好的效果。

——阎富东. 出版业的解构与整合. 出版发行研究, 2001 (1)

● 目前,出版发行单位要发展两种基于资源的能力:一是面向供应链的资源控制,将出版上下游的资源有效地控制,在战略的指导下,发展产供销一体化的组织体;二是面向内部价值链的资源优化组合,要建立内部约束激励机制、科学投资决策,理性指导资源投向,将成本最小化,效用最大化。

——朱华明、陈文渊. 出版发行企业核心竞争力分析. 出版发行研究, 2001 (2)

● 资源配置就是运用有限的资源形成一定的资产结构、产业结构、技术结构和地区结构,达到优化资源结构的目标。如何配置有限的出版资源以满足人们日益增长的精神需要,这是出版企业必须注意解决的问题。……要使供给与需求相适应,出版者就必须根据市场需求的变化不断调整自己的图书出版方向和出版规模,对图书进行增量和存量的调整,使图书结构趋于合理,最终实现出版资源的合理配置和有效利用。不同的出版方式有不同的配置方式。在同等条件下,出版集团较之单个出版社而言,由于其资金雄厚、设备先进、人才众多、承担风险能力强,因而适应图书市场的能力较强,能充分有效地利用出版资源。

——陈兰萍. 出版集团的优势. 出版科学, 2002 (2)

● 一、整合出版社资源。一是高标准、高起点、高目标地来组织出版联合舰队。二是小出版社根据自己的"小特精"的优势,准确定位,营造特色,从而很好地生存,或靠某一类书,或靠某项基金支持。

二、整合出版人才资源。首先是现有的出版从业人员必须在知识上、能力上进行自我提高。其次是从出版系统外引进符合现代出版业需要的人才。第三要防止现有人才的流失。

三、整合作者资源。要……从提高出版社的市场运作能力,提高出版社的品牌知名度,完善与作者的合作方式等方面着手。

四、整合读者资源。目前我国除少数出版社之外,并没有能力能够"让顾客忠诚"……整合读者的工作,我们应该提前做。

五、整合版权资源。立足国内,到国际上与外国出版商竞争,既要满足华人购中文书,又要多出版外文版图书,既要组织国内的图书选题译成外文,又要将海外名著译成中文,还要发掘海外的图书选题,用多种文字出版,在全世界发行。

六、整合发行资源。积极探索、学习国外图书零售业先进的经营理念、经营手段、经营方略并对我国的出版发行资源进行重新整合将是当务之急。

除此之外,我国出版业的边缘资源,如印刷等资源也有依照市场规律重新整合的必要。总之,我国出版业的各种资源当前"条块分割"的现状是没有足够的实力迎接未来的国际性竞争的,只有从现在开始依照市场规律优化整合、重新配置,才有可能在未来的国际性竞争中居于主动。

——向洪. 出版资源六大整合. 编辑学刊, 2002 (4)

● 我们认为中国出版业在今后若干年内对于出版资源的认识与管理应从单纯的作者资源向多元化所有资源转移,具体说来有四点:一是应树立以人为本的企业文化理念,在重视作者资源的同时,更加重视从业的人才资源与读者资源,以及所有的客户资源,建立印装与市场客户档案,加强对所有人力资源的管理;二是应树立知识即资本的现代企业管理理念,全面提高自身素质,全面提高对各种信息判断、把握的能力,增强建立在科学基础上的预见性;三是应树立产品即品牌、品牌即效益的质量管理理念,将出版品牌出版物作为创立品牌企业的理念贯穿于整个出版流程中;四是应树立资本必须运作的现代企业扩张理念,不断重组企业内部各种资源,不断拓展自己的发展空间,不断实现资本的最大化,从而将自身做大做强。

——耿相新. 今后五年出版业走势预测. 出版发行研究, 2002 (7)

● 人才资源是出版组织最重要的资源。……对人才资源进行整合,一是要建立竞争淘汰机制,实行减员增效的政策;二是优化人才结构,建立以方法性知识人才为核心的人才结构体制,通过学习和引进相结合,加速培养高素质的出版人才;三是推行绩效工资制,充分反映人才的价值,调动各类人才的积极性。

出版技术资源也是出版组织的一种核心资源。对出版技术资源进行整合，一是推广网络电子技术在出版组织内部的运用，提高出版信息化水平；二是要重视网络技术在传递出版信息中的作用，办好出版网站，并定期更新、充实网页内容，而不能仅流于形式；三是要利用电子技术建立出版资源数据库，为出版决策、选题策划、价格制定、印数确定及竞争策略提供科学依据。

信息具有无序、分散的特点，必须对信息资源加以整合，才能形成新的有意义的出版资源。对出版资源进行整合，一是要重视对国内外出版信息的收集、整理和研究，密切注视国内外出版的最新动态，为开发独特的具有良好效益的出版精品提供选题信息；二是密切关注优秀作者的创作动向，为赢得高品质的稿源提供信息准备；三是重视出版市场调研，对读者需求的变化要有敏锐的洞察力。

——王秋林，李义发. 出版核心竞争力理论思辨. 出版发行研究，2002 (11)

● 出版产业结构调整的过程是出版资源配置优化的过程，必须坚持市场导向，充分发挥市场在资源配置上的基础性作用，尽量减少行政干预。

——中国出版科学研究所出版业年度分析报告课题组. 2002—2003 中国出版业状况及预测. 出版发行研究，2003 (3)

● 除了技术推进的因素外，出版从来是文化的"次生"产业。文化资源的地域优势自然会越来越强势地吸引着散布各处的出版资源，而经济的发达则是更有力地促进了文化消费。因此，我们可以想像，随着经济文化的持续发展，出版资源将进一步冲破区域的限制，在整合中走向集合。

出版业资本的流动也将更为自由。……中国将突破"以行业为纽带"组建集团的格局，而出现真正的"以资本为纽带"的出版集团……每一个健康的有发展前景的集团都应该在自己的核心产品上形成非常鲜明的特色，并在此基础上形成核心竞争力。

——阚国虬. 出版资源"迈向"集中. 出版参考，2003 (22)

出版物生产的特点

所谓出版物生产，是指出版业生产经营者利用一定的出版资源，按照市场需求生产出与之相适应的出版物产品的过程。一项完整的出版物生产活动，由出版业生产经营者、出版资源、市场需求、生产过程四个要素组成。出版物生产具有以下特点:出版物生产就目的而言是实现社会效益与经济效益相并重的生产;出版物生产就过程而言是精神产品生产与物质产品生产相结合的生产;出版物生产就产品形态而言是商品生产与非商品生产相统一的生产。下面引用的各家论述,从不同的角度对出版物生产的特点进行了归纳与阐释。

● 出版社再生产的特征是扩大再生产,出版社的发展史实际上是扩大再生产史。……为什么出版社必须进行扩大再生产呢?

首先是为了满足人民日益增长的文化生活的需要。

其次是为了出版社之间竞争的需要。

——聂方熙. 关于出版社扩大再生产的思考. 出版发行研究,1990 (1)

● 当我们把收入和成本联系在一起时,方可真正了解到图书出版的真正内涵。你想从书中获得更多的收入,但较高的定价会降低销售量;你想通过给予较多的折扣来鼓励书商,那就将减少每本书的销售收入;你想使用便宜点的纸张,可这将会降低图书的吸引力从而减少读者量以至于销售损失大于所节省的费用。

对于所有图书来讲,这些矛盾是永恒的,尤其是具体到某一本书上。图书出版的关键在于出版商在预见如何增加销量、降低售价和获得更多利润时所运用的远见卓识和分析才能。

——〔美〕D. C. 史密斯,季风译. 出版经济论. 出版发行研究,1990 (5)

● 一、出版生产与社会经济和文化的发展密切相关、相互促进的规律。

1. 出版生产与物质生产和经济发展密切相关、互相促进。

马克思主义认为,精神生产以物质生产为基础,同物质生产密切相关,归根到底决定于物质生产。出版生产是精神生产的一部分,同样是由物质生产决定的。出版生产的社会性质是由物质生产方式的社会性质决定的,它的发展水平、生产规模也受生产力发展水平的制约。一定历史时期生产的图书,其内容总是反映着人们在一定生产力发展水平上对自然界和人类社会的认识水平。其载体和复制技术则同生产力发展水平有着直接的对应关系。

精神生产决定于物质生产,同时又强烈地反作用于物质生产。在社会主义社会,出版业以其越来越多的质量不断提高的出版物,为物质生产提供精神动力、智力支持和良好的舆论环境。

2. 出版生产与科学文化和教育事业有着直接的关联。

出版生产作为精神生产的一部分，与科学文化和教育事业有着直接的关联。出版物是一个国家在一定时期科学文化发展的综合反映，从出版物可以看出一个国家的科学文化发展状况和文明程度。科学文化发达的国家，出版业必然发达。

3. 80年代我国出版业与国民经济和文化事业相互促进、共同发展。

二、社会主义出版生产的基本规律

社会主义出版生产的基本规律可作如下表述：用优化选题、完善选题结构和发展出版生产能力的办法促使出版物的质量不断提高，总量不断增长，以保证最大限度地满足读者不断增长的精神文化需要，有效地为社会主义经济基础服务。

三、社会主义出版生产有计划按比例协调发展规律

有计划按比例协调发展是出版生产的客观要求。首先，出版产业体系是一个包括多行业、多工种、多学科在内的大系统，出版生产是社会化的大生产。出版产业体系中的编、印、发、供、管各部门之间，各企、事业单位之间，都存在着密切的相互联系和相互依赖的关系。其次，出版物的总供给和总需求之间有个平衡问题，如果总供给大于总需求，就会造成积压和浪费，使再生产发生困难，如果总供给不足，许多图书脱销，部分读者的需求就得不到满足。

四、价值规律对社会主义出版生产的调节作用

在社会主义条件下，价值规律对出版生产的调节有以下几种表现：

(1)出版社和印刷厂运用价格、成本、利润等范畴进行经济核算，加强经营管理，力求使本企业的个别成本低于全行业的社会平均成本。

(2)出版物的定价必须符合价值规律。

(3)价值规律是通过市场机制实现的，出版社要使自己在生产中的劳动耗费能够得到恰当的社会估价，必然要关心市场、研究市场需求、关注市场价格的涨落和产品在市场上的命运，并运用市场信息调节生产。

——杨咸海. 出版规律探索. 出版发行研究，1992 (2)

● 长期得不到解决的图书质量不高的问题，根源在于图书出版的传统思维方式。

这种传统的思维方式简而言之就是以产定销，即产品生产出来了才去研究如何销售，根本无需考虑图书是否受到读者的欢迎。……绝大多数

关于读者需求的论证,不是建立在充分占有大量信息的基础上;虽然基本上取消了指令性产品的现象,但通过"关系",通过片面的"读者需要"的假象而出版的图书仍然不少。口头上承认图书进入流通领域后受到经济规律制约,但实际工作中不按经济规律办事。

必须彻底改变以产定销的传统思维方式,代之以根据需求与销售速度去决定生产的走向与规模,即以销定产的新的思维方式。

——杨茉. 转变传统的思维方式. 中国出版, 1993 (7)

● 一、从选题策划看初创性。其一,捕捉信息并正确判断信息的价值,做出合理取舍和产品初步设计。其二,确定出版选题资源的最佳时机。

二、从组稿看初创性。编辑主体从出版意图和写作要求出发,综合分析每位作者人选的知识水平、权威性、文字能力,甚至地域、民族、个性等因素,反复权衡、论证,最终才能确定最佳人选。……要说服作者接受编辑理念、认同出版意图,引导作者构思与编辑构思保持一致。作者开始写作后……编辑主体关注作者的创作,把经其审选认定有价值的出版信息、政策信息、同类产品信息等适时提供给作者,规范其创作方向。……编辑主体还要激发作者的积极性和创造性。

——高冬可. 从选题策划和组稿看编辑活动的初创性. 出版发行研究, 2002 (10)

出版物生产的一般过程

出版物生产过程与其产品的制作方式和手段密切相关,不同物质形态的出版产品,由于其生产制作方式不同,生产过程也有区别。《出版学基础》一书以各类出版物生产过程中一些具有共性的内容为重点,对出版物生产过程进行了一般性阐述。出版物生产过程还取决于出版业的运作机制,而这种运作机制又是由国家经济运行机制决定的。社会主义市场经济体制的建立与发展,使出版物市场竞争日趋激烈。由此而使出版策划也成为出版物生产过程的一个不可缺少的组成部分。《出版学基础》一书具体分析了出版物生产过程中的出版项目策划、编辑工作及出版产品物质形态制作三个工作阶段。所谓出版项目策划,是指策划者在某项出版活动正式运作之前,根据企业的发展目标及实态,对该项出版活动的具体目标、步骤、产品、资源、效益等构成要素进行构思与设计,并形成系统、完整的项目运作方案的过程。编辑工作是依照一定的思路开发选题,组织和加工整理好书稿，以形成符合正式出版要求的出版物精神产品形态的一系列工作。在出版物生产过程中,编辑工作是中心环节。出版产品物质形态制作过程,是将编辑工作阶段所形成的精神产品加工制作成能够广为传播的出版物外在形态的阶段。下面摘录的各种论述,是对出版物生产过程中各个工作阶段的工作内容、性质进行阐述的文字。浏览此部分内容,能对出版物生产过程的具体工作内容增进理解和认识。

● 在图书发行工作中,非常困难的一个问题是如何避免脱销和积压。脱销是由于书籍印数小于销数(产小于销),积压是由于印数大于销数(产大于销),恰到好处是由于印数等于销数(产销平衡)。印数的决定是否恰当,对脱销和积压有决定性的影响。

决定书籍印数,应该从以下几个方面考虑:

(1)根据书籍的内容和质量,应该发行多少;

(2)根据市场情况,可能销售多少;

(3)根据纸张和印刷生产力的情况,可能出版多少。

一般说,出版社比较了解书籍的内容和质量,书店比较了解可能销售的数量,至于纸张和印刷情况只有出版社了解。因此,书籍的印数,只能通过出版社和书店协商决定。

我认为不能简单地说:"凡以销定产都是好的, 以产定销都是不好的。"我的想法是在这个问题上,以"产销结合,基本上以销定产,必要时以产定销,加强调查研究,防止瞎指挥"为好。

——王益. 图书发行浅议:以销定产和以产定销. 出版工作, 1980 (5)

● 出版社要实行扩大再生产,需要通过哪些途径呢?

首先,适当增加工作人员。

其次,是在增加出版社流动资金的同时,逐步扩大固定资金的投入。

再次,是改进管理,改善出版社人员业务素质,提高劳动生产率。

——聂方熙. 关于出版社扩大再生产的思考. 出版发行研究, 1990 (1)

● 关于出版周期的概念,目前还很不统一。正确的出版周期应当是从稿件交齐之日算起,到第一批书印刷完成为止这一段时间。在出版周期中,又分为编辑加工周期和印刷周期。编辑加工周期是从书稿交齐之日算起,到书稿发到印刷厂之日为止这一段时间。一般包括:初审与编辑加工、复审、终审、图稿描绘、装帧设计、技术设计等加工过程。印刷周期是从印刷厂接到稿件之日算起,到完成第一批成品为止这一段时间。一般包括:图稿制版、文字排版、送校(二校或三校)、制纸型、印刷、装订、成品包装等几个工序。在印刷周期中,如果出版社超过了回校时间或增加校次,这些超出的时间应计算在编辑加工周期中。

——罗树宝,吕品编著. 编辑出版知识问答. 北京:科学普及出版社,1988. 9

● 就图书生产的直接过程而言,我们可将其明确分为编辑加工、印刷、发行这样三个性质不同的过程(这里我们假定资金运动过程不会对这些过程的运作产生影响),与这三个生产过程相对应的三个业务部门,即编辑部门、出版部门和发行部门之间的关系,就构成图书生产过程的基本生产关系。

在传统体制下,编辑部门、出版部门、发行部门彼此之间一般不会发生明显矛盾,因为我们知道,图书的编辑加工过程、印制过程和发行过程是依次进行的,每一过程的完结就是下一过程的开始,编辑部门、出版部门、发行部门各司其职,一个部门对其他部门的运行情况是很少关心的。改革以后,这种情况发生了明显的变化。

我们不可能期望重现只有传统体制条件下才可能存在的效率低下的僵化均衡。我们必须面对激烈竞争的外部市场环境,调整我们的认识和内部管理体制,使其达到能够适应市场经济要求的新的状态下的均衡。

第一,全面增强市场经济意识,进一步改革出版社内部管理体制。

第二,全面增强服务意识。

第三,建立相对灵活的出版运作机制和交互监督检查系统。

第四,强化利益约束机制,合理调整利益分配关系。

——张剑宇. 图书出版过程编印发诸环节整体协调问题. 出版发行研究,1996 (5)

● 什么是"传统的印刷观"? 就是"长期以来,人们一直把印刷理解为是单纯印刷书报的文字加工复制技术"的观念。什么是"大印刷观",就是"印刷不仅是书刊印刷,也包括工业品印刷、商业印刷、邮电印刷、铁道印刷、金融印刷、安全印刷等等,将传统印刷观的狭义印刷扩展为大印刷观的广义印刷"。(作者是针对发表在 1996 年第 6 期《中国印刷》由陆根发、尹铁虎、胡立中所撰《时代需要观念的转变——从传统印刷观到大出版观》一文展开评述的。)

"时代需要观念的转变",需要转变的是党中央号召的两个根本性转变,不是什么传统印刷观的转变。"大印刷观"的提法,既无事实依据,又不科学。面向市场,合理调整产品结构,扩大经营范围等等,是摆脱国有大中型书刊印刷企业困境方略中的一条，在领导机关的文件中已讲得清清楚楚，目前并不存在思想障碍。所以"大出版观"的提法，也没有现实意义。

——王益. 评所谓"大印刷观". 见：不倦地追求——王益出版印刷发行文集续编. 北京：印刷工业出版社，中国书籍出版社，1997. 184~191

● 图书的具体生产过程包括排版、印刷和装订三个阶段。三个生产步骤可以在同一个工厂完成——此所谓综合生产，出版社的生产部也可以将三个阶段分别委托不同的工厂来完成。排版工作的第一步是文字录入。……标有排版符号，并附有排版说明的书稿送到排版车间后，排版人员就用带屏幕和一个特殊键盘的专业排版机键入作品的内容，通过那个特殊的键盘还可以输入各种各样的技术命令。……排版车间的专业人员根据出版社生产部的要求，事先在电脑里设计固定的程序规定字体、字号、行间距和版心宽度等内容，计算机自动将输入的字符以及插铅的宽度加起来，并与程序里规定的版心宽相比较。……逐行将排版的文字内容相加并曝光。……作者、出版社校对人员和编辑对作品的改动最后由编辑统一誊写到同一份拼版样上，并用不同颜色的笔表明更改的地方是排版错误还是其他变更，这样做是为了便于计算改版费用。

所有的修改完成后，排版车间将作品的全部内容按要求分页，并最后一次曝光到胶片上，然后将所有胶片交给印刷厂（车间）。印刷厂的安装部门根据自己的设备的工作模式——较常用的是一个印张印16页，如果作为下一个工序的装订厂（车间）有相应的设备，经常也有一次印多个印张的操作——将单张胶片安装成数个印张。

印制完成以后就是装订工作：印好的印张被送到装订厂（车间），装订工人将它们折叠起来，将每个印张订在一起，然后将所有印张连在一起，进行整理和配页检查，使书的不带封面的里面部分按从第一页到最后一页的正确顺序排列，此所谓书心。接下来的一个工序是从三个方向将书心切整齐。然后我们给书心外面套上硬质的精装护封或者软质的平装封面。那么，我们如何才能将各印张连接成书心以及将书心与封面连起来呢？实际操作中主要有线装和胶粘两种不同的做法。

对编辑人员来说，了解图书的技术生产过程中各个基本步骤非常重要。惟有此，他才能树立起如今已必不可少的成本意识，才能对有关图书生产的各项问题做出自己的评价。

——［德］汉斯-赫尔穆特·勒林. 邓西录，王若海，刘晓宏，孟海东译. 现代图书出版导论. 北京：商务印书馆，1998. 123~130

● 图书出版全程策划的主要内容,应包括以下几个方面:

1. 选题的提出和论证

2. 组稿

3. 拟出图书编撰方案

这个方案应包括:

(1)出版本书的意义和目的。

(2)编撰的原则和要求。

(3)作者和编委会名单。

(4)图书的装帧要求。

(5)时间安排。

4. 做出投入和产出预算

5. 制定营销和宣传推广计划

6. 依方案开展工作

——丁志红. 新形势下的图书营销策划. 出版发行研究, 1999 (5)

● 简言之,出版策划就是对整个出版行为进行的事前谋划,它是根据已经掌握的相关信息,推测出版发展的趋势,分析出版工作需要解决的问题和主客观条件,在出版行为发生之前,对指导思想、目标、工作对象、方针、政策、战略、策略、途径、步骤、人员安排、时空利用、经费开支、方式方法等做出的构思和设计并形成系统、完整的方案和行动的纲领。

出版策划的内容相当丰富。从出版过程上看,有编辑策划、印刷策划、发行策划。从出版管理上看,有质量管理策划、人才配置策划、财务管理策划、经营策划、物资供应策划、出版单位发展战略策划等。以上每一个大类中,又可包含许多子项目的策划。

出版策划是一个系统工程,涉及出版的方方面面、各个环节。出版策划渗透在各方面、各环节的工作中。出版策划的内容几乎包罗了出版工作的各个领域、各个层面。

出版策划在出版工作中具有相当重要的地位。出版策划为出版活动提供指南和纲领,是出版活动取得成功的重要保证;出版策划为出版工作提供新观念、新思路、新方法,通过出版策划对各种有利因素、有利资源进行优化组合,可以使这些因素、资源发挥更大的效果,增强出版单位的竞争力;出版策划可以改善出版单位内部管理,取得良好的社会效益和可观的经济效益,实现两个效益的统一。

——李道平. 略论出版策划. 中国出版, 1997 (7)

● 出版策划的效应主要体现在以下八个方面：

一、功能拓展效应

出版策划的实施，使出版社固有的中介功能得到了最大限度的拓展。出版社既要从社会生活中挖掘出版资源，捕捉契机，又要在社会上培育市场，获取回报。

二、空间共享效应

出版社要充分发挥文化优势，在广泛挖掘出版资源中营造更多的共享空间，以此拓宽出版社的竞争空间，生成更多财富。

三、参与共振效应

出版策划本质上是前瞻性的创造性思维。即在选题尚未投入运作之前，对图书出版前后可能出现的机遇进行预测，掌握出书的制导权，并把编辑的策划思路贯穿于整个出书过程，使出书过程不再是编、印、发作为"铁路警察各管一段"，而是编辑与作者、美编、印制、发行人员等有关方面的多向、多边交流。这种因编辑全程介入而产生的共振效应，使编辑的策划思路得到最大限度的发挥，并从多方交流的信息反馈中不断完善原有的选题策划构想，从而求得最大的边际效应。

四、敏锐触角效应

大千世界中，可供选题策划所利用、开发的出版信息资源可说是无时不在，无处不有。关键在于编辑能不能真切地感觉信息，能不能敏锐地捕捉信息，从信息的整合中形成独特的选题思路。

五、借题发挥效应

如何使出版社在拥挤的信息"通道"中以不同寻常的方式吸引读者的关注，成了出版策划的"重头戏"。所谓"社会轰动"，不一定是千载难逢的重大事件。关键在于策划创意，通过借题发挥，从人们熟悉而又平常的事例中，挖掘"情理之中，意料之外"的情感共鸣点。

六、新瓶旧酒效应

出版资源本质上是再生资源，可在深度开发中产生多重价值。一些出版社运用"新瓶装旧酒"的策划思路，针对现代读者希望快速、便捷掌握知识、信息的阅读心理，以新的表现形式挖掘经典名著的价值内涵，让优秀传统文化重放异彩。

七、品牌扩张效应

每个出版社都有若干种比较叫得响的品牌书，这些品牌书既体现了出版社的出书特色和文化积累成果,又有较大的市场占有率。一些出版社精心策划品牌扩张,将品牌书的蛋糕做大,使品牌书的竞争优势在时空的延伸中产生更可观的效益。

八、书刊互补效应

图书和社办期刊都是出版物,但图书和期刊所具有的不同的信息负载形式,使其产生了不同的优势。一些出版社通过精心策划以书促刊和以刊促书,充分发挥书刊优势互补效应,并在优势互补中生成新的优势。

——朱胜龙. 出版策划的八大效应. 出版发行研究,1999 (10)

● 出版的流程包括编辑、印刷、销售(发行)、物供或者还有管理等多个阶段或环节。

出版物是出版过程的结晶体,是过程的最终物质形态。

编辑行为之所以是必要的,是因为行为实施者在编辑行为的过程中附加了价值。因此对于编辑行为衡量的标准之一,就是看附加价值的多与少,劣与优。

"按需印刷"的出版实际上是市场细分的结果。市场经济越发达,图书市场的细分化乃至个性化越是一种趋势。出版者必须看到这种趋势,据此来调整自己的发展战略。

选题策划、编辑策划和出版策划(包括经营策划)是出版工作的三个同心圆,选题是圆心。

它们既是个体的行为,不可忽视的是它们也是一种集体意志。实施到位的这样三种策划,都可以转化为出版生产力。

——王建辉. 对100个出版问题的片断思考. 编辑之友,2002 (3)

● 从广义上讲,出版策划未尝不可以包括一国出版业、一省出版业、同一系统出版业、一个出版集团的策划。从狭义上讲,出版策划是一个出版社为了达成自身的出版目标,而进行的策划。狭义的出版策划是当下中国出版界关注的热点。现代出版策划的基础是以"行销"为导向。……"行销导向"亦称为"市场导向"、"顾客导向"或"读者导向",就是出版者在生产图书或做出其他重要决策之前,要充分研究读者的需求及图书市场上同行竞争者的情况。出版策划的一般过程可以归纳为如下四步:出版策划的第一步,就是设计出版策划的具体目标。出版策划的第二步,是做出详细的出版计划,并计算本计划所担风险大小及相对应的计划是否合理,从而确定本计划是否可接受。第三步,执行出版计划。第四步,是对出版策划的执行情况进行绩效评估，并根据市场反馈信息不断修改计划，进行再策划。

出版策划要注意的几个问题：1.出版策划并不是要消除市场风险。2.出版策划是一种程序，重在实践。3.一项聪明的出版策划应该在恰当的时机推出，才能达到最佳的效果。4.出版社也应该重视自己的出版管理信息系统的建立。5.出版策划的灵魂是人，而非技术。当前出版策划的重点主要在：出版社风格定位、选题策划、营销策划、出版社管理信息系统等方面。

——邓咏秋. 出版策划及当前出版策划的重点. 编辑之友，2003（1）

● "单兵应战"是一种从选题策划、构思到作者的选定，从书稿的到位到图书的审校、印制，乃至图书的营销，均由编辑个人负责，以个人工作业绩为主要考核对象的图书出版运作模式。与此相对应，"团体作战"则是一种从选题策划、构思到作者的选定，从书稿的到位到图书的审读、印刷，特别是图书出版后的营销手段、策略的制定与实施，均由多个承担策划、编辑、营销等不同分工的人员组成的集体负责，以集体工作业绩为主要考核对象的图书出版运作模式。

团体作战的优势之一：能够充分调动选题策划的优势兵力，进行更为全面充分的市场调研；选题方向集中而不零散，有规划而不盲目；图书品种有规模、成系列而不芜杂；更容易铸就品牌，形成出版优势与特色。……优势之二：编辑、排版、校对、印刷力量相当集中使图书出版进度顺畅，可较充分保证正常的出版进度，从而使有创意和市场开发前景的图书品种在推出之初就能占领市场，独树一帜，为图书品牌的铸就奠定基础。……优势之三，容易形成营销工作重点，从而制定重点营销方案，进行整体营销策划；可以尽最大努力充分利用有限的财力和物力，集中人才优势，加大宣传力度和攻势，使选题横向拓展，纵向延伸，打造品牌，使出版走向良性循环、可持续发展的道路。

——周小方. 从"单兵作战"到"团体作战"——图书出版运作模式演进的必然趋势. 编辑之友，2003（4）

出版物生产成本及其控制

出版物生产是一个耗费出版劳动形成出版产品的过程，这一过程中所耗费的劳动要通过生产成本表现出来。出版物的全部成本又称为贸易成本,它由生产成本与销售成本两部分组成。出版物的生产成本是出版物产品形成过程中所耗费的各种劳动的货币表现,它是出版物全部成本的主要构成部分。出版物的生产成本包括直接生产成本和间接生产成本两部分。直接生产成本是在出版产品形成过程中直接耗费的劳动,它由稿费与编校费、纸张费、装帧材料费、制版费、印刷费、装订费、废品损失等七个项目组成;间接生产成本是间接作用于出版产品形成过程的劳动耗费,它主要由编辑费和企业管理费两个项目组成。了解出版物生产成本的构成,控制好出版物的生产成本,对于提高出版活动营运效率和经济效益具有非常重要的意义。下面引用的各种论述,对出版物生产成本的控制能够提供有益的启示。

● 　在看待出版的成本因素上有两种方法。一种方法仅指图书生产各种工序中所消耗的成本,包括三大类:

1. 编辑工序成本:包括出版商向作者、译者、编辑、插图人员、装帧设计人员及其他人员所支付的稿费或工资。

2. 物质生产成本:包括向印刷商支付的印刷费用和购买纸张、油墨、布、线、胶水等所支付的费用。

3. 销售与发行成本:指出版商向销售代表、订单雇员、运输雇员、广告宣传人员所支付的工资或费用。

在探讨这些成本因素是如何影响一本书的成本以及出版商的最终利润时,一些有远见的出版商又使用另一种方法对这些因素进行分类,从而揭示这些成本因素受印数增长的影响程度,以便在决定印数、售价和稿费时有所依据,即:

一、自动变化成本:对于一本书来讲,如果印数增加,下列成本就会自动增加:

1. 向作者支付的版税,通常基于所售出的图书册数,有时也基于印刷版次的多少。

2. 印刷和装订费用(这里不包括排字成本)。

3. 材料成本:购买纸张、油墨、布、线、纤维和胶水等所需费用。

4. 贮存和运输费用。

二、不变成本:这些成本因素对于一本书来讲是不变的,不管其印数

多少。

1. 编辑工序成本包括编辑、插图、封面设计等费用。

2. 排字成本:即排版、字型、制版等费用。

在出版商的成本因素中,还有两种特殊的成本即宣传费用成本和企业一般管理费用成本。

宣传费用成本:这种成本根据出版商的政策决定而变化。一般来讲受图书印数的影响,但不是自动跟随图书印数而变化。许多出版商计划从年销售收入中拿出固定的部分来用作全部图书的广告费用。但是具体到某一本书时,广告费用则受诸多因素的影响,如图书种类、预计售出的册数及公众对不同类型广告的反应等等。

企业一般管理费用成本:出版商从某种程度上可根据全部图书的销售前景对这一成本进行控制。不过,一般来讲,它是固定成本,包括行政费用、账务、纳税、租金、信贷利息等。

很明显,企业一般管理费用成本的绝大部分相对来说是固定不变的,在短期内不可能有太大的变化,或者至少是对于一本书来说变化不会太大。

——〔美〕D. C. 史密斯. 季风译. 出版经济论. 出版发行研究,1990 (5)

● *这里所说的成本指的是出版成本,包括稿费、排版费、印刷费、装订费、纸张费、材料费、出版损失费、编辑费用,前七种为直接成本,后一种为间接成本。*

1. 印刷加工费用是成本预测的主要环节。印刷加工费主要包括排版出片费、制版费、打样费、印刷费、装订费。

2. 纸张材料的成本直接影响着成本预测。

3. 稿酬预测是成本预测不可忽视的环节。

4. 销售量的预测直接影响出版成本的预测,是成本预测的关键。

5. 图书的定价和发行折扣直接影响着成本决策。

6. 合理分摊间接费用是成本预测的一个环节。出版成本中的间接费用是指组稿费、编辑加工费、绘图费、校对费,以及编辑部门的人员工资、差旅费、劳保福利、样书赠阅、图书资料等经常性的业务开支。

——沈小梅. 编辑与成本预测. 出版发行研究,2002 (4)

● *一、成本管理与控制的意义*

(一)成本管理与控制是出版社增加赢利的重要途径……

(二)成本管理与控制是抵抗内外压力,求得生存和发展的保障……

二、成本管理与控制的原则

(一)经济原则

经济原则是指因推行成本管理与控制而发生的成本不应该超过因缺少成本管理与控制而丧失的收益。

(二)可控性原则

成本管理与控制主体只对可控成本承担责任。

(三)全面性原则

全面性原则是指全过程成本管理与控制……全方位成本管理与控制……全员成本管理与控制。

(四)责权利相结合原则

除成本管理与控制主体根据各自权限对可控成本进行控制，并对控制结果承担责任外，企业还应对所属各级成本管理与控制主体的成本管理与控制结果进行考核，给予奖惩。

(五)成本效能原则

成本管理与控制还应该遵循成本效能原则，即以尽可能少的成本支出来获得更大的产品价值转变，以成本支出的使用效果来指导决策。

——马爱梅. 图书成本管理与控制初探. 见：罗紫初，方卿主编. 出版探索——纪念武汉大学编辑出版学专业创建廿周年校友论文集. 武汉：武汉大学出版社，2003. 218~220

● 一、统筹安排文稿版面。1.排版凑整印张。2.彩色插图页的安排。……将零散的彩图插页，按同一缩放比例拼贴好，给工厂提供一次照相制版的条件，可以降低制版费用。3.工艺的选择。

二、合理使用纸张材料。1.选择图书用纸。同一品种的纸，只要是不影响书刊的质量，尽可能使用低克重的纸张，从而降低纸张成本。2.封面印刷及用纸计算。首先，在发稿时要选用与稿件规格匹配的纸张。其次，在设计封面时也要考虑到纸张的节约问题。再次，就是要根据每本书的具体情况来确定封面开数。

——孙继班. 降低图书印制成本的两种途径. 出版发行研究，2003（1）

● 1. 图书成本的预算

在选题论证前，预先进行成本预算，就会更准确推测、判定图书的盈亏情况，宜用什么样的纸张，印数多少为好，等等。心中有数后，再制定详尽的出版计划，有目标地将成本预算贯穿到整个图书出版的过程中去，这样就能节约成本，增加效益。

2. 印刷成本的控制

在出版方面：①对图书开本尺寸，一般应以 32 开或大 32 开为主，要少用或不用异型开本(如不足 4 的倍数的 18 开、22 开等)。……②内文出片时，应区别重点与一般图书，并参照印数的多少、重印率等因素出硫酸纸或胶片，若重印率低、印数少或重印时改版较大的，可考虑出硫酸纸，也可节约费用。③制版印刷上降低成本。

3. 加强纸张的自行采购，建立特种纸使用的审批制

出于成本控制的目的，建立出版社直接向纸张生产厂家采购制度比向中间商购买或委托印刷厂代购要节约相当多的费用，且纸张的质量又有保证。……特殊材料使用要结合图书整体策划与市场营销原则，由社领导审批后采用。

4. 缩短图书出版周期，适应图书市场

总之，图书成本控制需要全社员工的共同努力，同时也要加大现代化管理的手段，只有通过科学的分析与管理，才能使出版经营的管理模式更为科学。

——宋少萍. 关于控制图书成本的思考. 出版广场，2003（6）

● 图书策划成本为图书制作的前期成本，包括：图书选题费、论证费、会议费等。

图书营销成本贯穿于图书经营的整个过程，包括：市场宣传费、市场广告费、市场营销费、图书展览展示费、运输费和仓储费等。

图书生产成本：1.纸张费。指书刊正文以及同正文一起印刷的插页用纸张费。2.装帧材料费。指书刊封面、封套和不同正文一起印刷的插页以及装帧用的各种纸张、板纸、皮革、电化铝、丝带等费用。3.稿费、校对费。指支付给著译者和校订者的稿费、审校费，向其他出版社租型造货所支付的租型费。4.制版费。指用于书刊排版、制版和纸型费。5.印刷费。指书刊印刷过程中的浇版、镀版、晒版、装版及印刷等加工费。6.装订费。指用于书刊装订过程折页、配页、套页、平订等费用以及上封面、护封、封套、包装套等。7.编录经费。指编辑、设计、校对和绘图等人员的工资和按工资计提的职工福利费以及各项编辑业务费用。

变动成本指其发生额随商品产销量的增减变化而相应变动的成本。如图书纸张费、装订费、印刷费等。

固定成本指与商品产销量没有直接联系，在一定时期和一定销量范

围内其发生总额保持相对稳定不变的成本。如人员工资和按其计提的职工福利费用等。

图书成本关键控制程序：1.图书印制需有授权批准，并制定相应的成本预算。2.纸张领用单需有授权批准。3.稿酬、审校费等编辑费支付需有审核批准，并按图书品种、印次进行登记管理。印装费支付需有审核、批准，并与印制合同进行核对。4.财务核算依据审核过的图书印制单、纸张领用单、稿费支付单、审校费支付单、印装费支付单等凭证、单据进行。5.对上述凭单分别予以事先编号，并做到全部入账核算。6.图书成本核算方法及纸张核算方法应前后各期保持一致，并做到图书成本核算符合权责发生制原则。7.定期进行实物盘存，做到账实相符。8.充分发挥内部审计作用。9.定期进行成本分析。

——高杨. 图书成本管理简述. 出版经济，2003 (8)

● 图书的总成本=直接成本+应分摊的间接成本。其中直接成本包括在图书的编辑和印制过程中会发生各种各样的耗费：如纸张材料费用，印前制作费用，印刷装订费用，编辑、设计、校对费用，作者的稿酬等等；间接成本由各类人员工资、管理费用、销售费用等组成。

一、有效降低图书的变动成本是降低图书直接成本的主要方面

1. 降低图书印制材料费是降低全部成本的基础。

2. 利用多种形式，将图书印制加工费控制在最低水平。选择好印刷厂安排图书生产是控制印制加工费成本的首要条件。比较时尚的做法也是采用招标的形式：选择几家条件适宜的印刷厂，分别进行全面评估，从中选择印制质量最优和印制成本最低的印刷厂来承印本社的图书，以期达到图书印装质量、生产周期与加工费用之比的最优化。

3. "包印张"形式使图书的纸张和印刷费用趋于平均化。"包印张"是一种以印张为单位，将材料费、加工费一并结算的方法。即事先由出版社确认内文、封面用纸的质量要求，委托印刷厂买纸、印刷、装订、出成品。交齐书后按双方谈妥每印张的价格统一结算，简捷方便。

二、加强对图书固定费用的管理，降低图书的单位成本

1. 选择适宜的方式支付稿费，将固定成本转变为变动成本。……在与图书作者协商签订出书协议时，应有意识地考虑采取印数稿酬或版税方式。(印数稿酬按基本稿酬的一定比例、随每次印数分批支付；版税则是按图书总定价的 3%~10% 计算。)

2.利用新的组织形式,有效降低图书的印前制作费用。……社办电脑室,以一定的设备投入和人员配备,在实现了节省制版的部分费用的同时又为编辑们的加工整理工作提供了方便,不失为降低印前制作费用的一种好的组织形式。

3.加强对图书信息资源的管理保存和充分利用。由出版社自己制作、保存、利用图书印前制作的全部图书信息资源的形式,可以节省初版、再版书的制版费用。

实现广义上的降低图书成本,则要依靠编辑部门提供优质稿源、发行部门增加营销力度,图书的生产成本才能大幅度降下来,图书定价才会达到相对合理的水平,我们出版的图书才会让更多的读者认可购买,出版社经济效益和社会效益的"双赢"才有可能进一步实现。

——周莹. 探讨降低图书直接成本的主要途径. 出版经济, 2003 (9)

● 图书成本是指图书在出版过程中所消耗的材料费、编辑费用、加工费用、管理费用、财务费用、销售费用等各种费用的总和,它又可分为直接成本和间接成本两种:

1.直接成本是指图书在出版过程中所需要的编辑费用、排版费用、纸张材料费、印制加工费,以及稿费等。

2.间接成本主要包括出版单位的管理费用、销售费用、财务费用等,在间接费用中,有些费用可直接记入某种图书成本,而大部分则是要通过印张数或图书的码洋共同分摊的方式记入某种图书的成本中。

成本核算是对生产经营过程中所发生的各种耗费,按其性质和发生地点,依照一定的程序、标准和方法加以归集和分配,计算出某种成本计算对象在一定时期内实际发生总额和单位份额。目前大多数出版社就是这样进行成本核算的,把编录经费、纸张材料费用、印制加工费用、稿费、版税和租赁费用以及销售费用中可以直接记入某一图书成本的部分相加得出版成本的总额。将出版成本的总额除以该图书的印制数量,则得到该图书的单位成本。然后根据图书的销售数量,来结转图书的销售成本。

——常跃进. 单书成本核算的探讨. 出版经济, 2004 (9)

出版物的定价

在市场经济环境下,对于带有营利目的的出版者来说,出版物的生产成本与其定价有着直接联系。出版者为了追求更大的经济效益,通常的做法就是降低成本和提高定价,但这两种方法的使用是有一定限度的,过度降低成本势必影响出版物的质量,而一味提高定价则会使市场需求减少。因此,出版物经营者必须在定价与成本两者之间寻找一个均衡点。"出版物的定价"主题下摘引的内容是关于出版物定价理论与方法问题的具体论述,可供研究出版物成本与定价关系时参考。

● 我是想谈谈书价制度改革的问题以及与此相联结的出版经营方针问题。具体地说,是两个问题:(一)如何正确规定出版社的经营方针和书价方针?是否坚持"薄利不亏"和"力求低廉"?(二)如何制订定价标准?要不要继续制订全国统一的定价标准?

关于第一个问题,有以下三种设想。

第三种设想,还是要坚持"薄利不亏"和"力求低廉"的方针。"薄利"与"合理的利润"并不矛盾。……出版社的销售利润率,与其他商品比,可向中等偏下的看齐(例如 5%~10%),既属"薄利",又为"合理"。"力求低廉"的方针必须坚持。

关于第二个问题,有以下两种意见。

第二种意见,国家既规定图书定价的方针和原则,又制订中央级出版社的定价标准,但不制订全国统一的定价标准。

以上第一个问题的三种设想,我同意第三种设想;关于第二个问题,我同意第二种意见。

——王益. 谈谈书价问题. 出版工作, 1984 (7)

● "居高不下"是当前书价的主要特点。书价太高的直接后果是图书销售不畅,印量不断减少,市场逐渐萎缩。高书价的实质是出版部门将自己经营管理不善所造成的损失转嫁到读者头上。虽然带来眼前好处,却不利于出版社自身建设和发展。

对策与建议:(1)要统一认识,要承认目前书价确实太高,至少是偏高。(2)改进发行渠道,降低发行折扣,建议有关部门通过对图书限价和发行折扣限制来达到降低书价的目的。(3)降低纸价。……对出版社,要合理设计版面,减少用纸量。对印刷厂,要加强管理,减少试印样张数和减少废品率,也有助于减少用纸量。

——张英光. 关于书价. 见:中国出版年鉴 (2000). 北京:中国出版年鉴社, 2000. 393

● 一、出版物定价目标

1. 保持稳定的价格。……这种定价目标,可使出版物的价格相对稳定在一定的水平上,避免不必要的价格竞争或价格骤变的风险。这对规模较大的出版社是一种稳妥的保护政策;对中、小规模的出版社而言,目标利润的实现也可以得到保障。

2. 维持和增加市场占有率。……从市场占有率出发确定出版社的定价目标,主要出于两种考虑:一是为了维持出版社原有的市场份额,延长出版物的获利周期;二是为了打破市场均势,开拓新的市场。

3. 应付或防止价格竞争。……出版社在制定价格时,可将如何应付和防止价格竞争作为自身的追求目标。通常是以对出版物价格有决定影响的竞争者的价格为基础,在比较权衡的基础上,确定本单位的定价目标。

4. 保持良好的分销渠道。随着出版物卖方市场向买方市场的转变,市场竞争日趋剧烈,出版物的发行日渐困难,建立并且保持顺畅的发行渠道也就显得尤为重要。而利用价格策略来维持出版物分销渠道的稳定,不失为一种方便有效的手段。

二、确定出版物定价的几个原则

1. 坚持党的新闻出版方针,不以赢利为惟一生产目的,既要服从政治利益,又要讲究经济效益,同时还要考虑读者的承受能力,便于扩大发行,有利于实现社会效益与经济效益的最佳结合。

2. 对不同品种的出版物要区别对待。

3. 对同类性质的出版物,应根据市场上的同类出版物的现行价格保持相对的平衡。

4. 对于社会效益较好的出版物和一些学术价值较高的理论、科技著作,为了加强社会主义精神文明建设和推广科技成果,推动科教兴国战略的实施,定价时,应执行"保本微利"的原则,必要时,甚至要低于成本定价。

三、出版物定价策略

1. 极限价格策略是指出版社在新版出版物上市初期,在政策允许和读者基本可承受的范围内,将价格定到高极限程度,以便在短期内收回所占用的资金,并获得较多的利润。

2. 渗透定价策略是指出版社在新版出版物投入市场时,将价格定得低于预期价格,以利于为市场所接受,并迅速打开销路,抢占更多的市场份额。

3. 折扣定价策略……通常有两种方式:一是现金折扣……二是数量折扣……

4. 配套定价策略是指出版社将出版物按学科、专业、系列等组合成套,并分别制定单位价格和成套价格的做法。

四、出版物的定价方法

1. 成本加成定价法是指按照单位成本加上一定比率的加成来制定出版物销售价格的方法。……此种定价法在出版单位适用性较强。其计算公式为:

定价=总成本÷〔计划销量×发行折扣×(1−销量费用率−销售税率−销售利润率)〕

2. 收支平衡定价法是指运用盈亏平衡原理,根据盈亏界限来确定出版物最低价格水平的一种保本定价方法。

保本定价=总成本÷〔计划销量×发行折扣×(1−销售费用率−销售税率)〕

因为出版物总成本等于固定成本与变动成本之和,所以,上式又可变为:

保本定价=(固定成本+单位变动成本×销售量)÷〔销售量×发行折扣×(1−销售费用率−销售税率)〕

3. 随行就市定价法是指出版社按照本行业的同类出版物的平均价格水平来确定价格的方法。

4. 差别定价法又称区分需求定价法,是指在特定条件下,按照不同的不反映成本费用的比例差异的价格出售某种出版物。出版社采用差别定价法的主要形式是以客户为基础的差别定价。

——张其友. 加强出版物定价管理的思考. 大学出版,2001 (3)

● 细分市场与产品定位是定价的基础和出发点。……一个产品的定位越准,在定价区间内的定价点就越清晰,定价也就越容易。……忽视市场、需求与竞争关系不可能制定出一个科学合理的价格,策略更无从谈起。所以一定要重视市场调研,了解市场需求,分析竞争关系。

产品通过分销渠道销售出去。对产品来说,对渠道的使用会产生使用成本,渠道的使用成本也是定价需要考虑的成本因素。其次,不同的渠道会有不同的使用成本,成本的高低不同,定价的起点也会随之变化,而产品的认知价值却不会随之相应变化,因而营销渠道的不同必然影响到价格空间的大小。……值得注意的是,在各项成本不能有效降低的情况下,如果还想保证一贯的利润率,那么高折扣(使用高价格的营销渠道)带来的必定是高定价。

定价的过程,其实就是以产品定位为基础、以经营者的经营战略为指导、以实现经营效益最大化为目的、在定价区间内对相关因素的一个分析判断及权变取舍的过程。

1. 认知价值法。就是在定价区间内,以认知价值作为主要定价取向的定价方法与策略。

2. 成本加成法。就是在定价区间内,以成本作为主要参照,在成本基础上进行一定加成的定价方法与策略。……对定价来说,对内直接成本和间接成本是成本,对外分销渠道折扣与损耗也是成本。

3. 通行价格法。就是在定价区间内,以竞争替代产品价格作为主要参照进行定价的方法与策略。

4. 产品线定价法。从市场角度考虑,产品线较单个产品更有冲击力,认知价值联想互动性更强。……针对产品线进行定价比为每一个产品定价更能事半功倍,而且易于统筹兼顾。

——赵中平. 图书定价的科学与艺术. 出版发行研究,2004 (6)

出版物市场的构成及现状与发展

出版物是商品,商品的经营离不开市场。生产要按市场要求来组织,产品价值要在市场中实现,出版产业各个环节的运作都离不开市场。加强对出版物市场的研究与分析,掌握出版物市场的内在规律,也就成为科学组织出版发行活动所不可缺少的条件。所谓出版物市场,是指围绕出版物商品交换所进行的各种经济活动以及由此而产生的各种经济关系的总和。出版物市场由五个基本要素构成:经营者、出版物商品、读者、购买力、购买动机。出版物商品供求关系,是构成出版物市场的基本矛盾。依出版物商品供求矛盾性质的不同,出版物市场又有买方市场与卖方市场之分。对于出版物市场,可以从不同的角度进行理解与描述。下面引用的各种对出版物市场概念、特征、基本矛盾及现状与发展趋势的论述,对于我们认识出版物市场,无疑能提供有益的帮助。

● 图书市场指图书作为商品进行买卖的场所。

　　——孙树松,林人主编. 中国现代编辑学辞典. 哈尔滨:黑龙江人民出版社,1991. 14

● 图书市场是指交换图书商品的领域和场所。它包含着图书出版者、书店经营者和读者之间围绕图书交易进行的全部买卖活动,是图书商品从出版、发行到读者购买整个流通过程各种交换关系的总和。它起着丰富人们精神文化生活,传递科技、经济、文化信息,实现图书商品价值的作用。

　　——王鼎吉主编. 图书发行业务知识手册. 北京:中国社会出版社,1991. 132

● 图书市场,是图书作为商品交换时的交易场所。它是一种文化市场,反映图书的作者、编辑者、出版者、发行者、读者之间错综复杂的交换关系,是人们精神文化生活供求状况的综合反映之一。它也是图书生产经营的必要条件,是作者和出版经营者以他们产品的质量、风格、价格、时间等与同行对手进行竞争的场所,是调节社会图书供求的一种手段。

　　——边春光主编. 编辑实用百科全书. 北京:中国书籍出版社,1994. 464

● 图书市场是指交换图书商品的领域和场所。它是图书出版者、书店经营者和读者之间围绕图书交易进行的全部买卖活动,是图书商品从出版、发行到读者购买整个流通过程各种关系的总和。

　　——曹悟善,黎昌福主编. 图书发行实用教程. 成都:四川教育出版社,1996. 112

● 图书市场是指以图书商品的出版生产到发行流通直至读者购买整个图书商品交换关系的总和,即图书商品进行交换的场所和领域。

　　——周一苇. 实践与探索·图书发行研究论文选. 北京:中国国际广播出版社,1992. 3

● 图书市场,指进行图书商品交换的各种活动及由此而产生的各种经济关系的总和。

　　——李晓钟主编. 书刊发行辞典. 长沙:湖南出版社,1993. 45

● 图书市场是商品关系的总和。因而,图书市场涉及商品化的图书、图书的生产者、购买者以及买卖图书的场所。图书市场形成的先决条件,就是图书成为商品。

　　——陈刚. 中国近代图书市场研究. 编辑学刊,1995 (2)

● 图书市场是一个以特殊商品——具有物质和思想双重形式——投入流通的特殊市场。

　　——张辉冠. 图书市场的构成及其影响和制约它的诸因素. 见:中国出版工作者协会编. 1983出版研究年会文集. 太原:山西人民出版社,1998. 434

● 图书商品的特点决定了图书商品市场分为两个方面：有形交易市场与无形评价市场。

图书有形交易市场与其他商品市场一样，是图书的物质产品形态——图书的交易场所。所不同的是，在这个市场上，消费者所需求的一般不是图书物质实体本身而是载于物质实体之上的内容；市场需求不仅直接取决于人们的物质收入水平，而且更重要的是取决于由消费者的文化心理素质决定的文化需求。因此，人们社会观念的变化和社会经济生活发展形势的变动都会及时反映到图书市场上，形成不同时期的不同图书热点。可以说，这个市场是由接受传播的消费者的需求所左右的，它一般不直接反映图书文化的长期发展趋势。但是，它决定着出版社近期利润的实现。

图书的无形评价市场是图书市场区别于其他商品市场的特点。它反映了图书这个特殊商品的特殊性——文化精神传播保存载体的性质（其内容从属于意识形态领域）。

——胡晓清. 图书·市场·效益·编辑. 编辑学刊, 1994 (1)

● 图书市场除具有其他商品市场的基本共性外，还具有以下特征：

(1)具有商业和文化市场的二重性。

(2)是出版、印刷、发行三位一体的多种经营的综合市场。

(3)是计划发行与自由选购相结合的市场。

(4)具有优良服务传统的文化服务市场。

(5)是具有开拓农村潜在市场的广阔性。

(6)图书市场的需求具有多样性、层次性、伸缩性和可诱导性。

——曹悟善，黎昌福主编. 图书发行实用教程. 成都：四川教育出版社, 1996. 114~117

● 图书商品的特殊性及国家对图书市场的上述计划指导和宏观调控，决定了我国图书市场的市场类型为垄断竞争市场。一定数量的商品生产者及其商品的差异性或不完全同质性，是垄断竞争的基本条件。由于在短期内商品生产者的数量基本上保持不变，因此在短期内可能获得超正常利润。

——陆祖康. 我国图书市场供需特征分析. 暨南学报 (哲学社会科学版), 1996 (2)

● 在市场经济条件下，图书作为一种特殊商品，也同其他商品一样，必须通过在图书市场的流通，才能使自己具有的价值转化为使用价值，将图书由出版者手中转到读者手中。因此，图书市场是沟通图书出版者与图书阅读者之间联系的桥梁或纽带。……图书市场能吸引图书生产者高度关注图书市场的需求变化，并根据这些变化，尽可能地调整图书出版的内容、品种和数量，然后再通过图书市场这一中介环节，最大限度地满足广大读者日益增长的精神文化生活需要。……图书市场与其他一般商品市场的主要区别，就在于一般商品市场的功能和属性，主要在于最大限度地满足商品消费者的直接要求和需要；图书市场则不能仅仅停留在对读者种种阅读兴趣和阅读要求的满足上，而更需要着眼于服从和服务于社会和时代的精神文化发展需求，并且要用符合社会和时代发展进步需求的精神文化，来正确地引导或指导读者形成健康向上的图书购买取向和图书阅读方向。简言之，既通过图书市场满足广大读者日益增长的健康向上的精神文化需要，又根据社会和时代的精神文化发展趋向和要求，对读者进行积极正确的引导和指导，保证广大读者不受负面精神文化的影响与侵蚀，这是图书市场所应当具有的最根本功能和有别于其他市场的最本质的特殊属性。

——张茂才. 试论图书出版与市场经济的辩证关系. 新闻出版交流, 1998 (2)

● 所谓供需平衡，只能是把供过于求或供不应求的供需差率缩小到一种略有多余或基本满足的最低限度。

——新华书店总店编. 发行事业探求. 北京：新华书店总店. 1984. 58

● 图书市场是由供求两个方面组成的。供方包括产(出版社、印刷厂)、供(发货店)、销(销货店)三个环节，需方包括读者、购买力和购买动机三个要素。图书市场活动是指图书商品从生产领域到消费领域的转移过程中，供求双方内部和相互之间所发生的一切交换行为和职能的总和。……图书市场的基本矛盾是供求矛盾。图书市场的一切活动，都是围绕着解决供求矛盾而展开的。图书市场供求矛盾的运动形式也是"不平衡——平衡——不平衡"。

——张有能. 图书市场规律探求. 厦门：厦门大学出版社, 1992. 31

● 图书市场是供给和需求两个紧密相联的经济现象的反映。图书市场的供求矛盾无论是从总量，还是从某一类、某一种书的供求量来看，都不可能有绝对的平衡，它们总是在供不应求或供过于求的矛盾运动中前进。……从不平衡转化到相对平衡，从相对平衡又转化到不平衡，这就是图书市场供求不平衡互相转化的发展规律。

——周一苇. 实践与探索·图书发行研究论文选. 北京：中国国际广播出版社, 1992. 3

● 图书供求矛盾，指在图书市场上表现出来的图书出版和社会需要之间的矛盾。主要表现在以下几个方面：

1. 图书供给量和图书需求量的矛盾。

2. 图书供给构成和图书需求构成的矛盾。

3. 图书供给时间和图书需求时间的矛盾。

4. 图书供给与图书需求在地区间的矛盾。

——李晓钟主编. 书刊发行辞典. 长沙：湖南出版社，1993. 103

● 图书商品供求矛盾的表现形式：

(1)总量上的矛盾。指在一定时间内图书可供量和市场需求两者之间的矛盾，如供大于求或供不应求。图书供求总量上的矛盾，实质是图书生产同社会读者需求之间的矛盾在图书市场上的反映。

(2)构成上的矛盾。即图书供求结构上的矛盾。这往往是图书市场供求矛盾的主要方面。

首先，图书是知识的载体，要求相对稳定，而读者的需求是不断变化的，不可能使所有图书在供求构成上都达到平衡。其次，调整出书结构和书源构成需要时间。再次，读者构成存在多样性、层次性和专业性特点，读者购买力的投向与图书市场可供的门类、品种结构往往出现较大差异。最后，图书供求信息的快慢和市场竞争等因素，也会迟早影响图书供求之间的矛盾。

(3)时间上的矛盾。供求时间的矛盾，集中表现在时间性、计划性较强的图书供应上，如教材、课本、年货、学习文件等。

(4)空间上的矛盾。集中生产和分散供应，产供、产销之间存在发运不及时，中转运输不畅以及图书品种、数量在地区之间分布不平衡所造成的此存彼缺现象。

——新华书店60周年纪念活动组织委员会办公室编. 图书发行业务知识读本. 北京：开明出版社，1996. 105~106

● 图书自身的商品属性决定图书的供需关系。供需规模既反映着社会消费水平的增长和消费结构的变化，同时也反映着图书市场的规模容量和发育程度。

——陆祖康. 我国图书市场供需特征分析. 暨南学报（哲学社会科学版），1996 (2)

● 受价值规律制约的图书供求规律，可作如下表述：其他条件不变，社会对图书的需求，在一定的限度内按照和价格相反的方向运动。价格低落

(削价销售),刺激需求;价格提高,抑制需求;供不应求,价格上升;供过于求,价格低落。

我们可以将图书供求矛盾具体分为:图书发行总量与需求总量之间的矛盾;图书品种构成与需求构成之间的矛盾;图书供求在时间与空间上的矛盾。

——郑士德. 关于图书商品流通规律的探讨. 见:张克山,庄严,王克政. 图书发行纵横谈. 哈尔滨:黑龙江人民出版社,1988. 13

● 从图书由生产进入消费的全过程来看,构成图书市场的基本要素,同样也不外乎是产、供、销这三大环节。

——张辉冠. 图书市场的构成及其影响和制约它的诸因素. 见:中国出版工作者协会编. 1983出版研究年会文集. 太原:山西人民出版社,1984. 436

● 图书市场是由人口、购买力和购买动机三个要素构成的。

(1)人口(读者):人口状况包括人口数量和人口结构两个方面。人口结构包括文化程度、年龄性别和职业分布三个方面。

(2)购买力:包括集团购买力和个人购买力两种类型。

(3)购买动机:读者购买动机的"热点",会随着客观情况的变化而不断变化,但它也是有规律可循的。一般有以下几种类型:1.时代特征"热点"。2.兴趣特征"热点"。3.心理特征"热点"。4.利益特征"热点"

——张有能. 图书销售技巧. 福州:福建科学技术出版社,1988. 43

● 构成图书市场的主要因素有三个:

(1)读者,是构成图书市场的基础,它从总量方面规定了市场可容量的大小。

(2)购买力,是构成图书市场的必要条件,它指读者买书的经济支付能力,是图书市场总体的主体。只有将充足的购买力与众多的读者相结合,才能形成大有潜力的广阔图书市场。

(3)购买动机,是由读者需求激发的买书欲望。

——王鼎吉主编. 图书发行业务知识手册. 北京:中国社会出版社,1991. 132~133

● 构成图书市场的基本要素有四个:

1. 读者(含潜在读者)。这是图书市场的需方,其内涵包括读者的文化层次结构、职业结构及其购买力等。

2. 出版者。这是图书市场的供方,其内涵包括图书的品种结构、数量及是否适销对路等。

3. 发行者。这是图书市场的中转、中介方,其内涵包括经营的场所、渠道、方式等。

4. 政府有关部门对图书生产、流通、消费者环节给予方针政策上的引导和指导。

——李晓钟主编. 书刊发行辞典. 长沙:湖南出版社,1993. 45

● 图书市场构成要素有:

(1)读者。即具有一定阅读能力和一定购买力、购买动机的人和团体购书单位。它是构成图书市场的最基本要素。

(2)图书商品。它是构成图书市场的物质基础。

(3)交易场所。它担负着商品交换的具体业务工作。

(4)交换的中介人。即图书发行者(中间商)。发行者对出版者来说是商品的购买者,对读者来说,又是商品的出售者。

——新华书店60周年纪念活动组织委员会办公室编. 图书发行业务知识读本. 北京:开明出版社,1996. 98

● 构成出版物市场的主要因素有四个:

(一)读者

(二)购买力

(三)购买动机

(四)图书商品

——曹悟善,黎昌福主编. 图书发行实用教程. 成都:四川教育出版社,1996. 112

● 图书市场功能是图书市场机体所具有的客观职能。从销售学的角度看,图书市场具有以下功能:

(1)交换功能是指通过市场进行图书的进销活动。进为销准备物质基础,销是动员或协助读者购买图书。通过市场上多次循环往复的进销活动使图书顺利地在发货店、销货店与读者之间转移,从而实现价值,也可称为价值实现功能。

(2)供给功能是指市场上图书运输和储存的功能。可实现图书在空间和时间上的移动,以保证市场上图书流通的正常运转。也称为物质流通。

(3)反馈功能指市场就好像是一种示波器,随时随地把不同文化程度、不同年龄、性别、不同职业读者对各种图书的需求通过供求关系(供不应求、供过于求、供求平衡)显示出来,不断反馈给出版社,供以及时组织货源,为广大读者提供高质量服务。

——王鼎吉主编. 图书发行业务知识手册. 北京:中国社会出版社,1991. 133

● 图书的商品生产作为整个社会商品经济的一部分，受商品经济规律的支配与制约。一方面，市场为出版社提供了实现其图书商品价值的场所，从而使出版社能通过市场实现自己的效益与利益；另一方面，作为出版社竞争的场所，图书市场又对各竞争者的行为进行规范和评价，进而促进书稿资源的有效配置。

——胡晓清. 图书·市场·效益·编辑. 编辑学刊，1994（1）

● 图书市场的基本功能：1.组织功能。出版发行业通过市场机制的作用，把图书产、供、销联结成为统一的有机整体，满足社会读者不断变化的购书需要，使出版发行活动有机地循环起来，并通过图书市场的商品交换满足彼此的需要。2.实现功能。即实现流通的功能，也称交换功能。包括实现价值补偿和实现位置替换两个部分。3.信息功能。市场具有信息反馈功能。4.调节功能。出版发行部门除通过征订、预测、试销等实现平衡市场供求外，还要从品种、质量、数量、价格以及余缺调剂等方面发挥市场机制的作用，调节供需矛盾。5.核算功能。图书只有进入市场后才能核算出其品种是否对路，数量是否恰当，有无竞争力，资金投入和流通费用是否合理，利润是否达标。

——新华书店60周年纪念活动组织委员会办公室编. 图书发行业务知识读本. 北京：开明出版社，1996. 99

● （一）图书市场是联结出版与读者的纽带。

（二）图书市场是实现图书再生产过程的重要条件。

（三）图书市场为出版发行企业创造了竞争的环境。

（四）图书市场为国家出版发行事业的协调发展提供了信息。

——曹悟善，黎昌福主编. 图书发行实用教程. 成都：四川教育出版社，1996. 113~114

● 在出版事业健康、繁荣发展的同时，图书市场也出现了一些令人担忧的问题，突出表现是格调不高、粗制滥造的图书横行于市；非法出版活动猖獗，内容淫秽反动的图书时有出现，侵犯知识产权的盗版、盗印以及出版物走私活动相当严重。存在这些问题的主要症结就是：

1. 现有的图书管理体制与图书市场的发展不相适应。根据我国现行的权限划分，文化市场属文化部系统管理。这客观上使文化部系统在对文化市场管理时，必须将其纵向权力扩大为横向权力。即代替其他行业行政主管部门对其文化产品进行管理。然而，在实践中，对文化市场的管理，通常是由政府出面组成一个临时的专项办公室来协调或统一行使职权，但由于不是法定行政单位,在其执行权力时常常受到是否合法的困扰。由于行政管理部门关系没理顺,权利义务不够明确,影响到文化立法中对行政关系进行法律确定,从而也影响了文化立法的进程。

2. 规范图书市场的法律法规尚不健全。

3. 执法的力度明显不够。

首先,没有固定的、职责和权利统一的组织机构。

其次,管理经费投入不足。

第三,执法手段不强。

第四,各地区、各有关部门之间配合的合力欠佳。

——陈玉范, 屈广臣. 图书市场的症结与开发. 新长征, 1995 (3)

● 从我国图书市场的现状来看, 目前有四大障碍制约着我国图书大市场的形成:

一是图书市场条块分割,贸易壁垒严重;

二是发行体制不健全,发行渠道不畅通;

三是主渠道和二渠道之间不公平竞争;

四是图书信息渠道不畅通。

发行渠道的"瓶颈"状态是图书大市场难于形成的根本原因,中盘的建立,不但能够消除贸易壁垒,防止不正当竞争,完善图书信息渠道,而且能够解除发行渠道的"瓶颈"状态,保障图书发行的畅通。

——黄品良. 浅谈建立中盘的意义. 广西师范大学学报:自然科学版, 1997 (S1)

● 当前我国出版行业及图书市场呈现以下几个特征和发展趋势:

一、图书结构的系列化。图书结构的系列化是指,当前在图书市场上具有较大竞争力和突出影响的,往往不是单本的"小型"书,而是"全集""丛书""系列""文集""全书"这一类系列性的"大型"书或"巨型"书。图书结构向系列化方向发展,有这样几个原因:第一,出版资源积累和充分被开发的结果。第二,读者认可和"迷恋"系列书。第三,出版单位往往基于规模效益的考虑,愿意策划和出版大部头的系列书。第四,系列书往往销售简便而经济效益佳,图书市场(出版社的发行环节)也为这类书的盛行起了推动作用。图书的系列化的弊端:过分追求系列化,很可能会带来图书质量无法保证、不便于阅读、读者的购买力难以承受甚至浪费钱财等不良后果。因此,对系列化的发展趋势应持谨慎的态度,不能一概而论。

二、图书品位的精品化。既表现在图书的内容上,也表现在图书的形式如文字加工、封面设计、版式处理乃至用料选择等上面。精品化这一发展趋势的出现，既根源于图书出版业发展水平的大大提高和发展战略的转移，也深深植根于出版业日益加剧的市场竞争。

三、图书宣传的创意化。

四、图书发行的网络化。这里的"网络化"有两方面的特定含义：一是就发行实体的数量、布局及其相互关系而言的，也就是指设立诸多发行实体，并通过合理布局和相互联系，形成覆盖一定地区的图书发行网；二是指通过计算机所形成的"网络"来发行图书，这是图书营销在技术和手段上的革新。图书行业网络化特征的出现，与在市场经济条件下出版业和出版社的地位发生的显著变化密切相关。图书发行的网络化，能够保证图书出版后在最短的时间内与较大的读者群接触，从而抢占市场，扩大销售量，缩短图书销售周期。这对读者和图书的出版者与销售者都有益处。但其中也有许多问题值得思考。

——刘生全. 当前我国图书市场的几个主要特征. 大学出版，2000 (2)

● 1 我国图书市场目前存在的几个问题

1.1 以"宣传推广费"的名义为单位或个人谋取好处。

1.2 按图书码洋开具发票，按图书实洋付款。

1.3 出版社之间无序状态竞争的几种现象……其主要表现形式为：

1)高码洋，低折扣。

2)巧立名目，支出混乱。

2 不规范图书市场竞争的危害性

1)它使图书市场的天平失去了公正、公平，将图书市场的质量竞争演变成充满铜臭味的"金钱"的较量，混淆了图书的精品与庸品的界限。

2)它扰乱了图书市场的秩序，造成了图书结构失调，鱼龙混杂，价格混乱，批销无序，助长了图书出版界中急功近利、见利忘义的不正之风的蔓延。

3)它亵渎了图书作为人们精神食粮的神圣属性。

3 整治图书市场的几点建议

1)国家有关部门要将图书出版业作为意识形态领域里的重要工作来抓。

2)出版社与图书征订部门(包括民营及个体书商)要共同遵守国家关于新闻出版工作的法规，遵守图书市场的规则，自觉抵制那些"用钱铺路"、"以钱取胜"的非正当的竞争行为,要各自制定相应的管理细则及行为准则,建立严密的监督机制。

3)调整出版与图书发行部门的产业结构,组建出版集团与图书发行集团,充分发挥企业群体在市场竞争中的优势,集中集团的规模经济效应、组合经济效应、协同工作效应以及整体放大效应。

——张其友. 图书市场存在的问题及整治建议. 编辑学报,2001 (4)

● 以1998年初图书销售增幅放缓为标志,世纪末我国图书市场全面进入了买方市场,使业内人士误以为图书市场"低迷"、图书销售陷入"低谷"的种种因素,无非都是产品相对过剩,需求相对不足等买方市场特征的表现。

图书市场总的特点是产品相对过剩,而不是销售陷入"低谷"。大量退货正是产品过剩的表现。供大于求,书店只好"退货没商量"。反观图书销售,不仅总额仍在逐年提升,而且各级图批、各大城市中心店的销售,多数在大幅攀升,说陷入"低谷"是不公平,不符合事实的。

产品相对过剩的背后,是严重的结构问题,产品结构与需求结构,不仅不相适应,而且存在严重冲突。产品结构的重复、雷同与需求结构的个性化、多样化不适应、相冲突,不仅造成现有产品的过剩,造成"卖书难";同时,也造成有效供应不足,依然存在"买书难"。

图书销售进入买方市场后,受一般市场法则左右,将按买方市场的规律发展。

1. 图书销售稳中有升,升幅放缓将是今后图书市场发展的总趋势。

2. 图书销售品种上升,单个产品平均销售册数下降将不可逆转。

3. 买方市场日趋激烈的市场竞争,将进一步促进出版产业的不均衡发展。

4. 进入买方市场后,我国出版业仍然存在继续发展的广阔的市场空间。

——黄思铭. 我国世纪末图书市场的特点与出版社跨世纪的市场策略初探. 编辑学报,2001 (4)

● 总体上仍处在由计划经济向市场经济转轨的过程中,这是书业与其他行业不同的显著特点之一。这里对我国书业目前的现状作一个粗略描述。

一、竞争激烈。整个图书出版市场链条中的生产经营方式、方法逐步向一般商品的经营方式、方法靠拢,计划经济的成分日益缩小,市场经济的成分正在逐步扩大。

二、大型图书批销中心、配送中心、零售中心的迅速崛起,代表了今后较长时期图书市场的发展方向,引起了业内人士的广泛重视。

三、以网络出版、发行为代表的新业态、新技术、新观念、新的经营方式和新的营销策略如雨后春笋,其巨大的潜力正逐步被业内人士认同。

四、国内外其他行业的资本正在逐步向图书出版发行领域渗透。

五、"品牌效应"、"马太效应"使得强者愈强,弱者愈弱的态势越来越明显。

六、以出版社、新华书店为代表的国有单位,面对即将加入 WTO 和即将实行的课本发行权招标、投标的严峻形势,已有明显的"生存危机"、"人才危机"和创新要求。但整个体制仍有较重的计划经济色彩,受到种种条条框框的约束,改革步伐不够大,许多制约发展的"瓶颈"一时无力打破。

七、由于地方保护主义的普遍存在,"贸易壁垒"、"诸侯经济"在整个行业中仍然盛行。

八、以各种形式成立的出版集团、发行集团,由于主要是以行政手段撮合而成,所以到目前为止尚不能说哪一家获得完全成功。

九、盗版、盗印,工作室出书,加上党政部门权力出书、发书等行为严重冲击了市场。市场的无序竞争,导致出版社和奉公守法的发行商均蒙受巨大损失。

十、经过 20 年的磨炼与发展,民营书店从小到大,由弱到强,其中有相当一部分已经完成了初步的原始积累,具备了一定的经营规模和社会影响,在一般图书的销售份额上,基本上占据半壁江山。

十一、出版社与书店相互要求的矛盾加剧。

——王志明,张振忠. 国内图书市场的现状及发展趋势. 出版发行研究,2001 (7)

出版物市场需求及其基本特征

出版物市场需求从本质上讲是一种精神文化需求。所谓出版物市场需求,是指出版物市场的潜在消费者想在市场上获得自己所需要的出版产品而又具有现实货币支付能力的愿望与要求。出版物市场需求是一种具有现实货币支付能力的商品需求，它又是一种潜在的需求和经常发展变化的需求。出版物市场需求，可以按不同的标准划分出许多类型，其中按消费动机所划分出的需求类型，对出版物市场经营具有实质性的指导价值。从消费动机考察，出版物市场需求可分为阅读需求、自尊需求、收藏需求、交往需求四种基本类型。出版物市场需求具有多样性、层次性、可诱导性、专指性、伸缩性、地区性、时效性等基本特征。下面摘录的各种论述，对出版物市场需求的基本类型及特征从不同角度进行了概括。对于我们较为系统地认识与把握出版物市场需求不无帮助。

● 一般地讲，图书市场需求是指人们在市场上获得图书商品及相关服务的具有货币支付能力的需求的欲望。

从书业企业图书营销的角度看，图书市场需求则是指在一定时期、一定地域、一定营销环境下的一定读者可能购买某种图书商品的总量。它由以下几个要素构成：……读者需求的图书品种；……市场需求的图书总量；……市场需求的消费主体是谁；……市场需求的区域；……市场需求的时机；……市场需求的购买形式；……需求的环境情况；……市场需求的企业营销条件。

——方卿，姚永春. 图书营销学. 太原：山西经济出版社，1998. 77~78

● 这里所讲的图书市场需求的类型，主要是从需求动因的角度来划分的。

(1)社会型需求。

社会型需求，是指在相同或相似的社会环境的作用下，众多的读者所表现出的相同的需求倾向。这种需求往往具有读者面广、需求量大及时效性强等突出特点。

(2)专业型需求。

专业型需求是指受职业等因素的影响而形成的相对稳定的需求倾向。

(3)教学型需求。

教学型需求主要是指各级各类在校教师、学生因为教学的需求围绕着各门功课的教与学所形成的一种需求。这种需求是围绕着传授与学习知识这一根本目的而形成的，它具有稳定性、集中性和阶段性的特点。

(4)家教型需求。

家教型需求，主要是指父母对学龄前儿童进行家庭启蒙教育所形成的一种需求倾向。

（5）业余型需求。

业余型需求，是指读者在工作、学习之外的个人兴趣爱好所引起的需求，同时，它也包括读者为解决个人与家庭生活实用问题（如家电维修、个人卫生保健、烹饪等）而产生的需求。……这种需求具有广泛性和多变性的特点。

——方卿，姚永春. 图书营销学. 太原：山西经济出版社，1998. 85~86

● 图书市场需求的几个基本特征

（1）多样性。

多样性不仅表现为不同的读者具有完全不同的需求，而且即使是同一读者，其需求也极为复杂。

（2）层次性。

处于最底层的是各种启蒙读物和基础教育读物；处于第二个层次的则是各种娱乐消遣读物、社会科学通俗读物、自然科学普及读物；处于第三个层次的是各学科专业的一般著作；处于第四个层次的，即最高层的则是哲学、社会科学专业理论著作、自然科学技术的学术著作。

（3）专指性。

这是读者必须以特定的图书商品来满足其需求的一种特征。

（4）可诱导性。

可诱导性是指读者需求指向上的一种不稳定特征，即是指读者到底是要购买哪些图书商品，并不是完全确定的、固定不变的，它是可以在书业企业促销活动的作用下发生变化的，并且沿着书业企业促销意图和方向发展变化。可诱导性，即是读者需求方向上的一种可塑性。

（5）伸缩性。

市场需求的伸缩性，又称弹性，它是指受市场环境因素的影响，图书市场需求会发生量的变化。

（6）时代性。

时代性是指随着市场环境的发展变化图书市场需求也会呈现出相应变化的特征。

（7）关联性。

也称相关性，它是指图书市场需求所具有的相互关联或互为因果关系的一种特征。

——方卿，姚永春. 图书营销学. 太原：山西经济出版社，1998. 78~81

● 　需求变化规律包括以下几个方面：1.引导性变化。即由于党的政策和宣传舆论的引导而引起的需求变化。2.观念性变化。即由于读者的价值取向和心理指向的变化引起的需求变化。3.条件性变化。即由于购买力以及家庭环境的变化而引起的需求变化。4.对应性变化。即由于读者的具体工作、学习、生产内容的变化而引起的相应需求变化。5.构成性变化。即由于读者结构改变而引起的变化。6.替代性变化。即由于图书新旧品种替代而引起的需求变化。

　　——张有能.图书市场规律探求.厦门：厦门大学出版社，1992. 41

● 　由于每个人的需要、兴趣、爱好和秉性各不相同，所以在购买图书时，表现出各种不同的心理特点和购买动机。一般有：

　　1. 求知心理。

　　2. 求实心理。以追求图书的使用价值为主要特点。

　　3. 求新心理。以追求图书内容的新鲜为目的。

　　4. 求名心理。以追求名家名著为主要特点。

　　5. 求美心理。以图书的艺术价值和欣赏价值为追求目的。

　　6. 娱乐心理。以追求精神享受的满足为目的。

　　7. 传统心理。它是求美和娱乐心理的一个特殊部分，是由历史上长期的传统社会文化生活和风俗习惯中产生的。

　　8. 好奇心理。

　　9. 时尚心理。

　　10. 信任心理。

　　11. 求便心理。

　　12. 选择心理。

　　——张有能.图书销售技巧.福州.福建科学技术出版社，1988. 35~40

● 　图书市场的潜在需求受时空的限制，不可能在短期内成倍增长。

　　图书潜在需求增长，必须别除课本和教辅，是指一般图书的增长。

　　潜在需求的空间是存在的。在具体分析图书市场潜在需求的容量时，我们主要是从需求变化多、弹性大的一般图书供求两方面作进一步的分析。一是读者的购买需求，二是出版物的有效供给。读者购买需求，包括读者的购买力、文化程度、读书时间和需求指向。虽然，群众用于购买图书的钱年年有所增长，但受图书提价因素的制约，增幅是极其有限的。从读书时间上说，生活节奏加快，文化生活的多元化，网上热的兴起，旅游业的发展，读书时间相对被分割了。从需求角度看，读者对图书的需求已经形成多层次、多元化的格局,购书日趋成熟,呈理性化、个性化、实用化倾向,图书热点越来越难以形成。因此,虽然图书市场潜在需求客观存在,但要在短时期内开发其难度是不言而喻的。图书市场的潜在需求,总是受读者的实际需要和出版物有效供给的制约。

——张金福. 对图书市场潜在需求的认识. 编辑学刊, 2000 (4)

● 读者的阅读需求是形成购书决策的内在推动力,它决定了读者购买的动机、意向和态度,直接影响到读者的购书行为。不同阅读需求的购买行为,反映在购买的参与度和目的性上,程度各不相同。

1. 实用性需求。读者购书的动机是求知求实,追求图书的实用价值。基于实用性需求的购买行为,具有较强的针对性,目的明确,对图书的内容要求比较专业,购买的介入程度高。因此,根据目标读者的需求特点,注重提高图书的内容和质量,是吸引追求实用性的读者的关键。

2. 消遣性需求。产生这类需求的读者层次多样,读者群分布广泛。消遣性需求受读者个人的职业特征、专业方向和家庭状况影响小,同时又会随着社会环境和潮流的变化而复杂多变。此类需求支配下的购买行为,目的性不强,比较随意,读者的主动参与度也不高,在购书中,求新、求名、追求时尚等心理作用较大,容易受到从众心理的支配,也常会出现冲动型的购买行为。在社会上形成时尚潮流的畅销书的读者群,多数都是出于消遣性的目的。而畅销书成功运作的关键一环,也在于能否将这些随意性的读者的眼球牵引过来,利用他们的低介入度特点,主动地刺激或鼓励读者的购买行为。

3. 收藏性需求。一般来说,文化层次高,经济条件好的读者,往往会把收藏作为购书的动机之一,同时,也伴有学习或消遣的目的。收藏图书,对图书的质量要求比较高,从装帧到内容,都要达到一定水平,但涉猎的图书类别会追求多元化。因此,基于收藏性需求的购买行为,购买的介入程度很高,但针对性不强。

4. 社交性需求。一是指将图书作为交往礼品;一是指为了迎合社交生活的话题或追逐社会上的潮流。社交性需求属于比较特殊的阅读需求,读者在购买图书作为礼品时,会把图书选择的诉求点部分地转移到礼品接受人的身上,经常由于对情况了解的不充分而产生模糊的购买预期和不确定的购买行为,购买图书的目的性不强,也无法高度介入。而为了迎合社交需要而购买图书,由于所追逐的社会焦点话题和潮流变化很快,读者的自我意识和自主意识低,购买的介入程度也不高,不是通过自己的挑选,而是很容易受到宣传炒作和他人的影响。

——邹海燕. 图书市场读者购买行为分析. 出版与印刷,2004 (1)

● 不论读者的具体需要如何千差万别,他们对图书的需求却有着共同的特点和规律性。这些特点是:

1. 效用性和现实性。

2. 选择性和限度性。

3. 伸缩性和可诱导性。

4. 适时性和变化性。

——新华书店总店编. 发行事业探求. 北京:新华书店总店. 1984. 50~55

● 读者需要是社会实践的产物,是一个处在变化、发展之中的动态系统,它有三个特点:

一是持续性。读者需要是一个持续不断的过程,原有的需要满足了,又会在满足需要的过程中产生新的需要。

二是两重性。读者需要按存在方式可分为潜在需要和显现需要。潜在需要是指尚未意识到的需要;显现需要是指能产生一定推动的需要。这两种需要在一定条件下会互相转化。

三是激发性。不同的特定环境,会激发出不同的需要。从这个意义上说,需要是可以"制造"的,而"制造"需要,也就是"制造"读者。激发读者需要有两种情况:一是社会环境激发,如每当社会发生引起人们普遍关注的重大事件时,往往会产生相应的倾向性需要;另一种是人为激发需要,在图书问世前后,通过开展一系列图书宣传活动,集中输出有关图书信息,形成图书促销的效应。

——朱胜龙. 研究读者需要培育图书市场. 科技与出版,1994 (1)

● 读者需求有显示需求和潜在需求之分。由于各自主观条件的不同,读者需求也是多种多样的,但各种需求之间存在一定的共同性:

1. 需求的无限性。

2. 需求的层次性。

3. 需求的多样性。

4. 需求的伸缩性。

5. 需求的可诱导性。

——新华书店60周年纪念活动组织委员会办公室编. 图书发行业务知识读本. 北京:开明出版社,1996. 141

● 我国当前读者的需要出现五大变化：一、读者的需求结构更趋合理，人们希望不断用新的知识、信息充实自己，提高自己，以适应现代社会的竞争态势；二、读者需求趋向更高层次，从消遣型向提高型发展；三、读者需求的满足周期缩短，热点变化速度加快；四、读者需要内涵更趋多元化，购书的目的越来越多；五、读者需要的选择性加强，盲目性减少。

——王玮. 瞄准读者，做好出版社的图书宣传. 中国出版，2002 (10)

影响出版物市场需求的因素

影响出版物市场需求的因素很多，既有客观因素，又有主观因素。主观因素是指由出版物市场经营者本身决定的一些因素，如品种、定价、渠道、促销等，这些因素出版物市场经营者可以自行调节控制，所以又称为可控因素；客观因素是指影响市场需求的市场环境因素，如文化教育状况、经济发展水平、人口状况、社会形势等，出版物市场经营者可以了解、适应这些因素，但无法改变它，因为它是客观存在的，所以客观因素又称为不可控因素。下面引用的几则材料，是从不同角度对影响出版物市场需求的因素进行分析的几种较有代表性的观点。

● 影响图书市场的诸因素
1. 政治、经济形势和政治因素。
2. 印刷生产力因素。
3. 人口和居民文化程度的因素。
4. 居民读书习惯的因素。
5. 发行网点的因素。
6. 宣传因素。
7. 出、印、发三大部门的协作因素。

——新华书店总店编. 发行事业探求. 北京：新华书店总店. 1984. 81

● 制约和影响图书市场的诸因素

(一)客观因素

1. 国家政治形势和经济、文化发展水平。
2. 政治、经济和文化等措施。
3. 生产因素。具体包括以下内容：(1)生产工具；(2)生产规模；(3)生产质量;(4)出版品种;(5)价格;(6)人口和国民文化程度;(7)国民读书习惯;(8)其他商品贸易的因素。

(二)主观因素

1. 发行网点因素。

2. 发行质量因素。

3. 预测因素。

4. 竞争因素。

5. 宣传因素。

6. 市场管理因素。

——张辉冠. 图书市场的构成及其影响和制约它的诸因素. 见：新华书店总店编. 发行事业探求. 北京：新华书店总店. 1984. 437~439

● 需要来源于生活。一般来说,读者对图书的需求,是由读者自身的五个因素决定的：

1. 文化程度。

2. 经济状况。

3. 职业岗位。

4. 兴趣爱好。

5. 家庭环境。

读者对图书的需求,除了由上述各种自身的内在因素所决定以外,还要受到社会上诸种外在因素的强大影响：

1. 党的政策。

2. 学习安排。

3. 生产内容。

4. 宣传舆论。

5. 社会风气。

——张有能. 图书发行员知识手册. 福州：福建科学技术出版社,1985. 18~21

● 一本图书需求量的多少,可以用下列公式表达：

图书需求量=读者对象人数×图书使用价值大小/图书价格高低

其中,

图书使用价值大小/图书定价高低=需求率

所以也可以作如下表达：

图书需求量=读者对象人数×需求率

上列公式表明:图书需求量与图书使用价值大小成正比,与图书价格高低成反比,这两者的比值构成图书需求率。每一种图书需求量的多少,取决于读者对象人数的多少和需求率的大小。这就是图书需求量的基本规律。

——张有能. 图书市场规律探求. 厦门:厦门大学出版社. 1992. 38

● 影响购书的因素,主要包括读者社会阶层、角色地位、个性爱好、生活方式、职业和经济环境、购买动机、认知和学习能力、心理特征、家庭状况、购书参与程度等一系列内容。

——陆祖康. 我国图书市场供需特征分析. 暨南学报（哲学社会科学版）, 1996（2）

● 图书消费不同于一般的商品消费, 它的使用价值不是图书本身的纸张和油墨,而是以其为符号和载体的精神产品。主要表现在对人们思想意识、道德、科学文化素质潜移默化的作用,这种精神产品在一定程度上受文化市场因素的影响,但不能完全按照市场激励原则来运行。

据调查分析, 在市场经济条件下影响图书消费的因素主要有以下几种:

一、经济收入水平。

二、社会文化环境和个体消费意识。

三、群体和集体消费环境。

四、文化管理制度。文化管理制度影响着图书消费和图书发行制度的实施,它保证了图书发行的良好秩序;规定了图书发行的一系列制度和利益分配原则, 保证了图书市场的良好发展, 满足了图书消费者的良好需求。

五、经营者的主动性和创造性。

六、计算机网络的发展使网上信息的获取高速而且廉价,这使图书消费受到巨大的冲击,但同时也给图书消费带来了新的机遇。表现在:

1. 网络在人们面前所开拓的空间宏大的信息世界使个体的眼光大为开阔,激发了他们的学习、读书热情,带动他们的图书消费需求。

2. 网络也成为图书消费的另外一种市场营销方式。现在网上购书已有一定规模,拓展了图书消费领域。

3. 图书具有许多网络不可替代的优势。图书作为一种古老的文化载体,方便、易携、易藏,没有设备、时间等限制,读书这种传统的学习习惯是不会改变的。

4. 我国计算机的整体普及率较低，特别是在广大的农村，图书仍是人们获取知识、信息的主要方式。

——刘晓燕. 当下影响图书消费的主要因素. 文化时空，2003 (11)

● 图书作为一种特殊的商品，既具有一般商品的特征，也有其自身的特点。根据经济学理论，影响某种商品需求的因素有：商品自身的价格、收入水平、其他替代商品的价格、人口、对价格的预期以及消费偏好等。图书是一种具有物质形态和精神形态的消费商品，其市场需求也将受到这些因素的不同影响。一般来说，当其他因素不变，商品自身价格增加时，对该商品的需求减少；当其他商品价格增加时，对该商品的需求增加；当收入增加时，对该商品的需求增加。由于图书消费具有个性化特点，基本不存在对其直接替代的商品，因此替代品价格变化对图书市场需求影响不大。另外，图书消费在家庭消费支出中比重较小，单位价值较小，价格预期因素对图书市场的需求的影响应该不会太大。综合分析，图书商品价格、居民人均收入水平将是影响图书市场需求的重要因素。

——李治堂，张志成. 我国图书市场需求的实证分析. 现代情报，2004 (1)

出版物宣传与信息流通

作为整个出版物流通全过程中的首要环节，出版物的宣传与信息流通非常重要。出版物的宣传与信息流通是一个为出版物商品交易作准备的环节，它的主要任务是传播商品信息、诱发读者需求、沟通供求联系、形成潜在市场。这一环节由两个主要步骤构成：产销关系的确定、宣传征订。下面摘录的几段论述，不仅对这一工作环节的重要性进行了探讨，而且还对该环节的具体操作发表了看法。

● 对图书宣传可以作如下表述：图书宣传就是通过各种媒介，对图书的内容、形式、出版情况、收藏情况、发行方式等方面，进行广泛地宣传、传播，以吸引、诱发人们的注意和重视，增强人们对图书的了解，从而促进他们去阅读或购买。

图书宣传的分类：以图书宣传的媒体作为划分标准，图书宣传可以分为以下四种：实物宣传、文字宣传、口头宣传和音像宣传。

图书宣传的功能，主要表现在以下几个方面：

1. 为一定阶级的政治和经济服务。

2. 为贯彻出版方针服务。

3. 为出版发行部门的两个效益服务。

——徐召勋. 徐召勋论著选集. 合肥：黄山书社，1998. 445~449

● 图书宣传，是指介绍、推荐图书的工作。常用的方法是在报刊、广播和电台、电视上刊登广告，预告书目，编发新书消息；撰写书评等推荐介绍图书的文章；广泛印发书目，供发行者和读者及时了解出版情况；出版宣传评介图书的报纸、刊物；印发海报向读者介绍重点图书；赠送印有图书介绍的书签，各种年历、月历；在图书的书页或封三、封四上印书目等。

——宋孟寅，马保超，董其芬，崔一润编. 实用出版词典. 太原：书海出版社，1988. 195

● 一、图书宣传面临的三个问题

①宣传机构设置薄弱。

②对宣传人才的培养和发掘不够。

③现行计划经济制约了图书宣传工作的发展，由于经费所限和认识所囿，出版社一般不肯花大钱做广告宣传促销活动。

二、发达国家图书宣传的优势

国外的出版业和我们有所不同，出版业不是一项特殊的产业。推销一本图书与推销任何一种商品一样，同样须要参与市场竞争，优胜劣汰，不分彼此。

在美国的出版业中，市场营销起着核心主导的作用。从市场调研、选题策划到广告、公关、推销都是它的职责范围，而图书宣传更是其中一项重要内容，他们的营销计划做得非常细，对各类图书(如大众类、专业类等)分门别类制订详细的推销计划；从确定适合哪一类读者入手，到策划选题，以至装帧、定价、印数等均有针对性。宣传推广的重心也根据时间的变化进行相应的转移。……出版公司的广告宣传费用是年收入的10%。

三、我们的应对措施

由于与国外发达国家的国情不同，我们不能照搬他们现有的经验，而应结合我国出版业的具体实际，加强改制，完善结构，发展具有自己特色和风格的宣传销售体系。

①设置独立的图书宣传机构，参与出版的各项活动，逐步建立一支生龙活虎的在市场上打得响的宣传生力军。

②重视宣传人才的培养和引进。

——张素华，高彩云. 图书宣传面临的问题及应对措施. 新闻出版交流，2001 (6)

● 当前图书宣传中应注意的几个问题：

1. 加强选题研究，狠抓图书质量。

2. 坚持思想性、真实性、针对性和艺术性相统一的原则。

3. 增强图书宣传意识。

4. 充分占有和利用图书市场信息。

5. 注重图书宣传的长期行为。

——何宝贤. 略说出版发行工作中的图书宣传. 图书情报知识，1997 (1)

● 目前出版界图书宣传尚存在的一些误区：

首先是图书宣传的简单化、模式化、公式化。远离市场及读者，缺乏具有针对性、策划性、创新性的多层面、多角度的积极主动的立体宣传，从广告制作到运营模式都比一般商品低一个层次。

其次是图书宣传的盲目性。宣传手段离谱，定位不准确，忽视或轻视对宣传效果的调查分析、研究、考察、评估，只是为宣传而宣传，缺乏整体规划。

图书宣传对策探讨：

首先，必须掌握好它的"度"，不能过犹不及。

第二，图书宣传应该是真实性和针对性的有机结合。

——吴言. 图书宣传的误区及其对策探讨. 中国出版，2002 (4)

● 所谓书业广告是指书业企业以付费的方式，通过一定的媒体向广大读者传递图书商品及书业企业有关信息的一种图书促销方式。从这一定义可以看出，书业广告由以下四个要素构成。

(1)广告主。

(2)媒体。

(3)信息。

(4)广告费。

书业广告的基本功能是促进图书商品销售。在具体的书业广告实践中，好的书业广告通常可以起到如下几个方面的作用。

(1)传递图书商品信息，指导图书购买与消费。

(2)刺激需求，扩大图书销售。

(3)提高声誉，树立良好的企业形象。

(4)增强书业企业的竞争力。

——方卿，姚永春. 图书营销学. 太原：山西经济出版社，1998. 341~342

● 出版商广告的受众主要分为以下四类。

第一类是代理商、零售商：

代理商(Agent)、零售商(Retailer)应该是广告的最主要关注者。

第二类是个体消费者：

个体消费者(Consumer)是图书的直接消费者，是出版商利润的主要来源，也是广告受众里的重中之重。

第三类是组织消费者：

组织消费者(Organization)(如图书馆、学校、团体等)与个人的图书消费行为差异性很大。

第四类是意见领袖：

所谓意见领袖(Opinion Leader)是借用了传播学的一个概念，这里我们指的是在图书消费方面对周围的人有着重要影响的人，比如专家、学者、教师、商界政界名流，等等。

——张浩达，姜蕴哲. 谁在看出版商的广告?——谈图书广告的四类受众. 出版发行研究，2003 (11)

● 对于图书而言，传媒已经成为了出版发行行业与大规模市场沟通的惟一方式。只有通过科学选择传媒，才能为潜在的读者提供图书信息并劝其购买。然而不同媒体在产品展示、形象化、生动性、可行性、信息承载量等方面各有不同，因此出版社在进行媒体选择时，一要弄清各类图书的特点及所处生命周期的阶段，二要弄清目标消费者的媒体习惯及各媒体的特点。同时在资金许可的情况下，保持宣传的一致性和连续性。

——高娟. 图书宣传中的媒体选择与整合. 大学出版，2003 (1)

出版物的商品交易过程

出版物商品交易过程是通过销售进行出版物商品价值转移的过程。这一过程的具体作用是：实现出版物价值，使出版劳动与其他劳动者的劳动进行交换；直接满足读者需求，使出版工作的根本目的得以实现。出版物商品交易过程，是与前一过程即宣传与信息流通过程交叉进行的，因为宣传与信息流通的过程，既是市场沟通的过程，又是商品交易的开始。出版物商品交易过程由批发、零售、调剂三大环节组成。下面的文摘，主要是论述批发与零售的各种观点摘要，尤其是关于零售环节的网上书店销售和连锁书店销售的论述较多。

● 总发行,是指出版社(或杂志社)出版的图书(或期刊)由本单位发行部门或社外另一家发行单位全面担负发行总责,并组织一级批发的业务。
　　——李晓钟主编. 书刊发行辞典. 长沙:湖南出版社,1993. 13

● 出版社与发货店的关系从来没有真正理顺过,其症结在于总发行责任不落实。

　　总发行责任就是组织图书营销的责任。具体包括灵敏地反馈市场供求信息,促进出版适销对路优质高效的图书;按照图书内容和对象的不同,有重点地采取各种方式加强发行宣传;采取适当的分销策略,组织运用各种发行渠道,根据竞争情况采取适当的竞争手段扩大市场占有率等等。总发行者应对自己图书的命运和读者需求的满足负完全责任。但是由于出版社目前建立自办发行机构,实际上掌握了经销书店总发行权,出版社作为商品生产者利用总发行权(包括折扣权、供货权和渠道选择权等)的优势,同自己的经销商——发货店进行不平等竞争,而又不能承担真正的总发行责任,其结果只能是严重挫伤发货店的积极性,使这条渠道萎缩。因此,根本的解决方法在于创造条件让出版社成为真正意义上的总发行者,而同时转变发货店的功能——使之成为出版社实现总发行权的代理商。

　　使出版社成为总发行者,必须树立"出版是基础,发行是关键"的观点。首先要从组织上制度上采取措施,出版社法人代表亲自抓营销,营销部门应参与开发和论证选题,灵活采取各种发行方式。生产者通过中间商将自己的产品供应给消费者是社会生产发展的必然要求,要改革发货店的功能,逐步将它从一级批发商转变为代理商。
　　——张有能. 论落实总发行责任. 出版广场,1994 (6)

● 出版经济学家陈昕认为,所谓"中盘"是指一种与现代市场经济相适应、建立在现代企业制度基础上的新型发行企业。这种发行企业必须具备四大功能、满足四个条件。这四大功能是:商务流通功能、物品流通功能、信息流通功能和支援功能。四个条件是:代理众多出版社图书的实力;建立强大的物流系统;构筑充分利用电脑的联机网络;利用大规模运输的能力。
　　——黄品良. 浅谈建立中盘的意义. 广西师范大学学报:自然科学版,1997 (S1)

● 1. 我国现行图书批发体制的弊端

第一,在这种图书批发体制中,各种批发主体的权限不平衡,竞争不规范,使得新华书店发货店逐渐丧失了批发的主导地位,难以继续发挥作用。

第二,在这种图书批发体制中,许多二级批发层次的国有和集体批发企业,不能严格自律,越权违规搞一级批发业务,甚至还有一些集、个体零售书店非法从事总发行业务,搞"明零售暗批发"。

第三,出版社自办批发,由于受到品种单一的制约,难以形成规模效益。

第四,出版社对批发店缺乏必要的信任,彼此之间还没有建立起有效的双向制约机制,难以进行有效的合作。

2. 发达国家图书批发体制对我们的启示

综观书业发达国家的图书批发业,我们不难得到以下两点启示:

第一,大型图书批发企业是全国性的图书集散中心,它们牢固地控制着全国图书批发市场的主动权。

第二,书业发达国家的大型图书批发商绝大部分都是社店双方共同持有股份的。

3. 着力建立新的图书批发体制

第一,统一思想,提高认识,理顺出版和发行的关系。

第二,社店联合,共同托起大"中盘"。从书业发达国家的经验来看,大型图书批发商的崛起,是一个国家出版发行业走向成熟的标志。

第三,在鼓励社店联合建立大"中盘"的同时,对中小图书批发商进行积极引导,加强管理,促进中小图书批发商健康发展。

——余世英. 对我国图书批发体制的思考. 图书情报知识, 1997 (4)

● 现有批发体系的不适应性,突出表现在:

(1)不能满足图书市场发展的需要。

(2)现有封闭的批发垂直体系,不利于形成开放的网络型的批发体系,因而不能形成超大型的批发企业,不能产生"航空母舰"。

(3)计划经济的影响在体制和机制上仍然严重存在。发行单位希望独家经营,维持垄断,排他性的倾向经常会有反映。

(4)市场秩序不健全,不能公平竞争。尤其表现在批发和零售的界定不清,低价倾销严重地扰乱了市场秩序,非法出版发行,特别是非法批发活动泛滥,大大损害了批发企业的权益。

(5)行政干预严重,批发企业不能成为市场真正的主体,削弱了批发企业的活力,制约了它们的发展。

新的立体化的网络批发体系,其结构包括:

(1)若干个以大的批发单位为核心的发行集团和发行中心。

一个成熟的发行集团或发行中心,具有以下四大优势:规模大、实力强,集约化经营,市场占有率高,优质高效。

(2)多层次的图书批销中心。

多层次的图书批销中心的优势是开放型辐射,统一进货,多渠道销售,期货、现货并营,产销直接见面,环节少,信息反馈快,成本低,管理效率高。

(3)多种形式的批发代理和连锁。

批发代理的种类多样化,有区域代理、全品种代理、单品种代理;项目也是多元化的,如代订、代储、代运、代结算等。

以发行集团或发行中心为依托搞连锁经营,是我国图书市场发展的必然趋势。统进分销是批发连锁经营的主要特征。

(4)各种股份制公司。

新批发体系具有以下一些特征:

(1)开放性。改变过去封闭的"管道式"批发,可以跨地区、跨所有制、跨行业的运作,成为全方位开放的批发。

(2)多轨制。批发主体是"多轨"的,包括新华书店、社办发行、集体书店等,不再是原来新华书店一统天下的"单轨"批发。

(3)网络化。形成多层次的立体化批发的网络体系,改变了过去中央、省、市、县垂直行政系统的"直线型"批发。

(4)亲缘关系。由原来企业间的买卖合作关系发展成为风险共担、效益共享的"亲缘关系"。

新批发体系是以若干个大型或超大型的发行集团或发行中心为主体的,其核心企业应该是具有很强的吸附力和辐射力的大型批发单位改制而成。目前,一些很有实力的发货店已具备这样的条件。

——张佩清. 关于建立图书新批发体系的几点思考. 中国出版, 1998 (7)

● 对于出版业来说,零售是市场的中心,市场是产业的中心。市场的实质是交换,交换的实质是满足需求;对于出版来说,零售是满足读者需要,实现交换的最佳也是惟一的途径；市场规律最终是通过零售市场表现出来，零售市场最真实准确、生动形象同时又最具体集中地体现了市场规律；零售市场是一个相对来说完全竞争的市场，竞争有利于推动行业的进步和发展；零售市场的信息收集功能对于出版来说也是至关重要的；不进入零售市场就不是真正进入市场，占领市场就是占领零售市场。

——胡国祥. 抓住零售这个中心——对中国出版业的市场观察. 湖北社会科学, 2000 (7)

● 国外图书零售市场呈现出如下几个主要特点：

首先是竞争激烈，购并频繁，向"出口型"转变。

其次是网络出版和网上书店持续走强。

第三是欧洲国家逐渐取消图书定价制度。

与国外图书零售市场相比，国内市场相对封闭，但也有许多独特的优势：

首先，网络庞大的新华书店是我国图书发行的主渠道，拥有大规模经营的经验和实力，其品牌价值也不可估量。

其次，二渠道近年来获得了较大发展，活跃了我国的图书零售市场。

最后，国内书店还有一个独一无二的优势，即文化亲和力。

——王思焯，陈玲. 国内外图书零售市场的对比研究和"入世"影响. 商业研究, 2001 (8)

● 图书连锁经营的优势

图书连锁经营的实质同商业连锁经营的实质一样，是把现代化大工业、大生产的组织原理应用于流通领域，通过店名、店貌、图书服务的标准化，订货、送货、销售的专业化，管理的规范化，把复杂的图书销售分解为工业生产流水线上每一个环节那样相对简单，达到提高协调运作能力和规模效益的目的。从图书连锁经营的实质，可以看出图书连锁经营的优势。

1. 图书连锁经营的第一大优势是产生规模经济效益。

这主要体现在三个方面：

第一，图书连锁经营由于采用统一进货、统一配送、统一核算、统一管理，可以获得低价进货的折扣，从而提高图书经营在价格上的竞争力。

第二，图书连锁经营实行统一的统进分销，批零合一，以最少的流通环节，实现出版社和书店直接挂钩，加快流通，降低费用，以此提高协调运作能力，实现规模效益。

第三，图书连锁经营在前期虽要大的投资，但却能够产生巨大的效益。

2. 图书连锁经营有利于使图书流通领域几十年来的粗放型经营转向集约化道路。

3. 图书连锁经营有利于高科技手段在图书销售领域中的运用。

4. 图书连锁经营可促使出版社由传统的"生产管理型"向"生产经营型"转变。

图书连锁经营产生的效益是很大的,但同时又存在着某些客观弊端。一是各连锁店缺乏经营自主权,由于图书连锁经营的基本特征是"四统一",使得各店之间缺乏根据客观情况变化及时调整定价和图书品种的自主权。二是连锁经营的波及效益,"一荣俱荣,一损俱损"的特征,使得某个分店或某个环节上的问题将影响整个连锁网的运作。……另外,技术障碍和资金障碍使得图书连锁经营运作不规范,管理水平低下,规模效益难以发挥出来。

——杨宗周. 图书连锁经营发展分析. 出版发行研究, 1999 (9)

● 目前,我国无论是国有书店,还是民营书店,在连锁经营方面都存在很多缺陷,笔者认为主要问题有如下几个方面:

1. 产权不明晰,经营权不到位

2. 计算机管理的精细程度不到位及系统对接问题

3. 物流配送系统支持能力弱

4. 资金不充足,资本运作能力弱

5. 受行政区域的限制,处于自我封闭状况

此外,连锁人才的培养、连锁前的库存问题、连锁后的店社关系、连锁中的结算体系等一系列问题都不同程度地制约着我国连锁经营的发展,需要政府主管部门出台政策,更需要业界各方互相理解、谋求对策、共同努力。

——朱诠. 2002 年中国出版物销售连锁经营大盘点. 中国出版, 2003 (4)

● 当今国有书业,明确地讲就是指新华书店。新华书店在推行连锁经营中,普遍存在着三大问题:一是人员过多;二是网点效益不高;三是内部分配失控,因而严重制约了书业做大做强。

探索国有书业做大做强连锁经营新路子:

一、连锁经营规模越大,企业成本越低……

二、教材发行在股份制企业中必须保证国家得大头……

三、统一核算,统一分配,理顺内部关系……

129

四、出版业成本利润率必须实行最高限额……

五、引进民间资本,做大做强连锁经营……

——谢振伟. 做大做强国有书业连锁经营的几点思考. 中国出版,2003 (9)

● 中国连锁经营协会会长郭戈平提出,成功的连锁体系需要具备五个条件:准确的市场定位以形成明确的商业模式;成功的市场策略;规模经济必要的资本投入,确保规模投入产出;适应集中管理的组织机构;目标一致的管理团队、经营理念、价值观和企业家素质。

目前省级新华书店推行连锁经营奉行"行政整合,市场运作"的原则,各县、市新华书店可改造为直营连锁店。由于县、市新华书店所处的地缘资源优势和综合书店的基础,其中心门市部一般应形成图书超市业态,亦可跨地域发展大中城市超级书店业态;现有部分门市部根据商圈辐射范围及地域读者需求特征可发展为专业书店业态;社区书店业态可由特许连锁店充任,网上书店、特价书店、读者俱乐部作为业态补充。这样形成的业态格局可以针对不同的读者群体采取不同体制和差异化的营销方式,细分不同客层错位经营,从而构筑连锁经营业态多样化的立体舞台。

——杨红卫. 书业连锁经营业态选择与业态组合. 出版科学,2004 (1)

● 与传统的书店相比,网上书店至少具有以下优势:

一、信息量大。

二、书目信息丰富。一方面,这些书目信息弥补了读者不能直接翻看书的内容、了解书的全貌的缺陷。另一方面,网上书目数据的套录和使用,有效地减少了集团购买者如图书馆采编人员的工作量。

三、检索、订购便捷。

四、价格低廉。由于网上书店的运营方式是有订购需求时直接到出版社取书送货,不会出现库存积压现象。这种"零库存"可以为网上书店节约大笔开支。

五、个性化服务。网上书店开设的如新书推荐、畅销书排行、读者评论、作者访谈、专家点评等栏目,既使读者把握全方位的图书信息,又可使其利用网络公告板同图书的作者及其他读者进行在线讨论、交流心得体会,并根据他人的书评来协助选书。

网上购书模式一般应遵循这样的程序:读者在因特网上浏览网上书店的书目信息,确定要购买的图书、填写订单、网上结算书款、汇集订单并发往图书批发商或出版社、向读者送书等。

网上书店种类繁多,目前主要有两种分类方法。

根据网上书店的经营思路划分:

1. 以售书营利为目的网上书店。这是最简单、最直观的网上书店经营模式,实际上它只是传统书店在互联网上的延伸。它的优点是能提供大量书目,读者选择面大,购书效率高。但是它的不足也是明显的,它必须有大量的网上购书者、先进方便的结算方式、完善的配送体系、较高的折扣率等条件支持。国内现有的网上书店绝大部分都是这种类型的。

2. 以提供信息服务为主的网上书店。这种书店以图书销售为核心,提供各种类型的信息服务。通过信息服务把读者的注意力集中过来,以服务为纽带,把作者、出版社、书商、书店、读者紧密地联系起来,实现"靠销售赢利"。

3. 有专业性特点的网上书店。一是书籍内容专,二是销售对象专,三是书籍类型专,四是出版单位专。

4. 以电子版图书为主的网上书店。

根据网上书店的开办主体划分:

1. Internet 服务提供商与出版社合作开办的网上书店。如翰林书院、东方网景网上书店等。

2. 以新华书店为依托开办的网上书店。如上海书城网上书店、武汉金联网上书店等。

3. 出版社自办的网上书店。如电子工业出版社的网上书店等。

4. 以书商为主体的网上书店。如中国出版对外贸易总公司与美国亚太网络合作创办的中国现代书店、万圣书园的人民书城等。

5. 从事 IT 行业的机构创办的网上书店。如广东壹网计算机有限公司的壹网书店、上海市邮电局的上海邮电书店等。

此外,还有一些教育、文化部门开办的专为某一范围的机关团体服务的网上书店,如教育部图工委的世界书苑等。

网上书店在我国已有几年的时间,虽然从数量上讲有了一定的发展,但从销售业绩上来说却不尽如人意。目前国内尚无一家在网上零售领域形成领先优势的网上书店。造成这种局面的原因是多方面的,既有社会的原因,也有书店自身的原因。

从社会的角度看,社会信息化程度偏低是阻碍网上书店发展的重要因素。①网络的使用尚不普及。……②货币支付方式滞后,信用消费还不普及。……③后台数据库支持能力偏弱,可供货品种不足。④图书流通渠道不畅。

从网上书店自身来看,目前还存在不少问题,主要表现为:①主页信息量小,内容和形式缺乏吸引力,更新不够及时。②未能对图书馆市场进行有效细分,服务方式比较单一。③分类体系不尽合理,图书分类查询系统尚需完善。④营销方式不够灵活。

——张晓雁,李朝葵. 网上书店研究综述. 图书馆学刊,2002 (5)

● 我国网上书店的劣势

(1)从数量来看。我国网上书店在信息收集与处理方面的优势目前尚未显现。

(2)从检索来看。几乎所有的网上书店都提供了分类检索,而其分类方式、分类数目及细分层次则是各有各的一套方法。

(3)从书目信息的详尽程度来看。我国网上书店普遍存在的信息组织不全及内容呆板等问题。

(4)从价格上看。网上购书的优惠并不很大;再加上网上书店购书要支付较高的上网费,并承担一定的邮寄费,这样一来,网上购书实际费用很高,不能节约资金。在书款支付上,一般网上书店要求先汇款后供书,这也给读者带来一些不便。

(5)从网上购书的效率看。在书款支付方式上,国内网上书店采用最多的是从银行转账或从邮局汇款,这种支付方式结算速度慢,操作也不方便,无法与网络速度相适应。在图书配送方式上,国内网上书店仍以传统托运和邮寄为主,还未形成一个全国性的图书配送网,因而未能使网上购书实现其应有的高效性。

——张歌燕. 试析我国网上书店的优势、劣势及其发展对策. 图书情报知识,2003 (2)

● 网上售书出现的尴尬局面,一是我国通讯技术不太发达,造成了上网购书信息通道堵塞;二是网上信息不全,可供书目有限,配书不够迅速高效,运送周期长等;三是尽管可在网上刷卡购书,但未得到广泛使用……但网上售书,人们认为是未来值得开发的一个通道,前景不可限量。只要解决咨询的完整性和及时性,完善软硬件设施,网上书店就会有无限商机和发展空间。

——程力. 网上书店:为图书流通开辟一条便捷的通道. 出版参考,1999 (7)

出版物的物流组织过程

出版物的物流组织，是出版物流通组织者按照出版物商品交易的要求组织相应的出版物实体运动。在出版物实体从生产领域向消费领域运动的过程中所产生的运输、仓储、包装、发货等活动,构成物流组织的基本内容。物流组织的作用在于:一是使出版物按照商品交易的要求,位移至销售地,为销售创造条件;二是物流组织中的大量劳动耗费使出版物商品价值增加;三是解决出版物商品供求之间在时间、空间上所存在的矛盾,实现出版物市场供求平衡。离开了物流组织,出版物商品流通是无法进行的。出版物的物流组织过程,由仓储与运输两大环节组成。下面摘录的几则论述,即是对这两大环节的具体工作内容进行探讨的文字,其中多篇论述库存问题的文摘值得重点阅读。

● 图书商品流通是图书从出版生产领域向读者领域的转移过程。我国图书发行企业的商品流通,采取的是货币——商品——货币的形式。在图书流通过程中,以购进开始,通过购进将货币转化为商品。这是图书流通的第一阶段。进入流通的第二阶段,即卖的阶段,使图书又转化为货币,以销售结束。货币既是过程的开始,又是过程的归宿。图书发行企业在这种流通的循环往复中实现图书商品价值,满足社会读者的需要。

图书的购、销、存、运四个环节中,购和销是两个最基本、最主要的环节,起着主导作用,决定商品所有权的转移。购进是物质前提,销售则是图书流通的中心,是满足读者需求的手段,是全部发行工作的目的。运输和储存,是购进和销售的派生,受购进和销售的支配和影响,并为它们服务。但运输和储存又不是被动的,对购进和销售起促进作用。

除了购、销、存、运四个基本环节外,图书商品流通过程中还有调剂业务。书店系统内部互相调剂余缺,为调出店降低库存,减少积压;为调入店补充不足,增加销售。它在购、销、存、运四个环节之间起补充和协调作用,也是图书流通过程中一项不可少的业务环节。

——新华书店60周年纪念活动组织委员会办公室编. 图书发行业务知识读本. 北京:开明出版社, 1996. 104

● 进销存三者之间的关系是:社会需求量决定销售量,销售量的实现必须以一定储备为基础,一定储备量由进货的活动提供。三者互相联系,互相依赖,互相制约,且保持一定量的平衡关系。

——吴湜澄,赵德民编. 全国新华书店第二届发行科学研讨会论文集. 武汉:湖北科学技术出版社,1993. 223

● 我国现有出版业物流系统存在的问题归纳起来,主要有以下四个方面的问题。一是出版业物流系统建设布局缺乏整体规划,重复设置现象严重。除了各省新华书店基本上在2000年左右都新建了"装备精良"的现代化物流中心外,有的在同一个城市,省店、市店还有民营书商的规模相当的若干"物流中心"比邻相处。这种新一轮的物流"圈地运动",造成资源的巨大浪费。二是出版业物流资源分散,经营规模小。这主要表现在绝大多数出版社都没有服务于本版书的仓库,甚至没有运输车辆,众多民营书商经营的书都是自己进货提货、自己仓储运输,其物流经营效率低而成本高。三是基于物流系统的上中下游战略同盟未形成,使得目前新建的现代化"物流中心"开工不足,物流资源效率未能充分实现。四是信息传递不到位,出版—流通—销售之间、商流与物流之间未能建立有效的信息机制,这不仅影响了物流系统运转的效率化,而且还影响着整个出版产业供应链的效率化。

——张美娟. 试论我国出版业物流资源的整合. 图书情报知识,2003 (6)

● 发货,是指发货店根据订货店的订、添货或者分配数发书的工作,也叫"调拨"。

收货,是指收货店收到发货店发来的图书后,根据运单验收包件数量,按照调拨单核对店名、书名、数量、单价、金额、制调入统计汇总单,记商品账、检取样本和填写发行记录卡的整个过程。

——宋孟寅,马保超,董其芬,崔一润编. 实用出版词典. 太原:书海出版社,1988. 181,182

● 实现进货的合理性并没有一定固定的模式。……我们能抓住市场这个"牛鼻子",也就把握住工作的主动权了。比如:

1. 注意从进货结构的合理性去谋求进货总量合理性。

2. 充分发挥书店的导读功能,积极利用各种宣传手段,指导消费,引导消费。

3. 科学地分析,利用各类信息,重点是把出版信息与销售信息有机地结合起来,使之成为实现进货合理性的重要条件。

4. 加强图书流转的统计分析，提高各类图书进货的准确性和针对性。

5. 加强进货业务的科学管理，提高进货工作效率和质量。

——吴湜澄，赵德民编. 全国新华书店第二届发行科学研讨会论文集. 武汉：湖北科学技术出版社，1993. 244

● 图书商品库存，习惯称为"库存图书"或"期末库存"。指已经购进，尚未售出的全部存书。不包括在途和受人委托代管代销的图书。

——宋孟寅，马保超，董其芬，崔一润编. 实用出版词典. 太原：书海出版社，1988. 183

● 库存，指现在或将来作为销售对象的资产，即会计学上所说的"库存资产"。可分为三类：为销售而储备的资产（商品）；处于生产过程中的资产（在制品）；直接或间接消费于生产过程中的资产（材料）。

出版社存在以下一些实践情况：寄销制度造成的大量退货等原因使出版界的财政状况窘迫；出版物的商品特性决定其不具备替代性，难以进行少量的追加生产；几乎不可能对库存品进行降价处理。

——〔日〕布川　角左卫门主编. 申非，祖秉和等译. 简明出版百科辞典. 北京：中国书籍出版社，1990. 493

● 库：仓库；存：存贮。合起来，即存贮在仓库中的图书。当然，这仅仅是空间位置上的意义，实际中，应结合债权债务关系加以区分，那些已订货暂还未走的图书是不计算在图书库存之内的。

库存按用途可分为两类：生产库存和经销库存。前者直接面对生产，常见于制造业，后者面对市场客户，常见于超级市场或批发商行。

按商品流转速度，库存可分为必要之库存和无用之库存。图书库存之宗旨就是保留最小限度之必要库存，坚决摒弃无用库存。

——高冬成. 关于图书库存的几点思考. 大学出版，2001 (2)

● 我们从考察图书的内容、形式和发行渠道等内外部因素着手，就会发现，图书库存其实存在着两种不同的形式，笔者把它们称之为真性库存和假性库存。真性库存是指由于图书内在因素影响销售而形成的库存，这些因素在成书之后不易或无法更改，从而导致图书滞销，形成实实在在的积压。假性库存则是由于图书的外在形式，如装帧设计等不能适应读者需求，或是由于受发行渠道和其他外在因素的影响而形成的库存，这些因素有些是不确定的，有些是可更改或在一定条件下可以转化的。

——崔向东. 辩证看待图书库存. 出版发行研究，2001 (11)

● 零库存经营不是指书店门市部完全没有备货。书店门市部必须有丰富的备货。书店虽有备货，但所有权都属于出版社(或其他供货者)，书店在书售出后才付款。书店不为备货投资，因此也没有滞销报废等风险，称为零库存经营。零库存经营必须获得出版社同意和支持，否则是不可能实现的。

零库存经营要求出版社实行彻底的经销包退，凡卖不掉的书都可以退，看似对出版社非常不利(由出版社承担了全部风险)，实际却是出版社争取自己出版的图书获得最佳社会效益和最佳经济效益的办法，获得最大销路的办法。图书是风险商品，由于读者对每一种书的需求量难以估计准确，总会有脱销或积压。有风险，风险由谁承担?由书店承担，实行征订包销，已为实践所否定。由出版社承担，是比较合理的。出版社掌握定价权，回旋余地大；书店的毛利只是出版社给予的批零差价(或购销差价)，回旋余地不大，承受风险的能力差。要书店承担风险，书店进货就会保守，对出版社不利。出版社虽掌握定价权，也不是随心所欲，定价受市场制约。风险不管由谁承担，总以尽可能减少损失为好。零库存经营，不过是减去了书店的积压风险。并不是实行了零库存经营。出版社允许书店充分退货，如不加强经营管理，还会发生该退货而忘了退货以致造成大量损失的事。

——王益. 库存·退货·零库存经营. 出版发行研究, 2000 (8)

● 所谓"零库存"经营，即指书店销售图书没有库存，"随卖随添"；卖不出去的即随时向进货单位退货。作为相对贫困地区、在经营上较为艰难的基层新华书店，提出"零库存"经营尚可理解，因为他们零售业务较小，资金短缺，所以希望最好没有库存，随卖随添；但若整个发行行业都搞"零库存"经营，势必走入了一个误区。

——马世超. "零库存"经营是一个误区. 出版发行研究, 2000 (7)

● 关于消化库存的去向，推给摊贩进行的让利分流，不能说不是办法，但的确是比较简单的办法，作为一时的应急措施，不无道理，作为持久的一贯制度，则稍嫌粗放。作为出版企业，起码还有两个甚至更多的良性措施可以采用。一个，就是加大对邮购的改进，譬如减免高额的邮资，譬如扩大服务的范畴，譬如建立一个适当合理的读者反馈网络机制，等等。作为零售主流的邮购，很奇怪一直没有成为大陆出版业所谓主渠道关注的重点，各出版企业虽然都设置了读者服务部之类的部门，但更多的是成了类似大学图书馆那样的福利安置机构，基本没有起到服务部所应当起到的作用，起码，连读者信息反馈这样的基本功能也丧失殆尽，更遑论打造出版企业的形象云云。再一个,则是拓宽出版物的流向,在营销的适当节奏点上,出版物的时机出货,即便是一揽子转让给诸如书友会俱乐部那样的强力买方机构,也起码能在读者心目中营造葆有一个相对正面的商业形象,比之简单粗放地低价抛售尤其是抛售给摊贩,更有积极的意义。

——欧阳耀地. 库存消化的节奏和去向. 编辑之友,2002 (2)

● 图书储运,指图书在零售给读者以前,出版发行部门必须进行的运送和储运活动,不包括读者和图书馆等购书后的储藏和保管。

——边春光主编. 编辑实用百科全书. 北京:中国书籍出版社,1994. 462

● 图书商品的运输,指图书商品借助于各种动力在空间上位置的移动。图书商品出版主要是集中生产,分散消费。主要集中在北京、上海和各省、自治区首府出版,而各类读者遍布全国城乡各个角落。图书商品的出版与发行之间在空间上存在不一致尤为突出。所以认真做好图书商品运输工作,具有十分重要的意义。

图书商品运输的基本方式:1.铁路运输。2.公路运输。3.水路运输。4.航空运输。

其他方式:1.民间运输。2.直达运输。3.中转运输。4.联运。具体形式有:(1)水陆联运——水陆运输和铁路或公路运输相衔接。(2)水水联运——不同水路运输和同一水路运输。使用不同类型的船舶之间的接力运输。(3)陆路联运——铁路和公路运输相互连接。5.转站分运。6.邮寄。

——王益,汪轶千主编. 图书商品学. 北京:人民出版社,1999. 123~126

● 图书配送是指按用户订货要求,在图书配送中心或其他物流结点进行集货、分货和配货,并以最合理最经济的方式送交用户。就实施形态而言,图书配送最后也是将图书送达用户,这一点与一般送货或发货没有差别;但在经营思想和运作环境、机制和效益上,图书配送与以往的送货或发货有着本质上的差异,这些差异也正是图书配送的主要特征:

1. 图书配送是一种以用户需求为出发点的市场行为。

2. 图书配送是一种有着自身经济效益的经济活动。

3. 图书配送的生存与发展是以规模经济优势为基础的。

4. 图书配送是商流、物流与信息流一体化经营的代表。图书配送已不是如传统发货仅囿于物流范畴,它同时也是一个商流概念,是"商物合一"的产物。也就是说,图书配送的成功很大程度上有赖于商流、物流与信息流的紧密结合。它不仅触及物流管理问题,还对商流业务管理模式改革提出了新的要求,并且需要有现代化的信息系统为基础,将进、销、调、存及财务等各业务环节有机地联系起来。从这个意义上说,图书配送是一种全新的图书商品流通组织形式。

——张美娟. 图书物流新发展:图书配送. 出版发行研究, 2000 (6)

● 所谓中转,就是中途转运。一次托运不能直接运到的就需要中转。图书由出版、印装地点发运到销售地点,有的地方一次托运不能直接运到,需经过两种以上运输方式或两程以上衔接运输才能到达收书店。在不同运输区段或不同运输方式的衔接点,要进行换装转运作业,重新办理托运手续。这种接转作业称为中转。接转作业的对象是图书,称为图书中转。

——王鼎吉主编. 图书发行业务知识手册. 北京:中国社会出版社, 1991. 344

出版物流通制度

出版物流通制度是出版物流通体制的重要组成部分,是指围绕一定的出版物商品流通方式而形成的关于处理出版物产、销之间经济关系的一系列规定与制度的总和。人类迄今为止所采用的商品流通方式,不外乎三种基本类型,即代理、自销和购进买断(在国外也称为一般贸易),依此而形成了三种不同的基本流通制度,即代理制、生产商自销制和买断经营制。出版产业领域也不例外。《出版学基础》一书对出版物流通制度从三个方面进行了介绍:一是买断经营制及其购销形式;二是出版物发行代理制及其实现形式;三是生产商自销制与出版社自办发行。下面引用的材料,可以加深我们对上述几个方面知识的理解。

● 出版社出版的书,统统由书店买下来,由书店去销售,不管卖得掉卖不掉,出版社都不负经济责任;如果卖不掉,经济损失书店负担。这种做法,叫做包销。出版社出版的书,委托书店去销售,卖不掉的部分,书店可以退回给出版社,经济损失由出版社负担。这种做法叫寄销。

——王益. 图书发行浅谈:包销和寄销. 图书发行, 1980 (18)

● 寄销,指出版单位根据与书店的协议委托销货店销售图书。

包销,即书店将进货全部包下来销售。按照我国现行出版发行制度,书籍印数由出版社决定,订货由书店决定,出版社按书店订数发书,给予一定的进货折扣,书店不能退货。销售店从发货店进货,发货店按销货店订、添数发书,也给予一定的进货折扣,由销货店包销,亦不能退货。在出版社一方,除非图书出现内容错误或政治原因,否则,不承担图书存货的经济责任。

——宋孟寅, 马保超, 董其芬, 崔一润编. 实用出版词典. 太原: 书海出版社, 1988. 182

● 图书购销形式,指图书出版单位对图书发行单位转移图书商品所有权的方式。它是产、销之间的业务联系形式,它反映产销双方的经济关系。现行图书购销形式,按其性质可分为三类:

1. 包销。包括统购包销、征订包销……

2. 经销。包括经销、特约经销、代销、批销……

3. 寄销。

出版社自行决定印数并负责总发行的图书,由出版社或者通过发货店向各销货店主动发货,由销货店经过一定期限的销售,销不完的存书,可向出版社退货,这一销售方式,称为寄销。寄销方式有出版社单方寄销、社店联合寄销、基数分配寄销、征订与分配相结合寄销等。图书征订包销,指出版社出版的图书由新华书店负责总发行的一种购销形式。它是在图书出版之前,通过发货店,用图书订货目录,向各销货店征求订数,经过分级审核,最后由发货店分析汇总,向出版社提出订数。出版部门根据图书的内容,读者需要,参考发行部门的订数决定印数。图书出版后,由出版社按订数交给发货店。发货店按各销货店的订数发货。发行部门所订的图书,如果销不出去,不得向出版社退货,经济损失自负。凡征订包销图书,允许出版社在自办或合办的门市部零售、办理邮购并做适当储备供国营书店和特约经销部门进、添货,但不得另行征订。

图书征订经销,由出版社负责总发行,新华书店负责经销。出版社可以自行决定补充征订的品种和开展对集体、个体书店的批发。各级书店的征订经销图书,其销售不完的存书及损失,由各级书店自行负担。货款结算的时间和方式与征订包销图书的区别在于:

1. 征订经销图书由出版社负责发行,统筹安排图书市场,新华书店则是选销;征订包销图书则由新华书店统筹安排图书市场。

2. 征订经销的图书,出版社除委托书店经销外,还可选择多种销售方式;而征订包销图书则受严格的限制。

3. 征订经销图书,出版社给发货店的进货折扣比征订包销要高。

——李晓钟主编. 书刊发行辞典. 长沙: 湖南出版社, 1993. 104~106

● 现在销货店的订货,特别是一般图书的订货,全凭出版社的订单上几百字的内容介绍,便决定购买与订数。人们形象地将这种购销形式称之为"隔山买牛"。

所谓寄销,即商品生产商将商品委托他人代为销售。

——蓝祖伸. 关于图书购销形式改革的新构想. 图书情报知识, 1994 (2)

● 征订经销,即由出版社负责总发行,书店负责组织征订、发货和销售。新华书店发行所或其他国营、集体书店均可接受办理征订经销业务,但订购图书的品种和数量可自由选择, 订了货而销售不完的图书损失均自行负责。出版社也可对同一种书办理补充征订和开展对集体、个体书店的征订和批发。

——边春光主编. 编辑实用百科全书. 北京:中国书籍出版社, 1994. 453

● 所谓图书发行代理制,简单地说,就是图书批发代理商依法接受出版社或销货店的委托或兼受两者的委托,办理各种发行业务,收取相应佣金(或折扣)的经营方式。

概括起来,代理制有以下几种形式:

①总代理——发货店受若干出版社的委托,承担其全部品种或某个品种的发行总代理。出版社在契约所规定的代理时间、范围之内,不得再委托第三方(包括出版社自办发行)进行总代理。

②分级代理——总代理要调节安排市场,必须转手进行二级批发或多级批发。为减少中间环节,通常是由总代理直接发往各销货店,也可以再委托各省级或地区、市级的批发代理商进行辐射,建立区域性的图书批发市场。

③分段代理——根据书店自身的能力和利益要求, 以及出版社的约定,为出版社提供图书流通过程中某一环节的代理服务,如代理征订、代制票单、代办储运、代印代发、代结算货款等。书店提供的各阶段服务,按照价值规律收取相应的佣金(或折扣)。

——张立. 代理制:值得试行的图书购销形式——访新华书店总店总经理邓耘. 出版发行研究, 1995 (1)

● 图书代理制发行在社会再生产过程中能够发挥重要的调节作用和宏观调控能力,并具有如下的优势:

第一,能充分发挥发行所或省店资金雄厚、吞吐量大、信誉度高、信息灵活、业务熟悉、覆盖面广、调控力强的优势,特别是能开展规模经营,提高出版社图书发行的社会效益和经济效益。

第二,能减少出版社对自办发行投入的大量精力,出版社自办发行作为对主渠道发行所或省店代理的补充,在全国范围内只要对省、自治区、直辖市或一个较大地区的一两个代理店进行联络,就会发运集中、结算便捷。使图书能及时与读者见面。

第三,能调节出版社与各地新华书店在图书品种、数量上的差异。

发展图书代理制发行,有利于社会劳动的节约,是历史的进步。它的主要职能就是集中、调节、平衡和扩散图书,加快整个社会的再生产过程。但是,这种代理制发行方式的开展,首先需要出版社形成共识。此外,还要得到出版社的大力支持和帮助,要在经济政策上给予优惠。除确保提供适销对路的图书货源外,还要在资金上、物质上给予帮助,共同建立销售网络。

——蔡培根. 谈图书发行代理制. 图书发行研究, 1997 (1)

● 图书发行代理制就是发行代理商按照平等互惠的原则,与出版社签订合同或协议,代为组织图书商品流通,并收取佣金的图书流通制度。

和计划经济体制下以征订包销为主的流通体制相比较,图书发行代理制具有以下特点:一是出版社与代理商通过双向选择建立平等互惠的贸易伙伴关系,双方的联结纽带是具有法律效力的经济合同;二是代理商对所代理的图书一般不具有法律上的所有权,并且一般不承担市场风险;三是代理商要严格执行出版社的定价;四是代理商按销售额的一定百分比提取佣金。

图书发行代理制的实现形式可按不同的标准划分为不同的类型。按代理的授权方式,可分为委托代理、法定代理、指定代理;按代理关系的授权大小,可分为总代理与分代理,或独家代理与一般代理;按委托人与代理人之间的交易结算方式,可分为佣金代理和延期买断代理;按代理的业务性质划分,则有销售代理和采购代理。

当前可试行的几种图书发行代理形式:

(1)独家代理。这是代理商在指定的地区内享有所代理图书专营权的代理形式。

(2)分段代理。这是代理商根据自身的能力和利益要求,为委托方提供图书流通过程中某一环节服务的代理形式。主要有代理征订、代办储运、代印代发、代理结算等。

(3)延期买断代理。出版社根据代理商的订单提供图书商品,在规定的时间内由代理商回笼货款,不能回笼的部分以及不足最低销售额的部分由代理商以优惠价买断的代理形式。目前,我国出版社对于承担全部风险还难以接受,采用这种代理形式,可使双方共担风险,并促使发行企业积极开拓潜在的图书市场。

——徐丽芳. 关于图书发行代理制的探讨. 图书情报知识, 1997 (2)

● 所谓图书发行代理制,就是图书批发代理商依法接受出版社或销货店的委托或兼受两者的委托,办理各种发行业务,收取相应佣金(或折扣)的经营方式。其积极意义在于它明确了经济活动各方的权利义务,以契约的形式保障各方经济利益的取得。……笔者认为,实行代理制是我国图书发行体制改革的必然趋势。这是因为:一、代理制明确规定了参与经济活动各方的责、权、利,反映了社会化分工的客观要求。二、代理制是解决目前发行体制中存在的诸多矛盾的一种较好办法。……实行代理制,可以从图书发行的源头上理顺出版、发行、销售三者的业务秩序,以契约的形式明确不同业务环节的责、权、利关系,形成一种规范的市场规则,从而促使出版发行事业的健康发展。

图书发行区域代理制是指图书的总发行权归属出版社,出版社委托其在一定区域的代理商承担其图书的发行工作,该代理商依据出版社的授权在其代理的区域内享有独占的、排他性的发行权,并收取相应折扣的发行体制。……图书发行现有代理制形式与区域代理制相比较,区域代理制更具优越性。第一,总代理制与区域代理制相比:总代理制理顺了出版者与总发行者之间的权利和义务关系,制约了因出版社自办发行而产生的负面效应,能够起到规范图书发行市场秩序的作用。但是承担总代理任务的总代理商的发行有效辐射能力不可能遍及全国广大地域内的整个图书市场(发行有效辐射能力是指发行人通过集约经营行为,能够以较好的质量去完成图书发行每一环节的工作任务,并取得较好的成果的能力)。并且发行代理要受到诸多因素的制约。……总代理要做好市场的安排和调节,不能不求得二级批发或多级批发的支持,如此便不利于减少流通环节,同时还会引起二级批发市场以下各级市场的新的不平等无序竞争。因而可以认为,总代理制的模式是值得商榷的。区域代理制与总代理制的相比较, 主要优越性在于区域代理制是将出版社所授的总代理权按区域细分成若干个相互独立的代理权, 它所形成的格局是以若干个点去面对这些点各自周围的地区。第二，分级代理与区域代理相比，分级代理商的地位是处于总代理与销货店之间，而且不具备市场独占的优势。因此，销货店与其依存关系较弱，市场竞争优势较小，不像区域代理商享有市场独占的优势，其流通环节属于一级批发，因而具有很强的市场竞争实力。第三，分段代理与区域代理相比，分段代理是发货店为出版社提供图书流通过程中某一环节的代理，其收益只能来自佣金，形不成真正意义上的商业利润。区域代理是代理商为出版社提供的图书流通全过程的代理，其收益来自整个代理过程的商业利润，且代理商与出版社和销货店的经济利益联系紧密，能够对市场进行有效调节和制约。因此笔者认为，区域代理制较之代理制的其他形式更能体现代理制的优越性，发展区域代理制，应该是我国图书发行体制改革的一个方向。

——周华. 图书发行区域代理制及其保障机制初探. 图书发行研究，1998（2）

● 推行代理制是建设大市场，组织大流通的发展方向。代理制是出版社与本地或异地拥有总发行权和一级批发职能发行单位之间建立的一种产销关系，是社店之间一种新的合作形式。新华书店建设的大型批销中心，应把代理制作为主要经营形式和发展方向，这是因为：

第一，实行代理制，便于开展规模经营；

第二，可以与出版社建立稳定的产销关系和进货渠道；

第三，便于推行多种购销形式；

第四，便于协调社店双方的经济利益。

——赵庆祥. 建设大市场，组织大流通. 图书发行研究，1996（3）

● 1995 年，党中央、国务院批准的新闻出版署《关于加强和改进出版工作的报告》中指出，要"倡导出版物发行代理制"。同年 7 月，李岚清副总理在国务院召开的一次专门研究代理制的会议上，也强调要"把推行代理制作为产销体制的一个变革"，并把它提高到"对整个国家市场经济框架的建立有好处"的高度。

首先，推行代理制是解决目前出版与发行两个环节风险承担不均的有效之举。在经销制下，发行环节承担风险比例过大，严重影响发行单位进货的积极性，从而影响图书的发行量，难以满足市场需求。如果推行代理制（指代理制与经销制平行），就可以在相当程度上分担发行环节的经营风险，提高流通环节开拓市场的积极性，从而扩大图书发行量，更好地满足市场需求。

其次,推行代理制是出版部门自主选择中间商、充分拓宽流通渠道的最佳选择。随着代理制的推行,出版部门将不受地域限制,根据市场需求及自己确立的营销决策自由选择中间商,解决现行体制下的"地方割据"状态,拓宽本版书的发行渠道,提高本版书的发行量。

最后,推行代理制还是提高流通领域竞争性,促使中间商改善服务,提高发行环节服务质量的可行办法。

——蔡健,陈永元. 两个转变与出版改革. 编辑学刊, 1999 (1)

● 出版社自办发行,指出版社发行部门自行组织、直接发行本社出版的图书。具体业务活动包括制定发行计划和营销策略,安排或直接办理部分图书的宣传征订,进行市场调查,预测留书,储存保留,邮购,批发,零售,包装发运,结算书款等。

实践表明,出版社直接办理部分图书的发行有以下几点好处:

①有利于减少图书发行工作的中间环节,缩短发行周期,降低发行费用。

②有利于增多图书的发行渠道,在各类渠道间开展竞争,促进发行服务质量的提高。

③有利于图书的产销结合,使出版社更多地直接接触读者,掌握出书的反馈信息,了解市场和读者需求的各种动态信息,不断改进出版社的经营管理,加速出版社由生产型向生产经营型顺利转化。

——边春光主编. 编辑实用百科全书. 北京:中国书籍出版社, 1994. 455

● 出版社自办发行就是指出版社通过自有的发行机构开展图书销售工作。更准确地说,就是在严格遵守国家有关法律和政策法规下,以不违犯社会主义根本利益为前提,通过自由的图书发行机构,重复使用自身的力量和资源扩大本版图书的销售。出版社自办发行具体包括:

1. 图书市场的调查分析预测,并在此基础上进行市场细分,确立本社的目标市场。

2. 指定本社图书的发行计划和营销策略,并具体实施。

3. 制定图书宣传计划并实施。

4. 本社所属发行企业业务管理。

5. 维护本社图书发行权利,承担所应负的义务。

6. 建立并发展本社图书发行的业务关系。

——常一武. 出版社自办发行探索. 图书发行研究, 1992 (1)

● 出版社自办发行存在的问题：

1. 观念严重滞后。

2. 销售费用增加。

3. 流通渠道不畅。

4. 库存图书增加。

5. 应收账款增加。

6. 呆账、死账损失增加。

7. 违纪违规现象严重。

出版社自办发行的出路与对策：

1. 改变现有发行体制。……具体讲，就是从管理方式、组织结构、分配制度等方面构架全新的运行方式、经营模式，以促进图书流通健康、有序发展，实现社会效益与经济效益的最佳结合。

2. 领导要关心重视发行工作。

3. 加强网点建设。

4. 重视营销策划。

5. 改善服务。

6. 建立有效的业务管理和业绩考核制度。

7. 规范图书销售核算，严格财务监督。

8. 建立严格的仓库管理制度，完善图书出入库手续。

9. 推行现代化管理手段，提高经营管理水平。

10. 加强发行队伍建设，提高发行人员素质。

——李居仁. 出版社自办发行存在的问题与对策. 经济师，2002（7）

● 经过十多年的社办发行实践活动，出版社发行人员艰辛探索，创造出多种新模式，为社办发行深化改革开拓了新途径。笔者认为，在众多模式中，比较成功的有以下五种模式：金盾模式（金盾出版社社办发行，承担图书总批发任务，是社办发行体制的创新，也是社办发行的典范）；连锁经营模式；出版集团发行公司模式（出版集团整合社办发行，成立发行公司）；浙江"全权代理制"模式和混合型模式（由出版社、新华书店出资，吸收国内外资金组建成股份制图书发行公司，共建连锁店、大型图书超市、读者俱乐部等）。

——翁耀明. 社办发行改革模式研究. 出版科学，2003（4）

● 笔者认为，出版社"自办发行"的提法不科学，如果把出版社视为一个生产企业,其设立销售部(即发行科)是符合市场经济的必然做法,是天经地义的,不搞发行才是不正常的,加上"自办"纯属多余,只能说明出版社对其图书产品总体发行和整体营销的意识不强。"自办发行"带有明显的计划经济色彩,它是中国图书市场从计划经济走向市场经济接轨过程中出现的特殊产物。出版社从计划经济时的"不搞发行",到转轨时期的相对于本地省级新华书店搞"自办发行",在市场经济条件下应是真正意义上的"总发行"。

——杨韶辉. 出版社"自办发行"的提法不科学. 出版发行研究, 1999 (1)

● 大部分出版社所谓的自办发行,还是依靠传统的发行渠道,既没有自己的发行渠道,也没有几家能广布自己的零售网点。惟一与传统的营销方式不同的是由原来一家新华书店总发行变成面对全国成百上千家新华书店。同一个渠道,一家或一百家并没有本质的区别。民营书店与传统的新华书店系统相比目前销售量对大多数出版社而言还是微乎其微。其他成分的销售目前几乎可以忽略不计。因此所谓的出版社自办发行这个提法并不确切,这是一个被误解的概念。

从社会演进和行业分工角度看,出版社自办发行有悖于市场经济的发展规律流通。图书的流通必须以庞大的销售网络为依托。中盘是必需的,是出版社的自办发行无法取代的。此外,出版社自办发行从维持庞大的营销队伍和繁杂的储运任务等方面看也是勉为其难。从发展的眼光看,自办发行仅对大出版社及在某一领域具有绝对或相对垄断权的出版社才有意义。

首先,拥有众多的图书品种及销售量使得组织一支庞大的营销队伍成为必要;

其次,拥有在某一领域具有绝对或相对垄断权使得组织一支专业化的营销队伍成为必需;

最后,拥有著名的品牌和良好的社会形象会对其图书的可信度和销售量产生重大的影响。

出版社自办发行注定是特定历史时期的过渡形式,它必然会随着我国市场经济的逐渐成熟而改变目前的功能。

——于殿利. 出版社自办发行——一个历史的过渡. 中国出版, 2001 (1)

出版物流通渠道

　　出版物流通渠道主要涉及流通组织者的合理分工与组配问题，对于流通生产力的发展有着非常重要的影响，所以是出版物流通体制的重要组成部分。所谓出版物流通渠道，是指组织出版物从生产领域向消费领域流通时所需要经历的线路以及在这些线路上所必然发生的出版物商品所有权转移的经济过程。出版物流通的整个过程是由具体的出版物商品交换活动形成的，因此，出版物商品交换形式决定了出版物流通渠道的基本结构可分为两种类型：产销结合式的直接流通渠道和产销分离式的间接流通渠道。出版物流通渠道的改革，是我国整个出版物流通体制改革的重要内容。下面摘录的各段论述，即是各位专家、学者对出版物流通现状的描述以及对我国出版物流通渠道改革问题的探讨。

●　图书发行渠道，是指图书商品交易的通道。即图书从出版领域转移到读者手中所需要经历的路线，以及在这些路线上所必然发生的图书商品所有权转移的经济过程。

　　——李晓钟主编. 书刊发行辞典. 长沙：湖南出版社，1993. 104

●　图书发行渠道是指图书作为商品出版以后，销售到读者手里所经过的途径。这个途径是由各种发行环节的图书发行网点所构成。

　　图书发行过程是由一次又一次的相互衔接的图书购销活动构成的。从经营角度讲，每一次图书购销活动就是一个经营环节；从发行的全过程来看，每一次图书买卖活动就是一个发行环节或流通环节。这些环节是按一定的序列协调运行的。由此，可以把发行渠道的定义表述为：发行渠道是图书商品在其价值形态变换过程中，从出版者那里转移到读者手里所经过的发行环节的组织序列。

　　——郑士德. 图书发行学概论. 北京：高等教育出版社，1995. 143

●　图书商品流通渠道是图书从生产(出版)领域进入消费(读者)领域的通道，即图书流通的组织形式和路线。

　　——新华书店60周年纪念活动组织委员会办公室编. 图书发行业务知识读本. 北京：开明出版社，1996. 105

●　图书分销渠道，也称图书营销渠道、图书分配通路、图书流通渠道等，它是指图书商品从出版企业向广大读者转移时取得图书商品所有权或转移其所有权的企业或个人的总称。它包括出版社及其自办图书发行机构、图书经销商、代理商及其他各种类型的辅助商和广大读者。

直接渠道的概念及方式。图书的直接分销渠道……是指在没有任何中间商介入的情况下，由出版社将图书商品直接销售给广大读者的一种渠道类型。

图书的直接分销渠道有很多具体的实现形式，概括起来，不外乎以下几种：

①出版社自设门市销售图书。②出版社推销人员向读者直销图书。③邮寄书目直销。④用户直接向出版社订购图书。⑤读者向出版社函购电购图书。⑥出版社设站入网，利用网上书店直接发行本版图书。

图书的直接分销渠道主要有以下优点：

第一，直接分销省掉了许多中间环节，可以大大降低图书商品在流转过程中的损耗，同时还可以加快图书商品的流转速度。

第二，直接分销是出版企业向流通领域"一体化"发展的重要策略之一，它可以在一定程度上降低图书流通费用，这就为出版企业直接让利于读者打下了良好的基础。

第三，图书直接分销渠道是一种"产"、"销"直接见面的方式，它便于"产"、"销"之间直接进行信息交换。

当然，直接分销渠道也有其明显的不足之处，突出表现在：

其一，图书的直接分销渠道覆盖面相对较窄，发行能力有限，它难于适应图书生产高度集中与图书需求极度分散的这一矛盾。

其二，图书的直接分销渠道完全依靠出版企业自身的力量，容易分散企业的精力，冲击图书的出版业务。

其三，直接分销渠道是出版企业向图书流通领域渗透的重要方式，无原则地扩大直接分销比重可能会影响到广大发行中间商的利益，影响图书发行中间商的积极性。

间接分销渠道的概念及方式。图书的间接分销渠道，是相对与直接分销渠道而言的，它是指出版企业利用发行中间商来向广大读者供应图书商品的一种分销渠道。

间接分销渠道的优点主要有：

第一，有助于图书商品的广泛分销。

第二，有利于促进图书出版的专业化分工与协作。

第三，有助于缓解出版企业人力、财力、物力资源的不足。

当然，间接分销渠道也并非尽善尽美，它同样也存在着缺点或不足。

首先，由于发行中间商的介入，可能导致出版企业与广大读者之间的信息交流受到不利影响。

其次，发行中间商的高度介入，可能导致出版企业对图书销售的失控，从而产生对发行中间商的高度依赖，这就可能在一定程度上使出版企业整体图书营销活动陷入被动。

再次，如果分销环节过多，效率低下就可能导致图书流通费用的上涨，从而影响出版企业的赢利水平，或者以提高图书定价的方式转嫁到读者身上，从而加重读者的负担。

根据企业自身条件及图书产品的基本状况，出版社可以分别选择不同长度的分销渠道。一般地讲，分销渠道的长短是根据介入图书流通领域中发行中间商环节的多少来定。所谓短渠道，一般是指在图书流通过程中只选择使用一个环节的发行中间商的渠道形式，长渠道则是指选择使用两个及两个以上环节的发行中间商的渠道形式。

(1)短渠道的形式及其特点。

出版企业——普通图书零售店——读者。

出版企业——外行业特约经销商——读者。

出版企业——图书俱乐部——读者。

出版企业——图书馆供应商——图书馆。

短渠道除了上述四种主要形式之外，有些国家和地区还有自己的一些比较特别的形式，如"出版企业——学校承包商——学校"，"出版企业——图书经纪人——读者"，"出版企业——图书批发商——团体读者"等。

短渠道……主要有以下几个基本特点：第一，仅有一个中间环节，可以使图书商品迅速地流转到读者手中；第二，有利于节省图书流通费用，降低图书成本；第三，出版企业承担的促销费用相对较大，同时还必须具备足量的图书商品储备及存货。

(2)长渠道的形式及其特点。

从国内外的情况看，图书分销长渠道的形式主要有以下几种。

出版企业——批发商零售商——读者。

出版企业——代理商——零售商——读者。

出版企业——代理商——批发商——零售商——读者。

同短渠道相比,图书分销长渠道主要有以下几个特征:

第一,多重图书分销商的介入,提高了图书分销能力,有利于图书商品的广泛分销;

第二,多重中间商的介入减轻了出版企业图书分销工作的负担;

第三,分销环节的增加,带来了图书分销费用的上涨;

第四,分销环节的增加,影响了出版企业与读者之间的信息沟通;

第五,分销环节的增加,可能会延误分销时间,影响分销效率。

图书分销渠道的宽窄,取决于分销渠道每一个中间环节的中间商数目的多少,同一环节发行中间商数目多的,分销渠道就宽;反之,就窄。营销学把分销渠道的宽窄分为以下三种情况。

(1)密集性分销渠道。

也称普遍性分销渠道、广泛性分销渠道、强力分销渠道等,它是指出版企业在同一区域市场内各个层次的中间环节都广泛采用尽可能多的发行中间商来销售其图书商品的一种分销渠道形式。……密集性分销主要用于图书的零售环节。

(2)选择性分销渠道。

也称较大宽度的分销渠道,它是指出版企业在同一区域内各个层次的中间环节仅选择一些条件较好的中间商来销售其图书商品的一种分销渠道形式。这种分销渠道的形式适用于各种类型的图书商品,但相对而言,对于高档精装大部头、高码价的图书,内容相对专深的学术著作以及读者对象具有某种特殊性的著作更为适宜。

(3)专营性分销渠道。

又称独家分销渠道、排他性分销渠道、最小分销渠道等,它是指生产企业在同一区域市场内某一层次的中间环节中仅选择数量极少的中间商(通常为一家)来销售其产品,并约定这家中间商不得再销售其他同类产品的一种分销渠道形式。专营性分销渠道的极端形式就是独家分销。

分销渠道是由出版企业、批发企业(代理批发商、经销批发商)、零售商等渠道成员构成。根据渠道成员之间的关系,可将营销渠道划分为传统分销渠道与垂直分销渠道两种基本形式。

(1)传统分销渠道。

传统分销渠道是由完全独立的出版企业、批发商和零售商构成的一种渠道形式。在这种形式的渠道中，每一个渠道成员均为独立的经济实体，各自都分别追求其各自利益的最大化……没有一个渠道成员能完全地或基本地控制其他成员。

(2)垂直分销渠道。

垂直分销渠道，是由通过所有权、契约或其他方式为纽带紧密联系在一起的出版企业、批发商和零售商构成的一种渠道形式。它是一种实行专业化管理和集中计划的组织网络，它是一个企业联合体，或者是一个渠道拥有其他成员的产权，或者是一种契约关系，或者一个成员拥有相当实力，其他成员愿意与之合作。

——方卿，姚永春. 图书营销学. 太原：山西经济出版社，1998. 280~293

● 分销渠道，也叫营销渠道，简言之，是指当产品从生产者向最终消费者转移时直接或间接转移所有权所经过的途径。渠道的起点是生产者，终点是最终消费者或用户。产品只有通过渠道才能实现其价值和使用价值。

图书的分销渠道的主要职能则可以概括为收集信息、图书促销、业务接洽、需求配合、实体分销、风险承担、融资及支用等几个方面。

分销渠道长度可以用渠道层次的数目来表示。图书在从出版商流向读者的过程中，每经过一个对图书拥有所有权或负有销售责任的机构，就构成一个"层级"。层级越多，渠道就越长；反之就越短。

直接分销渠道简称直销渠道，此渠道层级为零，图书所有权直接从出版商转移到读者。间接分销渠道是指产品从生产者流向最终消费者或用户的过程中，经过若干中间商转手的分销渠道。多数图书具有购买人数众多、用户居住地分散、产品价值不高等日用消费品的特点，这就决定了多数图书仍适用间接分销的渠道模式。

间接分销渠道有以下优点：

①简化交易。

②合理分销。间接渠道有利于发挥渠道成员集中、存储、平衡和扩散图书的职能，能有效调节产销关系。

③中间商有丰富的营销经验和较完善的服务设施，可以更好地为出版商和读者提供服务。

间接分销渠道的不足之处主要表现在：中间商的出现，增加了销售环节,有时会浪费部分分销费用,有时也会造成销售不及时或信息传递速度较慢;有些读者对象单一的专业类图书的特点决定了不适用层级较多的间接分销渠道。

渠道宽度,是指渠道的每一层级中使用同种类型中间商的数目。图书分销渠道的宽度是和出版商所采取的分销策略相关联的。大体上说,出版商所采取的分销策略有以下三种:

(1)独家分销。

(2)密集分销。

(3)选择分销。

渠道广度是指采用不同类型的分销渠道的多寡。目前,出版商多采取两种以上的渠道方式进行图书分销,如通过全国新华书店系统的国有渠道分销和通过民营批发与零售书店的民营渠道分销。民营渠道多属直线分销,速度快,能在第一时间抢占市场,利于造势;新华书店渠道流量大,市场覆盖面大,利于做足。

对图书分销渠道的运行效率进行综合评价时,可从经由该渠道流往读者手上的图书数量和现金流量来着手。图书数量的具体评价指标可以采用年度销售量或月度销售量。并且用于考核分销效率的销售量应当以最后环节(如零售环节)的销售量为依据。销售的实质就是把产品或服务变成货币,因此评价图书分销渠道运行效率的最重要指标就是经由分销渠道实现的现金流量,主要包括总销售额、销售费用、销售利润率等分指标。

——刘锦东. 论图书的分销渠道与管理. 科技与出版, 2004 (1)

● 在社会主义市场经济条件下,"三多一少"(多种购销形式、多种流通渠道、多种经营方式,减少流通环节)的开放式商品流通体制,极大地活跃了图书市场。其基本结构有以下三种:

1. 出版社——读者,即出版社将图书直接出售给读者。

2. 出版社——新华书店——读者,即出版社自办发行,将图书批发到新华书店,再由各新华书店转售给读者。

3. 出版社——发行所或省新华书店——各地新华书店销货店——读者,即出版社将图书批发给发行所或省新华书店发货店,再由发行所或省店发货店转批给全国各地新华书店销货店,最后售给读者。

同前两种销售结构相比较,第三种销售结构的优点是:

1. 发行所或省店的购销批量应该是大的；

2. 由发行所或省店批发供应区域宽、横向联系面广，有利于拓宽图书市场；

3. 出版社可简化图书流通过程，节约出版社和书店的库房、运输及发书、收书的时间和精力等。这就是目前图书市场上最普遍采用的依靠主渠道(发行所或省店)的基本销售形式。

　　——蔡培根. 谈图书发行代理制. 图书发行研究, 1997 (1)

● 经过 10 多年的改革，我国图书发行工作取得了有目共睹的成就，突出表现在以下几个方面：

(一)打破了新华书店一统天下的旧的发行格局，初步建立起了以国有新华书店为主体的多种发行渠道并行的新的发行格局。

(二)新华书店改变了原有的经营管理模式，普遍推行承包经营责任制，这在一定程度上调动了经营者和企业职工的积极性，为搞好新华书店主渠道起到了促进作用。

(三)突破了原有单一的购销形式，局部试行经销、寄销、发样订货、看样订货等多种购销形式。

(四)广大图书发行工作者奋力开拓，我国的图书发行总量呈逐年上升的态势。

(五)新华书店逐步转变观念，拓宽经营范围，在"一业为主"的基础上，逐步开展起了"多种经营"，这对增强发行企业的经济实力、稳定职工队伍等起到了积极的促进作用。

(六)壮大了发行队伍，提高了队伍素质。

　　——方卿. 对我国图书发行体制改革成就的估价. 图书情报知识, 1995 (3)

● 随着我党对社会主义建设规律认识的深化和实行社会主义市场经济体制，国有发行行业正在告别旧的发行体制而行进在建立社会主义市场经济体制的征途上。

一、国有发行体制正面临着新旧两种体制的转变。国有发行业正在经历着从计划经济到市场经济的转变，从靠政策保护到主动参与市场竞争的转变，从意识形态的附属地位到依靠自主经营的转变，从国家事业单位向现代企业实体的转变，从国有发行业封闭经营状态到国际国内开放市场的转变，从垄断经营到平等参与市场竞争的转变。

二、国有发行业正在经历由国家政策保护向社会公共政策的变革。

三、国有发行业正处在新旧发行方式的快速交替变化的新阶段。

四、国有发行业的改革进入了真正的攻坚阶段。

五、国有发行业的发展方式正处在由均衡发展转向非均衡发展的新阶段。

对国有发行现状的分析：

(一)国有发行现状不适应市场经济和加入WTO的需要。

(二)集约化、规模化经营程度低,出版物发行结构不合理。

(三)参与国际竞争能力差,"入超"现象突出。

(四)国有发行业发展态势与科技含量低,人才匮乏之间的矛盾十分突出。

——邓本章. 现代出版论. 北京: 中国大百科全书出版社, 2003. 202~212, 217~220

● 近几年,随着市场经济的发展,全国各地出现了一些发行公司,有国有的、民营的,也有股份制的。总的来说,还都不成气候。几十年的计划经济,报刊发行被邮局垄断,图书发行被新华书店垄断,因为没有竞争对手,这两大系统就变得体制僵化,缺乏活力。

加入WTO,我国承诺:入世后一年内,允许外资在深圳、珠海、汕头、厦门、海南五个特区和北京、上海、天津、广州、大连、青岛、郑州、武汉八个城市设立发行零售企业;第二年开放所有省会城市零售市场;第三年开放全国各地所有零售市场,并且在2004年12月1日后,开放批发市场;五年后,外国资本在国内发行领域不再受任何限制,投资比例、经营项目、设立地点均由投资者自主决定。当然,对外资发行企业也有条件限定,就是零售企业注册资金500万元,经营期限不超过30年;批发企业注册资金3000万元,营业面积不少于50平方米,独立设置的经营场所面积500平方米。这意味着发行这一块全面开放。

——刘波. 出版物发行的形势与改革. 出版发行研究, 2004 (5)

● 修改后的《出版物市场管理规定》放开的内容主要体现在发行单位的设立上。

1. 关于设立出版物总发行单位或者其他单位申请从事出版物总发行业务。取消了三项限制——企业的所有制限制(不再要求必须是国有或国有控股企业,民营企业也可申请总发行权);上级主管单位的限制;"行政法规及新闻出版总署规定的其他条件"的限制。增加了四项条件——经营场所面积必须在1000平方米以上;注册资金由1000万元提高到2000

万元;企业相关人员必须拥有一定级别的发行员职业资格;必须具有实行计算机管理的相关条件。

2. 关于设立出版物批发单位或者其他单位从事出版物批发业务。取消了四项限制——国有、集体所有制企事业单位限制;能够承担行政责任的上级主管单位限制;批发单位进场经营限制;省级新闻出版行政部门规定的"其他条件"的限制。增加了四项条件——场外单独经营的批发企业的营业面积必须达到 500 平方米以上;注册资金由 50 万元提高到 200 万元;企业相关人员必须拥有一定级别的发行员职业资格;必须具有实行计算机管理的相关条件。

3. 关于设立出版物零售、出租单位或者其他单位、个人从事出版物零售、出租业务。取消了经营者必须拥有当地常住户口和注册资金两项限制,增加了经营者或主要负责人必须拥有发行员职业资格一项条件。

总发行权"裁三增四"和批发权"裁四增四"以及零售、出租权"裁二增一"的修改目的,在于为各种所有制资本和个人实行彻底的市场准入平等,为行业吸引优质企业和优良资产进入,为实行行业管理创造必要的条件。这三项修改的意义十分重大,意味着长期困扰民营企业发展的政策准入问题得到了彻底解决,这也是新规定的最大亮点。应该说,20 余年的发行体制改革至此发生了根本性的转变,出版物发行业进入了全新的完全开放的时代。

——刘波. 出版物发行的形势与改革. 出版发行研究,2004 (5)

● 中国书业改革二十多年来,经出版社、民营书商乃至国外出版集团的共同开发,图书市场出现了许多新的渠道,形成了如今渠道"泛化"式的书业流通格局。具体表现在:

1. 借用其他商品流通系统的渠道。通过分担销售成本和市场风险与其他商品共享流通渠道,图书进入了超市、百货店、邮局等渠道。

2. 各种流通场所的书店。这几年书店不仅开进了地铁、机场,还开进了宾馆。

3. 运用新技术新形式开发的渠道。如出现了网上书店。

4. 直接对读者销售的渠道。原来出版社的直销仅限于邮购和自办书店,近几年直销渠道有了新气象,不少出版社实行了批销业务和直销业务的剥离。

除了以上介绍的以外,这些年新出现的图书流通渠道还有图书批发

155

市场、区域代理、上门推销等等。

——周斌. 图书流通渠道的"泛化"现象. 出版发行研究, 2003 (7)

● 深化出版体制改革的关键是发行体制改革。作为出版改革重要一环的图书发行改革, 其目的就在于培育和发展图书市场体系, 进一步搞活图书流通, 促进出版业的发展。

——路遥. 谈进一步深化图书发行体制改革. 出版发行研究, 1995 (3)

● 关于新华书店管理体制的研究。研究者普遍认为, 新华书店的现行管理体制不适应市场经济的要求, 严重束缚了新华书店的发展。例如, 张有能认为:"在旧的经济体制下, 省级店的经营活动受到很大束缚。"童自烈认为:"政府转变职能还不能很快到位, 各级书店自主经营还受到不小限制。"翁耀明提出, 为了克服我国新华书店管理体制的弊端, 要建立人权、财权和物权三权分离分管的新的管理体制。研究者众多观点的共识是, 按照社会主义市场经济体制的要求, 建立政企分开的图书发行管理体制。

关于新华书店进行股份制改造的研究。有的学者认为, 股份制是新华书店改革和发展的"必由之路"和"目标模式", 周立伟认为:"改革以来, 新华书店推行了承包制。虽然曾经起到过积极作用, 但承包经营无法从根本上使企业自主经营、自负盈亏、自我约束、自我发展。……只有股份制才能使出资者的终权所有权、企业的法人所有权和经营者的经营权三权分离又统一于企业中, 使之真正成为独立的经济实体。"黄万斌认为:"新华书店要改革现行的经营模式, 形成以股份制为基本结构方式的现代商业企业集团。"关于新华书店进行股份制改造时国有股份应占多大比例的问题, 也引起了学者们的关注。学者们普遍认为, 实行股份制改造后的新华书店, 应由国家控股。范居让认为:"考虑到图书业对社会主义精神文明建设的重要作用, 中小学教材对国家教育事业的重要性, 新华书店实行产权股份化, 有必要采取国家占有股份不低于51%的办法, 实行国家控股。"关于新华书店的股份制改造, 也有不同的观点。例如, 蓝祖伸撰文指出:"股份制投资者的'唯利性'与社会主义图书发行的'公益性'相矛盾","投资者的'高回报'追求与图书发行的'微利性'相左","靠发行职工内部股强化企业凝聚力的设想"太简单化。据此, 蓝先生认为:"现代企业制度形式是多种多样的, 股份制仅是现代企业制度诸多形式的一种, 无须也不应该言必称'股份制'。具体情况必须具体分析, 区别对待。"

要使"二渠道"的发展走上健康的道路, 加强对其管理是当务之急。学

者们的看法很多,有代表性的观点主要有以下几种:

(1)调动各方面力量,对"二渠道"采取全方位的齐抓共管。例如,卢新宁认为:"对图书发行实行'特种管理',单凭新闻出版部门能力有限,难尽其责,需要工商管理部门、公安部门、铁路、邮局等各有关方面明确职责,齐抓共管。同时,还要鼓励广大群众积极监督、举报,建立通畅的举报渠道。"

(2)加强法制化管理,运用法律手段保证"二渠道"健康发展。例如,顾传彪、赵雯指出,加强对"二渠道"的管理,必须"完善管理法规"。又如,帅雨发也强调,对"二渠道"的管理必须"加大执法力度"。可见,运用法律手段管理"二渠道",是一项重要举措。

(3)对"二渠道"的管理应将重点放在"批发业务"的管理上,只有管住了"二渠道"的批发,才能真正管好"二渠道"。例如,卢新宁认为:对"二渠道"必须"严格控制二级批发",必须坚持由新闻出版署或当地新闻出版局、文化局发给许可证后,才可由工商管理机构颁发营业执照。"又如,帅雨发认为,针对二渠道批发存在的问题及特点,应采取"四严一加强"的措施来控制"二渠道"的批发业务。

——赵岚. 我国图书发行渠道改革研究述评. 图书情报知识, 2001 (2)

● 中国加入世界贸易组织之后, 出版物发行领域加快了体制改革的步伐——以发行企业集团为主体, 以大中小城市为重点, 以新华书店为骨干, 以连锁经营物流配送的建设为突破口, 大力培育市场竞争主体, 加快市场整合, 鼓励跨省经营, 打破地区封锁和贸易壁垒, 推进集团化建设、新华书店股份制改造、连锁经营、物流配送工作进程。

——邵燕. 当前我国出版物发行市场的现状分析. 中国出版, 2003 (7)

● 发行体制的"三多一少"既有解放生产力的一面, 又有束缚生产力更大发展的局限, 因而应当在"三多一少"的基础上, 探索一套适应社会主义市场经济要求, 真正能繁荣一般图书流通的新体制。这个新体制是:

一、图书流通的市场化:即图书流通的主体要以市场为基础,流通客体要接受市场的检验,流通范围不受行政条块和地域分割的羁绊,流通渠道是多元的,竞争的;不仅有发达的零售网点,更要有强大的、相对集中统一的图书批发市场,作为整个图书流通的支撑和骨干。

二、图书流通的专业化:目前的"小而全",产销合一的、高度分散的批发渠道割据是不能完全适应社会主义市场经济要求的图书市场体系,应当有发货店作为骨干和中坚,联合各出版社共同组成图书批发市场,这种批发市场应当是全方位、多功能的,完全不同于原来只为当地出版社办理征订、发货的发货店。

三、图书流通的现代化:即要加强图书流通的基础设施建设,采用现代化先进技术装备,推行流通业务电算化、标准化管理。最重要的是要实现交易形式的现代化。

——张有能. 建立市场化、专业化、现代化的图书流通体制. 出版广场, 1996 (2)

出版工作者的基本素质

出版工作者既是文化知识的生产者与传播者,又是出版物市场的商品经营者。作为文化知识的生产者与传播者,出版业从业人员应该具有强烈的事业心与高度的社会责任感,应具有乐此不疲的奉献精神与一丝不苟的工作态度,要有宏博、深厚的文化底蕴与良好的职业道德。作为出版物市场的商品经营者,出版业从业人员应该具有强烈的市场观念与竞争意识,要懂经济核算和市场营销,要具有较强的商品推销能力与经营策划能力。《出版学基础》一书从政治素质、业务素质、知识结构、职业道德等四个方面对出版工作者应该具备的基本素质进行了阐述。下面摘录的几段论述,分别探讨了编辑人员、发行人员、校对人员等各种类型的出版工作者所应具备的基本素质。尽管提法不同,但对出版工作者的基本素质要求却是大体一致的。

● 为了提高出版物的质量,要求出版工作者除了具有一定水平的专业基础知识外,还应:①熟悉党和政府当前关于出版方面的方针、政策;②具有一定的语文水平;③掌握书籍编辑、装帧设计与印刷的基本知识(从事某项工作的人,应当精通某项工作方面的知识);④熟悉校对方法和校对符号;⑤了解社会需求,掌握书刊出版动态。

——罗树宝, 吕品. 编辑出版知识问答. 北京:科学普及出版社, 1988. 8

● 对编辑人员素质的要求,我认为主要包括政治素质和业务素质两个方面。

一、对政治素质的要求

1. 必须加强理论学习,明确政治方向。

2. 要树立新观念,重视自己的专业,不断提高道德修养。

二、对业务素质的要求

1. 要重视文化知识的学习。

2. 要熟悉编辑业务。

　　——马文瑜. 乐为他人作嫁，善为他人梳妆——对编辑应有素质的思考和体会. 见：华东地区大学出版社工作研究会编. 大学出版工作研究. 上海：复旦大学出版社，1988. 124

● 编辑必须具备哪些素质呢？根据当前出版工作的要求，概括起来，要具备五大素质：一、政治思想水平；二、语言文字功夫；三、专业知识，一专多能；四、编辑业务基本功；五、社会活动能力。

　　——陈志强. 论编辑的素质. 见：中国出版科学研究所科研办公室主编. 论编辑和编辑学. 北京：中国书籍出版社，1991. 234

● 在广博的知识基础上还须培养编辑对作者、作品、时代要求和社会需要等的鉴识能力，使他们成为本行的鉴识家。这是提高编辑修养的主要方向。

　　培养编辑对图书经济效益的鉴识能力，是提高编辑水平的一个重要方面。

　　——林穗芳. 图书编辑工作的本质、规律及有关问题. 见：中国出版科学研究所科研办公室编. 论编辑和编辑学. 北京：中国书籍出版社，1991. 31

● 编辑应有的知识结构

1. 编辑要有扎实的文字基本功。

2. 编辑的知识面要求广博一些，最好对某一学科有所钻研。

3. 编辑要能熟练地运用编辑思维的方法。

4. 编辑要有一定的马列主义修养和政策水平。

5. 关于外语知识。对这一问题各个出版社的要求不尽相同。译文出版社和科技出版社要求编辑有相当高的外语水平，这是不言而喻的。……编辑至少得掌握一门外语，并且要达到能译书的程度。大部分出版社有专门处理译稿的编辑，对社科编辑的外文水平没有太高的要求，有的杂志编辑则几乎用不到外文。

6. 编辑要掌握各种社会信息，具备社会活动家的能力。

　　——姚福申. 编辑专业课程设置和教材建设. 见：陆本瑞主编. 出版教育研究论集. 北京：中国书籍出版社，1993. 75

● 所谓适应期，实际上只是结构调整的过程，一些知识基础宽厚的学生，在调整过程中就占有较大的优势，他们便成了"适应性强"的胜利者。从上述事实中我们不难推导出这样几个结论：

1. 不管编辑业务知识难易如何，编辑人员有其必要的基本知识结

构。如果知识结构有明显的缺陷,而又不能及时弥补的话,他就难以适应编辑工作;

2. 从文科毕业生的实践效果来看,目前本科学生的知识结构与编辑工作所要求的有较大差距;

3. 为培养未来编辑而设立的编辑专业,应让学生有意识地去学习这些必要知识,以便尽快地建立起编辑所需的知识结构,适应将来的工作。

——姚福申. 编辑专业课程设置和教材建设. 见:陆本瑞主编. 出版教育研究论集. 北京:中国书籍出版社,1993. 72~73

● 首先,编辑要有基本的马克思主义的素养。

第二,编辑必须具备相当的文化知识与科学知识。

第三,提倡编辑当一门行家。编辑是杂家,但是最好杂中有专,专攻一门。

第四,编辑要掌握文字技巧。

第五,编辑要攻一门外语。

第六,要培养编辑有一定的社会活动能力。

——许力以. 编辑出版队伍的培养和训练. 见:许力以著. 许力以出版文集. 北京:中国书籍出版社,1993. 93

● 编辑曾经被认为是"指示型"且具有内向素质的人,主要与文字打交道,只要有广博的知识和扎实的文字功力,自然可以胜任编辑工作……但是在出版界竞争日趋激烈的形势下,对编辑的要求更高了,仅是"知识型"、"学者型"已不能满足需要,它同时要求编辑具有信心型和外向素质,成为社会活动者。编辑应凭藉生的知识背景,及时捕捉学科最新动态、发展方向等,做本学科领域的活跃分子,同时掌握信息要快,渠道要多,广交朋友,做到耳聪目明。除此之外,编辑还要熟悉市场需求,关心图书的发行、印刷等项业务。……从单一"知识型"向"社会活动型"及"经营型"发展。

——张美珍. 坚持编辑思维的整体性——正确对待新时期编辑工作的十大关系. 见:孙五川主编. 市场经济与编辑出版. 天津:天津教育出版社,1994. 151

● 所谓编辑"学者化",指的是什么,虽然说法不仅相同,但主要点还是比较明确集中的:就是说编辑应该对某一学科有较深入的研究,较系统的学识,有自己的学术见解,并在求专的同时求博,即尽可能有广博的学识,特别是对与所专学科密切相关联的一些学科,有一定的研究。

　　我个人一直是主张编辑应该努力成为 T 型人才。所谓 T 型人才，即在学识上既有深度又有广度，既专且博。……我是倾向于赞成编辑应"学者化"的。不过，应该说明的是：第一，我所赞成的编辑"学者化"，首先是指应该成为"编辑学"学者，其次才是指编辑学外其他某门学科的学者。第二，我所赞成的编辑"学者化"，是说编辑应对自己有这样的要求，这样的目标。第三，在学者化的同时，还要求尽可能的博学，即成为 T 型人才。

　　——徐柏容. 近期的编辑学研究：点与面. 见：孙五川主编. 市场经济与编辑出版. 天津：天津教育出版社，1994. 382

● 市场经济下的编辑人才，应具备如下素质：

　　1. 具有一定的政策水平，且具有人文精神的文化意识，怀有高度的社会责任感。

　　2. 具备广博深厚的学识修养，有眼光、有见识，具备较高的语言文字处理水平。

　　3. 具备强烈的读者意识和市场头脑，并谙熟出版物商品生产和流通过程中每个环节上的运作知识。

　　4. 具备较强的组织能力、社会活动能力、语言表达能力。

　　——黄强. 建立健全编辑人才成长机制. 见：袁亮主编. 建立出版机制的经验和理论. 哈尔滨：黑龙江教育出版社，1995. 369

● 1. 编辑的首要任务是驾驭语言文字。

　　2. 编辑的第二条信条是时刻要记住规范化三个字。

　　3. 编辑一定要学会用字、写字和认字。

　　4. 做编辑不要过于自信，必须经常请教字典（辞书）这个永恒的导师。

　　5. 千万不要强加于人。编辑没有任何权利把自己的语言文字习惯强加于别人，强改别人的文稿。一个合格的编辑，绝不轻易改动人家的文稿——尤其不轻易改变作家惯用的语言文字用法，但是……他必须坚决改正原稿中的一切笔误或明显的或常识性的错误。

　　6. 编辑要会做文字宣传工作，例如写广告。

　　——陈原. 编辑的语言文字修养. 见：陈原著. 陈原出版文集——中国出版论丛. 北京：中国书籍出版社，1995. 476

● 要编好书、出好书，关键是要有一个好编辑；要当一个好编辑，关键是要有八种意识。

一、大局意识。就是自觉地正确认识和把握党和政府工作的总方针、总线路、总政策、总任务以及一个时期以来的工作重心,就是自觉地正确分析和判断社会、政治、经济、文化等领域发展的总形势、总趋向,把图书编辑出版工作纳入全党全国的工作大局之中,做到为大局服务。

二、导向意识。图书的导向有其独特的地方。一是系统性;二是深刻性;三是长久性。

三、政治意识。

四、创新意识。

五、自主意识。

六、杂家意识。

七、质量意识。

八、伯乐意识。

——韩舞凤. 谈图书编辑的八种意识. 新闻出版报, 1995-08-23. 见:中国出版年鉴社编. 中国出版年鉴 (1996). 北京:中国出版年鉴社, 1996. 332

● 从出版 CI 系统的基本特征及运行策略看策划编辑所应具备的 CI 意识,笔者以为,应包括四项主要内容,即理念意识、协调意识、创造意识和整合意识。其一,理念意识。……出版理念是 CI 系统的动力源,更是出版主体一系列活动的方针和原则,是出版形象赖以存在、强化的基础。只有具备准确、明晰的出版理念意识,策划编辑才能够在纷繁无序的各类选题中作出准确的判断,以有限的出版资源开拓出最大限度的出版市场。可以说,出版理念是编辑策划的一把标尺。其二,协调意识。出版形象的确立,并非一个出版主体一朝一夕就可以完成的, 更不是机构中一两个人的策划操作的结果。……在实施 CI 系统的出版机构中,策划编辑与本机构 CI 委员会或策划室也应保持密切的联系,以及时发现问题,修正策略,补救偏差。其三,创造意识。CI 系统本身是要求统一化、规范化、系统化的,但对一个出版主体而言,出版 CI 系统则需要着力强调其鲜明的个性,调动各种有效方式, 强化与其他出版主体的差异, 建立独具特色的出版符码(CODING)系统,以获得公众先期认同的效果。……其四,整合意识。出版 CI 系统所包含的理念、活动、视觉三要素,是一个相互联系、相互促动的有机整体,利用系统内部各要素间的整体功能,其效率要远远大于个体所能产生的作用。策划编辑倘能借助系统的整合功能,在设计实施策划方案的过程中,不单单考虑书刊的文本编辑策划,同时把策划系列活动、调动视觉表现纳入自己的整体策划中，就会通过一个项目的实施而实现双重功效。

——耿成义. 试论策划编辑与 CI 认识. 编辑学刊, 1998 (3)

● 中国出版业在转型过程中,提高编辑人员的素质是决定的因素。智商高不一定能成为合格的编辑,而情商的重要性绝不逊于智商,它是感性于理性的调节器,是生命内在力量的源泉。人的情商不是与生俱来的,主要靠后天的自我引导和激励、情感教育和自我心理训练。从事编辑工作的人应该从五方面提高自己的情商。

一、自知,就是认识自我。

二、自控,就是善于控制自己情绪和欲望。

三、自励,也就是自我激励。

四、知人,就是努力理解别人,设身处地为别人着想,领悟对方的感受,平等待人。

五、协调,包括如何处理好人际关系以及组织管理两个方面。

——李晔. 情商,编辑的一门必修课. 广西大学学报, 1998 (3). 见：中国出版年鉴社编. 中国出版年鉴 (1999). 北京：中国出版年鉴社, 1999. 356

● 根据科技出版工作的性质和特点, 对跨世纪科技编辑人员的知识和素质结构,至少要有三个方面的基本要求：一是在科技专业方面,应具备本专业扎实的基础理论和工程技术知识, 掌握与本专业相关的自然科学和工程技术科学基础知识,熟悉本专业国内外的现状和发展趋势,了解本专业的科技前沿和最新发展,能应用计算机等信息技术手段,比较熟练地掌握一门专业外语。二是在出版专业方面,具备出版专业的基础理论和基本知识,熟悉编辑工作的基本业务,懂得科技出版工作规律,了解国内外科技出版发展动态,能够胜任市场调研、选题策划、书稿组织、稿件审读、文字加工、图书宣传、版权交易等编辑业务。三是在社科专业方面,具有哲学、经济学、管理学、营销学、社会学和法律等人文社科的基础知识和修养,热爱科技出版事业,有强烈的事业心和社会责任感,理想信念坚定,价值取向正确,奉献精神强,作风严谨,工作态度积极,有良好的心理素质。科技编辑应该是符合以上三方面要求的复合型人才。

——魏然. 科技编辑应成为复合型人才. 出版发行研究, 1999 (1)

● 责任编辑的"两翼",一曰读,二曰写……责任编辑打不好读写基本功,也算不上一个合格编辑。

所谓责任编辑读市场,是指编辑应该把自己放在市场的大背景中,求得全方位多角度的审视与检验,获取"商"机。"读市场"不是为了读而读,而是为了双效益,其落脚点还在市场回报或反馈上。所谓"反馈",特指商品卖到市场后的反应,它是检验整个编辑工作的试金石。读市场与读反馈,一前一后,与编辑案头工作,共同组成当今编辑工作的三部曲,缺一不可。

这里所说的"写",是一写选题报告,二写读稿笔记,三写书评。

——冯晓立. 责任编辑的"两翼". 新闻出版报,1999-02-26. 见:中国出版年鉴社编. 中国出版年鉴 (2000). 北京:中国出版年鉴社,2000. 401

● 一、现代编辑的信息能力构成

信息能力是指编辑在社会实践活动和职业工作中,经长期培养而发展起来的一种捕捉、筛选、转换与利用信息并改变周围信息环境的一种能力。

1. 信息意识是编辑对各种信息的自觉心理反映,具体表现为信息观念、信息兴趣和信息注意。

2. 信息认识是编辑在信息识别、判断和理解方面所具有的能力和水平,这是构成信息能力的主体部分。

3. 信息检索和技术能力。主要是指编辑能够有效地获取所需信息的方法和获取信息所构建的检索策略。

4. 信息的吸收利用能力。这是指编辑对信息的消化、利用和推广能力,它是信息认知过程中的最终结果。

二、提高现代编辑信息能力的途径

1. 强化编辑的信息意识。

2. 提升编辑的信息认识能力,不断打造精品图书。

3. 加强教育与培训,培养和提升编辑的信息检索能力。

4. 加强学习,不断提高编辑的基本素质。

5. 树立博学广识、与时俱进的编辑新形象。

——王立军. 析现代编辑的信息能力. 出版发行研究,2004 (2)

● 首先,图书发行员必须具有较高的政治素质,他们不但必须懂得发行工作的性质、任务、方针和政策,还应具备对党的总路线、总方针的基本认识;必须具有全心全意为人民服务的思想。

其次,在文化素质方面的要求,只着眼于一般的对图书商品知识的了解是远远不够的。

书店人员必须懂得天、地、生、数、理、化以及文、史、哲、经、军、工农业生产、医药卫生等等门类广泛的基本常识,包括它们的分类学,它们的范畴、分支。它们的发展和互相渗透的现状,它们的流派等等方面的基本知识。……还要求具有相当的文字写作水平和修辞方面的知识。

再次,在业务知识、业务技能上的要求,图书发行部门也比一般商业部门为高。……书店人员要具有有关经济核算、市场预测等方面的知识和决策能力……应该学会做单书或群书的信息反馈工作,去做社会经济文化,购买力投向的数理统计与分析,抽样调查分析。……要求精通图书贸易的组织技术、仓储和全国水陆运输营运线路,包装技术,以及调拨、发运工作中关于优选法、运筹学的实际应用知识。……还必须懂得一些电子设备的使用(包括计算机语言等)方面的知识,外语知识及适应新的发行体制所必备的经营知识、业务技巧。

——尹达. 重视开发图书发行人才资源. 河北日报, 1984-05-25. 见: 中国出版工作者协会编. 中国出版年鉴 (1985). 北京: 商务印书馆, 1985. 347

● 图书发行工作人员的知识结构是指图书发行工作者根据图书发行工作的科学规律和质量要求所掌握的一定量的知识的总和。

图书发行人员知识结构的形成和巩固,对于书店扩大经营,提高服务质量具有重要的制约和影响作用,从量与质的辩证关系上看:

首先,一定量的合理的知识结构,是一定质的服务效果的重要前提。

其次,一定质的知识总和及其合理的组成方式,又是一定量的经济效果的根本保证。

图书发行人员知识结构的科学性、系统性、完备性,是量和质的辩证统一。

四种发行岗位应有自己的专业技能:

(一)经理

1. 组织管理能力;2.经营决策能力;3.人才开发能力。

(二)进货员

1. 信息加工能力;2.信息贮存能力;3.信息反馈能力。

(三)营业员

1. 心理判断能力;2.宣传推荐能力;3.快速操作能力。

(四)农村发行员

1. 网络营销能力;2.需求预测能力;3.独立理财能力。

——张辉冠. 图书发行人员知识结构比较纵横谈. 见: 中国出版工作者协会编. 1985 出版研究年会文集. 太原: 山西人民出版社, 1986. 306

● 图书销售人员必须具有一定的职业修养,包括要有良好的职业道德,要有较丰富的图书商品知识,要善于观察图书市场的变化,要懂得掌握读者心理的方法,要有熟练的业务操作技能。

图书销售企业的职业道德,目前还没有统一的标准,但它最主要的内容可以概括为以下三个方面:在经营思想上要坚持读者第一;在经营作风上要坚持信誉第一;在服务态度上要坚持礼貌第一。

——张有能. 图书销售技巧. 福州:福建科学技术出版社,1988. 154

● 发行工作多方位的作用是靠发行人员去发挥的,也就是要求发行人员必须具有综合的素质。

1. 发扬服务精神

2. 提高业务技能

3. 加强预测能力

4. 丰富专业知识

5. 强化竞争意识

——高景和. 试论发行的地位、作用及素质. 见:华东地区大学出版社工作研究会编. 大学出版工作研究. 上海:复旦大学出版社. 1988. 246

● 图书发行工作者应成为出版机构和读者的桥梁,一方面要认真负责,实事求是地向读者宣传、介绍、推荐、销售图书,使图书发挥其应有的作用;另一方面又要向出版单位反馈市场的信息和读者的需要,从而促进出版。提高职工素质,主要从两个方面着眼,一是工作态度和工作作风;二是文化技术素养和改革开拓精神。

进行职业道德建设要有针对性、系统性、经常性,做到灵活多样,讲求实效。①举办培训班。②加强自我教育。③加强督促检查。④开展典型引路教育。⑤召开示范现场会,请优秀工作者示范表演。⑥坚持岗位训练。

——王淑欣. 谈图书发行工作者的职业道德. 见:吴湜澄,赵德成,杨惠民编. 全国新华书店第二届发行科学研讨会论文集. 武汉. 湖北科学技术出版社,1993. 29

● 校对人员应掌握下列基本知识:

(1)掌握各种校对方法;(2)熟悉印刷字体、字号;(3)了解排版的一般知识;(4)熟悉一般的排版规格;(5)熟悉校对符号;(6)掌握在校样上的正确标注方法;(7)熟悉简化字的使用。

校对人员的素质状况对校对的质量和效率都有着直接的关系。最主要的有以下几点:

(1)文化素质。校对人员应具有高中以上的文化水平,特别要有一定的语文水平,能正确使用标点符号。从事科技图书校对者,还应掌握必要的科技知识。

(2)要有严谨的工作作风。

(3)要认真负责。

(4)勤于学习,不断扩大知识面。

(5)学会使用工具书。

——罗树宝,吕品编著. 编辑出版知识问答. 北京:科学普及出版社,1988. 183

● 现代出版单位是以组织社会力量从事著译、印制和发行为基本职责的,但各类组织活动没有较强的科学文化素质和经营管理素质是难以胜任工作的。编辑人员不仅要懂得书稿范围的专业知识及语言文字方面的基本功,还要懂得编辑学、出版学、发行学、版权学、出版经营管理学以及图书学、出版印刷技术等方面的知识。……出版管理人员也不仅要有一定的文化基础和管理能力,而且要懂得编辑、印制、发行和出版财务等业务知识,以及出版工作的规律性,懂得现代管理手段在出版上的应用。显然,这也不是只靠普通学校的一般专业所能全面培养的。

——王耀先. 继续加强出版教育的我见. 见:孙五川主编. 市场经济与编辑出版. 天津:天津教育出版社,1994. 232

● 新时期下,书店需要更多的优秀进货员,图书发行新体制,要求进货业务员自身应具备较高的能力素质,而且要思想好、业务精、意识新。为此,应树立如下新意识、新观点,并有一个新的突破。

1. 自身建设意识。

2. 市场、信息观念。

3. 时间、效益观念。

4. 超前意识。

5. 法律意识。

——陈位浩. 浅谈图书进货队伍的培养. 见:孙绍昌,朱宗奎,严成荣编. 图书发行论文集. 南昌:江西人民出版社,1993. 202

● 书店营业员应有的美学素养:

1. 道德美……

2. 服饰美……

3. 仪表美……

4. 语言美……

5. 交际美……

6. 技能美……

熟悉书,是技能美的第一要素。

书法美,是技能美的第二要素。

操作美,是技能美的第三要素。

——张辉冠. 门市销售服务中的美学研究. 见:张辉冠著. 图书发行探索. 南京:江苏人民出版社,1991. 144

● 门市主任应该具备的素质和条件:

1. 应具有较高的文化水平和宽泛的知识面

2. 应具备良好的心理素质

3. 应熟悉和掌握基本的业务技能

4. 应掌握经营管理的基本常识

5. 要牢固树立读者第一的服务理念

6. 能有效调动员工积极性

——刘晓宇. 如何当好门市主任. 出版发行研究,2004 (1)

● 当今办刊人必须具备以下条件:

一、懂得刊物自身规律及各种媒体的属性,必须扬长避短,发挥自己的特长。

二、能把刊物的内在诸多因素上升浓缩为精辟的理论,指导实践,并行之有效。

三、具有良好的文化素质和专业知识。

四、良好的敬业精神。

五、了解熟悉市场,并懂得基本的市场操作。

——张普. 期刊的新陈代谢. 中华读书报,1999-09-01. 见:中国出版年鉴社编. 中国出版年鉴 (2000). 北京:中国出版年鉴,2000. 397

● 荷兰出版商和书商职业标准

1988 年荷兰皇家图书贸易协会就出版职业化问题对全国的出版社和书店进行了一次全面调查,并借鉴加拿大劳工与移民部和美国全国职业教育研究中心的经验制定了统一的出版商和书商职业标准。

1. 出版商职业标准

出版商是组织信息、知识和文化产品以满足不同层次读者需求的专业人员。符合下列条件者方可为职业出版商。

①能够制定一个出版社生存和发展战略;

②制定一个长期的能够产生商业价值的图书出版规划;

③每种书都有一个出版计划并有效地领导和协调编辑部和出版部来实现这一规划;

④能够处理好作者与出版社之间的关系;

⑤在图书出版过程中应用新技术的能力;

⑥能够开发图书的辅助权,扩大版权贸易,增加销售。

这些是出版商职业标准的总的要求,每项标准中还制定了许多具体要求。

2. 书商职业标准

书商是具有较强商业观念,致力于书刊及相关产品销售的专业人员。符合下列条件者方可为职业书商。

①拥有书店长期发展规划;

②有能力管理企业的运转;

③制定社会政策和市场政策;

④协调图书进货与销货;

⑤制定企业安全和反盗窃计划。

另外,在每项标准中还制定了许多具体的标准和内容。

图书贸易培训组织(VOB)隶属于荷兰皇家图书贸易协会。该组织致力于举办长期和短期培训课程,培训对象是在职出版人员,它开办两种培训课程:一是图书销售业务基础课程,以夜校形式,学制3年,每年培训350多名学员。该课程在全国6座城市开办,每周一个晚上。主要课程有销售管理、经营技巧、图书进货与销货以及文化发展态势等。师资是高等院校语言和经济学教师以及经验丰富的书商。学员考试合格后授予荷兰经济事务部和荷兰皇家图书贸易协会联合颁发的零售商证书。二是出版业务基础课程,为函授形式,学制一年,每年培训200多名学员,主要课程有图书生产、编辑技巧、版权、资金管理、电子出版、科技编辑、装帧设计和市场预测等。另外,该组织还不定期举办短期的出版和销售培训班或研修班等。

——杨贵山. 荷兰出版职业标准和出版教育. 出版发行研究,1994 (6)

出版教育与培训

人才是出版业发展的基本条件。现代出版业的发展,对出版人才的整体素质提出了许多新的更高的要求。加强人才培养,为出版业源源不断地输送合格的现代出版人才,重要的途径就是发展学校教育。组织岗位培训,是提高出版队伍素质、促进出版事业不断发展的另一重要举措。相对于学校教育而言,岗位培训是针对出版业的在岗人员所开展的专业教育,内容针对性强,组织灵活方便,因此为各国出版界所普遍采用。"出版教育与培训"主题下摘录的内容较为丰富,不仅对出版高等教育进行了详尽探讨,而且对其他各种类型的出版教育培训都有所涉猎;不仅有出版教育发展的历史回顾,而且有对出版教育意义与内容的系统探讨。尤其是胡乔木同志致教育部的信等资料,弥足珍贵。

● 要逐渐形成一个发行专业教育的体系。

所谓发行专业教育的体系,就是既有技工学校,又有中等专业学校,又有大学的图书发行系或者图书发行专业。……将来在印刷学院里可以开办图书发行系或者图书发行专业。有了这些学校,再加上不断的轮训,就形成了一个体系。此外,新华书店在培训工作方面,要有专职的机构,或者至少有专职人员。

——王益. 要加强新华书店职工的培训工作. 出版工作, 1982 (9)

● 胡乔木同志致教育部的信

教育部:

7月23日报告阅悉并同意。

编辑学在中国确无此种书籍(编辑之为学,非一般基础课学得好即能胜任,此点姑不置论)。有一些近似编辑回忆、编辑经验一类的书籍,如鲁迅、茅盾、叶圣陶、韬奋的部分著作和一些老报人的回忆里就有这样一些资料;近年出的书叶集(花城出版社)和鲁迅回忆录正误(湖南人民出版社),以及前些年出的重庆新华日报回忆录,商务印书馆回忆录(?)、三联书店纪念录(?)等亦可资参考之用。类似的书可能还有。上海出的辞书研究是一种刊物,是专讲辞书编辑的,但内容很多可以举一反三。在历史上,我国著名典籍的编辑经验,也有不少记载,不过需要收集整理而已。(顺带说,我还建议编辑专业应设辞书学、目录学、校勘学〔中国就有这两类书〕,编目、标题、注释、摘要、插图、索引等的研究和试验,印刷、出版、发行知识等科目。)据我猜测,国外的这类书籍一定是会不少的,例如:三联书店1963年出的《为书籍的一生》就是一本很有用的参考书;循此以求,则参考书究竟必非无法收集,是在有心人的努力罢了。

我的知识太少,如找周振甫、吕叔湘、萧乾、杨宪益、叶君健、张志公(以上只是随意举例)诸先生,以及一些有定评的刊物、丛书、辞书、年鉴的编辑,一定会提出许多具体的指示,使艰难的第一步便于成行。这是就北京说,上海、天津当然也不会缺少这样博学而热心的学者。

这封信写给教育部(因为不知道直接主管人),似乎有点大而无当。但为促成这个专业(或编辑、新闻专业)的诞生,我宁愿不惮烦言。教育部高教司可否协助北大、南开、复旦三校具体筹备此专业人员在暑假开一小型讲座,请京、津、沪的几位老编辑略有准备地分头讲几个题目,帮助筹备者能写成一门或几门课的教学大纲?因各出版社老编辑年老任重,请他们到校兼课的希望可能不大,当然我不反对。

胡乔木

1984年7月25日

——胡乔木. 胡乔木同志致教育部的信. 出版工作,1984(10)

● 教育部关于筹办编辑专业的报告

(编者说明:教育部在和文化部出版局就试办编辑专业问题讨论协商后,于7月23日提出了《关于筹办编辑专业的报告》。《报告》谈了四点意见。)

一、对设立编辑专业的认识问题。……大家一致认为,试办编辑专业是必要的。第一,社会需要大量的编辑人才。第二,在综合大学办编辑专业,可以使基础学科更好的为四化建设的实际需要服务,对于整个文科改革都有好处。第三,目前分配做编辑工作的中文系毕业生往往需要较长的适应期,一方面是因为基本功不太扎实,需要逐步提高中学和大学的教育质量;另一方面也与大学中文系开设的课程不完全适用有关。

二、关于培养编辑人才的规格问题。大家认为,应具备以下要求:(1)具有一定的马克思主义的理论水平,熟悉党和国家的有关方针、政策。有比较敏锐的观察问题的能力;(2)有比较扎实的语言文字和写作的基本功,掌握一门外国语;(3)有比较广博的基础知识,并对某门学科有比较深入的了解;(4)具有熟练查证工具书的能力,要懂得点考据学,懂得使用各种工具书,懂得现代化知识的储存和使用。

三、关于培养编辑人才的层次及培养途径问题。大家认为,培养编辑人才的层次可分为本科、第二学士学位和研究生三档。目前可先从本科办起,具体可采取以下两种方式:(1)在北京大学和南开大学中文系设编辑专业,从一年级到四年级按照培养编辑人才的规格设置课程(见附件一、二)。(2)在复旦大学新闻系设编辑专业,从本校文科有关专业中推荐、选拔部分语文、写作基础较好,已修满三年或两年半学业,有志于从事编辑工作的学生转入编辑专业,着重进行编辑业务知识的学习(见附件三)。以后还可以逐步扩大到从理科专业推荐和选拔一些学生转学编辑专业,至于第二学士学位和研究生的培养容后考虑。

四、关于办编辑专业的准备工作。首先要把办编辑专业的必要性向有关教师讲清楚,取得认识上的一致。这是办好编辑专业的前提。其次,要选调必要的师资,条件成熟时成立编辑教研室。第三,要立即着手编写教材。

——教育部关于筹办编辑专业的报告. 出版工作, 1984 (10)

● 在出版高等教育方面,全国已有20所大专院校开办了编辑、出版、书籍装帧和印刷、发行专业。

出版管理专业,目前大都以大学专科层次和成人高等教育为主体,中国科学院管理干部学院、北京理工大学成人教育部和北京大学图书馆学系分别于1987年和1988年开办了在职人员出版管理夜大班和函授教育。1989年一些院校面向在职人员开办的专业证书班,也开始上马。南京大学文献情报系招收了出版管理硕士研究生。

图书发行专业方面,武汉大学图书情报学院于1983年创建了我国第一个图书发行专业,分四年制本科和三年制干部专修科,并建立一年制图书发行专业证书教学班和三年制大专函授站,为我国培养图书发行高等人才提供了条件。此外还有安徽大学、成都大学、中央文化干部管理学院和云南省文化厅职工大学也都设置了图书发行专业,直接为书店培养发行人才。

——陆本瑞. 我国出版教育的回顾与展望. 编辑之友, 1991 (3)

● 1983年,胡乔木同志提出在一些高等院校试办编辑学的建议。原教育部1984年批准北京大学、复旦大学、南开大学建立编辑学专业。接着，原教育部又批准清华大学、中国科学技术大学建立科技编辑专业。随后还有河南大学、四川大学、上海大学等一批院校开办了编辑学专业，清华大学、武汉大学开展了编辑学专业第二学士学位教育。此外，河南大学开办了编辑研究生班，南京大学、西安交通大学等院校招收了以出版、编辑为研究方向的硕士研究生。面向在职人员的出版管理成人教育也悄然兴起，各种形式的编辑出版短期培训方兴未艾。短短几年，初步形成了职前教育与在职教育并存，多层次、多渠道培养编辑出版人才的崭新局面。

——卢玉忆. 重视编辑出版专业人才的培养. 求是, 1992 (17)

● 经教育部1983年4月正式批准，武汉大学和新华书店总店密切合作，创建了我国第一个图书发行管理学专业，填补了我国高等院校中无此专业的空白，为我国图书发行战线培养高等专业人才提供了条件，打下了坚实的基础。

图书发行管理学专业之所以取得了如此大的成绩，主要的有以下几个方面因素：

一、这个专业的实用性非常强，学生所学完全符合所用，因此深受用人单位的欢迎。

二、这个专业的巩固和发展，是办学单位与用人单位的密切配合，共同努力的结果。

三、这个专业之所以富有生命力，还因为用人单位有战略眼光，重视智力资源。

四、这个专业的建设由于办学单位与用人单位的通力合作，进展迅速。

——王旭. 图书发行管理学专业建设的启示. 出版发行研究, 1993 (5)

● 编辑工作起码有这样的作用：

1. 对作者的精神劳动起着规划、设计、指挥的作用；

2. 对广泛的精神产品有选择、判断、发掘的作用；

3. 对相对成熟或比较成熟的精神产品有提炼、整理、润色的作用。

4. 对作者有培养、扶助、引导的作用。

根据编辑工作的特点，要从以下几个方面去培养学生：

1. 编辑专业学生应具备较高的政治素质。

2. 能力的培养，是编辑专业首要的问题。创造力、社会活动能力和实际工作能力是做好编辑工作的保证。

3. 知识结构要向"博"与"精"、"通"与"专"的结合上发展。

4. 加强逻辑思维的训练。

一个编辑的知识面无论多么宽，也不可能把知识掌握到与能编辑的每本书之间完全对口。……那么在编辑工作中解决这种矛盾靠什么呢？一是靠不断学习……二是靠逻辑推断。

1. 做一个合格的编辑必须具备相当水平的语文修养和写作能力。

2. 我们今天的培养目标应该是下一个世纪的出版家。学生在学期间，应该让学生了解并初步掌握现代化的编辑出版手段。

3. 要使学生较扎实地掌握一门外语，要求能借助辞典达到笔译水平。……同时，强化外语的应用能力也可以帮助捕捉国外出版信息。

4. 随着国际科学文化交流的发展和我国版权制度的健全，编辑专业的学生要通晓国内外的出版法规，引导他们学会运用。

5. 社会开放决定了新一代的编辑要学习出版的经营与管理，了解编辑出版的系统工程和经济核算。

6. 要积极地开设出版信息的讲座和学术报告会，了解最新的国内外出版及学术概况。

7. 要特别注意编辑实践，这一教学活动应随时贯彻到教学活动中。

——赵航，张铁荣. 大学编辑专业教学初探. 见：陆本瑞主编. 出版教育研究论集. 北京：中国书籍出版社，1993. 82~85

● 目前全国有十几所高校开办了有关编辑出版类的专业，但毕业生却难以分配到编辑岗位上工作，由于出版社对编辑人员的专业知识水平的要求一般比较高，编辑专业的毕业生难以满足这种要求，因而编辑出版单位宁愿从非编辑专业毕业的大学生或研究生中挑选编辑人员。造成这种状况的主要原因在于编辑专业教育体制本身的不合理，因此，编辑专业教育体制的转轨已势在必行，如何实现转轨呢？首先，要转变观念。以为只有在高校中设立正式的编辑专业系科才算是正规的编辑专业教育。其次，要理顺现行编辑专业教育的几种学制。四年制本科班如不合需要就应停办，第二学士学位班应主要招收经过两年以上编辑实践锻炼的在职编辑人员，少办或不办编辑研究生班。其三，今后编辑专业教育应转向以培训在职编辑人员为中心，这是我国编辑出版工作的现实向编辑专业教育工作者提出的紧迫任务。

——陈颖. 编辑专业教育体制应当转轨. 编辑学刊. 1992 (4). 见：中国出版年鉴社编. 中国出版年鉴 (1994). 北京：中国出版年鉴，1994. 326

● 从这几年的实际情况看，关于编辑出版专业学科建设和课程设置的理论探讨是比较热烈的。如有学者提出了编辑出版专业的学科建设和课程建设应从五个方面来考虑：①专业基础教育，主要讲授编辑出版学的一般原理和规律；②业务基本知识教育，主要讲授编辑、印刷、发行等具体业务流程；③活动要素知识教育，主要讲授构成出版活动各要素的概念、相互关系及其活动规律；④宏观环境知识教育，主要讲授编辑出版与社会文化大环境的相互关系；⑤技术方法知识教育，主要讲授编辑出版活动的各种技术手段和方法。也有学者提出了编辑出版专业的课程设置应体现素质教育与专业教育、专业基础知识与专业基本技能、专业知识与其他学科知识的有机结合。还有学者提出了应借鉴美国、日本、加拿大等出版大国培养编辑出版专业人才的学科体系和课程设置方面的经验，注重培养学生的大出版观、出版技能与出版营销的实践能力。这些探讨是有见地的，具有建设性，但也普遍存在一个问题，即议论可取而可操作性不强。

——刘范弟. 从就业困境看编辑出版专业人才的培养. 出版发行研究，2004 (2)

● 培养和训练出版方面的干部，我们要采取多种方式。

1. 在大专院校，开辟出版专业，招收本科生，经学习四年五年，毕业后分配到出版社杂志社或者有关部门去工作，充实出版战线的干部队伍。

2. 除了大专院校培养本科生以外，要举办短期培训班，进行培养。这种办法，简捷易行，应大力提高。

3. 在职培养。不脱产，一面工作，一面学习，这种办法最好。

——陆本瑞. 出版教育研究论集. 北京：中国书籍出版社，1993. 10

● 编辑出版高等教育中存在的问题及对策

1. 加强师资队伍建设

师资力量不足，专业教师匮乏是制约编辑出版学专业教育发展的重大问题。目前许多高校带头研究编辑学的骨干教师年龄普遍老化，年轻教师接续不上。直接从事编辑出版高等教育的青年教师缺乏实践经验。对此，将采取三种措施：一是采用调任、特聘、兼职、客座等多种形式，解决急需教师的问题。尽可能把富有实际编辑出版经验的同志吸收到高教队伍中来；二是充分发挥新闻传播编辑出版专业硕士学位点的作用，尽可能多的招收、培养研究生，以壮大教学科研队伍；三是安排年轻教师到新闻出版部门兼职或挂职工作，尽可能结合出版实践，为他们多创造一些提高业务素质的机会。

2. 改革教学计划和课程设置

编辑出版学在专业初创阶段，一些高校多采取传统的教学模式，试办新的专业，教学计划中缺乏新的理论观念和科技内涵。实际课程设置往往因师资而定。对编辑出版学专业课程的基础性、整体性、多样性与应用新技术的尖端性，研究不够、协调不力。"因人设课，无人而缺"的现象比较严重。我们要加大力度，加快速度进行改革。各高校要充分发挥自己的优势，制定富有特色的教学计划。

3. 调整专业结构，培养复合型人才

目前我国编辑出版专业的人才结构偏重文科，缺乏复合型人才的培养。针对这种状况，教学改革要遵循教育部提出的36字方针，即贯彻教育方针，更新思想观念，拓宽专业口径，改革内容方法，加强素质教育，提高教育质量。强调对大学生进行文化教育要"三注重"，即注重素质教育，注重个性发展，注重创新能力。要求学生掌握马克思主义、毛泽东思想、邓小平理论，熟悉中外新闻出版法规，了解市场经济下的编辑出版工作特点和规律，初步掌握现代化编辑手段及多媒体技术，具有良好的社会活动能力和较高的外语水平。

4. 加大投入，解决经费问题

编辑出版学专业属新办专业，师资培养、设备配置、学术研究、实习训练，资金需求量大，目前普遍缺乏投入。新闻出版署将启动"跨世纪人才工程"，专门设立了全国出版人才培养专项经费，用于紧缺人才的培养，支持中青年业务骨干国内外进修和著书立说，支持跨世纪人才入选人员进行出版发展专项课题研究，奖励为培养出版人才做出突出贡献的教育工作者和出版专家。

——王振铎. 前进中的编辑出版教育工作. 编辑学刊，1999 (5)

● 由于我国出版教育起步晚，所以在实际工作中还存在着许多的不合理现象：

1. 对本科生的培养，仍然存在着基础知识与专业知识如何科学配置的问题。

2. 研究生教育单位没有编辑出版学位授予权。

3. 毕业生分配比较艰难。

4. 专业教材和论著少。

针对上述情况，我的主张是：

1. 努力推动双学位教育,鼓励其他专业的学生报考出版研究方向的研究生,培养复合型人才,有条件的甚至可以跨系保送研究生。

2. 灵活办学,以培养的优秀人才和研究出的优秀成果,积极申请出版硕士学位以上的授予权。

3. 重视培养学生的多种技能,为毕业生的广泛就业奠定基础。

4. 鼓励专业教材论著的出版。

——吴迪. 中国出版教育现状与思考. 见:中国书业思考. 沈阳:辽宁人民出版社,2002. 152~154

● 教育而不仅仅是培训

强调教育是因为笔者相信教育过程是优于技术培训的。我们的出版教育课程试图包含如下三个方面:即知识和理解、专业技能(与出版有关的专门技能,如编辑技术、设计等)、一般的或可迁移的技能(如团队精神、口头和书面交际、谈判技能和时间管理等)。当然,不同的个体有不同的天赋,大自然给予人们不同的才能和创造性。但即使是创造性和创业能力也是可以培养的,技能也是能够学会的,至少它体现在我们的出版专业课程的学习目标中。通过出版专业课程的学术性学习和相应的实践锻炼,毕业生应该能够:

1. 对当代出版业有相当全面的了解,熟练掌握编辑、设计、制作、营销和管理等主要的出版业务;

2. 确认并分析在地方、国家和全球业务背景下,影响出版公司业务和管理运作的问题;

3. 根据其市场潜力、资金保证和制作要求,开发、评估和推荐出版计划;

4. 将法律和金融知识运用于出版项目的商业开发;

5. 将新技术运用于出版实践;

6. 对出版业的问题、事件和形势进行研究,并据此综合信息得出结论及提出建议;

7. 作为出版团队的一员进行有效的工作,并成功地管理多重任务的项目。

——〔英〕保罗·理查森著. 徐鸿钧,徐钟庚译. 英国的出版教育. 宁波大学学报(教育科学版),2002(1)

● 编辑出版专业基础课程须适增理科内容

对于编辑出版专业的基础课程,大多数高校存在文理设置安排失衡的情况。这是一个应引起高校教学管理部门重视的问题。对于编辑出版专业的基础课程教学，重点安排学习社会科学基础课程是无可非议的；但是编辑工作不仅仅是单纯的文字性工作，编辑不仅要策划、编辑社会科学类，还要策划、编辑自然科学类书籍和期刊，因此必须使学生熟悉和掌握必要的自然科学知识。编辑出版专业应适当增设高等数学、生物和理化，以及自然辩证法、科学方法论等方面的基础理论课程。这样不但使学生能获得从事编辑出版工作所必备的理科知识，还能培养学生从事编辑出版工作应具备的提出和分析问题的逻辑推理能力和解决实际问题的能力。

——龚维忠. 我国高校编辑出版教育刍议. 编辑学报，2003 (2)

● 随着我国编辑出版学高等教育完备的、多层次的教育体系的形成，随着越来越多的高等院校增设编辑出版学专业，未来的编辑出版学专业教育急需明确培养目标、规范课程体系，加强学科建设和师资队伍建设，促进学术水平与教育质量的同步提高，形成研究、教学和实践相互衔接、相互影响的良性循环机制，推动编辑出版学高等教育与出版专业资格考试相结合，以便为我国编辑出版业培养出更多适应实际需要的高层次的复合型、创新型人才。

——黄先蓉. 简谈我国编辑出版学教育的发展方向. 出版发行研究，2004 (3)

● 编辑出版专业研究生教育存在问题分析

首先，学科设置落后于时代；我国还没有正式建立编辑出版专业硕士以上的学位点，各高校都是采用"借鸡下蛋"的方式将其挂靠在其他专业下培养硕士、博士生，这种散兵游勇式的教学方式难以形成规模，得不到应有的重视和资金支持，制约了人才的培养。

其次，学科定位不明确。研究生培养目标的定位与社会需求脱节，学士、硕士学位的界限模糊、目标混淆，这是造成研究生水平参差不齐、硕士生教育本科化的重要原因。

第三，教学模式缺乏系统性、科学性。在学科设置模糊的前因下，导致了编辑出版研究生在实际教学中产生了一系列问题，诸如课程设置陈旧、边缘型课程多、实务型课程少、与媒体发展对知识的要求有差距，因人设课，传授方式、教授内容老化的一系列问题。

通过以上分析，作者对未来编辑出版专业研究生教育提出以下构想：

1. 多学科选择研究生，培养高素质的应用型人才；

2. 浓缩课堂基础课时，增强实践学术锻炼；

3. 借助业界力量,组建高质量的导师队伍;

4. 重视人格塑造与技能培养,智商与情商开发并重。

——陈燕,张文彦,沈剑虹. 对我国编辑出版专业研究生教育现状的观察与思考. 出版发行研究, 2004 (1)

● 现在国内编辑出版专业教学点已近40家,数量十分可观。但业界对此也有不同的看法,大致可归纳为两个思路:一种观点认为,学科点办得太多,发展太快,应该控制规模,限制招生人数;另一种观点认为,要拓展学科领域,搞"大出版"、"大编辑",培养的人才应该能够适用于图书、报纸、期刊、广播、影视、音像、电子和网络传播各个传媒系统,拓宽就业市场,不愁学生无用武之地。

在教育模式上也有两种不同的看法:一是强调通才教育,认为培养综合性人才是当今世界大学教育的潮流;另一个思路是强调特色化、专业化,他们认为人不能成为全才,社会对人才的需求是多样的,是有分工的。我认为,这两种观点并不矛盾,都有一定道理。就学生而言,应鼓励他们兼修其他专业课程,扩大知识面,提高文化修养和综合素质,又要学有专长,成为复合型人才,才会受到用人单位的青睐。

——肖东发,杨虎. 关于出版人才与编辑出版教育问题的讨论. 出版科学, 2004 (1)

● 由于个人性格特征、职业背景、教育背景、就业单位所能够给予的在职培训等因素,形成了目前我国出版物发行人员参差不齐的综合素质水平和能力水平。但今后形势的发展,要求发行队伍素质有一个较大提高,因而有必要对发行人员职业准入提出更高的要求。

一、职业准入制度保证基本素质

我国的出版物发行员职业技能鉴定和职业资格准入制度,是为了加强从职业道德、综合素质等方面对大量涌入出版物发行行业的从业人员进行规范管理,标志着出版物发行行业职业技能培训鉴定和职业资格认证与现代市场经济及国际先进标准的接轨。

二、发行企业在职培训提高业务素质

在国家新闻出版行政管理部门大力加强对出版物从业人员的人力资源管理和开发的同时,一些发行企业也在加强单位内部发行人员的技能的开发和提升中摸索出经验。……实践证明,国营、民营发行企业在人力资源管理方面所做出的有益尝试和探索,已得到了回报,发行企业在人力资源管理与开发中投入成本的大小与其在市场中竞争能力的强弱是成正比的。

三、职业技能鉴定制度的推广和深入

出版物发行员职业技能鉴定制度的推广和发行企业近年来在发行从业人员专业知识提升方面做出的很大贡献，培养了不少专业人才，提高了一大批从业人员的整体水平和素质，但同时，我们也应当看到，由于发行业作为产业的发展历程还比较短暂，从业人员的专业素质、敬业精神尚未普遍形成，在服务的观念和意识方面还需要加强。

——王彤. 逐鹿发行，得人才者得市场. 出版发行研究，2004（1）

● 随着出版改革的深化和出版事业的不断发展，尤其是出版社日益面临国际国内图书市场的激烈竞争，人才的需求量越来越大，如何进一步提高编辑素质成了十分迫切的问题。现从下面几方面谈谈笔者对编辑素质教育的认识。

一、素质教育要引入竞争机制

竞争的实质是人才的竞争，谁拥有更多的人才，谁就能在竞争中取得优势。出版社素质教育是为了提高人才的素质、提高出版社自身的竞争力。同样，在素质教育过程中，也应当引入竞争机制，才能使素质教育更有成效，更具魅力。

二、素质教育的基本标准和基本内容

编辑素质教育，应当依据各出版社编辑的具体岗位职责和专业技术职务进行安排。凡职责和职称所要求具备的，必须列入素质教育范围，并按照这个标准严格施教。

按照上述标准，笔者认为素质教育的基本内容应包括以下几个方面：

1. 职业道德教育。

2. 业务技能教育。

3. 新的知识和技能教育。

另外，在素质教育方面应注意实行差别教育。

三、编辑素质教育的制度化建设

要想真正收到成效，就要建立并落实素质教育制度，具体来说，首先应做到以下两点：

1. 规范化。

2. 严格考核制度。

——樊丽. 说说编辑素质教育. 出版发行研究，2003（11）

新社会环境下的出版业

出版业的发展,离不开既定的社会环境。社会政治、经济、文化、科技的发展,都会给出版业的发展打上深深的时代烙印。进入新世纪的中国社会,正在发生着剧烈的变化,信息化时代的来临、全球知识经济的发展、社会主义市场经济的深入推行以及中国加入 WTO 等重要因素,为出版业的发展营造了一个崭新的社会环境。适应新环境的要求,出版业也必然会出现一系列前所未有的变化。以下摘录的几则论述,集中探讨了新的社会环境下出版业所面临的问题及应采取的对策。其中不乏真知灼见。

● 中国加入 WTO 将有利于中国市场机制的形成。……就国内环境而言,目前我国经济体制改革已进入攻坚阶段,迫切需要一种新的推动力来推动这个进程,而 WTO 正是推动我国经济体制改革的强有力的推动力。……加入 WTO 后,公平竞争的协议、透明的条款、公正的办事规则将扫除国内顽固的计划经济思维,钱权交易腐败行为和暗箱操作的恶习,加速中国出版业走向公开、公平、公正的市场经济体制的改革进程。

中国加入 WTO 将有助于出版业目前现状的改变,特别是政企合一、政事合一的格局将被打破。……加入 WTO 后,公开、公平、公正的办事规则,将迫使政治和经济、政府与企业、政府与事业的分离。企业、事业单位的运行模式必须同 WTO 的规则一致,并将失去政府对企事业的干预和保护,同时政府决策和行为的透明度,以及以往多变的政策、含混的手续结构与规则,灰色的管理和收入,黑箱式的操作,都将随着 WTO 的到来被打破。

中国加入 WTO 后出版业应采取的对策

首先,要加强立法,通过法律法规规范市场。其次,要强化管理,深化改革,把出版业内部的改革加快,并进一步深化,改革一切不适应发展、制约出版业发展的因素,建立健全内部管理制度,强化管理手段,理顺关系,尽快与 WTO 的运行规则接轨。第三,做好应对准备,调整观念,采取措施,找准市场定位,出版适销对路的出版物,满足读者和市场的需求。第四,大力引进市场营销人才和具有创新精神的人才。既要开发出独具特色的出版物,同时又要在继承和发扬民族传统的基础上不断创新。第五,要增强服务意识,提高服务质量。……随着入世后服务业竞争日趋激烈,发行市场将会遇到强有力的外国公司竞争对手的竞争。在竞争日趋激烈的环境下,服务质量不高、服务不到位的出版发行单位必然会面临生存的危机,被外国优质服务机构所取代。第六,除了完善立法,深化改革外,要适时提出出版业发展战略,对出版业实施有效的政策指导和法律规范,组建强有力的出版产业集团,推动出版业的发展。

——刘新英. 加入 WTO 对出版业的影响及对策. 中国测绘,2001 (2)

● 首先,加入 WTO 将给我国的出版业带来更多与 WTO 其他成员国出版业交流合作的机会,抓住这一潜藏着巨大挑战的机遇是我国出版业的当务之急。

其次,变压力为动力是我们的惟一选择。目前,我国的出版业同国外相比,存在着机制不活,发行手段渠道单一,图书宣传力度较弱等多方面的不足……我们应做好两方面的准备。一是解放思想,以积极的态度与国外的出版商合作。……二是努力提高自身的竞争力,发挥自己的特色,打自己的品牌,正视自身差距,迎头赶上。

再次,应充分利用加入 WTO 后的国际有利环境,促进我国出版业的发展和繁荣。加入 WTO 后,我国的作者、出版社的合法权益会得到更多的保证。……此外,我们在履行 WTO 成员义务的同时,在立法上应吸取 WTO 版权保护方面的有益经验,修改、完善我国的著作权法,使国内出版社及著作权人在国内享受到更好的保护。

——加入 WTO 后出版业如何应对? 探索与求是,2000 (3)

● 1. GATS 对出版业的界定与我国传统出版业概念的差异

GATS 对出版的定义非常狭窄,基本上指纸介质的出版,不包括印刷、分销和音像制品的出版,也没有包括网络出版,在我国传统上作为出版行业的出版物印刷、音像制品制作、出版物发行和销售等没有包括在 GATS 的"出版"概念中,而是分割于其他的服务贸易中。

我国的出版概念非常宽泛,包括了图书、报刊的出版、印刷、分销,以及音像制品制作、出版和分销,版权贸易和网络出版等。……我国的出版概念是一个以出版物为中心的概念,它虽然包括了传统出版物的制作和流通的所有环节,但却没有突出出版的核心内涵,更没有考虑网络出版等新技术的影响。

在我国加入 WTO 的承诺中不包括新闻出版企业(出版社)的经营权和对出版物内容的编辑决策权;但是出版物的制作、印刷和分销服务则是要逐步放开的,因为这一部分服务许多是属于我国已承诺的制造业和服务贸易内容,而不属于我国未承诺的"出版"准入部分。

我国的管理层和业内专家学者对出版业下游环节的开放持谨慎的灵活态度,力主坚持"不承诺,晚承诺"的原则,但可以肯定的趋势是这种开放会日益加强。在实际经营中更有许多出版业者已经突破了禁区,通过多种手段引入了外资……随着出版业市场化程度的提高,出版业下游市场的开放对上游的出版社或出版企业会产生深远的影响,所以从整体上看,我国加入 WTO 后传统意义上的出版业的开放程度是很高的,我们面临的挑战不容忽视。

面对这种挑战,政府职能部门首先要转变观念,调整出版监管的目标,促进出版流程的社会化和专业化分工,推进出版业的行业自律,抓住出版业的核心和关键环节进行有效的管理,同时促进出版业发展。出版业者更应当明确现代出版概念的内涵,明确自身的角色定位,走集约化和企业化的发展道路,加强出版流程的专业分工与合作。这是加入 WTO 后出版业必须解决的问题。

2. 出版业政府管理模式的转变

政策或法律的壁垒进入出版领域。目前,为适应加入 WTO 后更为激烈的竞争,管理层已经对一些政策进行了调整,实际上放开了出版物发行环节的市场准入。但仍规定了较为严格的条件。我国对出版业的准入的谨慎态度,表明了政府的职能管理部门对待外方投资出版业的矛盾心态:一方面为了国内舆论安全和发展民族出版业的需要,要控制外资进入国内出版业;另一方面为了突破资金瓶颈和引进先进的管理而不得不有条件地允许外资进入出版业。这种矛盾的心态往往直接导致了在法律上对外资不予承诺,而在实际运作中存在个别突破的现象。

政府管理部门对待外资进入出版业的矛盾和困惑,主要来源是我国长期以来对出版业严格的审批和约束与目前市场经济条件下出版业日益市场化趋势之间的冲突。……改革的滞后无疑对政府职能和企业目标的实现都产生了负面的影响。出版业如果希望在引入外资方面有所突破,管理层和出版理论界必须对我国长期以来的出版管理模式进行反思,至少可以在以下两个方面进行有益的探讨:第一就是出版企业的经营权和出版物内容编辑审查权是否可以分离的问题；第二就是政府职能部门是否可以将监管的对象由出版社(企业)转移到出版物的市场的问题。出版业经营权和编辑审稿权的有效分离有助于政府监管对象的针对性，避免出版企业经营活动中政府审批事项繁杂和过度的行政干预，政府只是审查和控制出版物的内容，而不对出版企业的经营决策和企业性质进行干预，从而使政府的出版控制集中于出版的关键环节，实现政府的有效控制，同时又给出版企业的经营活动松绑。这样就不必考虑出版企业的资本构成，为外资进入国内出版企业提供政策依据。两权分离的结果将促使政府职能部门注重对出版物内容的审查，而不是出版社具体活动的审批，从而使政府职能部门在出版物流通环节中发挥更大的作用。

我国长期以来重视对出版企业的监管，而对出版物的流通和下游市场监管相对宽松，导致盗版和地下出版物大量泛滥，而许多正规的出版社却由于相对趋紧的政策和较高的成本，无法有效占领市场。这种管理模式也体现在加入WTO后出版业的开放领域的选择上，即对出版上游的开放严加控制，而对出版业的下游(印刷、分销等)开放控制较少。这种政府出版监管的方向性缺陷实际上抑制了上游出版企业的活力，而对急需政府监管的出版物流通市场却缺乏政府的强力监管和政策导向。这直接导致了一个奇怪的现象：一方面我们对出版业实行了严格的控制，一方面出版物的流通市场却非常混乱，可见政府的出版监管没有获得预想的效果；因此，政府的监管应当着力于出版物的流通市场，而对出版企业的经营活动松绑，才能够真正发挥政府出版监管的效能。

3. 网络出版和出版资源的流失

在我国加入WTO的承诺中，电信市场是我国首先要开放的服务贸易之一，而互联网内容服务(ICP)属于电信服务的内容，这就意味着首先发表于网络的作品和创作，不属于我国未承诺开放的出版业范围，外国运营商可以大张旗鼓地开拓此类业务，不受出版业市场准入限制的约束。当前互联网出版在WTO规则中不属于"出版"，而且在我国的法律法规、政策和管理模式中也没有将它视为传统出版业，仍然将网络出版视为出版物版权中的"网络传播权"，而对虚拟网络中除计算机软件外的作品是否直接产生版权的问题没有明确的法律规定……但是完全可以肯定的是这种新的传播媒介对传统出版的资源分流是不可避免的……在可以预见的未来互联网出版将是传统出版业面临的最大挑战者之一。

当前,外资不可能在传统的纸介质出版中与国内出版业直接竞争,互联网出版在目前的法律框架下则成为外国资本染指国内出版的滩头阵地。它们可能依靠强大的资本和对作者提供的优惠条件,通过ICP服务垄断和占有大量的出版资源。根据我国法律和WTO规则,作品自完成之日起,著作权(版权)即已产生,ICP服务商可以通过优惠条件买断或获得转让作者的版权,获得该作品在互联网上的首次出版和后续出版的所有版权,然后ICP服务商可以凭借大量的资源优势,通过版权贸易的方式对传统出版业产生不可忽视的影响。对此我国出版业和政府管理部门尚没有采取有效的措施……我国目前没有关于网络出版的专门法律法规,只有一些职能部门的政策界定和零散的司法解释,主要还是适用于传统出版的相关法规,因而对一些网络出版的新问题很难准确定位,造成网络出版中存在相当多的灰色地带。

我国电信业的开放,直接使网络出版这一我国法律的灰色地带暴露在外资面前,至少在理论上这一漏洞会给我们的出版资源带来消极的作用。……我国的立法和政府职能部门更需要加强立法,规范互联网出版(ICP)行为,并努力与传统出版的管理衔接,否则,我国的传统出版业很可能面临"无米下锅"的境地,因为互联网出版很可能会成为国内出版业资源流失的最大漏洞。

——章柳云,吕予锋. 我国加入WTO后出版业面临的问题及应对策略. 编辑学报,2002 (6)

● 一、WTO协定对我国出版业的影响

由于出版业是一种社会化程度很高的行业,它涉及政治、经济、文化的诸多方面,因此,加入世界贸易组织后,在其他行业逐步开放的过程中,出版业也必将受到越来越大的影响。WTO的诸多协议是世界贸易组织的支柱,加入世界贸易组织后对出版业的影响也可从这方面来分析。

《关税及贸易总协定》也就是有关货物贸易的协定,它涉及出版物的进口及纸张、纸浆的进出口,也涉及印刷设备及印刷器材的进口。……对出版业来说,关系最密切的一是出版物,二是印刷器材,三是包括纸张、纸浆等在内的印刷物资。对于出版物,1999年我国书报刊的进口关税是0,音像制品的进口关税9%~14%,已经达到或低于世界贸易组织成员的出版物进口关税水平,因此加入世界贸易组织后,国外出版物对我国出口不会骤然增加……因此加入世界贸易组织后我国出版物出口的机会将会增加。……对于印刷器材、印刷物资进口关税降低之后，会增加其在我国市场的占有份额，从而对提高印刷品的印刷质量、缩短印刷周期、降低印制成本产生积极的作用，对提高我国出版业的竞争力有帮助。

《贸易技术壁垒协议》包括技术法规和标准，技术条例和标准的一致性，情报与援助等内容。对于技术性贸易壁垒，中国代表承诺，除中国加入议定书另有规定之外，中国自加入之日起使所有技术法规、标准和合格评定程序符合《TBT协定》，实施该协议项下的所有义务。在技术壁垒成为发达国家保护国内市场的主要手段时，国外复杂苛刻的技术法规、标准和质量认证制度，以及名目繁多的进出口要求将构成更为隐蔽、更难对付的技术壁垒，对我国出版业产品出口贸易的影响将日益增强，再加上中国的文化出版业在强制性技术标准、环境措施、包装和标签等方面的制定和实施中的不足，产品质量达不到标准，因此，技术壁垒将是我国文化出版业出口贸易中面临最多且最难突破的贸易壁垒，同时也面临着打入国际市场的艰难与国内市场丧失的威胁。

《与贸易有关的投资措施协议》的各种规定是为了防止某些投资措施可能产生的贸易限制和扭曲，便利国内外投资，逐步实现贸易自由化，促进国际贸易发展。……在遵守《协议》所规定的义务背景下，我国的出版业所面临的影响：一是外国资本的大量涌入对整个业界造成的巨大冲击，高额的投入使得发达国家能够凭借资金的优势，大量输出自己的产品……二是我国利用投资措施引导外资流向、保护或促进出版业的发展的倾向十分明显，但随着本协议付诸实施和我国加入WTO，我们原先利用这些措施发展出版业的方案、条例、法律将被迫修改或放弃，因此，出版业将不会像以前那样受到国家的保护。

《反倾销协定》、《补贴与反补贴措施协定》及《保障措施协定》……都是为WTO所认可的合法措施。……一方面他们减少了我国对国内出版业的保护措施，我国的出版产品的出口增加了一定的困难……而另一方面，我国成为世界贸易组织的成员，就可以充分利用该协议，合理有效地利用补贴措施和保障条款来适度保护我国的出版业，使其在竞争中发展壮大，同时还可以利用协定中的一些规定为我国产品遭受的歧视待遇找到公平合理的解决方案，反击外国滥用协定，而且从某种意义上来看，这些促进贸易发展的措施也有利于我国出版业的正常发展和在自由竞争中提升产业竞争力。

　　《原产地规则协议》适用于所有非优惠的贸易措施,因此,《原产地规则协议》的运用对文化出版业的产品贸易带来重要的影响。首先是有利于普惠制在文化出版业的充分实施⋯⋯就出版业而言,普惠制的原产地规则可以加快出版业产品中的进口成分的国家化进程,并有利于吸引外商对文化出版业进行投资开办企业。其次,有利于解决文化出版领域的贸易争端,有利于我国更充分的参与世界贸易体系,制定和调整我国在出版领域的贸易政策。再次是有利于我国出版产品更稳固地享受最惠国待遇,这种稳固的最惠国待遇将促使我国出版产品更多地进入国际市场并提高竞争力。

　　《进口许可程序协定》通过规范各成员方使用进口许可证的程序,削弱了许可证作为非关税贸易壁垒的作用,促进贸易自由化的发展。该协定对我国出版业的影响有利也有弊。从有利的方面来看,该协议为国际贸易创造了一个比较好的环境,因而有利于扩大我国文化出版产品的对外贸易。⋯⋯从不利的方面来看,《协定》将是外国出版产品大举进入我国市场,对我国的文化出版业构成强烈的冲击。

　　《服务贸易总协定》⋯⋯要求各成员方逐步开放服务市场,为其他成员提供更多的市场准入机会。⋯⋯中国加入世界贸易组织后,由于不会承诺开放"出版与印刷"服务,因此,对出版业的开放原则上讲不会超过目前的水平,国外出版对我国出版市场不会构成直接的冲击。但是由于音像出版、电子出版、网络出版、出版物的销售、出版教育等没有纳入世界贸易组织划分的"出版与印刷"之内,而是分别属于"通讯服务"、"分销服务"和"教育服务"等部门,而这些部门的服务是否承诺开放并不明朗,因此,在音像出版、电子出版及网络出版、出版物销售、出版教育等方面的优势很容易会转换成市场上的优势。这些是与出版业直接相关的。此外,在金融服务、电信服务开放中,也会对出版业产生很大的影响。

　　《与贸易有关的知识产权协定》所强调的是对与贸易有关的知识产权的保护问题,其中与出版业关系最密切的是著作权的保护。⋯⋯加入世界贸易组织后,尽管国外也存在盗版现象,但他们肯定会对打击盗版提出更加苛刻的要求⋯⋯出版物市场,特别是音像市场可能会因此而逐步规范,走向成熟。这也许是加入世界贸易组织后对我国出版业最大的益处。同时,由于事实上存在的著作权保护上"双重待遇",即对国外著作权人的保护水平远远高于对国内著作权人的保护水平问题,现行的著作权法将被修改,对国内著作权人的保护水平将提高,其部分成本将由出版业承担。

二、出版业发展的新思路

出版业应积极进行结构调整,大力开拓农村市场,发展数字印刷技术,加速传统出版向现代出版的产业转型。

(一)实施不均衡发展战略

文化产业是不均衡发展的产业,它必然向文化发达的城市和地区集中。经济、文化发展不平衡,出版资源的分布差别巨大,出版业应实施不均衡发展战略,以市场为中心,进行产业整合。

(二)开拓农村图书市场

农村是巨大的、潜在的图书市场,是我国图书销售业的潜力和希望所在。加入 WTO 后,与外国传媒巨头在图书零售业的竞争将首先在大城市展开,竞争激烈,而对于农村图书市场,由于外国传媒巨头考虑投入产出比、农村地域宽、文化水平低、对外国图书需求较小等因素,一时难以顾及。因此,开拓和培育农村图书市场不啻为图书销售业的明智选择。

(三)建大型书城,办连锁经营

国际资本实施跨国扩张战略,实现规模经营和规模效益。这种规模效益足以从资金、技术、管理和市场等方面支持其扩张战略,并允许其在一定时期内、在特定的市场上亏损,以培育和开拓特定的市场。而我国多数城市的书店,还没有实行连锁经营,其采购、配送、销售和管理都是分散的,远远达不到规模经营的要求,形不成市场竞争的合力。因此,建设书城和实现连锁经营、规模经营,应是书店行业的应对之策。

(四)实施产业升级

加入 WTO 后,出版业实施产业升级战略是必要的。10 多年来,出版业已实现了由"纸"和"笔"向"光"和"电"的转变,现在,则应向"数字"转变,努力采用数字化技术,实现传统出版向现代出版的转型。

(五)出版与网络结合

数字印刷技术消除了出版、印刷、发行之间的界线,而出版与网络的结合则会完全改变出版原有的模式,使出版业发生革命。

(六)内外并重发展战略

我们民族的出版业必须占主导地位。这个主导地位一要靠国家政策的扶持,二要靠广大出版界同仁们的努力。从现在开始就高标准、高起点、高目标地来组织出版联合舰队。这个联合舰队,就是中国的出版产业集团,它不应该是用行政手段组成的拉郎配,而是以市场和经济为纽带,产权清晰、责权分明、政企分开、管理科学的现代化企业集团。

还要积极实施"走出去"战略。选择一些骨干集团或单位与国外一些管理规范、技术先进、资信可靠、对我友好的知名媒体集团合作,利用他们的代理网络和发行渠道,使中国的出版物更多更快地走向世界,特别是西方国家的主流社会。

(七)利用WTO例外条款适度保护出版业

总结各国政府对本国出版业保护的经验,结合出版业20世纪90年代以来在对外合作方面的一些有效做法,可以不断完善我国的出版条例和法规,对国内出版产业进行适度保护。

——黄良伟. WTO框架下出版业发展的若干思考. 福州大学学报(哲学社会科学版),2003(4)

● 一、知识经济对出版业的影响

首先,是出版业劳动资料的变化。

微电子技术、光电子技术、激光技术、计算机技术、自动化技术、精密机械技术和信息技术向出版业的渗透,使出版业跨越了"机器捡字打头阵"的整个工业时代,似乎一夜之间从"手工捡字打头阵"的时代迈入"计算机排版打头阵"的信息时代。出版业与其他行业的社会交往产生了重大变化。因而,使"劳动资料不仅是人类劳动力发展的测量器,而且是劳动借以进行的社会关系的指示器"这一论断在出版业也得到了生动的验证。

第二,是出版业劳动者的变化。

出版业中的劳动者是具有一定出版生产经验、劳动技能和专业知识的工作人员。随着科学技术的发展,特别是高科技的发展,使出版工具产生革命性变化。出版工具的发展又迫使劳动者的素质随其提高。

第三,是出版业劳动产品的变化。

(一)在图书出版方面,由书、报、刊扩展到缩微读物和全息读物的出版等。

(二)在音声出版方面,由有线广播、无线广播、唱片,扩展到录音带、激光声盘等。

(三)在影像出版方面,由影片、电视片扩展到录像带、激光视盘(含电子图书)、便携式液显电子读物等。

(四)特别是在信息技术应用程序出版方面,有了软件的出版。

(五)在光电信息传输出版方面,电子网络出版等,在传播方式上,从单一网络向综合网络发展;从有线网络向无线网络发展。

第四,是出版物生产形式的变化。

在知识经济中,由于出版物的市场变化大,产品更新快,品种类别多、知识含量高,所以许多出版物的生产形式由大批量的刚性生产形式转向小批量的柔性生产形式。

第五,产业结构的变化对出版业的需求产生变化。

在知识经济中,传统制造业的就业人数减少;生产第一线的就业人数减少;体力劳动型就业人数减少;传统的办公室工作岗位减少;全日制就业机会减少;单向选择就业的情况减少。与此相反,服务业就业人数增加;经营管理就业人数增加;科学技术、脑力劳动型就业岗位增加;使用办公自动化、信息系统的工作岗位增加;非全日制就业机会增加;双向选择就业的情况增加。这两方面的一减一增,随之对出版物的需求也是一减一增。加之,供劳动者自由支配的时间逐步增加和劳动者能够自由支配的货币逐步增加,对出版物的总的需求指数也将会不断上升。

——朝克,呼和. 论出版业与知识经济. 内蒙古大学学报 (人文社会科学版), 1999 (3)

● 当今世界,知识经济已见端倪。以知识的传播、积累为己任的出版业,其生存的外部环境和内部运行机制正发生着深刻的变革, 呈现出鲜明的时代特征。

1. 出版业变革的形式与内容

(1)媒体集团化。知识经济的勃兴为出版集团的扩张提供了新的空间,而高科技的发展则对出版业提出了规模性、专业性、原创性和科学性的更高要求。从世界出版业的发展趋势看,由于计算机、网络和多媒体通讯技术的推动,图书与电影、电视、广播、电子、音像、报纸、杂志等各种媒体的交叉互动以至融为一体,已是传媒业发展的一种重要现象。

(2)版权产业化。随着知识经济的兴起,版权管理的重要性日益突出,以至形成了独立的版权产业。

(3)出版业凸显教育功能。在知识经济大环境中,现代出版业的教育功能日益凸显。

2. 我国出版业的发展对策

(1)加快出版业的产业化进程。……加快传统出版业向现代出版业的转变,根本之点在于要加快我国出版业的产业化进程,实现出版产业经济增长方式由粗放型向集约型转变, 使我国出版业成为结构合理、质量上乘、多种媒体均衡发展、综合实力明显提高、在国民经济整体格局中更加引人注目的产业。

(2)促进版权产业的加速发展。……促进版权产业加速发展的内在含义,是在版权产业内各行业正常发展的前提条件下,促进其渗透融合,以便有效地利用版权资源,促进知识的更新和增值;其外部条件是要建立健全有关的法律法规,加强对知识产权的利用与保护,杜绝目前国内存在的图书、音像制品及各种电子出版物盗版猖獗的现象。……从长远的发展来看,我国出版业作为版权产业的有机组成部分,其发展速度在一定程度上将依赖于与其他相关版权产业的整合程度,因而加速版权产业的发展,对出版业具有重要的现实意义。

(3)提高编、印、发流程中的高新技术含量。知识经济以高新技术的应用为其主要特征……今后,出版业应采用高新技术,从整体上提高全行业的装备及管理现代化水平,推动产业结构的调整和优化。

(4)提高从业人员的素质。在知识经济时代,出版业要求其从业人员有较高的思想道德素质、文化素质、出版业务素质以及经营管理素质……今后,我国应采取专业正规教育和在岗培训并重的方式,大力培养出版业专门人才,以满足知识经济对出版业的人才需求。

——曾建华,任仕元. 知识经济环境中的出版业变革及我国的发展对策. 图书情报知识, 1999 (4)

● 首先,网络出版引起传统出版理念的变革。

其次,出版者中介地位的改变和调整,网络出版从根本上改变了出版机构和部门的中介地位,出版行为的实施已不仅仅是出版社独有的行为,因特网络的不断完善为人人成为出版者提供了技术支持和可能。

第三,出版目的多元化,网络出版使得人人成为出版者可能实现,出版活动可以实现出版商的商业目的,也可以达到其他人有效交流知识、信息、思想、感情、观念、价值、学术等各方面的目的。

第四,出版技术和流程模式的改变。长期以来形成的"编、印、发"三个彼此独立,各成系统的出版模式,其功能上是相互间不可替代的。网络出版的出现,打破了三者之间的界限,创作与编辑,编辑与出版,编辑与印制以及出版与销售之间开始相互融合。

第五,出版物市场中消费者的分化与重组。

第六,出版经营观念由发行向营销转变。

第七，内容产业的兴起，使传统出版业以单媒体形式分割出版物市场的格局开始发生转变。

第八，出版物多功能市场观的延伸。

面对新的形势我们应当采取以下对策：首先，实现新旧出版观念的转变。其次，进行深入的出版管理体制和运行机制改革。其三，树立大出版观念。其四，大力培养符合时代需要的出版人才。

——师曾志. 网络出版对我国出版业的影响及对策. 中国出版. 2000 (8). 见：中国出版年鉴社编. 中国出版年鉴 (2001). 北京：中国出版年鉴社，2001. 71

出版业的发展趋势

《出版学基础》一书概括了我国出版业未来发展的主要特征，即出版产业结构多元化、出版运行机制市场化、出版技术手段电子化。其中，出版产业结构的多元化趋势可以从以下几个方面表现出来：规模结构的多元化、资产结构的多元化、组织结构的多元化。出版运行机制市场化，包含着极其丰富的内容，其中最为重要的发展趋势表现在以下三个方面：宏观调控向间接化、法制化方向发展，购销机制向灵活性、多样化方向发展，市场运行向完整化、体系化方向发展。出版技术手段的电子化发展趋势，由以下主要内容构成：出版物形态的电子化，出版业内部管理的计算机化，出版业信息传输网络化。阅读下面所摘录的各段论述，能使我们加深对上述出版业发展趋势的理解与认识。

● 要适应市场经济体制，出版改革和出版社的发展至少将出现6个趋势：

一、出版社组织性质的企业化趋势

二、出版社经营活动的市场化趋势

三、出版社生产过程的社会化趋势

四、出版社组织规模的小型化趋势

五、出版社经营范围上的多元化趋势

六、宏观调控上的法制化趋势

——康庆强. 出版改革的发展趋势. 中国出版，1994 (6)

● 21世纪我国出版业发展的趋势：

一、出版单位集团化

随着时间的推移，我国出版业将改变现有的出版单位(接近600家)那种"规模不大不小，利润不多不少，日子不坏不好"的"不少不强"、"不死不活"的状态，将由于各种利益的驱使，进行联合、兼并、分化和重组，产生新的、集约化的、大的出版集团。

二、出版物品种多样化

就是说，出版物在选题、形式、媒体等方面，将呈现多样化的局面。并且通过竞争，在图书市场上各占有不同的份额。新型媒体(如电子版)必然带来强大的辐射性冲击，但在我国相当长一段时间内传统媒体 (如图书版)仍占有优势。二者将形成良性的互补状态。

三、出版市场一体化

21世纪我国出版界区域性、地方性、部门性等条条块块分割的局面和专业分工造成的某些出版单位得天独厚的"独霸"优势，将被打破。出版单位将依据各自的实力和特色等，重新划分图书市场。跨部门、跨地区的规模营销会形成，自办发行和"二渠道"营销会扩展，国营的新华书店将失去"独霸"的主渠道优势。

四、出版国际合作的新变化

对外合作出版将不再仅仅是买进、卖出版权，而是与国际出版业的接轨、同步及融合. 将试行"共同投资、共担风险、共享成果"的项目合作，从选题、编制以至发行，都不再局限于国内。进一步可发展到合资办社。有远见的出版工作者，尤其是科技出版社的领导，应十分重视这种发展趋势。

五、行政干预将淡化

随着我国整个工作的重点转向"调整和优化经济结构"，市场的、经济的因素和作用将日益强化，而非经济性因素的行政干预将逐渐淡化。新闻出版的行政领导机关，只能在职责范围内依法对新闻出版媒体的生产和销售市场，进行宏观管理和调控。"小政府大企业"、"小政府大市场"，将是今后政企关系的新格局。出版社的领导者，应该认清这种态势，适应这种关系。

——郭有声. 谈谈21世纪我国出版业发展的趋势. 科技与出版, 1998 (5)

● 知识经济社会图书出版业发展趋势一：发展模式的产业化

在21世纪的知识经济社会，图书出版业作为知识和信息包容量最大、涵盖面最广的产业部门,是国家经济发展的一个大有作为的新的经济增长点。然而图书出版业要得到应有的发展,必须要跟上国家经济改革的大潮,解放思想,更新观念,树立起出版产业意识,走出版产业化发展之路。

随着知识经济社会的到来,图书出版业将形成产、供、销及售后服务的一体化,在出版业的强强合作、优胜劣汰的竞争中,一批依靠信息化管理、集约化经营的现代出版集团将脱颖而出,从而将加速图书出版业的产业化进程。

知识经济社会图书出版业发展趋势二:出版资源以智力因素为主

在这种知识经济发展的大背景和图书出版业自身的小环境中,与编辑、出版、发行有关的各种知识等智力因素,将成为图书出版业发展的决定因素,以至于成为图书出版业出版资源的主体。要对传统的出版资源进行科学配置,要不断开拓新的出版领域,要实现选题优化,等等,都离不开这种智力资源因素。在知识经济社会,只有使传统的出版资源与智力资源相结合,并以智力资源为主体,才能开发出不断更新的、具有市场竞争力的产品。

知识经济社会图书出版业发展趋势三:出版管理信息化

建立信息化管理新模式的前提条件,首先是进行出版社内部局域网的建设,实现内部出版管理网络化;其次是各出版网络与因特网相连,组成一个信息畅通的全球网络出版系统。然而要达到最大限度的出版信息资源共享,还需要有各种出版管理软件充实到网上来。

知识经济社会图书出版业发展趋势四:人力资源专业化、多样化和年轻化

知识经济社会出版业的竞争……其实质是人才资源的竞争……首先是不仅要具有合理的各专业人员比例结构,而且专业范围要相对扩大……同时,还应引进国际贸易专家、法律学专家等方面的人才。其次是在年龄结构上要老中青合理组合,大力培养一批年轻化、知识化的出版发行人才。第三是出版社各类人员本身的素质结构需要更新,不仅要具有良好的政治素质和专业素质,还必须具有熟练的电脑操作能力、较好的外语基础,应该具备良好的协作精神、较强的沟通和协调能力,等等。

知识经济社会图书出版业发展趋势五:图书发行网络化

知识经济社会中,传统的商品零售市场将大大减少,取而代之的是电

子市场蓬勃兴起。

在这种无中介的全球电子商务背景下，图书出版业的图书发行和贸易方式也将随之发生变化。一是全球电子网络上出现了各种类型的电子书店……电子书店的出现将使传统的图书中间销售商和传统的有店铺的书店大大减少。二是图书发行部门可以在网上通过精美的图片和精心设计的文字对自己的产品进行详细逼真的介绍，并对顾客的查询作出详尽的答复。……三是图书贸易方式也将发生改变，知识经济社会中，国际图书博览会、全国图书订货会以及全国及地方性的书市将减少，图书的国际国内贸易也将主要在网上进行。

知识经济社会图书出版业发展趋势六：编辑及其他各类人员的终身学习

随着知识经济社会生产力的发展，新知识的积累和旧知识的淘汰速度将加快。出版社各类人员，尤其是各类编辑人员，首先要站在各时期新知识的前沿，才能将新知识及时地传播给读者。因此，出版社各类人员要树立起终身学习知识的强烈意识，要更新观念，不断地淘汰旧知识，吸收新知识。

——刘先中. 知识经济社会图书出版业发展趋势探析. 大学出版，1999 (1)

● 我国的出版产业正在进行一场影响深远的深刻变革。本文试图从以下十个方面，阐述这一变革所引发的出版产业发展的趋势。

一、产业功能：出版成为现代文化产业特别是信息产业的一个核心部分

二、单位性质：出版单位正从事业型向企业型转变

三、产业形式：多元化和专业化并重

四、产业结构：通过集团化产生集聚效应和规模效应

五、组织结构：出版企业的内部结构将从垂直的线性组织向扁平化的网状组织转变

六、产业竞争：从单向度向全方位多元化综合性竞争转变

七、人才资源：人才竞争成为决定未来竞争成败的关键

八、宏观管理：从直接的、行政手段为主的管理向间接的、法律手段为主的管理方式转变

九、信息化：从传统出版向现代出版的范式转换

十、国际化：中国出版强国梦的必然选择

——周蔚华. 试论中国出版产业发展的十大趋势. 中国图书评论，2003 (7)

● 我国出版产业组织优化的目标,集中表现在以下方面:

1. 出版企业实现规模经济。

2. 合理的企业规模结构。

3. 顺畅的资源流动。

4. 有效的市场竞争秩序。

5. 出版产业技术进步的速度与程度。

——王晨. 我国出版产业组织优化的目标. 新闻出版交流,2000 (2)

● 未来中国出版集团的发展趋势:

1. 在未来的出版集团建设中,起主导作用的不再是政府,而是市场和企业;集团的数量不是很多,但是规模有较大的发展。

2. 随着媒体之间界限的模糊,出版集团向媒体集团进化。

3. 真正的以资金为纽带的,投资个体多元化的集团成为市场的主体;现代企业制度在集团中普遍建立。

4. 集团的垄断趋势渐强,市场向集团集中。

——中国出版科学研究所"中国出版集团研究"课题组. 中国出版集团研究. 出版发行研究,2000 (1)

● 中国出版产业集团化发展的若干趋势:

1. 区域性的出版集团的组建将告一段落,今后将着力组建跨地区甚至跨国界的出版集团,以打破现有集团区域色彩过浓、有可能形成地方保护和地区垄断的局面,增强国际竞争力。

2. 媒体单一的局面将得到突破,不同媒体之间的壁垒将逐步拆除,集团将同时从事图书、期刊、报业、电子音像、网络等媒体的出版活动。

3. 在集团试点过程中,将考虑到不同地区、不同类型(如综合社、教育社、大学社、文艺社等)和不同特色(外延式和内涵式等),以形成相对合理的出版集团宏观结构,促进出版产品结构和区域结构的优化。

4. 在集团的组织形式上,更强调规范化,强调按市场规律运作,以资本为纽带,按公司法运作,政企分开、政事分离,编辑业务和经营业务分离,实行现代企业制度,有完善的法人治理结构和公司组织形式。

5. 在对集团试点的选择上更注重品牌效应,在集团总体上强调综合化,而在集团内部强调专业化和专业分工;不单纯看其现有规模,而更看其现有的核心能力和发展潜力,更注重其综合能力的营造和培养,不仅看重其"大",更看重其"强"。

6. 在集团的扩张过程中,将更注重产业链的关联组合,注重编印发一条龙、产供销一体化,兼有教学、科研、物业管理的协同发展的功能。资本运作将发挥越来越突出的作用。投资、融资、对外合作以及挂牌上市将成为企业集团扩张的重要手段。

——周蔚华. 中国出版产业集团化:问题、对策和发展趋势. 中国出版,2003 (2)

● 21世纪初中国科技出版的发展趋势:

一、科技出版滞后于科技发展的局面将会改变

世界科学技术突飞猛进,已大大超越了科学技术本身的意义,并强烈地影响着世界经济、政治和军事格局的演变。而科技出版却大大滞后科学技术的发展, 不大注重时效性……科技出版业必须改变滞后于科技发展的局面,科技出版业要有加速前进的紧迫感。……科技出版必须跟上时代的步伐,深入到科学研究第一线去,出版学术及科普书,可以预计,在新世纪科技出版忽视时效性的局面将会有所改观。

二、网络将对传统出版业构成威胁

21世纪网络将对传统出版业构成威胁。网络技术和数字技术不仅可以改造传统出版业的各个环节,甚至可以绕开传统出版业,进而代替或部分代替传统出版业。……可以预计,网络出版无论是在时效性还是空间覆盖能力互动交流上,都将远远超过传统出版业。

互联网能向大众传播图文并茂、声像兼备的多维信息,这一特征对科技出版提出了新的、更高的要求,即要求在我们的作品中充分地、有效地利用多媒体融合的信息传播手段,来为科技出版服务。

互联网出版,扩大了获取信息的范围和出版方式,但是我们必须记住,这并不是说明它一定要完全取代传统出版业和媒体。互联网出版将对传统出版业构成威胁,但完全取代传统出版也不会发生。

三、出版理念和管理水平将更加重要

第一,针对"专家"的科学知识普及的出版会加强。

第二,科学与人文科学结合的出版物会更加畅销。

第三,21世纪的科技出版物会加强"亲和力"和"共鸣"能力。

四、科技出版业将进行战略性调整和组合

首先,在新世纪科出版业会加强结构调整和布局向多元化、集约化的趋势发展。形成能适应国际竞争的管理,经营和市场运作机制。

第二, 各个科技出版社将学习和领悟国际出版市场和出版资本运作

精髓。把出版社所拥有的各种社会资源、生产要素、资本,通过流动、收购、兼并、重组、参股、控股、交易、转让、租赁等各种途径优化配置,进行有效运营,以实现最大增值目标。同时,管理模式也会向多样化市场化、国际化的方向转变。

第三,经过战略调整21世纪中国科技出版业将形成适应国际竞争,有一定规模,在国际市场有一定市场份额的科技出版格局。

第四,21世纪初,我国将会出现一批有强烈创新意识和应变能力,有造诣、成就、管理才能的科技"出版家"。

第五,未来我国的科技出版物会减少品种,增加效益,完成"从数量规模增长为主,向质量效益增长为主"的转变。

五、科技出版业将进入与发达国家出版业直面竞争阶段

首先,通过竞争能促进中国科技出版业的进一步成熟。

第二,通过竞争能促进出版业产业结构调整。

第三,通过竞争提高中国科技出版业的整体实力。

——李士. 21世纪初中国科技出版:提速领域和发展趋势. 中国出版, 2001 (1)

● 科技出版的发展趋势

1. 从不完全竞争走向完全竞争

随着知识经济社会的到来,出版行业越来越体现出知识密集、资本密集和技术密集的特色。出版社应该根据自身的特点确立适合自己的生产函数,并不断改进生产手段和技术,调整和优化生产函数。

一个想有所作为的出版社,就应该尽量按照完全竞争的市场环境规则来运营。控制和降低生产成本,按照最低成本法则来合理安排生产要素,并根据边际成本来确定图书价格。而且出版社管理层要时刻关注财务部门提交的损益表和资产负债表。

2. 市场细分——科技出版日趋专业化

确立自己的市场定位,已成为出版业面对的首要课题。这种定位,已不同于以往简单的专业划分,而是依据自己在市场的不断摸索实践,逐步占据自己的市场份额,培育自己良好的企业形象。

3. 运行结构实用化

我国的出版社运行结构长期以来奉行编辑、出版、发行三大块。……但在市场经济体制下,根据不同出版社的不同需求,在出版社内部已经并将继续会出现各种各样的组织机构。围绕着选题策划和市场营销这两大

任务,建立高效灵活的组织机构十分必要。

4. 人才结构多元化

在解决了机制问题之后,最关键的因素就是人力资源的合理调配。出版事业是一个系统工程,决定了其从业人员的知识结构应该多元化。

5. 出版中间环节社会化

出版中间环节社会化的趋势体现出社会分工细化的时代特色。从表面上看,这将使我国大多数出版社面临着人员分流和重组的阵痛,但从长远来看,对我国出版业利大于弊。一方面可以让出版社有更多的精力从事策略性的工作,增加出版物的智力含量和附加值;另一方面,出版社通过选择优秀的编译、校对、制作、发行公司,可以进一步提高出版物的编校、制作质量,从而提高精品出现率,扩大出版物的发行量。

6. 出版生产跨媒体化

围绕着市场细分和科技发展这一时代特色,出版业的信息流和价值链更加复杂和专业,出版业的发展趋势正走向按需出版和可变数据印刷,以满足不同读者不同时期的不同需求,这一发展趋势被称为"窄媒体交流"。

——黄卫. 中国科技出版环境与发展趋势浅析. 科技与出版, 2002 (2)

● 网络出版将是 21 世纪出版业关注的焦点,网络出版是出版行业在今后几年内必然要开拓的一种新的出版形式。它将是发布信息,传播知识最迅速、最简捷、成本最低的出版形式。网络出版将有以下几个发展趋势: 1. 网络出版与传统印刷出版将长期共存; 2. 网络出版需要的技术日益成熟,规模将迅速扩大; 3. 在未来一段时间内,免费网络出版仍将是网络出版的形式之一; 4. 在网络出版部分地替代印刷出版的同时,它们也将明显地表现出分工合作的趋势; 5. 网络出版在一段时间后将是出版者提升服务,获取经济利益的重要手段。传统出版业的观念及模式将日渐被突破,出版载体多元化的发展趋势不可逆转,以数字化为基础的网络出版业前景可观。

——周向阳. 网络出版及其发展趋势. 出版科学, 2003 (4)

● 国外出版商在中国市场的发展趋势

1. 通过资本运营方式,越来越多的外资进入中国市场。

中国目前虽然不允许外资进入出版领域,但外资还是通过可能的途径以各种方式向出版方面渗透。

2. 制定明确的中国市场目标,重点突破。

3. 加快本土化,吸引更多中国专业技术人才加盟。

为了尽快地融入中国政治、社会和文化之中,更好地开拓中国市场,加强与中国出版同行的沟通联系,国外出版商都加快了在中国的本土化建设,越来越多地雇佣中国人才为其工作。

——谭学余. 国外出版商对中国市场的进入及其趋势. 编辑之友, 2004 (3)

二、术语精要

出版与出版学

出版：出版是指将作品编辑加工后，经过复制向公众发行。其概念由以下三个基本要素组成：对作品进行编辑加工，使其具有适合读者消费的出版物内容；对编辑加工好的作品进行大量复制，使其具有能供读者消费的某种载体形式；将复制的出版物通过发行进行广泛传播。

出版物：出版物是指以传播为目的的存贮知识信息并具有一定物质形态的出版产品。出版物是出版业的产品，是出版工作者的劳动对象。它由以下基本要素构成：一是以读者所需要的、经过加工提炼以后系统化了的知识信息构成内容；二是以一定的表达方式陈述知识信息；三是以一定的物质载体作为知识信息存在的依据；四是以一定的生产制作方式使知识信息附着于物质载体上；五是以一定的外观形态呈现出来。

出版学：出版学是研究出版物商品供求矛盾的产生与发展规律的科学。由于出版物商品供求矛盾是出版领域所特有的矛盾，它能反映出版活动的本质特征；出版物商品供求矛盾是出版领域最主要的矛盾，它能反映出版活动的基本状况；出版物商品供求矛盾普遍存在于出版物再生产全过程之中，它能全面反映出版活动中的各种经济关系。所以，研究出版物商品供求矛盾的产生与发展的规律的过程，就是把握出版活动规律的过程。从这种意义上讲，出版学也就是研究出版活动规律的科学。

报纸：报纸是指以刊载新闻和评论为主的定期公开连续性出版的散页出版物。英文名 newspaper，意即新闻纸。报纸的功能是传播新闻、反映舆论，所以常被称为新闻舆论工具。报纸由报头、正文及辅文三大部分组成。

图书：图书是指用文字、图像或其他符号，按一定主题和结构组成一个独立的整体，以印刷或非印刷的方式复制在供携带的载体上以向公众传播的作品。联合国教科文组织将图书定义为：凡由出版社或出版商出版的 49 页以上的印刷品，具有特定的书名和著者名，编有国际标准书号（ISBN），有定价并取得版权保护的出版物，称为图书（BOOK）;5 页以上、48 页以下的称为小册子（PAMPHLET）。图书由封面、正文和辅文构成。

期刊：又称杂志，是指有固定名称，用卷、期或年、月顺序编号，成册出版的连续性出版物。期刊一般包括封面、目次页、正文、封底。

音像制品：音像制品是指录有科学文化内容的录音带、录像带、唱片、激光唱盘和激光视盘等出版物。

激光唱盘：简称 CD，它的录制方法有模拟录音和数字录音两种。其基础结构由盘基、记录层和保护层三部分构成。

激光视盘：激光视盘是用于电影业的娱乐录像盘的变种，采用的录制方法、基础结构与激光唱盘完全一样，只是还包含图像信息和计算机可用的数字化数据。

电子出版物：电子出版物是指以数字代码方式将图文声像等信息编辑加工后存储在磁、光、电介质上，通过计算机或者具有类似功能的设备读取使用，以表达思想、普及知识和积累文化并可复制发行的大众传播媒体。

互联网出版物：互联网出版物是指将经过选择和编辑加工的作品的内容以数字化形式存储在与互联网相连的数据库或其他的相应载体上，并借助计算机进行互联网上的在线传播或其他利用的出版物。主要类型包括供在线阅读、下载或即时印刷用的数字化网上出版物，专门用于下载网络文献的下载软件，以及既可联网，又可脱网使用的电子书（e-book）等。

正式出版物：这是以出版物流通的性质为标准划分出的一种类型，是指经国家批准设置、具有法人资格的出版单位正式出版，并以商品交换方式广泛发行的出版物。

非正式出版物：这是与正式出版物相对应的概念，是指经一定审批手续而印刷出版，并以非贸易形式发送与交换的出版物。如供交换用的内部报刊、纪念性文集等。

内部出版物：这是以出版物流通的范围为标准划分出的一种类型，是指正式出版物中其流通范围有所限定的出版物，包括在出版物上标明了"内部发行"、"限国内发行"等字样的出版物。

非法出版物：这是以出版行为的性质为标准划分出来的一种类型，

是指以不合法的行为制作的出版物。在中国指由国家批准的出版单位以外的团体和个人未经批准,擅自制作,并向社会征订、销售的出版物,或内容为国家明令禁止的出版物。

淫秽出版物:这是以出版物内容性质为依据划分出来的一种类型,是指内容上宣扬淫秽行为,挑动人们的性欲,足以导致普通人腐化堕落,而又没有艺术价值或科学价值的出版物。

出版学的研究对象:出版学的研究对象是出版物的商品供求矛盾,是出版领域的特有矛盾、主要矛盾、基本矛盾。由于出版物是一种具有文化特性的特殊商品,出版物的商品供求矛盾不同于其他经济领域的商品供求矛盾,它反映的是文化知识的供应与社会对文化知识的日益增长的需求之间的关系;这一矛盾的存在,影响与制约着出版领域其他矛盾的存在与发展;它也是出版活动中各种经济关系的综合反映。

出版学的相关学科:出版学的相关学科是指与出版学在研究内容上有着直接的紧密联系的学科。出版学与其相关学科的联系按性质可分为两种情况:一是出版学的基础学科,即为出版学的建立提供理论基础的学科,在众多的此类学科中,与出版学在研究内容上联系紧密的学科主要有传播学、文化学、经济学等;二是出版学的交叉学科,即与出版学在研究内容上有着某些交叉或具有某些相通性的学科,与出版学具有此类性质联系的相关学科主要有新闻学、图书馆学、文献信息管理学等。

出版学的分支学科:出版学的分支学科是指承担着出版学某一部分研究内容的探讨任务的学科,与出版学有着纵向的总分关系,是出版学学科体系的组成部分。出版学的学科体系,应由五类分支学科组成:一是探讨出版活动基本原理与一般规律的学科,如出版学概论、出版美学、出版经济学、出版文化学、出版社会学、比较出版学、中外出版史等;二是研究出版活动构成要素的学科,如图书学、出版企业管理学、出版信息学、读者学等;三是研究出版物生产流通过程的学科,如编辑学、发行学、出版物制作学、市场营销学、书刊储运学、书评学等;四是研究出版活动环境的学科,如出版物市场学、出版法学、出版业宏观管理学等;五是研究出版活动的组织技术与方法的学科,如出版财务学、出版统计学、出版业计算机应用、出版物的分类与编目、出版网络技术等。

传播学:传播学是研究人类一切传播行为和传播过程的发生、发展规律的科学。由于出版物是一种重要传播媒体,所以组织出版物的生产与流通的出版活动,也就成了大众传播系统的一种传播媒介。传播学的研究内容按传播过程分为五大部分:传播者、传播内容(信息)、传播媒介(渠道)、传播对象、传播效果。通过这些内容的研究所形成的传播学基本原理,能为出版学的理论体系的建立提供重要参照。

文化学:文化学是研究人类社会普遍存在的文化现象的产生与发展规律的科学。各种文化现象的产生与发展,都与出版业的发展紧密相关。通过出版物进行文化的交流、传播与积累,本身就是一种很重要的文化现象,所以,出版业的发展要遵循文化规律办事。文化学的理论研究成果,同样是构建出版学的理论基础之一。

经济学:经济学是研究经济活动过程与经济活动规律的科学。出版活动具有经济活动的属性。出版物的生产是利用出版资源按照市场交换的要求制造出合适的产品(出版物)的过程,出版物的流通在商品经济社会里也大多是以商品交换的形式进行的。所以,出版业的运作在遵循文化规律办事的同时,还受到经济规律的制约。因此经济学研究对出版学理论的形成也有其重要的意义。

新闻学:新闻学是研究利用报刊、广播、电视等公共传播媒介进行新闻传播的规律性的科学。新闻传播作为一种传播行为,与出版发行有许多相通之处,如都具有传播知识、传递信息的职能,报刊等媒体的出版规律都要纳入各自的研究范围之中等等。由此而使新闻学与出版学在研究内容上出现了许多交叉。

图书馆学:图书馆学是研究图书馆活动规律的科学。图书馆的活动以收集、整理、储存、利用图书资料为基本内容,与出版发行活动一样,都以出版物作为劳动对象。图书馆工作与出版工作在工作性质上的相同之处,使得以工作实践为源泉的两门学科的理论研究也有了许多的共同点。

文献信息管理学:文献信息管理学是研究收集、整理、揭示、利用文献信息规律的科学。文献除出版物之外,还有书信、档案、文稿以及其他蕴含信息的物质载体。文献信息管理学研究文献管理的一般原理与方法,出版学则要研究出版物这一具体文献形式中的信息揭示与利用问题。因此,文献信息管理学也是与出版学在研究内容上有某些交叉的相关学科。

我国的出版业和出版系统

槐市：槐市是指公元 4 年，长安太学近旁出现的包括买卖书籍在内的综合性贸易集市场。因为坐落在繁盛秀丽的槐树林中无墙屋，故称为"槐市"。每逢初一、十五，太学生多会于槐市，"各持其郡所出货物及经传书籍，笙磬乐器，相与买卖，雍容揖让，或议论槐下"。槐市兴于西汉末期，更始元年（公元 23 年）王莽政权崩溃，太学在战乱中解散，槐市随之消失。我们称槐市为我国最早的图书贸易市场。

书肆：书肆是指出现于东西汉交替之际的图书发行机构。关于书肆的记载，最早见于扬雄撰写的《法言·吾子》，"好书而不要诸仲尼，书肆也"。

佣书：在我国初唐雕版印刷术发明之前，书籍的传播、销售完全靠人工抄写复制。替他人抄写复制书籍而获取一定佣金的活动，称"佣书"。据古籍记载，粗具规模的佣书活动，是从西汉开始的，东汉有了更大发展。

雕版印刷：公元 6 世纪出现的一种印刷术，以木板刻字印刷，一个雕版可以重复使用。

活字印刷：北宋庆历年间由毕昇发明的一种印刷术，即用胶泥刻字，用火烧使其坚硬，再将松脂蜡加热熔化，将泥活字粘成一个印版印书，印完再用火烧熔化松脂蜡拆版，其泥活字分类存放，下次排版时再用。

电子书：又称 e-book，即专用硬件阅读器，是一种储存有图书数字化信息与相应检索软件的专用阅读设备。它不仅便于携带，利于操作查看，而且体积小，价格便宜，而且能够与网络相连接使用。

宏观调控机制：宏观调控机制是指以政府职能部门为调控主体，从整体上对国民经济运行进行间接调节和控制的各种措施和制度的有机结合。

新华书店管理店：新华书店按职能划分的一种类型，指只担负对下级书店的人、财、物管理，不直接承担销售任务的新华书店。

新华书店发货店：新华书店按职能划分的一种类型，指担负图书进发、调剂、储运任务，并且独立进行经济核算的新华书店。

新华书店销货店：新华书店按职能划分的一种类型，指直接担负图书销售任务,并且独立进行经济核算的新华书店,这是新华书店的基层单位。

中国图书进出口总公司:我国对外书刊发行机构之一,于 1981 年以中国图书进口公司为基础扩建而成。该公司由国家科技部领导,主要负责图书进口,同时担任部分报刊等的出口任务,侧重于高校学报及在我国召开的世界性的学术会议录的出口。

中国国际图书贸易总公司:我国对外书刊发行机构之一,于 1978 年以国际书店为基础扩建而成。它属文化部领导,主要负责除高校学报及世界性学术会议录以外的所有图书、期刊、报纸的对外发行,同时开展手工织品、字画、羽毛制品等艺术品的对外贸易出口业务。

中国出版对外贸易总公司:我国对外书刊发行机构之一,于 1981 年创建,直属新闻出版总署领导。主要经营我国出版系统所需的技术引进项目及印刷设备、器材的进出口。

出版业管理:出版业管理是指与出版活动有关的管理机构及其人员,依据党和国家的有关政策法规,对构成出版活动的各种要素进行规划、组织、指挥、监督和调节,以实现出版业持续健康发展目标的过程。这一概念包含了管理活动的五个基本要素,即管理主体、管理依据、管理对象、管理目标、管理职能。

出版业宏观管理:出版业宏观管理是指政府各职能部门对全国出版业的各个组成部分统一进行的、系统而全面的管理。它是综合运用各种管理手段,对出版业的宏观运行所进行的间接调控。管理的主体是政府的职能部门,管理的客体是一国范围内的整个出版活动,管理的方式方法是综合运用法律、经济、行政手段进行间接的宏观调控。

出版业中观管理:出版业中观管理是指出版系统内的各种行业组织对构成出版活动的各个子系统所进行的分类协调与管理。此一层次的管理主要是对出版业各行业内经营者之间经营活动与经济关系进行协调。管理的主体是出版系统内的各种行业组织,管理对象(客体)是由行业内的各个经营者构成的行业子系统,管理方式方法是通过行规行约的制定与推行,对子系统的经营者及其经营行为进行监督与规范。

产业发展导向:产业发展导向是指通过规划制定、政策推广、资源配置等方式,对出版发展方向进行引导,以指挥各类出版业经营者按照其所引导的方向运作。此类管理内容依导向方式分,又有规划导向、政策导向、资源导向三种类型。

市场培育管理：市场培育管理是指在社会主义市场经济条件下，政府采取一系列措施培育市场，建立完善的市场体系和制定与完善市场法规，强化市场的日常监管的各种管理行为。

出版工作的性质、方针与作用

使用价值：即具有能够满足人们某种需要的属性。出版物的使用价值是指出版物具有能够满足人们的精神文化需要的属性。

知识生产：这是出版物生产过程的一个显著特点，是出版物使用价值形成的决定性因素。它是指人类受对科学对未知探索的本能以及造福人类的责任感与献身精神的驱使而从事的以文化知识为主要内容的创造性生产活动。

交换价值：交换价值是价格的表现形式。由于图书一般按照定价出售，所以定价反映了图书的交换价值。

市场寿命周期：商品在进入市场之后，经过试销、平销、畅销、滞销等几个阶段，到最后退出市场所需的时间。

价值增值现象：某种商品由于在生产过程中凝结了劳动者的剩余劳动而增加了其价值，通过商品交换实现其增加的价值的现象，称为价值增值现象。

文化选择：编辑选题时，按照受众的总体需求和社会对精神产品价值取向的根本要求，对大量个体自由创作的作品进行审识鉴别，筛选优化；编辑加工时，对选定的书稿进行增删整理，按照有利于社会传播的标准对具体的知识内容进行选择把关的过程。

文化创造：文化创造是指人们根据一定的社会形式而进行的文化生产活动。文化创造从本质上讲是一种具有创新性的文化特质生产过程，同时它也是在一定社会形态下的自由的精神生产。

文化传播：文化传播是人们社会交往活动过程产生于社区、群体及所有人与人之间的共存关系之内的一种文化互动现象。它是一个动态的过程，不仅受社会集团的共同意识制约，也受个人社会心理、思想意识、价值观念的影响。

文化积累：文化通过各种文字载体的形式传承积淀的过程，主要是指文化在时间上纵向扩散的过程，也是保存旧文化和增加新文化的发展过程。

"两为"方针："两为"方针是指出版工作中应贯彻的"为人民服务、为社会主义服务"方针。"两为"方针是出版工作性质的集中体现，是出版工作的根本方针。

"双百"方针："双百"方针是指出版工作中应贯彻的"百花齐放、百家争鸣"的方针，其基本点，就是在学术上实行民主讨论，在文化上实行自由竞赛，通过批评与自我批评来发展正确的东西、纠正错误的东西，以求得社会科学文化的健康发展。

"两用"方针："两用"方针是指出版工作中应贯彻的"古为今用、洋为中用"的方针，出版工作中要继承古代优秀传统文化和吸收世界各国进步文化，积极借助外在力量，着眼于出版业的外延式发展。

对口征订：对口征订是指出版经营者根据出版物内容，寻找与其内容相关的行业或者部门，主动上门宣传推销，征求订数的出版物征订方式。

系统征订：系统征订是指出版经营者通过某一专业系统，自上而下的向该系统的各个子系统（单位或部门）宣传征订出版物，以促使整个系统产生购买行为的一种图书征订方式。

社会整合：社会整合是指对社会利益进行协调、促进社会个人或社会群体结合成人类社会生活共同体的过程。通过出版工作，使出版物中的知识内容对社会成员的情感与行为产生影响，促使社会个体的情感与行为按照社会整体利益要求来规范，由此使出版工作具有促进社会整合、推动社会主义精神文明建设的功效。

出版资源及其配置

资源：指财富的来源，这是经济学意义上的专用名词。人们可以掌握支配利用的人力、物力和财力、土地等自然和社会的要素都可以称之为资源。

资源的稀缺性：某种物质或智能的存在与人类对其进行开发与利用

的需求相比是有限的,这种属性就称为资源的稀缺性。

资源的经济性:某种物质或智能的存在具有经济开发价值的属性称为资源的经济性。

资源的多用性:资源的多用性是指资源具有多种用途的属性,基于资源的多用性,人们可以根据不同的需要对其进行多种开发和利用。

出版资源:出版资源是指与出版产品形成直接相关的各种要素的集合。能够形成出版物内容及产品形态的各种精神与物质资源都可称之为出版资源。出版资源是一个由多种类、多层次的资源组成的有机资源系统,包括出版物生产设备、原材料等物质资源,具有一定管理思想与技能的人力资源,以各种价值形态存在的资本资源,沟通各生产要素之间联系的信息资源,以及构成出版物内容的社会文化资源等等。

出版物选题资源:出版物选题资源是出版物知识内容的来源。出版物的知识内容是社会文化的反映,它既来源于社会文化,又要反映社会文化。所以,出版物选题资源又可称之为社会文化资源。出版物选题资源是非常丰富的,主要由作者资源、旅游文化资源、历史文化资源、现实的社会文化资源、国际出版资源几类资源组成。

历史文化资源:这是指由以古籍为主的各类文化遗产以及由此而演绎出来的各类作品所构成的出版物选题来源。我国作为文明古国,其悠久的历史和深厚的文化积累,成为颇具出版价值和民族特色的出版资源,对古籍的整理出版已经成为我国出版的一个重要组成部分。历史文化资源的有效利用是传承文化的重要方式。

出版物生产要素资源:出版产品的生产,需要多种要素共同作用。除了要有一定的人类社会文化的积累与演进作为出版物的选题及其内容构成的来源之外,还要由一定的物质资源与精神资源形成出版物生产活动的其他要素。这些构成出版物生产要素来源的物质资源与精神资源统称为出版物生产要素资源,它主要由出版物生产物质资源、出版物生产智能资源、出版物生产资本资源、出版物生产信息资源四类资源构成。

出版资源配置:出版资源配置是指通过一定方式使出版资源在各种不同用途之间进行分配。资源的多用性是进行出版资源配置的前提,进行出版资源配置的最终目的是为了达到出版资源的优化配置,使出版资源得到有效率的配置和合理充分的利用。

出版资源优化配置:出版资源优化配置是指出版资源在各项不同的

出版活动之间，以及出版活动的各项不同用途之间进行科学而合理的分配，使其效用达到最优。

出版资源的市场配置：出版资源的市场配置是指通过市场机制的作用使出版资源在各类出版物生产活动之间自由流动，来实现资源的合理分配。市场配置的核心是市场机制的作用。

出版资源的政府配置：出版资源的政府配置是指政府利用行政手段对出版资源进行计划、协调与分配。出版资源政府配置手段的运用，是通过各种行政调控方式来实施的。其中最基本的实施方式有：通过出版产业政策及长远发展规划的制定来对出版资源的开发利用进行规划与导向；通过各年度指令性计划与指导性计划的下达来对出版资源配置进行指导与安排；通过各种出版法规的制定来对出版资源配置进行监督与规范；通过对出版物市场的日常监督来对出版资源配置进行控制与引导。

市场机制：市场机制是指与出版物市场活动相关的各种要素之间相互联系、相互制约的作用与影响方式。它的核心部分由价格机制、供求机制、竞争机制三大机制构成，还包括利率机制、工资机制以及风险机制等。市场机制作为一种经济运行机制，是指市场上的供求、竞争、价格等经济因素如何通过各自的作用和彼此的关系推动市场的有效运行及其功能的发挥。市场机制反映了经济活动中各个组成部分的内在有机联系，是市场经济的内在调节器。

统一目标原则：出版资源优化配置的基本原则之一，指在进行出版资源的配置时，配置的目标应与出版活动的整体目标相统一。统一目标原则旨在保证资源配置与出版物生产目标、企业目标与社会目标、短期目标与长期目标之间的一种纵向的统一，从宏观层面上保证出版资的优化配置。

协调配置原则：出版资源优化配置的基本原则之一，指在进行出版资源的配置时，各种出版资源的配置要互相配套、相互协调，构成最佳组合。协调配置原则旨在保证出版选题文化资源的开发与出版要素资源的配置、各类出版要素资源的配置、同类出版要素资源的配置之间的一种横向的协调，从微观层面上保证出版资源的优化配置。

择优配置原则：出版资源优化配置的基本原则之一，也可称为重点配置原则，指在进行出版资源配置的时候，要做到优资优用，以确保重点出版项目中的优秀资源配置。择优配置原则旨在保证资源被配置到最重要的项目上。

书业资源意识：书业资源意识是指将与出版产品形成直接相关的各种要素的集合看做是有经济价值，能产生经济效益的稀缺性资源加以重视、开发、利用和保护的意识。这是目前我国书业界亟待培养和提倡的意识。书业资源意识是出版资源优化配置的前提条件，只有强化书业资源意识才能更有效率地配置和利用出版资源。

出版物生产活动的组织

缩微出版物：出版物的一种类型，是指用照相或电子手段将印刷品或其他资料进行缩微复制而生产出来的出版物。缩微出版物按其物质形态划分有卡片型与长条型两类。分别以缩微平片与缩微胶卷为代表。具有体积小、贮存密度大、易于保存、价格便宜等优点，但必须借助一定的阅读设备才能正常阅读。

多媒体电子出版物：电子出版物的一种，是一种以光盘为载体的电子出版物，但它将文字、图形（静态与动态的）及声音等多种记录结合在一起，形象地描述出版物内容，具有生动、传神的传播效果。

出版项目策划：出版项目策划是指策划者在某项出版活动正式运作之前，根据企业的发展目标及实态，对该项出版活动的具体目标、步骤、产品、资源、效益等构成要素进行构思与设计，并形成系统、完整的运作方案的过程。

选题策划：出版物产品策划的类型之一，是指对出版物的主题、主要内容及其相关要素进行构想与谋划。选题策划是产品策划的核心阶段，是形成出版物知识内容的关键步骤，对出版物整体质量具有决定性意义。

目标市场：目标市场是企业在一定时期内通过某项产品对其进行有针对性的重点开发的市场。目标市场是建立在市场细分的基础上的，通过市场的细分将市场分为若干个子市场，企业根据自身的情况和产品的特点以及市场环境等因素，从中选择对企业最为有利的子市场，集中优势，进行重点开发。

出版资源策划：出版项目策划的主要内容之一，是指按照出版项目运作的要求对相关资源的配置进行设计与安排。其具体内容主要包括人力资源的安排、资金的筹措与投入、生产商的择。

销售策划：出版项目策划的主要内容之一，对与产品销售有关的要素进行设计与安排，其具体内容包括销售渠道的选择，促销方式与策略的设计，以及宣传促销媒体、时机的选择等等。

选题：编辑工作的内容之一，指编辑人员按照策划要求设计选题、制定选题计划的工作，其构成要素包括题目、作者、编辑意图、读者对象、基本内容、写作要求以及确定撰稿进程、完稿时间等。

组稿：编辑工作的内容之一，是按照选题计划的要求，组织作者完成书稿著译任务的工作，组稿方式有征稿、约稿、选编自投稿三种。

审稿：编辑工作的内容之一，是对稿件进行审读、评价和处理的过程。

加工整理：这是指对不需退修或退修而决定采用的稿件进行修改润饰的工作。其中加工的任务是通过文字与内容的增、删、改，实现稿件质量优化；整理的任务是通过对全稿所进行的技术性检查，使书稿各个部分统一协调。

装帧设计：这是对出版物物质形态构造进行设想与安排的工作。其基本内容包括形态设计、封面设计、版式设计、插图设计等。

三审制：我国出版物的审稿制度，是一种三级审稿制，即由编辑初审、编辑室主任复审、总编辑终审的审稿责任制度。初审负责对稿件的思想观点、学术内容、文字水平和资料价值进行全面的审查和评价，并提出处理方案或修改意见；复审负责审核初审者对稿件的评价和处理意见，解决初审者提出的问题并提出复审意见；终审负责审核前两审的意见，从整体上对出版价值做出最终的决断。

发稿：发稿是将加工整理好的书稿发送生产部门进行技术设计和生产安排。发稿的基本要求是齐、清、定。齐，是指书稿齐全，不可缺少书稿中应该有的任何一部分；清，是指稿面清楚，无乱涂乱改或文字排列不清现象；定，是指所有内容都已确定，不再需修改。

排版：这是按设计要求将文稿制作成能复制印刷的纸型或胶片的过程。按照印刷方式的不同要求，排版有两种类型。一是活字排版，也称铅字排版，这是铅印时所采用的排版方式；二是计算机排版，这是胶印时所采用的排版方式，目前，计算机排版已成为了最主要的排版方式。

制版印刷：这是利用排版过程形成的纸型或胶片制作印版印制出版

物散页的过程。

母带制作：音像出版物制作的步骤之一，通过前期录音、后期录音或者单机拍摄、脱机编辑、合成制作等环节制作出录音或录像制品的供大量复制的工作母带的制作过程。

格式化处理：电子出版物的制作步骤之一，是将电子文本记录按规范格式转化成一个个可作为检索结果处理单位的单元。格式化的较优方案是以电子文本中的自然段作为记录单位，同时将内容上密切关联的若干段落组成一个逻辑上相对独立的大单元。格式化处理不仅要对这些单元构建进行设计，而且要对每个记录单元加上一定的标识符，并进行编号记数，以便作为其后建立的索引地址。

标引处理：电子出版物的制作步骤之一，是标出全文文本中具有信息检索价值和分析价值的知识项，也即检索点，如文本中的重要人名、地名、关键词等。电子出版物制作中的标引处理，以自动半自动标引为手段。

直接成本：直接成本是指在出版产品形成过程中直接耗费的劳动，它由稿费与编校费、纸张费、装帧材料费、制版费、印刷费、装订费、废品损失等七个项目组成。

间接成本：间接成本是间接作用于出版产品形成过程的劳动耗费，它主要由编辑费和企业管理费两个项目组成。

废品损失费：直接成本的组成部分之一，指出版物在印刷过程中因故需要部分变更书稿内容，因而发生的重制版、重排、重印或换页的纸张、材料费和印制费。其中有对象的可直接计入该种出版物的生产成本中，无对象的（如因故中途停止出版等）计入同期生产出版物总成本中，由该期所生产的出版物共同负担。

基本稿酬：字数稿酬的组成部分之一，即根据书稿的字数及内容质量情况，按照国家规定的统一稿酬标准或出版合同约定的稿酬标准，以每千字若干元为单位计算稿酬的稿费计算方法，基本稿酬按版面字数计算，以千字为单位，不足千字的作千字算。

版税稿酬：稿费计算的基本方式之一，即出版者按照出版物销售额的一定比例向作者支付版税的稿酬计算方式。版税支付额度依出版物的内容质量、作品形成的难易程度、市场前景及作者的知名度等因素而定，一般在出版物销售额的 5%~12%之间浮动。版税稿酬代表了稿费计算方式的发展方向。

213

出版物市场及其需求

出版物市场：出版物市场是指围绕出版物商品交换所进行的各种经济活动以及由此而产生的各种经济关系的总和。

卖方出版物市场：卖方出版物市场是指在出版物供求矛盾运动中，卖方的发展满足不了需方增大的要求时所出现的出版物商品供不应求的这样一种市场状态。

买方出版物市场：买方出版物市场是指在出版物供求矛盾运动中，卖方的发展超过了需方增大的要求时所出现的出版物商品供过于求的这样一种市场状态。

供给价格弹性：图书的供给量对其价格变动做出的反应程度。它等于图书价格变动的百分比对其供给变动百分比的比值。这一比值称为供给价格弹性系数 E_s。$E_s>1$，称弹性充足，表明该商品的供给对其价格变化较为敏感；$E_s<1$，称弹性不足，表明该商品的供给对其价格的变化反应迟钝；$E_s=1$，称弹性不变，即该商品的供给量变化幅度与其价格变动幅度相等。

需求价格弹性：图书的需求量对其价格变动做出的反应程度。它等于图书的价格变动百分比对其需求变动百分比的比值。这一比值称为需求价格弹性系数 E_D。$E_D>1$，称弹性充足，表明该商品的需求对其价格变化较为敏感；$E_D<1$，称弹性不足，表明该商品的需求对其价格的变化反应迟钝；$E_D=1$，称弹性不变，即该商品的需求量变化幅度与其价格变动幅度相等。

出版物经营者：出版物市场活动的主体，是出版发行活动的具体组织者。出版物市场的经营者包括生产经营者、批发者、零售者三大基本类型。各自以不同的方式参与出版物市场的商品交换活动。

出版物市场购买力：购买力即读者购买出版物的货币支付能力。读者观念上的需求要变成现实消费行为，必须以相应的货币支付能力为前提。缺少货币支付能力的主观愿望与要求，不能形成消费行为。

出版物市场购买动机：购买动机是指促使读者选择、购买某种出版物的种种心理因素。动机是行为发生的先导和条件，读者的购买动机则支配着其购买行为，购买动机回答的是为什么要消费的问题。

出版物市场需求：出版物市场需求是指出版物市场的潜在消费者想在市场上获得自己所需要的出版产品而又具有现实货币支付能力的愿望

与要求。出版物市场需求是一种具有现实货币支付能力的商品需求，是一种潜在的需求，是一种经常发展变化的需求。

出版物市场的阅读需求：这是以满足读者的阅读需要为主要目的的出版物需求。可具体分为求知型、实用型、成就型、娱乐型四种类型。

出版物市场的自尊需求：这是以满足读者的自尊需要为主要目的的出版物需求。比如由"炫耀性的"作为财富、文化修养或风雅情趣的标志而"应当备有"某本书的心理造成的对出版物的需求。

出版物市场的收藏需求：这是以满足读者的收藏需要为主要目的的出版物消费需求。收藏消费的主体多为团体读者，尤其是图书馆、档案馆等团体单位，因其积累文化的基本职能所决定，购买图书必须坚持完整性、系统性原则，为了保证其藏书的完整配套，一些即使目前无人阅读的图书，也必须要购买。个人读者中，收藏消费也已呈现出不断增长的趋势。

出版物市场的交往需求：这是以满足读者的人际交往需要为主要目的的出版物消费需求。出版物作为人际交往的媒介，在沟通人与社会之间的联系、增进了解、发展友谊、加深感情、密切关系等方面有着独特的作用。

出版物市场需求的多样性：这是指由于读者的经济来源、收入水平、文化程度、职业、性别、年龄、经历、个性、家庭情况和生活习惯等各方面的情况不同，而对出版物商品所具有的各种类型的需求。

出版物市场需求的层次性：由于读者文化知识水平不同，形成他们价值观的差异及精神追求目标的不同，这种差异表现在图书市场需求上，就呈现明显的层次性特征。

出版物市场需求的可诱导性：这是指出版物市场需求呈现出的可以进行引导和调节的特征。通过市场活动或改变影响读者需求的某些社会因素，可以使需求发生变化和转移。可诱导性受两个因素影响：一是诱导购买图书的吸引力的大小，二是读者购书愿望的强弱程度。

出版物市场需求的专指性：这是指图书市场需求中读者对含有自己所需特定知识内容的图书商品具有专门的需求，无法用含有其他知识内容的图书来替代的属性。这主要是由知识产品生产的非重复性特点所决定的。

出版物市场需求的伸缩性：这是指出版物的市场需求没有固定的量，呈现不确定性，变动性大的特征。人们对出版物的需求实质上是对出版物中知识与信息的需求，是一种精神需求，它既不像生理需求那样具有必然性,也不像生理需求那样有一个相对固定的满足量。所以出版物市场从总体上说,有着较大的需求弹性。所谓出版物市场需求弹性,是指人们对出版物的需求会因某些因素的影响而发生一定限度的量的变化。

出版物市场需求的时效性:这是指出版物市场需求根据不同时间呈现出不同的特点的特性。读者对出版物的需求,本质上是对出版物中所含知识信息的需求。知识信息容易陈旧过时,决定了出版物市场需求也有着较强的时效性特点。

出版物市场的可控因素:又称主观因素,是指由出版物市场经营者本身决定的并可以自行调节控制的一些因素,如品种、定价、渠道、促销等等。

出版物市场的不可控因素:又称客观因素,即构成影响需求的市场环境因素,指出版物经营者可以了解、适应,但无法改变的客观存在的一些因素,如文化、经济发展水平、人口状况、社会形势等等。

出版物市场消费结构:我国出版物消费的各类品种和数量占出版物消费的总的品种和数量的比例。

出版物流通活动的组织

出版物产销关系:出版物产销关系是指出版物生产商与销售商之间建立的经济联系,包括出版物所有权的分割关系以及利润的分配关系等经济关系。

出版物中间商:出版物中间商是指将出版物从生产商转送到消费者手中的出版物经营者,是出版物生产商与出版物消费者之间的桥梁和纽带。

出版物经销商:出版物经销商是指拥有商品所有权,与生产商存在商品价值转让的关系,以自己的名义与客户建立业务关系,既可从事批发又可从事零售业务并以进销差价形成流通利润的中间商。

出版物代理商:出版物代理商是指不拥有商品所有权,与生产商之间不存在商品价值转让关系,以生产商的名义建立业务关系,只从事批发业务而不从事零售业务并以收取佣金方式得到报酬的中间商。

出版物宣传征订:信息流通与市场沟通过程的步骤之一,是指在出版物正式流通之前,根据所建立的产销关系情况,由出版社或中间商通过适当方式向经营商或直接向读者宣传图书、征求订数的过程。

出版物批发：出版物商品交易的方式之一，是指按照宣传征订的意向，由出版社或批发商向零售商成批转移出版物商品所有权以供其继续转售的商品交易过程。出版物批发的方式主要有：目录征订交易，参加订货会现场交易，批发市场上进行现货交易等。

出版物零售：出版物商品交易的方式之一，是指零售商直接向消费者销售出版物，实现出版物商品价值的方式。出版物零售的主要方式有：门市销售、日常流动销售、团体销售、预订销售、大型书展书市销售以及邮寄销售等。

图书调剂：出版物商品交易的方式之一，是指出版物市场经销商之间互相调整余、缺图书的出版物交易活动。

图书码洋：图书码洋是指一批图书的定价总额。

码洋对等调剂：出版物商品调剂的方式之一，调剂双方以码洋大体相等为基础进行调剂。

重印征订时报调：出版物商品调剂的方式之一，这是在图书再版或重印时，结合调查原有存书数，在订单上填报需调出数，然后由原发书者统一将书调出的调剂方式。

出版物物流组织：出版物物流组织是物流组织者按照出版物商品交易的要求组织相应的出版物实体运动，其基本内容主要由出版物实体从生产领域向消费领域运动的过程中所产生的运输、仓储、包装、发货等活动构成。

出厂成品收货：出版物仓储工作中收货环节的一种类型，是指对印装厂送达的新书进行清点、验收的过程。

调拨收货：出版物仓储工作中收货环节的一种类型，是指对出版发行系统调拨的图书进行清点、验收的过程。

垂直发货：图书发货方法之一，指发货者直接将出版物发运到订、添货的每一个收书店。

二级分发：图书发货方法之一，指发货店先将若干个收书店所要的书集中发运到一个分发点上，然后再由分发点发到每一个收书店。

二级发货：图书发货方法之一，指发货店将各省收书店所要的书集中发运到一个分发点上，然后再由分发点发到每一个收书店。这实际上是一种将分发点放在每一个省级书店的特殊二级分发形式。

集运分发：图书发货方法之一，也称邮包集运分发，即发运店把一个省收货店所要的各种只能用邮包发运的零散图书，先集中发运到该省省级店，然后再由省级店分发，并装成大包运到各收书店。

直达运输：图书运输形式之一，指通过一种运输工具将书由产地直接运达销地的运输形式。

中转运输：图书运输形式之一，指在图书运输过程中需要转换运输工具的运输形式。

转站分运：图书运输形式之一，也称凑整分运，指将同一发站、同一流向、不同到站的各种零担图书凑成整体（或集装箱）托运到一个适当的铁路转运站，然后再以零担分运到各收货单位的运输形式。

转仓运输：图书运输形式之一，指先将若干收书店所要的图书集中包装运送到分发店仓库，分发店拆包后再重新包装，并通过各种运输工具将书运达各收书店的运输形式。

出版物货款结算：出版物货款结算是指在出版物流通过程中，由于所有权的转移而在出版社、书店、读者单位和个人之间发生的款项收付行为。

货款结算方式：货款结算方式是指款项收付行为所采用的方式，分为现金结算与转账结算两大类。货款结算的具体方式主要有：同城结算或来人自取商品用"支票"、"委托银行收款"、"商业汇票"结算；异地结算货款采用"托收承付"、"委托银行收款"、"商业汇票"结算；倒装缺页、污损图书退货款及单项订货合同中明确规定预收货款可采用"汇兑"结算。

货款结算关系：货款结算关系是指由于所有权的转移而在出版社、书店、读者单位和个人之间发生的款项收付行为时所形成的相互关系。我国出版发行系统内的货款结算可建立如下关系：一是新华书店总店（含北京发行所和音像发行所）、新华书店首都发行所、上海发行所、天津发行所、重庆发行所与各地新华书店相互间可以直接办理货款结算，也可以委托省级书店承转地、县店的货款结算；二是地区（市、盟、州）及地区以上，具有法人资格的书店，相互间可直接办理货款结算；三是省（区、市）内各级书店相互间可直接办理货款结算；四是省级书店与省（区、市）外的地区（市、盟、州）级以下具有法人资格书店的货款结算原则上通过对方省级店承转；五是省级书店所属开发公司、劳动服务公司等企业通过省级店汇总订货并列入分省汇总单的，货款结算可通过省级书店承转。

买断经营制：出版物流通制度的一种，是围绕批发商向生产商买断出版物所有权实行独立经营而形成的关于选择购销形式、建立购销关系、规范购销行为等一系列规定、制度的总和。

图书购销形式：图书经销制的具体实现形式，指图书生产者向图书流通组织者转让图书商品所有权的方式，是一种图书商品购销关系的调整形式。

征订包销：出版物购销形式之一，指由某一发行机构包揽某类书或某种书在某一地区市场或全国市场范围内的专有销售权的购销形式。

征订经销：出版物购销形式之一，指在出版社安排市场的条件下由各发行机构承担自己所提订数图书销售任务的购销形式。

寄销：出版物购销形式之一，指出版者以寄卖形式委托发行机构销售某类或某种图书，并自行承担存货损失的购销形式。

经销包退：寄销制的一种类型，指图书批出之后，允许销货店将销售一定时期后的存货全部退给批发者，存货损失全部由批发者负担的经销方式。

图书发行代理制：出版社委托代理商代替自己发行图书的基本流通制度，它是以图书流通中的商务代理为主线而形成的关于选择代理商、签订代理协议、确定代理关系、规范代理行为等一系列规定、制度的总和。

全国总代理：代理制实现的形式之一，出版社将自己所出版的所有出版物的全国专有销售权全部委托某一代理商代为行使的代理制形式。

地区总代理：代理制实现的形式之一，出版社将自己所出版的所有出版物在各个地区的专有销售权分别委托给在各地选择的某家代理商代为行使的代理制形式。

单品种独家代理：代理制实现的形式之一，出版社将自己所出的部分产品或某一种产品在全国（或某个地区）的专有销售权委托给一家代理商代为行使的实现形式。依代理地区范围的不同，单品种独家代理又有单品种全国独家代理和单品种地区独家代理之分。

分级代理：代理制实现的形式之一。它是指由属于独家代理的本代理商根据需要将自己所代理的产品销售权交由自己在各地所选择的再代理商在一定的地区范围内代为行使的实现形式。

分段代理：代理制实现的形式之一。它是指出版社将本版书流通过程中某一环节的业务委托代理商代为组织的实现形式，如代印、代发、代订、代收款等。

生产商自销制：在商品还不太发达的情况下，由于市场的交换缺少中间商，生产商不得不自己拿着自己的产品到市场上去直接向消费者销售商品的流通制度，它是围绕生产商直接在市场零售自己的产品而形成的一系列规定、制度的总和。

出版社自办发行：出版社自办发行是出版物流通领域的生产商自销制，指由出版社自行设立发行部门，直接销售其产品的一系列活动。

出版物流通渠道：出版物流通渠道是指组织出版物从生产领域向消费领域流通时所需要经历的线路，以及在这些线路上所必然发生的出版物商品所有权转移的经济过程。

出版物流通环节：出版物流通环节是指出版物向消费领域流通的过程中通过商品买卖行为而导致商品所有权随之更迭的中间环节。

产销结合式直接流通渠道：这是一种无中间环节的产销结合式流通渠道。指出版者直接将书供应给读者，或者通过自己的推销机构直接向读者推销本社产品的渠道模式。

产销分离式间接流通渠道：这是一种具有中间环节的产、销分离式渠道。依中间环节的不同，此种渠道又具有零售商渠道、批发商渠道、代理批发商渠道、代理零售商渠道等多种结构模式。

读者俱乐部：这是一种以读者为核心的图书销售服务组织，以图书订户作为会员，并为会员提供一系列的有关图书的附加服务如发送书目，组织读书交流会，签名售书等。他们除了联系出版商以底价购进图书，低价格固定售给自己的会员外，还经常专门为自己的会员购买版权直接出版自己的俱乐部版图书，供会员以优惠的价格购买，其优惠一般要比市场低20%左右。

出版物流通制度：出版物流通制度是出版物流通体制的重要组成部分，是指围绕一定的出版物商品流通方式而形成的关于处理出版物产、销之间经济关系的一系列规定与制度的总和。

出版教育与人才培养

生产性劳动：生产性劳动是指商品使用价值形成过程中所付出的劳

动。出版物的生产过程(包括编辑及印装过程)使出版物成为能够满足读者精神文化需求的商品,属于创造出版物价值的生产性劳动。

非生产性劳动:非生产性劳动是指商品价值实现过程中所付出的劳动。出版物的流通过程(包括宣传推销、洽谈交易、仓储发运、货款结算等)所付出的劳动,其整体功能是实现出版物的商品价值,虽然也有少数环节的劳动,如使商品实体位移的劳动属于生产性劳动,但主要属于非生产性劳动。

职业道德:职业道德是指从事某种职业的人们所应具备的生活准则和行为规范。从事某一行业的工作者所必须遵守的特定的行为准则和规范。

公民道德基本规范:《公民道德建设实施纲要》中提出的"爱国守法、明礼诚信、团结友善、勤俭自强、敬业奉献"的基本道德规范。这二十字道德规范覆盖了公民日常生活的主要领域,是对我国公民最基本的道德规范的新概括,也是对出版工作者提出的最基本的道德素质要求。

职业道德基本规范:职业道德基本规范是指《中共中央关于加强社会主义精神文明建设若干重要问题的决议》和《公民道德建设实施纲要》倡导的各行业都应共同遵守的职业道德规范,即"爱岗敬业、诚实守信、办事公道、服务群众、奉献社会"的职业道德。这五项职业道德基本规范是介于社会主义职业道德的核心规范与具体行业道德规范之间的职业行为准则。它概括了各行业职业道德的共同特点,是对各行业提出的共同要求。

持证上岗制度:这是一项关于出版业领导者必须参加相应的培训,并持有《岗位培训合格证书》才能上岗任职的规章制度。

职业资格证书制度:这是一项对出版从业人员进行业务考核,并颁发相应的职业资格证书,以此对出版业进行就业准入控制的规章制度。目前我国出版业推行的这一制度,由两类内容组成:一是图书发行员职业资格鉴定,二是出版专业职业资格考试。

专业核心课程:专业核心课程是指能够反映一个专业基本特征的课程。它承担着该专业最重要的核心知识的传授任务。专业核心课程的确立,有利于巩固编辑出版学专业的独立学科地位;有利于规范编辑出版学专业的办学行为,体现了编辑出版学专业本科课程体系建设的基础要求,对出版学课程体系的建设有着十分重要的意义。

现代经营意识:出版工作者需具备的业务素质的一种,是指在市场

221

经济条件下的符合市场经济发展要求的一种敏锐而全面的经营理念,包括市场意识、竞争意识、服务意识、开拓意识、信息意识、公关意识、法制意识等。

我国出版业的未来发展

知识经济:知识经济是建立在知识和信息的生产、分配和使用之上的经济。知识经济与以往经济形态最大的不同点在于:经济的繁荣不是直接取决于资源、资本、硬件技术的数量、规模和增量,而是直接依赖于知识或有效信息的积累与利用。相对于以往的经济形态而言,知识经济具有:产业结构知识化、产品价值高科技化、资本投入无形化、经济发展可持续化、知识创新普遍化、世界经济一体化、管理决策理性化等具体特征。

桌面出版系统:桌面出版系统是指通过计算机标准键盘输入文字信息,利用平台式或滚筒式图像扫描仪输入图像信息,或者通过磁盘、光盘等媒体以及 LAN 等通信网络从其他系统直接获取数字化的文字或图像信息,然后在计算机上运用图形设计软件、图像处理软件和版面制作软件对原稿信息进行"所见即所得"的图形图像处理、图文组版、分色处理和信息存储处理。最后通过光栅图像处理器(或者照排控制器),由激光印字机、激光照排机(图文输出机)或者数字式直接预打样装置(DDCP)、数字印刷机(CTP)等将完整的页面图文信息记录在纸张或软片上。

直接制版技术:直接在印版上成像的制版方式,这是由计算机进行版面挂网和光栅化处理,将版面信息点阵化,通过激光、喷墨、喷蜡等多种成像技术,直接将点阵复制到铝版、涤纶胶片、丝网等版材上。这种用计算机处理直接形成可印刷版材的新技术,称为计算机直接制版,简称CTP。

按需印刷:即 Printing On Demand(简缩为 POD),是一种以数字技术为基础的印刷方式,采用精密的、高度自动化控制的现代化数字印刷机,可完成可变数据印刷的即时印刷方式。按需印刷将传统的成批量印刷变成按"册"或"份"的印刷,可以根据实际,精确的需求,一本书一本书地印,甚至可以只印刷其中的一章、一节。因此,有的也称其为"一本书印刷"。国外,按需印刷又称"直接印刷"、"快速印刷"、"随选印刷"、"短版印刷"、"数字印刷"等。

经营机制：经营机制是指出版业在经营运行的过程中，各出版组织或出版系统内部和外部各构成要素、各部分、各环节之间互相制约和互相联系的方式及其组织和系统的运作机理。

WTO：全称是 World Trade Organization，即世界贸易组织，有三层含义：是一个国际组织，是一个众多条约组成的法律体系，也是一个多边贸易谈判的场所。WTO 的前身是第二次世界大战结束后签订的关税及贸易总协定（GATT），GATT 只是一个合同，没有固定组织，GATT 成员国部长会议于 1986 年 9 月 15 日在乌拉圭召开。1994 年 4 月 15 日，124 个乌拉圭回合谈判的政府和欧共体在摩洛哥签订了乌拉圭回合最后文件及建立 WTO 的协议，WTO 于 1995 年 1 月 1 日正式开始运转，截至 2002 年 1 月 1 日，WTO 一共有 144 个成员国（包括单独关税区域），2001 年中国被正式接纳为 WTO 成员，于 2001 年 12 月 11 日生效。

最惠国待遇：最惠国待遇是整个关贸总协定制度的基石，按照最惠国待遇原则，缔约一方对另一个缔约方的所有特许和优惠（优惠、特权和豁免），其他缔约方也立即无条件的享有。通过这种规定确保成员国之间的平等待遇并以此确保多边贸易环境的统一。

统一国民待遇：也叫国民待遇原则，指 WTO 成员在其辖区内对国民和非国民应该给予同等的待遇。这种同等待遇可以有例外，但只有在"此种例外为保障遵守与 TRIPs 协定（《与贸易有关的知识产权协定》）并不抵触的（国内）法律和法规所必要"时，才允许有例外。

连锁书店：连锁书店是指经营同类出版物，使用同一商号的若干门店，在同一总部的管理下采用统一进货或授予特许权等方式开展经营活动，实现规模效益的经营组织形式。连锁书店按其连锁形式的不同又可大体分为三类：一是正规连锁店；二是自由连锁店；三是特许连锁店，也称加盟连锁店、契约连锁店。

正规连锁店：资产属总部所有，经营管理完全由总部控制，呈现与总部的高度一体化的连锁店。

特许连锁店：以自主加盟的形式参与连锁集团的经营活动，经营由总部统一组织，但产权与管理独立的连锁店。

自由连锁店：以合同形式获得连锁总部的经营授权，自己独立经营的中小型连锁店，此类店与总部的联系最为松散。

组织结构多元化：出版业的组织结构由出版物生产与流通的组织形

223

式构成。组织结构的多元化,就是打破按照专业分工进行封闭式运作的出版物生产流通的单一组织模式,采用多种开放式的方式,组织出版物的生产与流通。组织结构的多元化现阶段主要表现有:以各种方式参与出版过程运作的出版经纪人的出现;多家出版社联合运作倾向的增多;发行者积极参与出版物生产过程运作将会成为潮流等。

出版业运行机制:出版业运行机制是指出版业的各种构成要素之间互为因果、相互制约的联系与作用方式。在社会主义市场经济条件下,出版业的各种构成要素之间是通过市场联结在一起的,因此,出版业运行机制的市场化也就成了一种必然的发展趋势。

出版物购销机制:购销机制是与出版物购销活动有关的各种要素之间互为因果、相互制约的联系与作用方式。它由购销体制、购销形式、购销渠道、购销方式等许多内容构成,是出版运行机制的重要组成部分。

出版要素:出版要素是指构成一项完整出版活动的必要因素,如人才、资金、信息、书稿资源、生产设备、纸张等物质材料。随着出版业产品市场化程度的提高,这些出版要素都将通过市场机制进行调控,并逐步形成各类专门的要素市场,如出版资金市场、出版人才市场、出版资源市场等。

Intranet: Intranet 是基于 Internet 的 TCP/IP 协议,使用 WWW 工具,采用防止外界侵入的安全措施,为企业内部服务,并有连接 Internet 功能的企业内部网络。

Internet: Internet 是一个全球性的计算机互联网络,中文名称为"国际互连网"、"因特网"、"网际网"或"信息高速公路"等,它是将不同地区而且规模大小不一的网络互相连接而成。对于 Internet 中各种各样的信息,所有人都可以通过网络的连接来共享和使用。

自主发展观:自主发展观是指出版企业在出版行政机关转变职能后,与其隶属关系不复存在,以及加入 WTO 后不再享受政府保护与政策优惠的背景下,要树立的一种克服依赖思想,依靠自己的力量,独立自主地寻求发展的观念。

风险发展观:出版企业在未来激烈的市场竞争环境中谋求发展时需要树立的一种观念,即要充分认识只有敢冒风险,企业才能抓住更多的发展机会,既要在实际操作中敢冒风险,又要在思想意识上做好敢于承担风险后果的准备。

竞争发展观:出版企业在未来的发展中所需要树立的敢于竞争,不惧怕竞争;同时又善于竞争,在竞争中充分发挥自己的优势,通过主动参与竞争不断地使企业获得发展的观念。

跨越式发展观:出版企业在改革发展的年代,出版企业要树立的一种高速度、高效率、跨越式的发展观念,市场经济的推行可以借鉴一些市场经济发达国家的经验,可以超越某些阶段直接运用国际经验解决出版发展中的许多新问题;实现跨越式发展,不仅要有科学的发展规划,还要有脚踏实地的工作方案;在经营上不仅要稳固好现有的市场,而且要不断地寻找新的增长点。

现代企业制度:现代企业制度是指适应社会化大生产的需要,反映市场经济要求,产权明晰、经营自主的现代企业体制。它的基本特征是产权明晰化、行为主体化、组织公司化、管理科学化。出版企业建设现代企业制度的具体内容包括:企业法人制度建设、企业产权制度建设、企业组织制度的改革、企业管理制度的完善。

企业文化:企业文化是指企业组织在长期的实践中形成并为企业全体成员自觉遵守和奉行的具有个性的经营宗旨、价值观念和道德行为准则的综合。加强出版企业的文化建设,能够在企业内营造一种积极健康、活泼和谐的氛围,从而激发企业员工的内聚力与创造力;并且能够提高企业及其产品的知名度,扩大企业的社会影响。

创新经营战略:创新经营战略是指通过不断推出有创意的经营活动以寻求企业经营的新突破的经营战略。创新是知识经济的重要特征之一,也是出版业竞争的重要手段。通过创新不断寻找新的经济增长点,才能使出版企业经营的跨越式发展成为可能。

整体经营战略:整体经营战略是指出版企业的各个部门、经营活动的各个环节,都能紧紧围绕经营市场来进行整体协调运作的战略。

主动经营战略:主动经营战略是指采用主动出击的办法来开拓市场,实现预期经营目标的经营谋略。

联合经营战略:联合经营战略是指通过一定方式与企业外的市场力量联合组织经营活动以实现既定经营目标的经营战略。联合经营战略的运用,能有效地壮大企业的竞争实力,增强企业的抗风险能力,从而能赢得更多的市场机会。

三、习题解答

出版与出版学

1. 什么是出版？它由哪些基本要素构成？

答：出版的概念请见本书"术语精要"部分。

出版由以下四个基本要素构成：

（1）资源开发。出版是对已有作品进行深层次开发的社会活动。

（2）编辑加工。出版是对原作品进行编辑加工，使其具有适合于读者消费的内容的过程。

（3）大量复制。出版是对加工好的作品进行大量复制，使其具有能供读者消费的一定载体形式的过程。

（4）广泛传播。出版物还要通过发行环节向社会进行广泛传播，所以广泛传播也是出版活动的重要组成部分。

2. 出版活动的开展要具备哪些基本条件？

答：出版活动的开展需要具备以下四个基本条件：

（1）必须具备一定的能形成出版产品的资源条件。这里所指的资源条件，主要指出版物选题资源，即直接构成出版物使用价值的知识内容的来源。

（2）必须具备一定的能对出版产品进行加工制作的生产条件。精神产品的生产需要有高素质的编辑人员，物质产品的生产需要有厂房、机器设备、生产原材料和劳动力等。

（3）必须具备广泛组织出版物公之于众的流通传播条件。将出版物从生产者手中转移到消费者手中，要通过一系列复杂的流通组织工作来实现，因此就需要有流通机构、工作人员及信息网点、渠道、设备等流通传播条件。

（4）必须具备由一定规模的消费需求构成的市场条件。满足市场需求是出版活动的目标,没有市场需求,出版活动就没有意义,由一定规模的消费需求构成的市场是开展出版所应具备的重要条件。

3. 概述出版物的基本类型与结构。

答:以构成要素为标准,出版物可以划分为六大基本类型:

(1)报纸。指以刊载新闻和评论为主的定期公开连续性出版的散页出版物。报纸由报头、正文及辅文三大部分组成。

(2)期刊。指有固定名称,用卷、期或年、月顺序编号,成册出版的连续性出版物。期刊一般包括封面、目次页、正文、封底。

(3)图书。指用文字、图像或其他符号,按一定主题和结构组成一个独立的整体,以印刷或非印刷的方式复制在供携带的载体上以向公众传播的作品。联合国教科文组织将图书定义概括为:凡由出版社或出版商出版的 49 页以上的印刷品,具有特定的书名和著者名,编有国际标准书号(ISBN),有定价并取得版权保护的出版物,称为图书(BOOK);5 页以上、48 页以下的称为小册子(PAMPHLET)。图书一般由封面、正文和辅文构成。

(4)音像制品。音像制品是指录有科学文化内容的录音带、录像带、唱片、激光唱盘和激光视盘等出版物。根据所记录信号的不同,它可以分为录音制品和录像制品两大类型。前者包括录音带、唱片和激光唱盘,后者包括录像带和激光视盘。

(5)电子出版物。指以数字代码方式将图文声像等信息编辑加工后存储在磁、光、电介质上,通过计算机或者具有类似功能的设备读取使用,以表达思想、普及知识和积累文化并可复制可发行的大众的传播媒体。电子出版物的类型主要有电子图书、电子连续出版物、电子版书目数据和计算机软件等。

(6)互联网出版物。指将经过选择和编辑加工的作品的内容以数字化形式存储在与互联网相连的数据库或其他的相应载体上,并借助计算机进行互联网上的在线传播或其他利用的出版物。

4. 什么是出版学?其研究对象是什么?

答:出版学的概念请见本书"术语精要"部分。

出版学的研究对象是出版物的商品供求矛盾。其主要理由是:

（1）出版物的商品供求矛盾是出版领域所特有的矛盾。出版物的商品供求矛盾不同于其他经济领域的商品供求矛盾，它反映的是文化知识的供应与社会对文化知识的日益增长的需求之间的关系；也不同于图书馆、文化馆工作领域的出版物供求矛盾，它是围绕出版物商品价值的实现而产生的矛盾，反映的是商品交换过程中的各种经济关系。

（2）出版物的商品供求矛盾是出版领域的主要矛盾。这一矛盾的存在，影响与制约着出版领域其他矛盾的存在与发展，如出版物的生产与流通的矛盾、经济效益与社会效益的矛盾，以及生产过程中出版资源和产品结构的矛盾，流通过程中批发与零售的矛盾、物流和商流的矛盾等等，都要受供求矛盾的制约。

（3）出版物的商品供求矛盾是出版领域的基本矛盾。出版物商品供求矛盾是出版活动中各种经济关系的综合反映，生产领域中各种经济关系都可通过供求矛盾反映出来。

5. 为什么说出版学是一门社会科学学科？

答：科学领域的学科划分，是依其研究对象的属性决定的，研究自然界各种事物和现象的科学是自然科学，而研究社会现象的科学则是社会科学。说出版学是一门社会科学学科，是因为出版学的研究对象是出版物商品的供求矛盾，是一种社会现象，并且还要随着社会的发展而发展，是社会政治、经济、文化的反映。

（1）书刊出版活动，是应人类社会的需要而产生的，随着人类文明的发展，产生了文字，出现了书籍，有了对知识信息的需求，出版活动才得以产生。

（2）随着社会的不断发展，人们对出版物的需求也不断发展，也就促使出版业经营者在满足这些不断增长的需求中使出版活动不断地获得发展。

（3）出版物商品的供求矛盾的产生与发展，都是政治、经济、文化、人口等社会因素影响与作用的结果。

6. 谈谈你对出版学理论与出版实践这两者关系的认识。

答：出版学理论与实践是互相联系、互相促进的关系。

丰富的出版工作实践是出版学理论发展的源泉，是出版学研究的基础。只有来源于出版实践的认识才是正确的认识,才能丰富出版学理论。

科学的理论是对出版实践的规律性认识,能指导和促进出版实践向更加科学的方向发展。只有在科学理论指导下,出版实践才能避免盲目性,才能按照科学规律指引的方向健康发展。

7. 出版学的相关学科有哪几门？这些学科与出版学有何联系与区别？

答:与出版学相关的学科有两类:一类是为出版学的建立提供理论基础的学科,如传播学、文化学、经济学等;二是与出版学在研究内容上有某些交叉或具有某些相通性的学科,如新闻学、图书馆学、文献信息管理学等。

(1)传播学。传播学基本原理能为出版学的理论体系的建立提供重要参照,但是传播学侧重人类传播行为的一般性研究,而不偏重某一特定传播媒体的研究,出版学则重点研究出版物这一特定传播媒体及与此相关的传播行为。

(2)文化学。出版业的发展与种种文化现象的产生与发展有紧密的关系,出版业的发展要遵循文化规律办事。文化学的理论研究成果,同样是构建出版学的理论基础之一。

(3)经济学。出版活动具有经济活动的属性,所以,以探求一般经济活动规律为基本任务的经济学研究,也就必然对出版学理论的形成具有了基础性意义。

(4)新闻学。新闻传播作为一种传播行为,与出版有许多相通之处,如都具有传播知识、传递信息的职能等,这使新闻学与出版学在研究内容上出现了许多交叉。

(5)图书馆学。图书馆学和出版学研究的重点内容都是如何整理、陈列图书,如何准确地揭示图书中所蕴含的知识信息内容,如何更好地发挥图书的作用等等。图书馆工作与出版工作在工作性质上的相同之处,使得以工作实践为源泉的两门学科的理论研究也有了许多共同点。

(6)文献信息管理学。文献信息管理学研究文献信息管理的一般原理与方法,出版学则要研究出版物这一具体文献形式中的信息揭示与利用问题。因此,文献信息管理学也是与出版学在研究内容上有某些交叉的相关学科。

8. 出版学的分支学科有哪几类?

答:出版学的分支学科有五类:

(1)探讨出版活动基本原理与一般规律的学科,如出版概论、出版美学、出版经济学、出版文化学、出版社会学、比较出版学、中外出版史等。

(2)研究出版活动构成要素的学科,如图书学、出版企业管理学、出版信息学、读者学等。

(3)研究出版物生产流通过程的学科,如编辑学、发行学、出版物制作学、市场营销学、书刊储运学、书评学等。

(4)研究出版活动环境的学科,如出版物市场学、出版法学、出版业宏观管理学等。

(5)研究出版活动的组织技术与方法的学科,如出版财务学、出版统计学、出版业计算机应用、出版物的分类与编目、出版网络技术等。

9. 在出版学科研活动中应如何运用马克思主义的哲学方法来观察分析问题?

答:在出版学科研活动中运用马克思主义的哲学方法来观察分析问题应做到三个坚持:

(1)要坚持理论联系实际探讨问题。只有坚持理论联系实际探讨问题,才能使出版学研究活动更好地促进出版事业的发展,才能使出版学自身的发展具有良好的实践基础。贯彻理论联系实际的原则,要求出版科研选题要从实际需要出发,论证材料要从扎扎实实地深入实践之中去获取,形成的理论要有实用价值,要坚决反对那些脱离实践的学究式的研究。

(2)要坚持实事求是地探讨问题。探讨出版活动的规律必须从出版活动与周围其他现象的密切联系、相互制约的关系中去进行研究,对出版活动中的任何一种现象,都必须全面地去进行分析,努力防止片面性。另外,还要防止主观臆断,而是要在实地调查的基础上得出结论

(3)要坚持用发展的观点观察分析问题。坚持用发展的观点来探讨出版领域的各种规律,才能不断地发现新情况、研究新问题、提出新见解,才能使出版科研活动始终处于朝气蓬勃的状态。

我国的出版业和出版系统

1. 你认为我国的出版活动起源于何时？其理由是什么？

答:我国的出版活动起源于西汉末年。

进行出版活动必须具备一定的社会条件:一是社会上出现了较多的为读者所需要的作品;二是有众多的生产者通过一定手段对作品进行复制使其成为出版物;三是出版物能进入市场进行交换。西汉末年,这三个条件都已具备。公元 4 年,长安太学近旁出现了包括买卖书籍在内的综合性贸易集市——槐市。稍后,又出现了书肆。在槐市与书肆上交易的图书,都不是作者的原作品,而是用手工抄写方式对原作内容进行加工复制的产品;此时出版物的传播已开始采用市场交换方式;众多的图书品种集中在书肆销售,说明社会上能用于加工复制的作品也很多。这就说明,此时出版活动已经产生。

2. 概述纸的发明及其对我国出版业发展的影响。

答:汉武帝时期,我国出现了原始的植物纤维纸,只是由于质地粗劣,不能用于书写,所以槐市、书肆上的图书载体都是竹简与缣帛。公元 105 年,蔡伦改进了造纸术,突破了此前利用天然资源作为知识载体的老思路,拓宽了造纸资源,提高了纸张的生产率。

纸的发明对出版业发展产生了重要影响,它改善了书籍的载体材料,提高了书籍生产的速度和效率;扩大了平民抄书和读书的机会,为出版的发展打下了良好的社会基础;纸张利于运输,为图书流通的发展创造了条件;另外,还扩大了我国出版业在世界各地的影响。

3. 手工抄写出版时期我国出版业的发展有哪些主要的特点？

答:手工抄写出版时期是指从雕版印刷出现的公元 6 世纪初到 19 世纪中叶机械化印刷厂在我国建立的 1300 多年,此期我国出版业的发展有三个主要的特点:

(1)图书的生产制作以手工抄写为主。大量史料都有对东汉、魏晋南北朝时期佣书人的记载和对隋唐抄书活动的描述,这都说明此期图书生

231

产制作是以手工抄写为主的。

（2）图书的流通以个体书摊、书贩为主。这些个体书摊、书贩有的单个流动推销，有的云集成市。

（3）佛道教经典及单篇文学作品成为当时最重要的出版品种。东汉之后，佛教和道教盛行，从皇帝到老百姓都普遍信奉宗教。对宗教的迷恋，使佛道教经典被官府大量抄写制作进而影响到民间。此期又是文学非常发达的时期，文学作品大量涌现，文学书籍的抄写与流传成为了一种社会时尚。

4. 概述雕版印刷术的发明及其对我国出版业发展的影响。

答：据史实推断，我国雕版印刷术的起源不迟于隋大业年间（公元605~618年），"雕本肇于隋时，行于唐世，扩于五人，精于宋人"。它对我国出版业发展有重要的影响。

（1）开创了照一个版本原样复制图书的生产方法。雕版印刷术的发明，使得照一个版本原样复制的图书生产成为可能，只要把握了雕版的质量，也就使用该雕版印制出来的出版物质量有保证。

（2）大大加快了图书的生产速度，促进了中国文化的发展与普及。利用一个雕版可以大量复制，极大地提高了图书的生产速度，降低了生产成本。一些民间需求最大的品种如唱词、日历、韵书、佛经等通过雕版印刷术大量印制，促进了社会文化的普及与发展。

（3）雕版印刷术的外传，也大大地促进了世界出版业的发展。

5. 概述活字印刷术的发明及其对我国出版业发展的影响。

答：北宋庆历年间（公元1041~1048年），毕昇发明了活字印刷术。公元1298年，农学家王祯又创制了木活字。人们还探索使用金属活字如铜活字、锡活字等印书。活字印刷术对我国出版业发展有重要的影响。

（1）活字印刷术的发明，开创了活字拼排制版的思路，为近、现代铅字排印技术的发展打下了基础。

（2）缩短了出版物印刷制作的时间，提高了出版物的生产速度。

（3）活字印刷术的外传促进了世界出版业的发展。印刷术发明之后，很快就传入朝鲜和日本。同时又沿着丝绸之路经波斯传入埃及，再传入欧洲。德国人谷登堡研制了铅锑锡合金活字（即现在所说的铅活字），使活字印刷术进一步得到改进，由此使世界出版业逐步进入了机械印刷的新发展时期。

6. 手工印刷出版时期我国出版业发展的主要特点是什么？

答：手工印刷出版时期，我国出版业处于一个逐步壮大的时期，其发展具有三个主要特点：

（1）图书的生产以制版印刷为主。无论是直接雕刻制板，还是活字排版，都要先将文稿制作成可大量复制的印刷版，然后再用印版复制书页，与手工抄写时期相比，生产效率大为提高。

（2）出现了专门的出版机构，包括官方出版机构、私人出版机构及商业出版机构。

（3）图书流通有了较大发展。流通已开始与生产分离，流通的范围非常广泛，并出现了版权贸易。

7. 机械印刷出版时期我国出版业发展可大体划分为哪几个阶段？各阶段的发展有何特点？

答：机械印刷时期我国出版业发展可大体划分为西方印刷术的传入与译书机构的设立阶段、近代民族出版业的兴起阶段、传播新文化的进步出版业的发展阶段以及新中国出版业的建立和发展阶段这四个阶段。

西方印刷术的传入与译书机构的设立阶段的特征：一是出版机构以外国教会与传教士来华创办的各种传教布道兼译书的机构为主；二是已开始普遍采用西方印刷术生产出版物；三是出版物生产形式发生了改变，除图书之外还出现了期刊、报纸；四是出版内容以传播宗教及西方的学术文化、科技知识为主。

近代民族出版业的兴起阶段的特征：一是民族出版业取代教会的译书机构逐步在中国出版业中取得主导地位；二是此时的出版机构大多采用资本主义的经营管理方式运作，讲求经济效益；三是出版内容以教科书、古籍工具书及西方科技学术图书为主。

传播新文化的进步出版业的发展阶段的特征：一是出版宗旨都是宣传革命真理，普及新文化；二是艰苦创业，团结奋斗，竭诚为读者服务；三是内部管理民主化，而且非常重视经济核算；四是在搞好经营的同时，巧妙地、不屈不挠地同反动势力作斗争。

新中国出版业的建立和发展阶段的特征：一是以国有经济为主的出版力量；二是以社会效益为主的经营原则；三是以集中统一为主的管理模式；四是以教材及教辅读物为主的产品结构。

8. 什么是电子出版？电子出版时期的出版业有哪些主要的特点？

答：电子出版的概念请见本书"术语精要"部分。

电子出版时期的出版业具有四个特点：

（1）计算机普遍应用于出版物生产制作领域。在印刷中利用计算机录入排版，在出版校对工作中逐步运用计算机进行校对。

（2）电子出版物是重要的出版产品。在电子出版时代，电子出版物数量多、质量高，深受广大读者的欢迎。

（3）网络出版活动繁荣。出版社在互联网上开设网站，网上售书活动发展迅速。

（4）广泛采用按需印刷。按需印刷是一种建立在数字式信息远距离传输和高密度存储的基础上的技术。其操作过程是将图书内容数字化后，利用电子文件在专门的激光打印机上高速印制书页，并用专用计算机完成折页、配页、装订等工序。

9. 概述我国出版业宏观管理机构的类型。

答：我国出版物宏观管理机构有三类：

（1）主管全国新闻出版业的国务院行政部门，即中华人民共和国新闻出版总署。其主要职能是：起草有关出版活动的法律和行政法规，制订和实施出版行政部门的管理规章，制订和实施出版事业的发展规划，审批出版单位的设立，对出版物质量进行监督管理，等等。

（2）负责管理各省（市、区）新闻出版事业的机构，即各省（市、区）的新闻出版局。其主要职能是：贯彻执行党和国家的新闻出版方针政策与法规，负责对本地区的出版活动进行正确导向及宏观协调，以及负责对本地出版物市场的监督管理等。

（3）各类行业协会。他们是企业与政府间联系的纽带，又是企业成员间相互协调的中介，更是行业与行业之间、行业与社会之间相互沟通的桥梁。

10. 概述我国出版物编辑出版机构的基本情况。

答:编辑出版机构在出版系统中处于极为重要的中心地位。我国的编辑出版机构包括出版社、期刊社、报社三大基本类型。

我国出版社的设立实行审批制。到 2003 年年底为止,我国有经新闻出版总署审批的 500 多家出版社,300 余家音像出版单位,30 多家电子出版单位,8000 多种期刊出版单位,2000 余家报纸出版单位。按行政隶属关系划分,出版社可分为四种基本类型:一是由中央各部委或相当部委一级的机关、团体主办的出版社,如人民出版社;二是由各新闻出版局主管,由省(市、区)内厅、局级单位主办的出版社;三是由各高等院校主办的出版社;四是由一些大报刊主办的出版社和一些大公司主办的出版社,如人民日报出版社、中国石油化工集团公司所属的中国石化出版社等。

出版社的性质目前大多是实行企业管理的事业单位,作为从事经营性文化产业的出版机构,除了保留少数作为事业单位外,大多数都要转变为企业。出版社一般都是在社长领导下设立四大部门:由总编辑领导的编辑部、负责发稿后印刷生产活动组织与安排的出版部、负责本社出版物宣传与销售工作的发行部、负责各项行政事务的处理及后勤保障工作的行政管理部。

一些期刊社与报社隶属于出版社,即使是独立经营的期刊社和报社,其性质、功能、隶属关系、内部结构也大体与出版社相同。但是在内部结构中,期刊社、报社还设有广告部和负责新闻采访的记者部。

11. 我国有哪些主要的书刊对外发行机构?它们各自的主营业务是什么?

答:我国的书刊对外发行机构主要有中国图书进出口总公司、中国国际图书贸易总公司以及中国出版对外贸易总公司。

中国图书进出口总公司由国家科技部领导,于 1981 年以中国图书进口公司为基础扩建而成,主要负责图书进口,同时担任部分报刊等的出口任务,侧重于高校学报及在我国召开的世界性的学术会议录的出口。

中国国际图书贸易总公司属文化部领导,于 1978 年以国际书店为基础扩建而成,主要负责除高校学报及世界性学术会议录以外的所有图书、期刊、报纸的对外发行,同时开展手工织品、字画、羽毛制品等艺术品的对外贸易出口业务。

中国出版对外贸易总公司直属新闻出版总署领导，于1981年组建，主要经营我国出版系统所需的技术引进项目及印刷设备、器材的进出口。

12. 概述新华书店的历史、现状及其发展趋势。

答：新华书店于1937年4月24日在延安成立，在抗日战争与解放战争时期发挥了重要的政治宣传与文化传播作用。新中国成立后，新华书店成为我国出版发行业的主力军，其经营额要占我国图书流通市场总销售额的60%以上。遍布全国的新华书店发行网络，在宣传马列主义、传播科学文化知识、丰富人们的精神文化生活方面发挥了重要作用。但随着我国经济体制的转轨，新华书店在发展中也遇到了许多的困难。未来的发展就是要更新观念、转换机制、革新体制，如实行股份制改造、发展连锁经营、组建发行企业集团等就是实施新发展的具体的措施。

出版工作的性质、方针与作用

1. 为什么说出版物是商品？

答：因为出版物具有一般商品所应具备的三个基本特征：

（1）出版物是劳动产品。从作者写出原稿到编辑、排版、印刷、装订、流通、购销都要付出大量辛勤的劳动。

（2）出版物是用来交换的劳动产品。出版图书，不是只供生产者自己阅读或无偿分发，而是要用来交换。在出版物商品领域，绝大部分出版物要作为商品，通过交换的形式流入团体或个人消费者手中。

（3）出版物是使用价值与价值的统一体。出版物的使用价值在于能够满足人们的精神文化需要，出版物的价值在于具有一定的价值表现形式——出版物定价。由于出版物商品具有价值与使用价值，所以它能参加社会商品流通。

2. 与一般商品比，出版物商品的特性表现在哪几个方面？

答：出版物商品的特殊性表现在其再生产全过程的各个不同阶段。

（1）出版物生产过程的特殊性。出版物的生产过程由知识（精神）生产过程与物质生产过程两个明显的阶段组成，而知识（精神）生产过程在出版物使用价值的形成中起着决定性作用。

（2）出版物使用价值作用的特殊性。从作用领域看,出版物商品的使用价值主要是在精神生活中起作用;从作用范围看,出版物使用价值的作用具有超时空性的特点;从作用方式看,出版物使用价值的作用具有隐蔽性的特点。

（3）出版物商品的市场特性。与一般生活商品相比,出版物在其商品流通过程中具有以下特点:一是在流通过程中,出版物商品的交换价格没有反映图书商品的真正价值;二是出版物市场需求容量有较大的伸缩性;三是出版物商品的市场寿命周期较短。

3. 为什么说出版工作是一项文化工作?

答:我们说出版工作是一项文化工作,主要是因为:

（1）这是由出版物的文化特性决定的。出版工作的劳动对象是出版物,出版物具有文化产品的基本特征,这使得以出版物为劳动对象的出版活动具有了文化工作的意义。

（2）从出版物再生产角度考察,整个出版过程大体可分为生产、流通、消费三个阶段,每一个阶段的工作都具有文化工作的属性。出版物的生产过程是一个文化选择与文化整理过程,也是一个文化产品形成过程,编辑加工和产品印制都具有文化意义。出版物的流通过程是一个文化传播过程,通过市场交换使出版物中所蕴含的知识信息得以传播,另外出版物流通过程中的商品宣传活动也充满文化气息,使广大读者能够从各类出版物宣传活动中直接领悟与感受到思想与知识的熏陶。出版物的消费过程是一个文化消费过程,享用出版物的过程,是读者对出版物所含知识内容进行体认、领悟与吸收的过程,是一个满足精神需求的过程,也是一个文化知识的认知过程。

（3）出版工作的社会作用具有文化特征,出版工作的根本目的是提高社会成员日益增长的精神文化生活的需要,其对社会生活的影响具有鲜明的文化特征,出版活动真实地反映了社会文化的发展状况,能够提高社会成员文化知识水平,还可以促进国家各项文化建设事业的发展。

4. 出版工作的经济属性具体表现在哪些方面?

答:出版工作的经济属性具体表现在以下三个方面:

（1）出版工作的劳动对象出版物具有商品性。出版物的商品特质使劳动者与劳动对象的关系成为了商品所有者与商品的关系，出版物的商品特质决定了出版系统在运行中所形成的各种关系都具有了经济意义。

（2）出版工作的经济属性还表现在出版物生产、流通、消费等不同的阶段。出版物生产过程的经济意义主要表现在出版物生产的目的是为了交换，生产过程是一个资本价值形态变化的过程，另外，物质产品的制作阶段属于商品生产过程，要受经济指标约束，要进行严格的经济核算。出版物流通过程的经济意义主要表现在出版物流通采用"为卖而买"的货币流通形式，出版物流通的内在目的是为了实现交换价值，在这个过程中存在着价值增值现象。出版物消费的经济意义主要表现在出版物的取得必须以货币支付为条件，出版物消费过程受经济规律制约，存在着消费效益问题。

（3）出版工作的社会作用具有经济特征。出版工作对经济发展具有促进作用，它通过提高劳动力素质促进社会生产力的发展，通过传播科技知识使潜在的生产力转变为现实的生产力，通过进行信息传递能够加快社会经济发展速度。

5. 对出版工作的文化性与经济性两者关系应该如何认识？

答：在出版工作的两重属性中，文化是目的，文化性是其本质属性，是出版工作的主要性质；经济是手段，经济性是其非本质属性，是出版工作的附加属性。

出版工作的本质属性是文化性，出版活动从根本上讲是一种文化活动。因为出版活动的基本功能是传播文化，出版产业化发展的根本目的是满足社会文化需求，出版单位存在的价值在于对社会发展所作出的文化贡献。

6. 在出版工作实践中应该如何贯彻"为人民服务、为社会主义服务"的方针？

答：在出版工作实践中贯彻"为人民服务、为社会主义服务"的方针，要从以下几个方面着手。

（1）在出版理念和各项业务活动中坚持正确的方向。不仅要在出版项目的选择上把好关，而且要正确处理好出版的文化性与经济性的关系、主业经营与多元化经营的关系。

（2）在工作作风和工作态度上要体现社会主义的时代风貌。要扎扎实实地深入实际调查研究，按照实际需要开发选题；要深入社会生活、体验生活，洞察生活的本质与主流，以此作为出版工作者的创作源泉；要深入群众之中，了解读者的需求，并千方百计地满足读者的需求，满腔热情地为读者、为作者提供优质的服务。

（3）在出版产品和服务对象上要处理好普及与提高的关系。要将弘扬主旋律与提倡多样化结合起来，要处理好学术专著与通俗读物的关系，还要处理好产品价值与销售数量的关系。

7. 出版工作中为什么要贯彻"百花齐放、百家争鸣"的方针？怎样在具体的出版实践中贯彻好这一方针？

答：因为在出版工作中贯彻"双百"方针，有利于调动广大文学、艺术和科学工作者的创作积极性，有利于出版资源的充分开发与利用，有利于满足广大读者日益增长的精神文化需求，有利于繁荣发展新时期的出版业，所以在出版工作中要贯彻"百花齐放、百家争鸣"的方针。

在出版工作中贯彻"双百"方针要做到以下几点：

（1）在作品内容的价值判断上，必须正确、细致地划分政治问题与思想学术研究问题的界限。在出版实践中，要允许不同学派、不同学术观点之间通过书刊进行交流争辩。

（2）在作品表达方式和风格的选择上，不能以出版者个人的好恶为标准，而要从社会需要出发，对各种不同形式、不同风格的作品一视同仁地进行取舍。

（3）在书稿加工过程中，要尊重作者，维护作者的著作权益。要尊重作品原稿中作者的学术观点，要尊重作者的表达习惯与行文风格，编辑人员应将加工整理的原稿结果送作者审核，并征得作者同意。

（4）在产品流通中要严肃慎重地处理报废出版物的问题，要注意不轻易停售或报废出版物。在报刊上出现了对某书的批评文章，并不等于该书被完全否定，在通常情况下仍可正常销售；在报刊上出现了对某人的批评文章，并不等于其人所著的书或内容与其人有关的书都有问题，一般情况下也不要停售此类图书；对某人所著的某书需按出版行政管理机关要求做停售处理时，该人的其他著作仍应正常销售。

8. 什么是"两用"方针？出版实践中贯彻"两用"方针应重点做好哪些工作？

答："两用"方针的概念请见本书"术语精要"部分。

在出版实践中贯彻"两用"方针，需要重点做好以下几项工作：

（1）认真做好古籍的整理出版工作。贯彻"古为今用"的方针，就要整理出版好那些古籍善本，使其在弘扬中华民族传统优秀文化的进程中发挥重要作用。

（2）重视现存馆藏古籍的多媒体开发。例如，将具有开发价值的馆藏古籍制作成多媒体光盘，将系列馆藏古籍专题制作成 e-book，建立馆藏善本书全文数据库并使其与因特网相连接。

（3）积极引进承载外国优秀文化成果的国外出版物。要重点引进经济发达、文化先进的国家与地区的书刊，出版业发达的国家与地区的书刊，代表各民族先进文化因素的书刊，让它们发挥"洋为中用"的作用。

9. 简述出版工作对社会政治的影响与作用。

答：古今中外社会的统治阶级，无不通过出版发行活动来宣传自己的政治主张，维护有利于本阶级的政治制度与法制制度，制造按照自己的意志改造社会的舆论。出版工作对社会政治的影响与作用主要表现在出版工作为政治所提供的服务上，具体表现在：

（1）进行舆论导向。出版工作向社会提供大量健康有益的书刊，直接配合党和国家的政治需要，营造有利的舆论氛围。

（2）开展思想教育。出版物中有关内容的传播，能对读者的观点、立场和行为产生一定的影响，由此使出版工作具有了思想教育的作用。

（3）促进社会整合，推动社会主义精神文明建设。通过出版工作，使出版物中所蕴含的知识内容能够对社会成员的情感与行为产生影响，按照社会整体利益要求对社会成员个体的情感与行为进行引导和规范。

10. 出版工作对社会经济发展能够产生什么样的影响？

答：出版工作能够对社会经济的发展产生重要的促进作用。其具体表现为：

（1）出版工作可以提高劳动者素质，促进社会生产力的发展。出版工作不仅可以使读者提高思想政治水平和政治素质，而且通过传播科学文化知识,提高人们的科学文化水平。

(2)出版工作可以传播科技知识,使潜在的生产力转变为现实的生产力。通过出版工作,使蕴藏在出版物中的大量的科技知识得以传播。人们在生产实践中运用这些科技知识转变为现实生产力,就能提高生产效率。

(3)出版工作进行信息传递,加快社会经济的发展速度。每年都取得大量的科学技术新成果。最新科研成果和市场需求信息通过出版物交流传递,从而加快社会经济的发展速度。

11. 出版工作对社会文化的影响主要表现在哪几个方面?

答:出版工作对文化发展的影响主要表现在以下三个方面:

(1)真实地反映社会文化的发展状况。社会实践的发展过程,就是通过各种文化形式记录反映出来的。在各种记录与反映社会实践发展过程的文化形式中,出版物是最基本也是最重要的形式。

(2)提高社会成员文化知识水平。从积累传播人类历史的优秀文化成果,到发展社会主义新文化,从扫除文盲到发展尖端科学技术,从教育学龄儿童到培养各种专业人才,都需要图书。

(3)促进国家各项文化建设事业的发展。出版发行事业的发展水平对教育、科学、文学艺术、新闻出版、广播电视、卫生体育、图书馆、博物馆事业的发展有直接影响。

12. 谈谈自己对出版工作重要性的认识。

答:出版工作直接反映和影响着国家政治、经济、文化的发展,在全面建设小康社会过程中起着非常重要的作用。

(1)在政治方面,出版工作既要受社会政治的影响与制约,又要积极地对政治产生影响。它具有舆论导向功能、思想教育功能以及社会整合功能。

(2)在经济方面,出版工作作为社会经济活动的一个重要组成部分,不仅自身的发展能为社会创造巨大的经济价值,而且能在整个社会经济的发展中发挥重要的促进作用,具有产值构成功能、经济促进功能以及经济服务功能。

(3)在文化方面,出版工作能够真实地反映社会文化的发展状况,提高社会成员文化知识水平,促进国家各项文化建设事业的发展,具有文选择功能、文化创造功能、文化传播功能以及文化积累功能。

由此可见,出版工作对社会发展具有重要影响,能够交流人类知识,调控人们的社会行为,还能够使社会成员在紧张劳动之余从出版物中获得娱乐和享受。

出版资源及其配置

1. 什么是资源?它具有哪些基本特征?

答:资源的概念请见本书"术语精要"部分。

资源具有以下基本特征:

(1)经济性。即具有能够开发的经济价值,指某种物质或智能在经过开发之后,能够为开发者所利用而产生经济价值,如土地经过开发后可以用来种粮食、建房、修游乐场,为开发者带来经济效益。

(2)稀缺性。指某种物质或智能的存在与人类对其进行开发与利用的需求相比是有限的,如地下水在南方地区不是资源,而在北方地区却是一种重要的资源,就是因为我国北方缺少地下水的缘故。

(3)多样性。指资源的用途是可供选择的,如纸张,可以印书,也可以印报刊,还可作包装盒、生产香烟、作糖果纸等,同是印书的纸,可为人民出版社用来印社科著作,也可为教育出版社用来印教材。

2. 什么是出版资源?它由哪些基本类型构成?

答:出版资源的概念请见本书"术语精要"部分。

各种各样的出版资源,依其与出版产品形成相关的性质,可分为两大基本类型:

(1)核心资源,即直接构成出版物使用价值的知识内容的来源,出版界通常称其为选题资源,主要由作者资源、旅游文化资源、历史文化资源、现实的社会文化资源和国际出版资源构成。

(2)出版物生产要素资源,这是形成除产品内容之外出版物其他直接生产要素的资源,包括出版物生产物质资源、出版物生产智能资源、出版物生产资本资源和出版物生产信息资源。

3. 与一般经济资源相比，出版资源具有哪些特点？

答：与一般经济资源相比，出版资源具有以下特点：

（1）出版资源的物质形态与精神（智能）形态并存。社会文化有的以精神形态存在，如思想、知识、科学技术、文学艺术等，有的则以物质形态存在，如建筑、服饰、古迹等，因此以社会文化为重要原料来源的出版物生产资源，也具有了精神（智能）形态与物质形态并存的特征。

（2）出版资源的开发和利用是一个缓慢运作的过程。就某一种出版资源而言，人们在不同时期可以从不同的角度发现其利用的价值。研究的新发现、取材的新角度、观察的新视点、考证的新层次、组合的新方式都可能利用曾经被开发过的某一出版资源形成新的出版物选题。

（3）出版资源具有可再生性。这种特征主要表现在三个方面：一是不同形式的出版物衍变，如小说改编成剧本、单篇汇成文集等；二是不同载体的出版物衍变，如种种古典文学名著都出版了光盘；三是不同内容结构的出版物衍变，如书目、文摘等。

（4）出版资源既具有限性，又具无限性。凡以商品形式出现在市场上的资源都是稀缺资源，所以，出版资源具有有限性。但是就整个出版业的资源而言，它又是无限的，因为社会文化的发展是一个无限延续的过程，反映这些文化的作品创作也就具有了源源不断的素材，再加上旧有资源因具有可再生性而在新的社会发展中不断地开发新的资源价值，这使整个出版业的资源具有了无限性的特点。

4. 什么叫出版资源的优化配置？它的基本标准是什么？

答：出版资源的优化配置的概念请见本书"术语精要"部分。

衡量出版资源配置是否科学、合理，有如下几个标准：

（1）所开发的出版资源的价值是否得到了充分利用，包括多项用途的综合性开发和对出版资源主要价值的深层次开发。如果资源的价值得到了较充分的开发，那么出版资源的利用效率就高，开发者所获的利益也就较多。

（2）关于某一产品生产过程的各类出版资源的配置是否相互协调。具有良好内容的出版物，也要求其他出版要素，如装帧水平、纸张品位、印制标准、封面色彩、外形格调等，与之相配套。

（3）用于配置出版资源的成本是否合理。资源配置成本合理的基本要求是在配置过程中不存在资源浪费现象,通过充分开发选题资源和合理配置生产要素资源将资源配置的成本有效地控制在合理的范围之内。

5. 为什么出版业应该实行出版资源优化配置?

答:出版业应该实行出版资源优化配置的原因在于:

(1)优化配置出版资源,能促进出版物质量的提高。考察出版物的质量状况一是看每一种出版物自身是否具有价值,二是看各类出版物的构成比例是否合理。要使出版物真正具有价值,必须要对各种社会文化现象进行深刻的探究。从出版资源配置的角度讲,就是要对各类出版选题资源进行深入的发掘。各类出版物的构成比例,也要以出版资源的合理配置为基础。

(2)优化出版资源配置,能有效地降低出版物生产成本。通过优化配置出版生产要素资源,能够降低出版物生产过程中的各种劳动耗费。出版物生产成本是出版物生产过程中各种劳动耗费的货币表现,包括生产者的劳动能力耗费和生产过程中的物质材料耗费,这两类耗费的过程都是由生产要素资源配置的合理程度决定的。合理配置劳动力资源能够有效地杜绝物料的浪费,降低物化劳动耗费。

(3)优化出版资源配置,能促进我国出版业运行机制的改革以及出版业产业化进程的发展。只有以市场为基础来配置出版资源,才能充分发挥资源价值,实现资源协调配置和低成本配置。资源配置的市场化必然带动整个出版业运行机制的市场化,构成出版活动的各种要素都会自觉或不自觉地步入市场化的轨道。

(4)优化出版资源配置,能提高我国出版产品的国际市场竞争力,促进我国出版业的国际化发展。优化出口产品的选题资源配置能使出口产品的内容具有鲜明的民族特色,优化出口产品的要素资源配置能使出口产品的制作质量达到较为先进的国际水平。

6. 出版资源的市场配置需具备什么样的条件?

答:出版资源的市场配置,需要具备以下四个最基本的条件:

(1)产权的独立性与分散性。首先要求出版物市场的各类市场主体都必须拥有独立的产权,这样才能拥有完全的经营自由;其次要求产权分散而不是过分集中,这样才能使资本更具活动性,更易于接受市场价格指令的诱导。

（2）资源的流动性。要使出版资源能在各种出版物生产活动中自由流动，包括在地区之间、企业之间、载体之间及品种之间的自由流动。

（3）信息的及时性。市场供求状况能及时地通过信息反映出来，经营者能根据市场信息来组织经营活动。信息的及时性又要以完善的信息收集渠道、发达的传输网络及先进的贮存与传播手段等作为基本条件。在及时的信息引导下，出版资源的自由流动才不至于"盲动"。

（4）竞争的充分性。要求一种出版资源有多个需求者，一种资源需求有多个供应者，市场资源的垄断以及产品需求的垄断都已破除。这样，围绕每种资源都能展开竞争。

7. 出版资源的政府配置通常采用哪些方式？

答：出版资源的政府配置通常采用以下四种方式：

（1）通过出版产业政策及长远发展规划的制定来对出版资源的开发利用进行规划与导向，如制定一些经济增长指标和重点图书选题规划。

（2）通过各年度指令性计划与指导性计划的下达来对出版资源配置进行指导与安排。如课本的生产主要靠指令性计划调节，与此相适应的用纸量、印刷力等资源的配置也要靠生产计划来组织。

（3）通过各种出版法规的制定来对出版资源配置进行监督与规范，如《出版管理条例》《印刷业管理条例》等法规制度都对出版资源的配置提出了规范性要求。

（4）通过对出版物市场的日常监督来对出版资源配置进行控制与引导，如通过扫黄打非活动使各种不合理的资源配置得到扼制，使依法配置出版资源成为市场经营的信条。

8. 为什么说我国出版资源配置目前必须采用市场配置与政府配置相结合的手段？

答：在资源配置中，市场配置与政府配置这两种手段各有所长，出版资源配置应扬长避短，将两种手段结合起来使用。现阶段，我国正在积极推行社会主义市场经济体制，其主要特征之一是资源配置以市场配置为基础，出版资源配置也不例外。市场配置在出版资源配置中将会越来越重要。

在出版资源配置中，政府配置手段仍然不可缺少。一是出版物市场还处于不完全竞争状态,不具有产权的独立性,信息网不发达,即市场机制运行的条件还不完全具备;二是市场配置成本较高,由价格变动到供求平衡不是瞬间完成的,必然要付出资源浪费的成本代价;三是市场机制本身不具备实现诸多社会目标的功能,在目前法制尚不健全的情况下,出版业发展的社会目标要求单纯依赖市场机制难以实现。因此,我国现阶段出版资源配置手段的选择,应采用市场配置与政府配置相结合的模式,并逐步扩大市场配置的比重,并最终实现以市场配置为基础性手段的目标。

9. 出版资源配置应坚持那些基本原则?

答:(1)统一目标原则。要使出版资源配置的目标与出版活动的整体目标相统一,就要努力使资源配置与产品生产目标相统一,使企业目标与社会目标相统一,使短期目标与长远目标相统一。

(2)协调配置原则。协调配置的原则要求出版选题文化资源的开发与出版要素资源的配置相协调,各类出版要素资源的配置相协调,同类出版要素资源的配置相互协调。

(3)择优配置原则。一是要突出重点,根据需要对重点项目、重点地区、重点方向进行倾斜配置,在长期的资源重点配置过程中逐步形成自身的经营特色;二是要按"最合适"各类读者的要求来配置资源,使某种出版物的内容、格调、外观形态以及交换价格最适合某类读者需求。

10. 就你所在地区的情况,谈谈出版资源配置应突出哪些地区优势?

答:就湖北地区而言,进行出版资源配置应突出这些特点:

丰富的作者资源。湖北省是全国交通的中心,都市文化活跃,有一系列都市小说家,如池莉、方方等。此外,湖北是中国重要的人力资源大省,湖北的省会武汉是中南地区的高校集中地,高等教育发达,知名学府集中,讲师以上级别的人数居全国第三,学术作家资源也很丰富。

丰富的文献收藏资源。湖北有许多著名的图书馆,藏书全面,有许多具有出版开发价值的文献。如武汉大学图书馆每年入藏中外文图书约10余万册,订购各类型中外文报刊26 000余种,与国内外600多所图书馆和学术机构建立了文献交换关系,截至2003年年底,馆藏文献总量已达到530万册,馆藏线装古籍20万册,其中有300多种收入《中国古籍善本书目》,此外,该馆文献数据库拥有量居全国高校前列。

丰富的文化资源。从历史纵向度看，湖北省拥有世界文化遗产2处（武当山、明显陵），国家级历史文化名城5处（武汉、荆州、襄樊、随州、钟祥）；具有较高文化品位的人文景观约500余处，包括古人类遗址、古文化遗址、古战场遗址、古塔石窟、古墓皇陵、古代建筑、古刹道观，等等。湖北楚文化积淀深厚久远，形成了以编钟、漆器、青铜器、玉帛织品为代表的楚文化文物特色，创造了丰富多彩的具有浓郁地方特色的文化艺术，如湖北楚剧、湖北汉剧、湖北大鼓、湖北评书、湖北黄梅戏、湖北花鼓戏，等等。"惟楚有才"，湖北孕育了一代代文人学士，形成并遗留了一系列文化资源。湖北又是一个具有光荣革命传统的地方，辛亥革命、黄麻起义等近代革命遗迹极具文化资源价值。从现实文化资源的横向度考察，湖北当代文化资源也具有极大的开发价值，存在很多文化经济增长点。湖北省的文艺创作、书报刊出版及音像制品市场、国际体育竞技水平及人才储备均居全国领先水平。这些都是极其宝贵的出版选题资源。

出版物生产活动的组织

1. 什么是出版物生产？它由哪些生产要素组成？

答：出版物生产的概念请见本书"术语精要"部分。

一项完整的出版物生产活动，由以下要素构成。

（1）出版业生产经营者。这是出版物生产活动的主体，是活动的组织者，包括出版社、报刊社、印刷厂、音像制品及电子出版物制作单位等出版物生产机构及其工作人员。

（2）出版资源。这是指能够形成出版物内容及产品形态的各种精神与物质资源，包括物资资源、人力资源、资本资源、信息资源以及社会文化资源，等等。

（3）市场需求。这是指读者需要购买出版物而又具有现实货币支付能力的愿望与要求，这些愿望与要求在一般情况下都可以通过出版物流通环节的经营者向生产商的进货反映出来。

（4）生产过程。这是指将出版资源加工制作成出版产品的具体过程，包括精神产品生产过程和物质产品生产过程。生产过程的质量及所采用的设备、手段等，对出版物生产的速度与质量有直接的关系。

2. 就性质而言,出版物生产活动具有哪些基本特征?

答:出版物的生产在性质上具有以下特征:

(1)出版物生产就目的而言是实现社会效益与经济效益相并重的生产。我国出版物生产的根本目的是为了满足广大人民群众日益增长的精神文化需要,因此,出版生产活动不能只顾经济效益,不顾社会效益。

(2)出版物生产就过程而言是精神产品生产与物质产品生产相结合的生产。这是由出版物既具有精神产品的属性,又具有物质产品的形态的双重属性决定的。编辑工作过程使个人知识产品成为社会化的精神产品,出版物的物质生产过程将精神产品加工制作成能够广为传播的出版物外在形态,这两个过程紧密相连、不可分割。

(3)出版物生产就产品形态而言是商品生产与非商品生产相统一的生产。编辑工作阶段的产品即样稿具有典型的知识产品特征,这决定了编辑工作阶段是非商品生产过程,而出版物的物质产品生产过程则是一个商品生产过程,与不含知识内容的其他物质产品生产过程没有任何差别。

3. 什么是出版项目策划? 它由哪些主要内容组成?

答:出版项目策划的概念请见本书"术语精要"部分。

出版项目策划由四项主要的内容组成:

(1)产品策划。产品是出版项目策划的核心内容,出版产品的策划也具体分为选题策划与产品形态策划两类。

(2)市场策划。主要包括目标市场选择与市场价格策略的制定两项内容。

(3)资源策划。即按照出版项目运作的要求对相关资源的配置进行设计与安排,包括人力资源的安排、资金筹措与投入、生产商的选择。

(4)销售策划。即对与产品销售有关的要素进行设计与安排,其具体内容包括销售渠道的选择,促销方式与策略的设计,以及宣传促销媒体、时机的选择,等等。

4. 概述出版项目策划在出版物生产中的作用。

答:出版项目策划是出版策划中使用最多,也最为重要的策划类型。

(1)从出版活动的性质看,出版项目既涉及经济,又涉及文化,并且两者相互制约,由此决定了出版项目比一般社会活动或经济活动更为复杂,要确保其成功,就需进行事先谋划。

(2)从出版物市场形势看,我国加入 WTO 之后,出版物市场实行开放政策,主体多元化与竞争激烈化使得市场经营中的不确定因素大为增多,经营风险越来越大,通过科学的策划,能有效地降低项目的运作风险。

(3)我国大多数出版单位正在按经营性文化产业的要求发展,通过项目策划进行准确的企业定位并逐步形成自己的经营特色,有着非常重要的意义。

5. 编辑工作过程中有哪几个基本步骤?

答:从出版物生产过程看,编辑工作主要有以下几个基本步骤:

(1)选题。选题计划的制定大体经历四个步骤:一是由出版社领导提出制定选题计划的原则与要求;二是由编辑室组织人员进行选题设计;三是由社领导召集有关人员研究、汇总,并进行初步筛选;四是召开选题论证会,进行论证决策。

(2)组稿。即按照选题计划的要求,组织作者完成书稿著译任务的工作。组稿有征稿、约稿、选编自投稿三种方式。

(3)审稿。这是对稿件进行审读、评价和处理的过程。我国出版社的审稿实行三级审稿制,三审制对保证出版物的内容质量具有重要意义。

(4)加工整理。这是指对不需退修或退修而决定采用的稿件进行修改润饰的工作。加工指通过对文字与内容的删、增、移、改优化稿件质量;整理指通过对全稿进行技术性检查,协调统一书稿各个部分

(5)装帧设计。这是对出版物物质形态构造进行设想与安排的工作,包括出版物的形态设计、封面设计、版式设计、插图设计等。

(6)发稿与校对。发稿的基本要求是齐、清、定。发排之后要对生产厂家制作的清样进行校对,一般书稿要经过三个校次才能付型印刷。

6. 概述编辑工作在出版物生产中的作用。

答:编辑工作在出版物生产中有着非常重要的作用。

(1)编辑工作为出版结构的整体优化创造了条件。编辑工作中的总体构思是努力使社会文化生产与社会需要相平衡,而具体的选题与组稿活动是对个体精神生产行为进行引导与调节,从而实现出版结构的整体优化。

（2）编辑工作对出版物内容质量能起把关作用。编辑根据一定历史时期的种种社会规范和一定的社会价值观要求，对书稿进行审读鉴别与筛选优化，再经去劣存优的加工，使书稿具有符合社会目标的健康内容。

（3）编辑工作是创作社会化精神产品的过程。整个编辑过程，都凝聚着编辑的创造性劳动。经编辑加工过的书稿，与原作品相比，已经发生了质的变化，由个体精神产品变成了符合社会价值标准的社会化精神产品。

7. 为什么说,出版物产品物质形态制作过程能使出版资本增值?

答：从产品物质形态制作过程的出版资本形态变化角度考察，其运动过程可用下列公式表示：

$$G—W \begin{smallmatrix} A \\ \\ Pm \end{smallmatrix} \cdots P \cdots W'$$

这一资本形态变化过程分为两个阶段：第一阶段，G—W，这是出版资本的投入阶段，亦即出版者用货币资金购买生产资料的过程，其中 A 代表活劳动价值，Pm 代表物化劳动的价值；第二阶段，$\cdots P \cdots W'$，这是出版资本的增值阶段，即出版者通过生产过程形成出版物质产品，此时凝结在产品上的劳动价值 W′ 与投入阶段用货币交换的价值相比，产生了增值。凝结在出版产品上的增值价值通过产品交换得以实现之后，出版者就能收回投资并获取一定的利润，也就具备了扩大再生产的条件。

8. 什么是出版物生产成本? 它由哪些基本项目组成?

答：出版物生产成本的概念请见本书"术语精要"部分。

出版物生产成本包括直接生产成本和间接生产成本两部分。直接生产成本是在出版产品形成过程中直接耗费的劳动，它由稿费与编校费、纸张费、装帧材料费、制版费、印刷费、装订费、废品损失等七个项目组成；间接生产成本是间接作用于出版产品形成过程的劳动耗费，它主要由编辑费和企业管理费两个项目组成。

稿费和编校费包括支付给著译者的稿费、请社外人员编辑或校订书稿的酬劳金以及书内图表的加工费用。

纸张费包括出版物正文以及同正文一起印刷的插页用的纸张费用。

装帧材料费包括出版物封面、封套和不同正文一起印刷的插页以及装帧用的各种纸张材料的费用。

制版费指用于出版物排版和制版的费用。

印刷费指在出版物的印刷过程中所消耗的各种费用。

装订费指用于出版物装订过程中的折页、配页、套页、平订、上封面、封套等各个工序的费用以及包装费用。

废品损失指出版物在印刷过程中因故需要部分变更书稿内容,因而发生的重制版、重排、重印或换页的纸张、材料费和印制费。

编辑费包括编辑人员工资、应提取的职工福利基金及各项编辑业务费用等。

企业管理费包括出版行政管理部门人员的工资、职工福利基金、各项出版行政费用以及应该由出版物生产者负担的其他业务费用。

9. 从生产成本控制角度谈谈印刷厂商选择的意义与要求。

答:选择印刷厂商的意义:

(1)正确选择印刷厂商对控制生产成本具有重要意义。生产成本是出版物生产过程中所耗劳动的货币表现,所以,对出版物生产成本的控制,实质是对生产过程劳动耗费的控制,包括活劳动耗费与物化劳动耗费的尽量节约,在各项出版物生产耗费中,伸缩性最大的项目是纸张和装帧材料费、印制费以及废品损失等,这三项耗费是生产成本控制的重点。

(2)正确选择印刷厂商对提高印装周期具有重要意义,入选印刷企业的加工能力影响印装周期。

我们应该对印刷厂商提出以下要求:

(1)合理使用纸张材料。印刷厂商应该合理使用纸张材料的品种,努力提高纸张利用率,合理套裁以减少下料。

(2)节约印制费用。印刷厂商应该科学地安排印装工艺过程,正确地选择印装方法,合理地使用印装材料与设备。

(3)减少废品损失。印刷厂商要有工作计划,严把质量关,尽量减少半成品或成品的废弃。

10. 选题的准确把握对于生产成本控制的意义何在?

答:出版物生产成本包括稿费与编校费、纸张费、装帧材料费、制版费、印刷费、装订费、废品损失、编辑费等。选题决定书稿内容,直接关系到

251

稿费、编辑费、编校费的支出,书稿内容又决定书籍的装帧设计、用纸等,所以,选题间接关系到纸张费、装帧材料费、制版费、印刷费、装订费等。

另外,在各类废品损失中,最为严重的是废稿损失,即一本书已经发排,甚至于付印,但由于印数太少或者其他原因,不得不停止出版而造成的人力、物力的浪费。这种情况只有通过严格的选题把关才能加以避免。

因此,准确把握选题是控制生产成本的重要途径。

出版物市场及其需求

1. 什么叫出版物市场?它由哪些基本要素构成?

答:出版物市场的概念请见本书"术语精要"部分。

出版物市场由五个基本要素构成:

(1)经营者。出版物市场的经营者是出版物市场活动的主体,是出版发行活动的具体组织者,包括生产经营者、批发者、零售者三大基本类型,他们是出版物市场关系中的"供方"。

(2)出版物商品。这是出版物市场活动的劳动对象,是形成出版物市场的物质基础。对于读者而言出版物商品是需求的对象,对于经营者而言出版物商品是其所耗劳动的凝结物。

(3)读者。这是构成出版物市场消费需求的基本要素。哪里有读者哪里就有对出版物的需求,有什么样的读者就有什么样的出版物市场结构,读者对出版物市场的容量、市场结构、市场行情等都有着重要的影响。

(4)购买力。读者观念上的需求要变成现实消费行为必须以相应的货币支付能力为前提,缺少货币支付能力的主观愿望与要求,不能形成消费行为。

(5)购买动机。读者只有具备一定的购买动机,即具有了明确的购书目的,才能实现由需求到消费的转化,形成现实的消费需求。

这五个基本要素互相制约、互相影响,共同作用于出版物市场,缺少其中任何一个要素,都无法形成出版物市场。

2. 什么叫卖方出版物市场?什么叫买方出版物市场?它们的主要区别是什么?

答:卖方出版物市场、买方出版物市场的概念请见本书"术语精要"部分。

出版物市场中的卖方市场与买方市场的主要区别是在两种市场中，出版物商品供求矛盾性质不同。具体地说，两者有以下三点区别：

（1）卖方市场的基本特征是在市场上较长时间普遍出现市场需求旺盛，供给相对不足，图书供不应求；买方市场的基本特征是在市场上较长时间普遍出现需求基本饱和，供给相对过剩，图书供过于求。

（2）卖方市场中需求者之间的竞争导致图书交换价格上升，对生产起刺激作用；在买方市场中，供应者之间的竞争导致图书交换价格下跌，对生产起抑制作用。

（3）卖方市场中供给价格弹性较小，而需求价格弹性较大；在买方市场中，需求价格弹性较小，而供给价格弹性较大。

3. 什么叫出版物市场需求？对这一概念应如何理解？

答：出版物市场需求的概念请见本书"术语精要"部分。

为了正确理解这一概念，我们必须明确以下几点：

（1）出版物市场需求是一种具有现实货币支付能力的商品需求。出版物市场现实的货币支付能力由读者能够支付也愿意支付的货币量决定，它不仅取决于读者的经济实力，还取决于出版物商品的交换价格。

（2）出版物市场需求是一种潜在的需求。出版物市场需求是一种不以经营者主观意志决定的客观存在，是一个可供经营者开拓的潜在市场，是一种潜在的需求。要使这种潜在市场中的需求转化为显在的销售额，还要取决于经营者对潜在市场开发的主观努力。

（3）出版物市场需求是一种经常发展变化的需求。形成出版物市场需求的三类要素——读者主观愿望、购买力和购买动机都在经常发生变化，出版业经营者只有根据市场需求的发展变化不断调整自己的经营行为，才能掌握市场经营的主动权。

4. 简单分析出版物市场需求的基本类型。

答：从消费动机看，出版物市场需求具有阅读需求、自尊需求、收藏需求和交往需求四种基本类型。

（1）阅读需求。这是以阅读为目的的出版物需求，阅读需求是读者消费行为产生的主要原因，有求知型、实用性、成就型和娱乐型四种类型。

(2) 自尊需求。这是以满足读者的自尊需要为主要目的的出版物需求，如为了标榜自己具有高雅的情趣而花钱购买自己根本不感兴趣的图书；与自己一起学习和工作的同伴都有了某本书，如果自己没有显得太寒碜，因此而购书。此外，购买年画、挂历、字画来装饰居室，也有不少是为了满足自尊的需要。

(3) 收藏需求。这是以满足收藏需要为目的的出版物需求，如图书馆、档案馆等团体单位藏书的直接目的是满足收藏需要。

(4) 交往需求。这是读者为了人际交往需要而产生的出版物需求。出版物作为人际交往的媒介，在沟通人与人之间的联系、增进了解、发展友谊、加深感情、密切关系等方面有着独特的作用。

5. 与其他商品市场需求相比，出版物市场需求具有哪些主要特征？

答：出版物市场需求与其他商品市场需求相比较，具有以下七个基本特征：

(1) 需求的多样性。由于读者的经济来源、收入水平、文化程度、职业、性别、年龄、经历、个性、家庭情况和生活习惯等各方面的情况不同，他们对图书商品就有着各种不同的需求。

(2) 需求的层次性。读者文化知识水平的不同导致了他们价值观的差异及精神追求目标的不同，这些不同表现在图书市场需求上，就呈现明显的层次性特征。

(3) 需求的可诱导性。可以通过市场活动或改变影响读者需求的某些社会因素可以使需求发生变化和转移，从而对出版物市场需求进行引导和调节。

(4) 需求的专指性。由于图书的使用价值具有不可通融性，所以每一种书都有自己特定的知识内容与读者对象，很难相互替代。

(5) 需求的伸缩性。人们对出版物的需求会因某些因素的影响而发生一定限度的量的变化，最常见的影响因素是读者的收入水平与图书的交换价格。

(6) 需求的地区性。一定地域上的居民有其特殊的文化传统、价值观念、生活习惯和风俗民情，这种特征反映在图书市场需求上，就表现为对某些图书品种、形式、内容的特殊要求。

(7) 需求的时效性。知识信息容易陈旧过时，决定了出版物市场需求也有着较强的时效性特点。

6. 简要分析社会文化教育状况对出版物市场需求的影响。

答:文化教育状况对出版物消费具有决定性的作用。

(1)一个国家或一个地区文化教育的发展状况,关系到消费者文化素质的提高。一般情况下,文化素质越高的消费者,接受知识与信息的能力就越强,阅读消费出版物的愿望就越迫切。

(2)文化教育的发展,能促进全社会良好读书风气的形成。文化教育的发展使社会各阶层成员接受教育的机会大为增多,那么在相关群体的影响下就能在全社会形成良好的读书学习的风气。

(3)文化教育的发展,还能直接刺激教材、课本及教学辅导读物等类型出版物的消费。开展任何形式的教育,都需要使用教材,接受教育的人口越多,需要的教材及教辅读物就越多。

7. 社会经济发展水平是怎样影响出版物市场需求的?

答:经济发展水平的高低,不仅决定着整个出版物市场消费水平状况,而且对个人出版物消费也有着重要的影响。

(1)就消费个体而言,个人购买力状况与国家的经济发展水平紧密相关。只有社会经济发展了,居民人均收入才能增加,其满足精神需要的出版物消费投入才能有效增长。

(2)就出版物市场的整体消费而言,经济发展水平不仅影响出版物消费水平,而且对消费结构甚至对消费方式都能产生重要影响。人均国民收入越高,出版物的消费水平就越高,消费结构就越合理,消费方式也越多。

8. 人口因素对出版物市场需求的影响主要表现在哪几个方面?

答:人口的数量与质量都能对出版物消费产生重要影响,具体表现在以下三个方面:

(1)人口数量决定出版物市场的总体消费量。拥有较大的人口总量,就能给出版物市场的开拓提供较大的空间,从而促进出版物消费量总体的增长。

(2)人口结构决定消费结构。出版物市场由读者构成,有什么样的读者,就形成什么样的市场。

(3)人口素质决定消费层次。人口文化素质的高低决定其阅读能力的大小及价值取向的差异,也就决定着他们对出版物内容的知识层次有着不同的要求。

9. 试举例说明文化传统对出版物市场需求的影响。

答:不同的国家、地区与民族有不同的文化传统。这些不同的文化背景形成了不同的消费动机,也使出版物市场呈现出不同的消费结构。

如由于文化传统不同,中西方具有不同的出版物消费动机和消费结构。从消费动机上讲,中国人重文化知识的吸收积累、重自我修养,而西方人则重实用、重自我奋斗,所以中国人读书主要是精神享受,是为了不断完善自己,而西方人读书主要是为了应用,实用主义的消费观在西方出版物市场上十分流行。从消费结构上讲,在我国的出版物消费中,传播文化知识的出版物占有相当大的比重,而在西方各国与现实生活密切相关的出版物则占有相当大的市场份额。

又如,我国的不同省份、不同地区之间,在出版物消费动机上也有着很大的区别。沿海开放地区受国外影响,出版物消费重实用,一些与现实生活密切相关的炒股、期货贸易、市场营销、求职、公关之类的书籍销售长盛不衰;而内地出版物市场则仍以课本与文化教育类图书消费为主体。这种消费动机与消费结构上的差异,就是由于文化传统对出版物消费的影响所致。

出版物流通活动的组织

1. 承担图书流通组织任务的中间商有哪几类? 它们的主要区别是什么?

答:依经营方式的不同,出版物流通领域的中间商有经销商与代理商两大类型。

它们的主要区别是由它们所形成的产销关系的性质不同, 其具体表现为:

(1)经销商拥有商品所有权,与生产商是商品价值转让的关系,代理商不拥有商品所有权,与生产商之间不存在商品价值转让关系。

(2)经销商以自己的名义与客户建立业务关系,代理商以生产商的名义与客户建立业务关系。

(3)经销商的经营方式既有批发又有零售,代理商则只批发不零售。

(4)经销商以进销差价形成流通利润,代理商则以收取佣金的方式得到报酬。

2. 出版宣传促销方式按信息媒介划分有哪些基本类型?它们各自的适用范围是什么?

答:出版物宣传方式按其信息媒介的不同可分为三大类型:

(1)文字图画宣传,这是利用文字与图画组成宣传品来传递图书商品信息的宣传方式,适用于海报宣传、报刊电视宣传、图书目录与订单宣传等。

(2)实物宣传,这是通过直接展示出版物来向读者传递出版信息的宣传方式,适用于橱窗宣传、门市图书陈列宣传、展销宣传等。

(3)口头宣传,这是通过声音来传播出版信息的宣传方式,适用于广播宣传、读书报告会宣传、日常口头宣传等。

3. 什么叫出版物批发?什么叫出版物零售?它们的主要区别是什么?

答:出版物批发、出版物零售的概念请见本书"术语精要"部分。

两者具有以下区别:

(1)就销售功能而言,批发是为零售商供货,间接满足读者需求;零售是直接满足读者的消费要求。

(2)就销售对象而言,批发对象是零售商;零售对象是出版物的直接消费者,即读者。

(3)就销售价格而言,批发是按一定的发行折扣发货;零售一般是按出版物定价销售。

(4)就销售数量而言,批发是成批销售出版物商品;零售一般都是每种书仅限一本,但有时也向少数团体读者一次销售每种书数册的情况。

(5)就商品运动形态而言,经批发后的出版物仍处于流通状态,而零售后的出版物则脱离了流通领域进入了消费过程。

4. 简述出版物调剂的作用及其基本方式。

答:出版物调剂在出版物商品交易过程中的作用主要表现为:

(1)对出版物调出者而言,这是一个销售过程,它能为调出者降低库存,增加销售。

(2)对出版物调入者而言,这是一个进货过程,它能为调入者补充货源,为销售创造条件。

(3)对整个出版物市场而言,这是一个协调过程,它使市场供求中的局部不平衡转化为整体平衡,提高出版物商品交易过程的整体效益。

出版物调剂主要采用以下四种方式:

(1)重印征订时报调,这是在图书再版或重印时,结合调查原有存书数,在订单上填报需调出数,然后由原发书者统一将书调出的调剂方法。

(2)印发调剂书目调剂,这是将存书印成调剂书目,有针对性地散发,需调入者填报需调数而实现存书调剂的方法。

(3)举办调剂会进行样、卡展调,这是用交易会形式将需调样书或卡片陈列出来,调剂双方面晤成交的调剂方式。

(4)刊登广告调剂,这是利用公共传播媒体传播请调信息实现出版物调剂的方法。

5. 什么叫买断经营制?目前我国与之相应的图书购销形式有哪几种?它们各自的基本含义及主要区别是什么?

答:买断经营制的概念请见本书"术语精要"部分。

目前我国与买段经营制相应的图书购销形式有三种基本类型:征订包销、征订经销、寄销。征订包销、征订经销、寄销的概念请见术语释义。

它们的主要区别有:

(1) 从总发行权归属看,征订包销的总发行权属负责包销的流通机构,出版社自发不超过总码洋的3%,在征订经销和寄销的情况下,出版社拥有总发行权。

(2)从出版物商品交易过程看,征订包销和征订经销通过订货、目录征订由发货店统一向出版社订货,出书后由发货店直发订货店;寄销不通过征订,图书印装好之后即由出版社直接分配或通过批发机构分配给零售店销售。

(3)从购销折扣看,按照出版管理机关的规定,经销书的进销折扣比包销书的进销折扣低 1%~3%。

(4)从存货损失责任承担者看,征订包销和征订经销的存货损失由订书的零售店负担;在寄销中,寄销一年没有销售出去的出版物可以退给出版社,存货损失不由零售店负担,而由出版者负担或由出版者与批发者两家分担。

(5)从付款的期限与方式看,在征订包销和征订经销中,发货店收书5天后出版社向其划款;在寄销中,发货店收书2个月后进行贷款结算。

6. 什么叫图书发行代理制？其主要的实现形式有哪几种？为什么当前应当积极推行图书发行代理制？

答:图书发行代理制的概念请见本书"术语精要"部分。

图书发行代理制主要有全国总代理、地区总代理、单品种独家代理、分级代理、分段代理五种实现形式。

当前应当积极推行图书发行代理制的原因在于:

(1)代理制使产销双方的结合建立在自愿互利的契约关系上,有利于新型图书产销关系的建立。在代理制情况下,通过签订代理协议,代理商接受出版社授权,为其办理各种委托业务,由此形成了一种新型的能较好适应市场经济要求的产销关系。

(2)代理制为产销双方的购销关系提供了多样化模式,对灵活的图书购销机制的形成非常有利。在代理制下,出版社与书店可以自由地选择发展代理关系,购销双方还可以灵活选择代理经营的方式,此外,由于代理佣金依据代理数量而浮动,所以使得代理商更积极地去推销。

(3)代理制对产销双方都能进行法律约束,因而有利于出版物市场良好经营秩序的建立。代理制是一种法制,能有效遏制购进买断方式下普遍存在着的各种不规范的经营行为。

(4)代理制推行有利于优化出版资源配置及出版产业结构的调整。出版社选择优秀的代理商为其进行产品销售的竞争,自己则专心策划出版,提高出书质量。市场开拓能力强的代理商随着代理业务的不断扩充可能发展成为跨地区、跨国经营的大批发商,品牌好的出版社随着代理商为其开拓的市场扩大,规模也不断扩大。

7. 现阶段出版社自办发行的主要目标应该是什么？为什么？

答：出版社自办发行的主要目标是发展图书流通生产力，使图书流通组织能更好地适应图书市场读者的需求，更好地为出版社多出快出好书服务。

现阶段出版社之所以要自办发行，是因为：

（1）能向公众提供一个全面展示出版社全部产品的场所，为读者提供一个了解本版书全貌的机会。

（2）能与读者直接进行市场信息沟通，有效避免信息失真现象的发生。

（3）能较好地满足零散的、特殊的读者需求，促进本版书需求满足率的提高。

（4）能联系、培养一大批本版书的忠实读者，有利于本社知名度的提高。

（5）能发挥零售环节开拓市场的先锋作用，促进其他流通业务的发展。

8. 什么叫出版物流通渠道？它的基本结构有哪几种？

答：出版物流通渠道的概念请见本书"术语精要"部分。

出版物流通渠道有两种基本类型：

第一种类型是产销结合式的直接流通渠道。其主要特征是在出版物生产者和消费者之间无中间环节，出版者直接将出版产品销售给消费者，包括个人读者和团体读者，直接流通渠道有无推销机构和有推销机构两种形式。

第二种类型是产销分离式的间接流通渠道。其主要特征是流通过程中需要有中间环节，即出版者将出版产品销售给中间商，包括出版物批发者和零售者，再由中间商将其销售给消费者。间接流通渠道有零售商渠道、批发商渠道、代理批发商渠道、代理零售商渠道四种不同的结构模式。

9. 试述我国图书流通现状及其未来发展。

答：自1982年进行图书发行体制改革后，我国目前的图书流通渠道有五种形式：

（1）新华书店是图书流通的主要渠道。它有两种模式，一种是新华书店销货店为单纯的零售商，另一种是新华书店销货店担负了二级批发商的角色。

（2）除新华书店之外的其他专门从事出版物流通组织活动的国有发行机构，如外文书店、古籍书店等国有书店也担负某些中文新书的总发行任务。

（3）经国有资产重组而形成的新型图书公司，如辽宁新华布老虎发行有限公司、上海中科图书发行代理有限公司等。

（4）出版社直接向集体、个体书店批发图书。

（5）出版社自设门市部直接向读者零售。这是一种产销结合式的直接流通渠道。

未来的图书流通体系，将会增加四种渠道模式：以民营书店为首要环节（总发行）的流通渠道、通过图书推销部门（员）组织图书流通、组建读者俱乐部协助推销图书、通过其他商品流通系统发行图书。除了新增加上述四类流通渠道之外，对原有的流通渠道进行整理与疏通，也是我国出版物流通渠道的发展趋势。如将原来的图书公司直接向出版社进货调整为通过开放式的图书批发中心等代理商进货，疏通出版社向新华书店销货店直接批销的渠道，等等。

10. 以某家出版社为例，说明出版社应该如何开拓发展本版书的流通渠道？

答：以山西人民出版社为例，本版书的流通组织要实行多渠道流通。如通过山西省新华书店向全国新华书店销货店批销，通过本社的发行部直接向零售书店批销，选择一些诚信度高的民营企业作为地区代理商，派出推销员向读者直接推销，组建读者俱乐部向会员直接销售本版书，设本版书网站宣传推销本版书，等等。

出版教育与人才培养

1. 如何认识加强出版人才培养的必要性？

答：对出版人才培养的必要性，我们可以从以下三个方面认识：

（1）从出版工作者的劳动特点看，我们必须加强出版人才的培养。出版工作者的劳动具有脑力劳动与体力劳动相结合、生产性劳动与非生产性劳动相统一、服务性与被服务性相伴随的特点。以脑力劳动为主的劳动特点,要求出版工作者必须具有敏锐的政治头脑和科学的世界观,要具有较高的文化知识水平与较强的思维能力;生产性劳动的性质,要求出版工作者必须具有清醒的经营头脑,树立市场观念,了解出版物营销规律,善经营、会管理;服务性劳动的特点,要求出版工作者必须具有正确的价值观念,具有局部服从整体和全局的意识,具有良好的职业道德与服务精神。要使出版工作者具备这些基本素质,就必须加强出版业的人才培养。

(2)从出版工作者队伍现状看,我们必须加强出版人才的培养。目前,我国出版业从业人员数量偏少,出版工作者队伍结构不尽合理,出版工作者队伍的整体素质还较低。要改变这种状况,就必须加强出版工作者队伍的建设。

(3)从市场经济对出版队伍提出的新要求看,我们必须加强出版人才的培养。首先,在竞争激烈的市场经济条件下,出版工作者必须具有求生存、求发展的心态与能力。其次,企业自主权的真正落实,向出版工作者提出了增强经营能力、提高工作效率的要求。此外,随着出版行政机关职能的转变,各种出版法规及市场竞争规则会更加健全,要求出版工作者必须具有一定的思想政策水平和较强的法制观念。最后,随着出版物市场的对外开放,我国与国外出版界同行的交流与竞争日益增多,要求出版工作者必须了解国际出版物市场状况,具有对外经营的知识与能力。

2. 我国出版工作者应该具备的政治素质包括哪些内容?

答:我国的出版工作者应该具备下列政治素质:

(1)在政治立场与政治态度方面,出版工作者应该热爱社会主义的新中国,热爱源远流长的中华民族文化;拥护中国共产党的领导,贯彻执行党的路线、方针、政策;遵守国家的法律法规,敢于同违法乱纪的行为作斗争,维护社会的安定团结;积极参加社会主义经济建设,为祖国的繁荣昌盛与社会生产力的发展作贡献。

(2)在思想观念方面,出版工作者应树立正确的人生观,有较强的事业心,有高度的社会责任感,有适应社会主义市场经济要求的价值观。

(3)在品格情操方面,出版工作者应具有宽广的胸怀、随和的性格、踏实的作风和坚韧的意志。

3. 对出版工作者业务素质的基本要求,主要表现在哪几个方面?

答:对出版工作者业务素质的基本要求,主要表现在三个方面:

(1)具有现代经营意识。包括市场意识、竞争意识、服务意识、开拓意识、信息意识、公关意识和法制意识。

(2)具有一定的专业理论知识。一定的专业理论知识,是构成出版工作者业务素质的重要部分,根据出版人员专业技术职称的任职条件,不同层次的出版人员要具备不同程度的专业理论知识水平。

(3)具有较强的业务工作能力。出版工作者要能够独立开展业务活动,要具有一定的工作能力,要有熟练的操作技能和较高的工作效率。

4. 市场经济条件下,出版工作者应该具备哪些现代经营意识?

答:在出版物市场经济条件下,出版工作者要驾驭好出版物的生产与流通活动,必须具有以下几种现代经营意识:

(1)市场意识。能灵敏地感受各种市场要素的变化,讲投入产出和资源的最优配置,以效益作为行为目标,以市场行情作为经营决策的依据,按市场客观规律的要求办事。

(2)竞争意识。有积极参与竞争的欲望,有在竞争中战胜对手的自信心,有在竞争中求发展的勇气,有迎接竞争、挑战的思想准备。

(3)服务意识。把为读者服务、为作者服务作为出版活动的宗旨,积极开展主动服务,在经营中尽可能满足服务对象的各种要求。

(4)开拓意识。勇于开拓进取,善于不断挖掘经营潜力,在市场经营中能抓住有利时机。

(5)信息意识。对市场信息的作用有充分认识,能敏捷地感受市场信息,能充分利用信息。

(6)公关意识。要善于利用不同的方式与场合宣传自己,提高社、店的知名度;要能够在与公众的接触中不断为自己创造经营的机会。

(7)法制意识。要知法懂法、依法办事,学会用法律知识来维护出版社或书店的正当权益,在与外界发生经济纠纷或其他矛盾时,能按照法律程序与要求来解决。

5. 出版工作者的合理知识结构,应由哪些方面的知识构成?

答:出版工作者的合理知识结构,应由以下几个方面的知识构成。

（1）文化基础知识。出版工作者应该具有较高的文化素质,掌握一定的外语与汉语知识,掌握中国历史、外国历史、文学史等基础性学科的基本知识。

（2）出版业务知识。出版工作者的业务知识包括出版物知识、出版物编辑与流通知识、经营管理知识。

（3）与现职岗位相关联的专门学科知识。

6. 出版工作者应遵守的职业道德规范包括哪些内容?

答:出版工作者应遵守的职业道德规范包括以下内容:

（1）为人民服务,为社会主义服务。以促进先进生产力和先进文化的发展为已任,坚持正确的政治方向,为全面建设小康社会和培育社会主义的"四有"新人做出贡献。

（2）增强使命感和责任感,力求坚持两个效益的最佳结合。大力弘扬中华民族优秀传统文化,自觉维护民族团结,反对唯利是图、见利忘义。

（3）树立精品意识,提高出版质量。认真把好出版物的质量关,提高编校、印装质量。

（4）遵纪守法,廉洁自律。自觉抵制和纠正行业不正之风,不参与非法出版、印刷、发行及其他违法经营活动。

（5）爱岗敬业,忠于职守。热爱本职工作,甘于岗位奉献,反对玩忽职守的行为。

（6）团结协作,诚实守信。讲信用,重信誉,平等竞争,用诚实劳动获得合法利益。

（7）艰苦奋斗,勤俭创业。勤俭节约,讲求实效,反对形式主义和铺张浪费。

（8）遵守外事纪律,维护国家利益。在对外交往中要维护中国出版工作者的良好形象。

7. 我国对出版人员的任职资格有哪些规定?

答:关于出版人员任职资格的规定,主要有出版业领导者的持证上岗制度和出版业从业者的职业资格证书制度两项规章制度。

出版业领导者的持证上岗制度,是一项关于出版业领导者必须参加相应的培训并持有《岗位培训合格证书》才能上岗任职的规章制度。2002

年,新闻出版总署又发出了《新闻出版行业领导岗位持证上岗实施办法》,要求某些领导岗位必须持证上岗。这些岗位的在职或拟任职人员,要在当年(或任职后半年内)按规定参加由新闻出版总署或各省、自治区、直辖市新闻出版局组织或指定培训机构举办的相应岗位培训班。《岗位培训合格证书》有效期为 5 年,持有证书的人员要在有效期满后的第一年末,重新参加岗位培训,并重新取得《岗位培训合格证书》。

出版业从业者的职业资格证书制度是一项对出版经营者进行业务考核,并颁发相应的职业资格证书,以此对出版业进行就业准入控制的规章制度。该制度由图书发行员职业资格鉴定和出版专业职业资格考试两类内容组成。根据《中华人民共和国职业技能鉴定规范(图书发行员)》和《中华人民共和国工人技术等级标准(新闻出版)》,图书发行员职业资格分初、中、高三个等级。出版专业职业资格分为初级、中级、高级三种。现已进行的是初级资格和中级资格的考试。

8. 按照培训性质来划分,我国出版业岗位培训大体可分为几种类型? 各包括哪些内容?

答:按培训性质划分,出版业岗位培训大体可分为三类:由政府配合实行的职业资格制度而组织的岗位培训,出版团体与机构面向出版行业开展的岗位培训,出版企业面向内部职工及与本企业出版活动相关机构的工作人员所开展的岗位培训。

由政府配合实行的职业资格制度而组织的岗位培训主要由政府出版行政管理机关统一组织,一般采用短期脱产集中培训形式,分期分批对培训对象进行轮训。包括出版业领导持证上岗培训、图书发行员职业资格鉴定培训、出版专业职业资格考试培训。

出版团体与机构面向出版行业开展的岗位培训是一些出版团体与机构根据各个时期出版业发展的需要,面对出版行业开办的一些岗位培训活动。包括出版行业协会、学会组织开办的培训活动,出版科研机构组织开办的培训活动,报刊社发起组织的培训活动。

出版企业面向内部职工及与本企业出版活动相关机构的工作人员所开展的岗位培训是由出版企业自己组织的培训,分为业务骨干培训、普通职工轮训、经销商或合作单位工作人员培训。

9. 简述我国出版教育的发展概况及目前存在的主要问题。

答:我国的出版教育始于 1953 年,我国第一个为出版行业培训专门人才的教育机构——上海印刷学校成立。1978 年 12 月,国务院正式批准建立了我国第一所高等印刷学院——北京印刷学院。1983 年,受文化部和新华书店总店的委托,在武汉大学建立了我国第一个图书发行管理学专业。从 1999 年秋季开始,教育部将原有的编辑学专业、出版管理专业、图书发行专业合并组成了统一的"编辑出版学专业"。进入 21 世纪后,首次在武汉大学设立了"出版发行学"方向的硕士点和博士点,进一步扩大了高校出版教育的实力。

目前我国出版教育存在的主要问题是:

(1)办学不规范。主要表现为办学方向不明、师资力量缺乏、课程设置杂乱,这严重地影响了我国出版教育事业的发展。

(2)办学经费不足。这使学生实习的时间、地点受到了限制,使教学设备及与此相联系的教学手段的更新无法实现,使教师自身深造及校际间的交流与学术研讨也无法进行,对出版教育的发展非常不利。

(3)招生、分配困难。虽然各校编辑出版学专业招生人数都不多,但分配形势却普遍严峻。能够顺利地将毕业生大部分分配到专业对口单位工作的学校是极少数,大多数学校的学生都是改行分配。

10. 发展我国出版教育应遵循哪些正确思路?

答:从宏观层面上讲,要加强对出版教育事业的管理与协调。要建立一个管理与协调全国出版教育事业的机构对全国出版教育事业进行统一规划与协调,要通过建章立制为出版教育的发展提供良好的外部环境,要实行政府、企业、社会办学相结合的多元化办学模式。

从中观层面上讲,要明确编辑出版学专业的办学方向。所谓明确办学方向,一是要明确编辑出版学学科定位,二是要选定本校编辑出版学专业的办学发展方向与特色。

从微观层面上讲,要积极推进课程体系与教学方法的改革。首先,要紧紧围绕办学方向来设置课程,课程体系构建要充分反映出版实践的需要,要注重科学性;第二,抓好课程体系中专业核心课程的建设,开设的课程必须是以出版从业人员所必需的核心知识为主要内容,必须能体现本专业特色,必须是本专业的各个专业方向都需要开设的专业普及课程。

以促进理论与实践相结合为核心，推动教学方式方法的改革。在具体的教学组织中，除了教师在课堂上结合实践讲授，运用案例进行教学之外，还要多创造机会组织学生参与出版实践。在教学手段上，要运用现代化手段将各种实践场景、具体案例、业务操作的具体规程等制作成电子教学课件，以增加学生们的感性认识。

我国出版业的未来发展

1. 什么叫知识经济？知识经济社会的来临对出版业发展有何影响？

答：知识经济的概念请见本书"术语精要"部分。

知识经济社会的来临对出版业发展的影响主要表现在以下几个方面：

（1）知识需求量的增长为出版业的发展提供了有利的市场条件。知识经济社会的来临，使人们对知识的需求越来越迫切，需求知识的社会成员越来越多，作为知识载体的出版物的社会需求量也必然会越来越大。

（2）知识创新的发展，为出版业的发展提供了良好的资源条件。出版业是以人类对自然和社会的新认识为原料的"内容产业"，出版产品的质量与数量，取决于原创性作品的质量与数量，大批创新知识成果的涌现，为出版业的发展提供了足够的资源。

（3）先进科技的发展为出版业生产力的提高创造了优越的技术条件。信息技术和信息网络传输技术等一系列知识经济时代支柱产业的发展，都使出版生产力的发展一次次跃上了新的台阶。

2. 什么是市场经济？市场经济的发展对我国出版业发展的影响，主要表现在哪几个方面？

答：市场经济的概念请见本书"术语精要"部分。

市场经济的发展对我国出版业发展的影响，主要表现在以下几个方面：

（1）促使我国出版业彻底转换经营机制。随着市场经济的深入推行，我国出版业的经营机制也将发生深刻变化，以市场为核心组织出版经营活动将成为势所必然。

（2）促使我国出版业的结构发生根本性变化。随着市场经济的深入运行，计划经济下形成的结构平衡将会被逐步打破，开放性的市场竞争机制、多元化经营的发展，以及出版资产构成的变化都会促使出版业结构发生根本性变化。

（3）加快我国出版业的产业化发展步伐。市场经济的发展为出版业的产业化发展创造了良好的条件，目前我国出版业正在进行的各项改革，如出版社的转制，新华书店的改制，出版企业集团的发展，都是在市场经济体制的推动下向出版产业化方向发展所迈出的坚实的步伐。

3. 我国加入 WTO 后，出版业的发展将会逐步出现哪些变化？

我国加入 WTO 后，出版业的发展将会逐步出现以下变化：

答：（1）促使出版人在思想观念上发生很大变化。出版业的国际竞争，促使出版人的商品观念、市场观念、效益观念、竞争观念进一步得到强化。发达国家的一些新的出版理念与思想观念，包括价值观、道德观、消费观、人才观也会对我国出版人的传统观念形成强烈的观念冲击。

（2）推动我国出版体制改革的深入发展。加入 WTO 之后，要求我国的出版业也必须按照国际惯例来运作。一些以往改革中的瓶颈问题，如取消行政干预，彻底实行政企分开，实行统一国民待遇，将国有书业企业推向市场等等，将有望在进一步的体制改革中得以解决。

（3）国外书业资本将会大举进入我国出版市场，促使我国出版产业结构发生深刻的变化。国外书业资本的进入，将促使我国出版业的资本结构形成多元化局面，并且将促使我国出版业规模结构和组织结构发生变更。

（4）国外先进的经营管理经验，能促进我国出版业经营管理水平的发展。市场开放后，在与国外书商进行的同场竞争或合作共事中，我国的书业经营者能够通过各种方式吸纳国外书业的先进经营管理经验。这对改善我国出版业的经营管理状况，提高我国出版业的经营管理水平是非常有利的。

（5）促进我国出版业的国际化发展。通过多样化的合作或联合经营的发展，可以利用外商的关系使国内的出版产品和资本进入国际市场。同时，国外书业资本进入中国市场后，大批出版人会到外资企业工作，在实践中学习出版业经营管理知识，这也能为我国的出版业培养大批国际书业的经营管理人才，为我国出版业的国际化发展创造良好的人力资源条件。

4. 对国外资本进入我国出版市场应该如何看待？

答：加入 WTO 后，我国已于 2003 年 5 月 1 日开放了出版物零售市场；并将于 2006 年 5 月 1 日开放出版物批发市场。国外书业资本将会大举进入我国出版市场。随着国外书业资本的进入，国内出版行业外资本也将大量进入出版业。这些资本的大举进入，将促使我国出版业的资本结构形成多元化局面，并且将促使我国出版业规模结构和组织结构发生变更。

外资的进入，不仅是直接占据现存出版物市场份额，而更重要的是培养读者新的消费理念与消费习惯，由此而使国内的出版业经营者面临着更为严峻的挑战。

5. 举例说明我国传统出版业规模结构的特点及进行多元化改革的主要方式。

答：我国传统出版业规模结构的基本特征可用五个"单一"加以概括：一是以国有资产为主的单一产权机构；二是以教材、教辅读物为主的单一产品结构；三是以行政区划为主的单一市场结构；四是以行政级别为主的单一主体规模结构；五是以专业分工为主的单一组织结构。以这五个"单一"为主要特征的我国出版业结构，其计划经济的特色非常突出。

进行多元化改革的主要方式主要有以下几种：

（1）规模结构的多元化。出版机构的规模将会出现明显的变化，超大型出版集团将会陆续出现，连锁书店将会普遍发展，经营设施规模将会越来越大。

（2）资产结构的多元化。出版业资产重组、组织创新的结果，必然使出版业的资产结构呈现出多元化的特征。资产结构的多元化将会通过国有独资企业的股份制改造、中外合资企业的发展、各类所有制资本的相互结合等形式实现。

（3）组织结构的多元化。组织结构的多元化，就是打破按照专业分工进行封闭式运作的出版物生产流通的单一组织模式，采用多种开放式的方式，组织出版物的生产与流通。组织结构的多元化主要从以各种方式参与出版过程运作的出版经纪人的出现、多家出版社联合运作倾向的增多、发行者积极参与出版物生产过程运作成为潮流等方面表现出来。

6. 我国出版业的资产结构的多元化改革有何意义?

答:就市场主体的资产性质而言,我国出版业的资产结构长期处于较为单一的状况。尽管从形式上看,在发行领域允许集体、个体书店存在,但就市场地位而言,这些机构仍只是作为国有书店的附属物而存在的,还没有成为严格意义上的市场主体。我国出版业的市场主体,绝大多数属国有独资企业,非常容易受行政权力的干扰,不利于生产力的发展。

按照党的十六大精神,要通过资产重组、组织创新等途径解决国有企业运行效率低下的问题。这一发展国民经济的重要举措,同样适用于出版业。而出版业资产重组、组织创新的结果,必然使出版业的资产结构呈现出多元化的特征。

7. 简述我国出版运行机制市场化的主要表现。

答:我国出版运行机制市场化的主要表现有以下三个方面:

(1)宏观调控向间接化、法制化方向发展,出版机构由事业单位向企业转变,出版行政管理将由直接管理向间接管理转变,管理方式将由依靠行政权威管理向法制化管理转变,各种维持出版业良好运行秩序的法律法规会成龙配套,执法力度将会不断加大,守法经营、依法办事,将成为出版界的基本信条。

(2)购销机制向灵活性、多样化方向发展。主要表现为以代理制的发展为标志的经营体制多样化、以寄销制的推行为标志的购销形式的多样化、以市场现货批发的发展为标志的交易方式的多样化。

(3)市场运行向完整化、体系化方向发展。这一趋势的明朗化,将主要通过三个方面表现出来:各种出版要素都将逐步进入市场,出版业市场将会逐步形成完整的体系;出版物产品批发市场的建设将加快步伐,各级各类出版物批发市场将会配套成龙,形成体系;各类出版业市场运行规则将逐步完善,市场运作将有章可循。

8. 就未来出版物形态问题谈谈你自己的认识。

答:新兴的电脑多媒体技术和网络技术的发展,将会使今后的出版物将由单一的纸质印刷品向着如下三种形态并存的方向发展:

(1)纸质印刷品形态的出版物仍将继续存在,但是它们在整个出版物市场上所占的份额将会渐渐变小,最终稳定在一个有限的比例上。

（2）大量的时事、知识类出版物将转变为以网上传播方式为主导的形态，或者是以纸质印刷品和网上传播两种形态并存。网上传播形态不仅使传统的书刊出版可以运作得更快、更方便，而且可以及时提供传统书刊无法提供的声音、影像信息，还可使读者根据自己的兴趣自由地选择阅读主题，节省获取某一特定知识信息的时间。

（3）使用多媒体光盘形态作为具有长期保存收藏价值的出版物的主要存在形态。多媒体光盘既能像纸质印刷品一样长期保存，又能将字符、图像、声音与影像融为一体，且具有综合性再现的优势。

9. 结合出版业的实际，说明我国出版业实现信息传输网络化的主要障碍是什么？

答：主要存在三个方面的障碍：一是在思想认识上不够重视，认识不到信息传输网络化的意义；二是在体制上，各类出版单位隶属于不同的行政系统，习惯于独立运作，难以实现计算机联网运行；三是在技术上，各类单位使用不同型号的计算机，信息传输网络化缺乏标准，联网运行需要解决的兼容问题难以解决。

10. 从社会环境因素方面说明，未来出版业发展中需要树立哪几种新的观念，其依据是什么？

答：（1）树立适应市场经济要求的新价值观。市场经济的价值观即是效率观。竞争的胜负在很大程度上取决于效率的高低。同类企业的竞争，其效率高者产品价格相对较低，因而也更受消费者欢迎，能占领更多的市场；社会个体的竞争，其效率高者工作绩效相对较高，因而也更受企业欢迎，能获得更多的发展机会。正是由于竞争的存在，才显示出了效率在市场经济价值观的核心地位。

（2）树立新的市场观念。市场经济条件下的出版企业，要充分认识市场的重要性，出版过程的每一道环节都要按市场机制的要求来运作，整个出版机器都能围绕市场来运转，所以，未来出版业在发展中需要树立新的市场观念，包括群众观念、质量观念和服务观念。

（3）树立新的发展观念。首先，要树立自主发展观，因为出版行政机关转变职能后，与出版企业的隶属关系不复存在，加入 WTO 之后实行的统一国民待遇原则，使出版企业过去享受的一些政府保护与政策优惠也不复存在,出版企业必须依靠自己的力量,独立自主地发展。其次,要树立风险发展观,因为出版企业在未来激烈的市场竞争环境中发展会时刻面临着风险与机遇并存的局面。第三,要树立竞争发展观,因为市场经济中到处存在着竞争,出版企业要善于在竞争中充分发挥自己的优势,通过竞争不断地使企业获得发展。第四,要树立跨越式发展观,因为在改革发展为社会主旋律的年代,出版企业的发展必须是高速度、高效率、跨越式的发展。

11. 为什么出版企业应该实行现代企业制度?应该怎样实行现代企业制度?

答:因为现代企业制度适应社会化大生产的需要,反映了市场经济要求,是一种产权明晰、经营自主的现代企业体制,具有产权明晰化、行为主体化、组织公司化、管理科学化的基本特征。

实行出版企业现代企业制度应该从以下几个方面着手:

(1)企业法人制度建设。即实行政企分开,使出版企业成为独立的法人,依法自主经营,真正成为能够承担民事责任的法人实体和自主发展的市场主体。

(2)企业产权制度建设。即通过清产核资,明晰产权,使出版企业,主要是国有出版企业,都拥有自己独立的产权;并根据企业发展需要自主融资,构建多元化的产权结构。

(3)企业组织制度的改革。即按照现代企业制度的组织公司化要求,对现代的企业组织进行改革重组。

(4)企业管理制度的完善。制定企业章程,作为管理企业的依据;完善岗位责任制、利益分配制度、职工奖惩制度、干部任免提拔制度等规章,使企业日常管理也能有条不紊地进行。

12. 为什么出版企业应该加强企业文化建设?应该怎样加强出版企业的文化建设?

答:因为加强出版企业的文化建设,能够在企业内营造一种积极健康、活泼和谐的氛围,从而激发企业员工的内聚力与创造力,并且能够提高企业及其产品的知名度,扩大企业的社会影响。另外,我国的出版企业长期以来不太重视企业文化建设,无企业标识,无行为规范,经营理念不明确,不重视企业形象宣传,等等。文化企业缺文化的情况还非常普遍,所以，出版企业应该加强企业文化建设。

加强企业文化建设，可以从以下四个层面分别进行：

（1）加强企业物质文化建设。出版企业要重视产品品牌的打造，加强企业形象的塑造，重视企业内部环境的建设等以物质形态为主要表现特征的表层企业文化的建设。

（2）加强企业行为文化建设。一是充分发挥企业领导人员的行为表率作用，领导者敬业奉献、创新进取工作的行为，对员工有着很强的感染力；二是要充分发挥企业先进、模范人物的行为示范作用，要善于发现典型，积极培养典型，大力宣传典型人物的模范行为；三是抓好全体员工整体行为的塑造，通过团队精神、职业道德和责任感的培养，使企业全体成员形成良好的行为习惯。

（3）加强企业制度文化建设。企业制度文化建设，主要包括三个方面的内容：一是企业领导体制建设，出版企业要努力建立统一、协调、通畅、高效的领导体制；二是企业组织机构建设，主要是按现代企业制度的要求，对企业组织机构进行改造与完善；三是企业管理体制建设，要尽快完善各种管理制度，尤其是民主管理制，形成完整、配套的管理体制。

（4）加强企业精神文化建设。加强企业精神文化建设，首先，要发动群众，自下而上地总结企业发展的历史经验及特色，讨论企业的经营指导思想、生存目标及发展方向，就企业精神文化的一些基本内容达成共识；其次，要由企业领导层收集职工意见，加以提炼、概括，用简练、明确的语言将企业精神文化的内涵加以描述，如海尔集团的企业精神用"为社会创造财富、为企业创造效益、为职工创造机会"加以描述；最后，要采取一切措施，将企业精神在全体职工中得以落实、体现，包括宣传造势、制度落实、行为规范等。

四、案例实证

案例1　长江文艺出版社的改革与内涵式发展

(一)改革的基本状况

1. 人事、劳动和分配三项制度改革

　　长江文艺出版社的改革应该追溯到 1995 年,当时债台高筑,只有两万元流动资金,它的改革是伴随着周百义社长的上任开始的。第一年的目标很简单,就是社里员工集资恢复生产。第二年,全社开始建立各项规章制度,把员工的行为纳入到规范管理的制度当中来。于是在第三年就开始了三项制度的改革。

　　第一步是干部人事制度的改革。社里经过周密的部署,层层讨论并向上级反映,最终确定了中层干部正职岗位名单。这种干部任命的方式虽然是行政和事业单位确定的结果, 但在实际中解决了干部能上不能下的问题,为出版社的发展提供了良好的干部岗位竞争机制。确定了中层干部,社法人代表与中层干部签订了聘期为一年的责任状, 要求中层干部在聘期内确立岗位的目标和实施计划。接着,员工与干部实行双向选择的上岗方式,进一步优化员工的主动意识。没有被组合上岗的员工重新进行双向选择。两次都未被组合并不服从分配者,按待岗办理。这样就有效解决了人事制度长期遗留的问题,为社里的发展提供了新的骨干力量。以至于后来在社级干部的选拔上,也采用类似的公开选拔的做法。1998 年采用公开报名、演讲、答辩与审核的方式选出的两名青年编辑担任副社长,证明这种人事制度是比较合适的。

　　第二步是劳动制度的改革。在劳动制度上, 社里实行全员聘用的制度。对所有的干部和员工,都实行聘用制度,要求在一定的时期内必须达到一定的目标,并且要为自己的行为和结果负责。这样做的结果就是为了激发员工和干部同心同德的精神,砸破国家给予的铁饭碗,让员工和干部带着一定压力工作,这样才能同舟共济,使出版社渡过难关。结果是大家都与社里签订了聘用合同。

第三步是分配制度的改革。当时社里能够反映的就是员工工资单上的工资,没有平均奖金,实行的是低福利政策。建立了双效目标考核制,这样就形成了竞争性收入和福利性收入在总收入中各自占70%和30%的比例。而奖励是根据不同的部门和岗位,实行不同的奖励政策。奖金上不封顶,下不保底。这样就打破了传统的大锅饭主义,优秀员工可以从物质和精神上获得较高的奖励,而相对表现平平的员工却没有多少奖金可拿。这样突出先进的做法,使得员工都能积极来做好自己的工作。同时,把一般图书出版利润作为职工的奖励标准,而教材出版利润作为出版社的公共积累,引导员工向市场要效益。按照编辑的级别体现不同考核标准,中级为4万元,高级为5万元,超过部分按照8%来提成。这就把分配制度灵活体现到了具体工作之中。

在当时的环境下实行三项制度的改革,无疑出版社是承受了巨大的压力的,面临的困难也是多方面的。所以,在改革中首先是注意做到了充分发挥思想政治工作的作用,对方案反复讨论,集思广益,同时又广泛发动群众,形成了一种政策改革的氛围,让全社员工都能从思想上认识到改革的重要性和必要性。这样,在改革中,大家就能以主人翁的态度或者至少是观望者的身份来看待这一转变过程,这样就大大减少了改革的阻力。其次,坚持政策无情,操作有情的做法。既然要有改革,那么一定要有个标准,坚持标准化的衡量尺度也是在改革中必须要做的。社里规定了人事、劳动和分配三项制度的规范,那么就要执行这种规范,这样无论对员工还是对干部来说都是一种透明化的行为规范。但是同时,改革处于摸索期,很多由于旧有的事业单位体制而遗留的问题,都不能用一刀切的方法来解决,这样在操作中就需要对人情等因素加以综合考虑,比如对出版社的贡献、对于出版资源的掌握程度等这些因素。这样就为一些有潜质、有资源的编辑和发行人员提供了良好的学习和培养的环境,便于他们以后发挥巨大的作用。最后,改革政策和制度贵在坚持,多年不变。长江文艺出版社从1995年开始,制度规定以后坚持9年不变,一直都坚持改革的基本原则。在人事制度上,坚持中层干部每年聘一次,职工每年双向选择一次,聘用合同每年签订一次。这样做的结果就是不断给职工压力去努力做好岗位工作,还能转变职工的观念,使员工正确认识到角色相互转换的作用,也能培养一种积极工作的心态。

2. 出版流程控制改革

在进行出版流程控制之前,出版社先做了一项前提性的工作,即重新设置部门和岗位。出版社是人文社科类型的出版社,首先取消了计划经济时代按照文学体裁设置的编辑室建制,允许在社内就出版物的体裁选择自由竞争。同时,根据需要设置了市场部,增加了总编室的宣传人员,把营销放在了重要的位置上。然后在出版社内部按照图书生产的特点,加强流程控制,特别是把握住图书编辑、印刷、发行的几个关键点,就此实行了前期控制、同步控制和反馈控制三个环节。现在将社里的所有选题审批权都收回到社长手中,每个选题都必须经过反复论证,最后由社长一人签字来决定最终实施与否。在前期控制中,出版社主要是抓住定价和印数两个重要的因素,设计了图书付印单。在付印前,从总编室、出版科、发行科、责任编辑到社长都要对付印单进行审核。审核的主要内容,一是成本,二是定价,三是印数。这样就对出版物进行了一个前期流程的控制。第二是同步控制,主要指在书稿生产过程中进行跟踪控制。如编辑在三审过程中发现书稿存在问题,需要重新修改或者退稿。对于图书封面,文字编辑与美术编辑应相互协调,同时编辑也应当加强与发行人员的沟通。同时,通过每月的生产调度会协调各个环节,保证图书生产的流程畅通。反馈控制,主要是指在图书进入市场后搜集各地媒体及客户的反映,决定是否加印。总之,生产过程的控制是保证图书生产按计划进行并纠正各种偏差的过程,计划越周密,控制越细致,控制的绩效就越好。为此,出版社建立了内部局域网,及时了解编、印、发的各个环节的信息。这样,扁平化的管理方式就使得社领导能够全面掌握编、印、发的动态,每月的生产调度会让编辑和发行人员都参加,及时了解并沟通出版信息。更值得一提的是,出版社建立了图书经济效益分析制度,每年年底社里会召开图书经济效益分析会,对全社图书实现的社会效益和经济效益情况进行直观的图表分析,同时讲解市场营销的个别案例,剖析经济效益的来源和经验。这样就使得社里员工明白了分配收益多少的原因。这样就把图书生产和销售紧密结合起来,有效完成了信息的交流和反馈。

3. 产品结构调整

在产品内容结构方面,长江文艺出版社根据出版社的品牌号召力,着力打造了以《跨世纪文丛》、《九头鸟长篇小说文库》、《中国作家作品年选》为代表的当代作家作品系列;以《二月河文集》、《孔子》、《老子》为代表的历史小说系列;以《白桦林校园精品文摘》为代表的青春读物系列;以《中国圣贤人生丛书》为代表的文史普及读物系列。在图书产品结构中,原有的是 1992 年推出的《跨世纪文丛》第一辑,包括了王蒙、贾平凹、方方、苏童、池莉等 12 位知名作家的代表作。当时港台言情和武侠小说风靡大陆图书市场,而该社却高屋建瓴,推出了这批反映当代作家中短篇小说创作成就的严肃文学作品。改制以后出版社继续保持了这种传统,到目前为止共出版了 7 辑 67 位知名作家的代表作,由此吸引了全国很有实力的一批作家加盟。1995 年,与中国作协联合开发了《文学作品年选》,目前已经出了近 10 年,发展到了 20 个品种。在历史小说方面又加入了熊召政的《张居正》,颜廷瑞的《汴京风骚》,唐浩明的《曾国藩》、《杨度》,凌力的《梦断关河》、《少年天子》, 由此把长江文艺出版社发展成为一个历史小说出版的重镇。同时出版社还介入了外国文学系列以及相当品种的音乐图书,借此进入了全国中小学《艺术》教材行列。2002 年,长江文艺出版社做到了出版一般图书无亏损,其中发行量 2 万册以上的有 50 种,发行量 4 万册以上的达到了 20 种。这就是优化产品结构、创建出版品牌所带来的经济效益。

4. 内涵式投资体制

长江文艺出版社属于地方社,在改革中没有处在出版业发达的北京和上海,没有地利优势。而出版业又是与政策环境息息相关的,所以就很有必要施行扩张战略,获取地利和政策优势。在这样的指导思想下,长江文艺出版社分别在北京和上海成立了 3 个中心。2003 年 4 月,成立长江文艺出版社北京图书中心, 公司主要业务为选题策划和图书发行;2004 年 1 月,在上海注册成立上海长文图书有限公司,主要业务为选题策划、图文印刷与图书发行;2004 年 5 月, 与北京硕良文化发展有限公司达成战略合作伙伴关系,成立了长江文艺出版社北京外国文学编辑部。通过这些与著名文化机构合作在异地建立出版分社的发展举措,出版社不但获得了政策优势,还凭借地理优势获得了更多的出版资源,更为重要的是,它在短时间内迅速扩大了出版社的品牌影响,使得它的市场占有率直逼文艺社巨头人民文学出版社。北京图书中心在短短的一年内已经连续出版了多种畅销书,2003 年实现利润 130 万元,国有资产增值为150%,人均创造利润 12 万元;2004 年上半年人均产值 155 万元,全年实现销售可达 3000 万元。

(二)分析与思考

1. 编辑思想体系

在出版社的发展之中，编辑思想是体现一个出版社核心竞争力的主要指标。出版社要树立品牌，就必须树立成熟的编辑思想体系。从出版观念创新、体制创新到具体的产品结构与营销结构创新，都与编辑思想体系的指导密切相关。长江文艺出版社进行改革，首先是在观念上有一个指导思想，就是打造文艺出版的名牌，这就促使其进行体制上的改革。这样，社长的编辑思想就随着各项体制改革的进行而展开。进行异地组稿和造货，目的就是扩大出版社的品牌影响，而实质上借助的就是编辑思想的号召力。长江文艺出版社北京图书中心、上海长文图书有限公司、长江文艺出版社北京外国文学编辑部，都是在统一的编辑思想体系下开展工作的。如果没有一个统一完善的编辑思想，异地的出版中心可能就不会按照出版社的品牌思路来发展。这样不但会打乱出版社的战略部署，还会从经济效益和社会效益两方面分化出版社的影响，从而削弱出版社的竞争力。实践证明，长江文艺出版社的改革是按照一个成熟的编辑思路来进行的。反映在图书结构上就是树立文艺出版社的产品系列，即当代作家长篇与中短篇小说精品、历史小说精品、校园青春读物精品、文史普及读物和音乐图书；反映在图书选题策划上就是先由社长执笔撰写年度选题指导思想，再由编辑根据出版社占有的资源来提出选题，然后是选题论证会，最后经过讨论决定并由社长一人签字决定选题是否上马，还有一项特殊的活动就是每年年底进行图书经济效益分析会，来分析各项图书的盈亏情况并作总结；反映在图书制作流程中就是前期控制、同步控制和反馈控制，通过三个环节的控制，来保证图书制作形式的质量。这样就把全社的编辑思想渗透到各个选题项目中去，为出版社的发展提供了方向和动力。

新闻出版业相对于其他行业的特殊性就在于其具有文化产业的特殊性，它具有独特的编辑思想和编辑风格，这种文化性质决定了它在同类企业中独一无二的地位。尽管出版社主要负责人的编辑思想对全社编辑思想的构建起到决定性的作用，但主要负责人的编辑思想要与社内其他编辑室编辑、异地图书中心的编辑思想形成统一的发展思路，力求在编辑指导思想上保持一致。另一方面，不能片面强调主要负责人的发展思路，而应当把培养编辑个体的思想和风格也作为出版社的一项重要任务形成制度确定下来。这样才能让各个编辑室编辑保持风格,不断创新。

2. 内涵式发展道路

在全国出版业纷纷采取出版社相互联合的方式组建出版集团的形势下,长江文艺出版社却采取了自我投资发展的道路,在北京和上海建立出版社的异地机构,这无疑具有了一定的特殊性。采取异地经营这个方式,出版社获得了几个方面的优势。一是异地经营使得长江文艺出版社迅速避开了原有事业单位存在的各种弊端,以市场为导向来设置岗位、配备人员、采取新的经营管理方式,解决了国有企业单位遗留的各种问题,并且吸纳当地人才,有助于优化人员配置,开拓异地市场。二是在经济考核上可以采用公司绩效考核方式,实行多劳多得的奖励政策,排除了大锅饭的分配方式,有利于激发员工的积极性,构建现代企业制度下的出版社发展模式。三是在出版资源方面获得巨大的优势。比如政策优势,可以及时了解中央关于出版的政策法规;公关优势,可以与政策层人士紧密联系,获得各种图书出版的公关优势;选题优势,在北京可以与许多学术界和文化界名人联系,获得选题方面的资源;投资优势,可以与各种资金雄厚的企业单位和个人联系,获得资金支持;经营管理优势,依靠强有力的管理团队和人才,建立灵活的分社领导与管理制度;竞争环境优势,与云集京沪、经验丰富的大型出版商和发行商相互竞争与合作,获得良好的锻炼环境与机会。所有的这些资源优势和竞争环境优势都将使出版社获得更多的出版资源和实践经验,为出版社的进一步发展提供新的动力。

同时,采取异地经营这种内涵式发展道路还存在一定的问题。一是投资与监督机制问题。在内涵式发展中,资金的积累主要靠出版社投资,也可以采取合资建立股份制的方式,但就目前的出版社改革来说,现代企业制度改革的路还没有真正迈开,到异地建立股份制公司,存在一定程度的风险。特别是在母公司还不强大的情况下,去建立异地公司有可能发生失控现象。长江文艺出版社在对《报告文学》北京组稿中心进行财务审计时,就发现了该刊存在的经营和财务问题。所以说,国有企业异地经营必须要加强监督机制,防止国有资产流失。二是异地经营的范围问题。采取异地经营是出版社编辑部门和发行部门扩张的结果,在扩张中要严格控制出版图书的范围。长江文艺出版社与硕良文化公司合作的内容限定在外文图书编辑方面,而对北京图书中心和上海长文图书公司却没有具体的范围限定,这并不是一个优良的选择。北京图书中心由于有"金黎黄金搭档"

经营并实行管理，不限定出书范围可能是为了最大限度地发挥他们的选题操作空间。但这从现代企业制度来说是不可取的，不符合现代公司制度化管理的模式。这种方式随着图书中心的发展无疑就逐步加大了总社对北京图书中心监督的难度，提高了监督的成本，很有可能使得北京图书中心失控。而且，"金黎搭档"的出版优势也只集中在名人通俗类文学畅销书上，即使给了那么大的出书范围并没有太大的作用。所以，不从根本上限定出书范围的方法不可取。同样，上海长文图书公司更是如此，由于缺少了出版名人管理优势，只通过股份制来控制公司的选题范围，这样出现问题的几率也是不可杜绝的。而且公司的建立如果没有依靠地利优势来指导选题策划的话，那么无疑就只是加大了出版社在异地的投资成本。所以，限定选题范围，既是出于出版社监督的必要，更是有利于对异地公司进行效益考核的需要。三是先紧后松的发展战略问题。开展异地经营是出版社战略扩张的一个重要步骤，它的目的也是在为出版社建立分公司做准备，在为储备分公司领导人做准备。在异地发展的过程中，在坚持对选题内容和财务问题监督的基础上，应当在经营和管理上适度放权，加大奖励政策，鼓励业务创新，这样才能使得异地公司迅速发展壮大。这也是我国出版社内涵式发展中应当大力推行的一个步骤和计划。

案例 2 《学王一拖三》品牌及其教学理念的策划

在图书生产过程中，出版策划主要包括两个重要的环节，一是选题策划，二是营销策划。从编辑选题和出版营销所涉及的内容来看，选题理念策划的作用在于确立了选题策划的内容核心并规定着选题策划的实现形式，同时也为营销策划提供了相应的战略规划方向。《学王一拖三》中小学教辅读物是教学方法与教学理念策划的成功案例，它在整个中小学教辅读物策划领域具有典型的参考意义和价值。本文就是从选题策划之中的理念策划这个角度来剖析《学王一拖三》系列读物在整个中小学教辅读物市场中的选题策划的价值。

(一)"学王一拖三"品牌的演进历程

"学王一拖三"教学理念的策划起步于 1996 年，当时整个产品系列叫做"野象图书",依靠的是野象图书工作室。在策划初期,野象图书只包含了《SST学霸》的12本书,都是中小学课堂练习读物。当时名称并没有多少品牌的意识,只是从一般教学领域的"提升"两个字的拼音发展而来。12本书中也包含方法教育这个意识,但是当时并没有把它作为突出的特点强调出来,基本上还是保持了一般教辅图书的共性。

通过两三年的市场积累,"学王"的选题理念策划进入了成长阶段。这个时期,野象工作室通过大量的调查研究,渐渐形成了从图书内容上来确立整个图书系列的意识。于是就把大量的精力放到了对教学方法和教学思想的研究上,于是形成了两点重要的突破:一是"学王一拖三"这个品牌名称,二是方法拖动知识、能力、素质的核心教学理念。之所以能在这两点上有所突破,在于《学王一拖三》系列图书的内容策划有以下三个优势:第一是方法教学理念,讲透方法,学生才能举一反三,提升能力,解决根本问题,而没有走传统的题海战术的老路;第二是三级题库,针对一般、中等和优等生分别设计题目,便于各取所需,循序渐进;第三是低定价、高容量,同一本书具有高信息量,而价格却比同类书低,这样才能使得读者的经济支出得到更大的价值回报。

"学王"教学理念策划的成熟阶段形成于中国入世前后。2003年年底,中国加入WTO给出版业的发展提供了良好的机遇,新闻出版总署颁布了新的《出版物市场规定》,核心内容是对总发行权、批发权和零售、出租权的规定。总体来说,对图书发行权力的批准改变了评定标准,这意味着非国有企业可以正式进入总发行和图书批发企业行列。2004年,《学王一拖三》也经历了7年的积累和发展,在选题理念策划上达到了成熟。它对原有的教学理念和教学体系进行了大量的更新变动,逐步确立了教学思想的理论依据,逐步形成了自己的教学模式系统,用它来统帅旗下的500多种图书,使得它们都能够在"学王"品牌的关照下发挥各自的理论价值和实用价值。主要是形成了四个系列:王之系列——基础方法教育,包括《学王·方法档案》《练王·严师课练》和《考王》;霸之系列——重点创新教育,主要包括《题霸·名校好题全解》《读霸·考试型阅读》和《卷霸·荆楚名卷》;神之系列——专项教育,包括《神笔》《神算》和《神攻》;《学王课堂》系列。总体来说,"学王一拖三"形成了比较成熟的教学理念和产品系列。

(二)"学王一拖三"教学理念策划的价值评判

我们从选题理念策划的角度来剖析"学王"成功的秘密,无非就是要关注三个方面的内容。第一,"学王"教学理念的具体内涵和外延是什么;第二,"学王"教学理念在"学王"选题策划中占有什么位置;第三,"学王"教学理念对于"学王"图书营销策划起到了哪些作用。

1."学王一拖三"教学理念的内容策划

我们研究"学王一拖三"教学理念,是以"学王"成熟期的理念策划为研究对象的。在这个时期,"学王"经历了7年的出版历程,从教学思想和教学模式上都有了较大的发展和突破,因此,我们的研究也将着眼于这一教学理念的完整性和系统性。

第一,"学王一拖三"教学思想的核心内容。"学王一拖三"是一种以方法教育为核心,通过方法教育来拖动学生提升智力、积累知识和铸造技能的新型的素质教育的教学理念和主张。各种以教学方法、教学手段和教学模式为核心的教学主张都可以纳入到"学王一拖三"的教育思想体系中来。"学王一拖三"教学思想主要由教学方法体系、智力系统、知识系统和技能系统四要素构成。方法体系是教育思想的手段和过程,智力系统、知识系统和技能系统都是方法教学的目标和效果。四个组成要素之间的逻辑关系如图1所示:

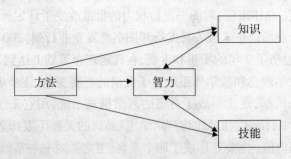

图1 "学王一拖三"教学思想各要素逻辑关系图

第二,"学王一拖三"教学思想的理论基础。其一,从教育学理论来看,"学王一拖三"教学思想的教育学原理主要来自于视点结构教学理论。从理论角度来看:一是"学王一拖三"教学思想从方法出发,可以看做是从一个点出发,而这个点代表一种教学方法和手段,可以作为教学视点来看待。这是它和视点结构教学理论第一个相通点。二是视点结构教学理论强调的是点与点构成的逻辑结构关系，这点在"学王一拖三"教学思想中同样有所体现。"学王一拖三"教学思想把教学结构分为方法点、智力点、知识点与技能点四个部分，通过这几个点之间的逻辑关系来体现整个教学过程中的结构形态。这表明了"学王一拖三"教学思想有其深厚的教育学理论源泉。其二，"学王一拖三"教学思想的心理学依据主要是发展心理学原理。根据皮亚杰认知发展理论的观点，人的心理（智力、思维）既不是来自先天的成熟，也不是来源于后天的经验，而是来源于主体的动作，主体通过动作对环境的适应是心理发展的真正动因。依据皮亚杰儿童心理发展理论，注重其认知能力和社会化的培养。根据皮亚杰少年心理发展理论，一方面注重形式运算向演绎推理、归纳推理的转变，尽快促成其抽象思维能力的形成；另一方面根据少年期儿童生理结构迅速发展、身心发展不平衡、自我成熟感和半成熟现状之间的错综矛盾及这些矛盾所带来的心理和行为的特殊变化，"学王一拖三"提供了相对科学的教学模式。

第三，"学王一拖三"教学模式系统。教学模式是指为完成特定的教学目标和内容而形成的比较稳定的教学结构框架及操作的方式。而"学王一拖三"的教学模式也正是在这种理论的指导下形成的。在"学王一拖三"教学模式中：一是存在着方法拖动智力、知识和技能的"一拖三"教学理念。二是"学王一拖三"教学模式还体现出它特有的"五步教学法则"，它是"学王"思想的具体体现。

如图2所示：第一步是树立教学目标，以便于了解知识点的全貌，制定教学的目标。第二步是基础视点教学阶段，在于引进独特的方法，加强基础知识和基础技能的培养，做好基本功的训练。第三步是难关攻克，是由基础知识导出的难点知识和难点技能的训练，重在巩固所学的基础知识的内涵，培养解析难题的能力。第四步是能力拓展，就是把所学的基础知识和难点知识结合起来，从另外一种角度来锻炼分析问题和解决问题的能力，做好基础知识和难点知识的外延工作，把复杂、抽象的问题转化到对基础知识和难点知识的解答中来，开辟思维和解题训练的新途径。第五步是评估总结，把训练过的方法点、知识点和技能点进行归纳总结，针对各个具体问题重新组合彼此的搭配关系，形成特定的解题模式和规律，从而提高解题的效率和水平。

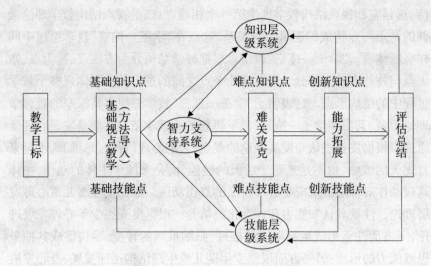

图 2 "学王一拖三"教学模式系统

2. "学王一拖三"教学理念策划的选题价值

学王教学理念的策划在选题策划中占有重要的位置，它奠定了整个选题策划的基础。它的教学理念策划具有以下几点意义。

第一，"学王"理念策划树立了品牌名称的价值。从起步阶段的《SST学霸》到现在的《学王一拖三》，在品牌名称上，"学王"树立了一个教辅图书的典范。从品牌名称来看，"学王"是点题，"一拖三"是理念，即用方法拖动智力、知识和技能。所有的图书都围绕着"学王"这个核心而展开，在单本图书的名称上都注重挖掘"王"所代表的意义和内涵；而具体的图书内容策划，都是围绕着"一拖三"这种教学理念来展开。从具有代表意义的《学王》、《练王》和《卷霸》来看，内容策划都在为树立这种独特的品牌主张和诉求。而当时的教辅图书市场或者就是"十万个为什么"等这些老的少儿品牌，或者就是一些杂乱无章的课堂辅导材料，可以说真正把教辅图书带入品牌经营时代的，就是"学王一拖三"。在它之后，逐步产生了"三点一测"、"海淀考王"、"1+1 系列"等这些新的教辅品牌，而它们的教学主张也有待于进一步开发。现在来看，成熟时期的"学王一拖三"这个品牌统帅了王之系列、霸之系列和神之系列的各个子品牌，从品牌价值的扩展功能和延伸功能来看，无疑具有更为广阔的发展空间。

284

第二，"学王"理念策划树立了方法教育的核心。从传统的中小学课堂教学模式来看,都是以课本为中心教授知识,但是对于知识的细化却没有说明。而且,传统的课堂教学这种模式并没有以少儿的心理发展特点为依据,所以带有了很明显的"填鸭式"的印记。而"学王一拖三"在一开始就旨在树立一种独特的教学主张,倡导方法教育这种崭新的教学模式。这在当时的教辅图书市场中是独树一帜的。它把方法作为教学过程的核心,从开始提出了由方法拖动知识、能力和素质发展到由方法拖动智力、知识和技能,这在教学体系中是一个巨大的进步。"老拖动"只是一种笼统的说法,对能力和素质的界定不是很严格;而"新拖动"则更加体现了"二次拖动"的内涵。"新拖动"先注重由方法拖动智力,再由智力拖动知识和技能,这就把这种教学理念细化了,把直接的测试点体现在了智力这个范畴上。在《学王·方法档案》系列中,各科的复习都是以与课堂教学不同的模式展开。在语文和英语中,就以词汇知识、语法知识和阅读技能的培养为主要目标;在数学教学中,就以计算方法、计算单位和数学概念认知为突破口,同时又高度配合新旧版的教材来进行。在任何一科中,《学王·方法档案》都是以一贯的方法拖动智力、知识、技能的"一拖三"教学理念和"五步教学法则"为核心,基本上反映了教学理念和教学法则的统一与完善。

第三,"学王"理念策划树立了名师名校的实践典范。出版"学王"系列产品之前,野象工作室花了大量的时间联系全国有名的小学和中学教师,一是建立中小学教师资源库,二是建立中小学课堂教学题库。在建立了这两个数据库之后,图书出版就有了切实的保障。但是"学王"并没有停留在这一步,它把题目数据库建立之后。根据自己的研究理论也就是方法教育的核心理念来编排,就形成了我们现在所看到的《学王一拖三》系列产品。在形成产品之后,又把这些产品推向中小学课堂,实行进一步推广实践。例如《卷霸·荆楚名卷》就是在湖北黄冈、武汉、荆州、天门等20所重点中小学多年使用的内部资料的基础上,由近200名一线名师、学科带头人按照"一拖三组合"的思想方法,融合多年成功教学实践经验形成的,同时又把它推广到日常的教学实践中去。可以说,"学王"不仅仅在倡导一种理念,而且和出版社出版的其他中小学教辅书相比,"学王"与中小学课堂具有更近的距离,也有更直接的反馈途径。

第四,"学王"理念策划树立了学生成绩等级相互转化的模式。"学王"系列和其他教辅比较还有一个突出的特点是它一直在研究弱等生、中等生和优等生之间相互转化的规律和模式。而对于这种不同成绩等级的学生之间转化的理论依据就来源于它的"五步教学法则"。"五步教学法则"明确地提出了树立教学目标、基础视点教学、难关攻克、能力拓展和评估总结，这是严格执行基础教学点、难点教学点和创新教学点的划分的准则。这就是"学王"一贯的教学主张，这在它的图书系列中有明显的体现。通过这些教学理论的划分和教学步骤的设置，弱等生和中等生就可以通过努力获得进步的机会，而优等生也可以继续保持其领先的优势。要是违背了这种规律性的教学法则，中等生和优等生就有可能形成退化现象。

3. "学王一拖三"教学理念策划的营销价值

"学王一拖三"教学理念策划对于"学王"产品营销策划具有以下价值：

第一，"学王"理念策划促进了营销宣传的独特性和通俗性。从"学王一拖三"的品牌名称来看，这个名称本来就具有了独特性和通俗性。独特在于它传达了方法拖动智力、知识和技能的教学主张；通俗在于它融合了一般商品的宣传主张，尤其是适应了当时市场上家电产品"一拖二"、"一拖三"组合的宣传口号，巧妙地借势进入了文化消费市场。另外，"学王"所倡导的教学理念也是独特而又通俗的。方法教学不管怎么独特，总是遵循一般的教学规律的，它与"五步教学法则"紧密配合。而"五步教学法则"也是遵循了一般的树立教学目标、基础视点教学、难关攻克、能力拓展和评估总结五个阶段的教学法则，更为重要的是，它的基本内涵还是基础教学点、难点教学点和创新教学点三个阶段，按照知识和技能的难易程度来安排中小学生的课堂教学和课外练习。这就对产品的营销推广树立了卖点并加快了渗透的步伐。

第二，"学王"理念策划涵盖了营销产品的规模性。"学王"教学理念目前涵盖了四个系列的产品：王之系列、霸之系列、神之系列和《学王课堂》系列。可以说"学王"产品正在向规模化的方向发展，而其所有的产品都是围绕"一拖三"教学理念来策划的，都是以方法教学作为编排其产品内容的核心理念。而且，"学王一拖三"具有完整的教学模式系统，其产品系列都是为这个教学模式系统服务的。所以，策划者更加关注的是"学王"教学体系的完整性，而不仅仅是一两本图书产品销量的大小。这就是"学王"理念的指导与统帅作用。

第三，"学王"理念策划保证了营销渠道的稳固性。在教育类产品营销中，单单凭产品来巩固营销渠道的做法并不理想。因为教育类产品竞争非常激烈,教辅图书更是如此。教育类产品重要的就是要给产品附加一种精神理念,这样才能保证教辅品牌的延续性和教育产品的规模性。很多教辅图书的发行商都和教育管理部门、学校和教育研究机构具有千丝万缕的联系,这就更加深了他们的教学意识。"学王"教育研究所正是立足于产品品牌的延续性和营销渠道的稳固性,才逐步构建了自己的教学体系和教学模式。这在教辅图书领域内是处于领先地位的,这也必将为"学王"的发展提供长久的动力支持。

(三)"学王一拖三"教学理念策划的局限性

从"学王一拖三"教学理念策划的发展过程来看,它还存在以下两个方面的局限性。

第一,教学理念策划涵盖的产品线过于宽泛。虽然"学王一拖三"的产品规模是庞大的,具有 500 多个品种,但是从实际的图书内容编排来看,各个系列之间并没有完全区别开来。有些题目出现在好几种图书中间,这就造成了一定程度的重复。过于追求产品规模的庞大和体系的完整性,无疑就增加了产品细分的难度,如果实施不好就很难确立特定的读者对象。而且,产品线太宽了,"学王"教学理念就很难再深入到每本图书中去,这就从根本上削弱了"学王"教学理念的内涵。另外就是图书出版是商业化运作的目的,就要考虑到商业利益最大的部分,因为并不是每本图书都赢利,所以也有必要精简图书产品,保持赢利的最大化。

第二,教学理念策划没有深入到营销渠道的培训中去。教育产品最有力的优势就是可以与教学培训机构结合起来,一起来推广教学思想和主张。《学王一拖三》系列图书已经具有了完整的发行体系,但是这并不意味着这些渠道是长久的。只有对渠道进行"学王"教学理念和"学王"营销管理的培训,渠道才能紧密依赖"学王一拖三"这个品牌,而且在加大"学王"营销管理培训的同时,应当建立一种渠道捆绑的战略,用经济利益把各个区域的渠道联系起来,形成分销渠道的共生关系。定期对营销渠道进行"学王"教学理念的培训,并鼓励分销渠道把这种理念广泛传播,同时对这种传播行为进行奖励,这样才能有力借用"学王"教学理念这种完整的教学体系,把"学王"的品牌效益提升到一个新的高度。

案例 3　畅销书《不过如此》的出版运作

随着中国出版界市场化运营程度的提高,"畅销书"概念逐渐被大多数的出版者理解并且付诸实施。北京开卷图书市场研究所常务副总经理孙庆国提出,以中国目前的经济水准和市场容量,在中国如果销售超过20万册就可以称作畅销书,超过百万册可以称作超级畅销书。畅销书的出现能使出版社利润大幅度提高,并对社会有着较大影响。根据开卷公司对全国百家零售书店的销量统计数据显示,目前占中国图书品种6.7%的畅销书,创造了图书市场68.9%的利润。出版社可通过畅销书来塑造品牌,树立形象,甚至拉动整个图书市场。所以今天,出版畅销书成为许多出版人梦寐以求的目标。许多地方出版社纷纷在北京设置机构,为畅销书选题开发服务。而地处北京的诸多出版社如中信出版社,更以畅销书为立社之本,集中精力打造畅销书。"畅销书的意义犹如金字塔的两端,品种不过是塔尖,为数不多,但是其创造的利润恰恰是金字塔的塔基,占绝大部分。"中信出版社总编助理方希如是说。

畅销书的运作有一定的规律可循,它的产生与出版者的观念、操作水平和市场机遇有关。所以,当《不过如此》以过百万册的销售量创下出版界的销量记录时,我们将其作为经典案例加以研究。下面将《不过如此》的背景简要介绍一下。

(一)出版社背景

华艺出版社因成功包装名人图书而在出版界享有盛誉。该社成功推出了不少名人书,如吴小莉、敬一丹、白岩松、姜文、徐静蕾、高峰等人的书,而且,这些图书几乎是推出一本畅销一本。另外,著名作家如刘心武、王朔、王蒙、刘震云等人的重要著作,差不多也都是华艺出版社率先推出的。华艺出版社被誉为中国图书出版业的"梦工场"。

(二)编辑背景

在国内出版界,金丽红称得上一个"重量级"的人物。从最早责编、出版《王朔文集》一炮而红,金丽红在十多年的时间里先后策划出版了王朔的《看上去很美》、吴小莉的《足音》、敬一丹的《声音》、白岩松的《痛并快乐着》、陆幼青的《生命的留言》、崔永元的《不过如此》、余秋雨的《行者无疆》、池莉的《水与火的缠绵》、张抗抗的《作女》、海岩的《平淡生活》和唐师曾的《我在美国当农民》等名人书籍,总发行量高达 400 余万册,其中《不过如此》一书的发行量突破 100 万册大关,创下了一个神话。金丽红也成为中国出版界策划、编辑名人书籍的"第一人"。

(三)作者背景

作为中央电视台《实话实说》栏目的前任主持人,崔永元以真诚的亲民形象和幽默智慧的主持风格赢得了全国人民的青睐。他的个人作品有《一言难尽说实话》、《评论爱情》、《你好,外婆》、《高大权事件始末》等。

(四)书籍内容

这是崔永元所写的一本回忆性记事散文,它浓缩了作者 38 年的独特成长经历中最值得回味的片断。这本书的结构非常奇特,往事之中并没有顺序,一切按照几十年后的感觉对生活进行了重新组合和排列。它记述了作者少时的恶作剧,在报社时的郁郁不得志,第一次做节目时的尴尬等。该书吸引人的地方不是情节的曲折离奇,而是蕴涵在故事中的真情实意,以及渗透在故事里作者特有的幽默风趣。

(五)专家评点

"实话实说不容易,跳脱文艺腔不容易,也因此小崔在这本书里写到的许多东西,是我们不容易在同类书里看到的。"——阿城

"这本书看似写得平易和随意,其中却有很大的文化含量。"——刘震云

(六)运作过程

1. 市场定位

市场这块蛋糕很大,每个出版社都想尽可能地得到它,但事实上越是争取全部就越可能一块也得不到。现代市场理论认为,每个细分市场才是市场主体的真正利润来源,因此企业不能盲目扩大目标市场,必须做出选择,确定自己的目标市场。面对《不过如此》这本书,在华艺出版社是这样

分析它的市场定位的:

《实话实说》是一档每周都和观众见面的全国热门节目,崔永元作为其前任主持人,受到全国人民的喜爱,社会上不乏他的忠实"节目迷",因此该书受众潜力相当大,投放市场后会有一定的市场反应。同时,20岁左右的青年人对成功的渴求很强烈,喜欢看成功人士的自传,又有追捧偶像的倾向,按照金丽红的说法,崔永元的"口才特别好,看的书非常多,知识面非常宽,很受年轻读者欢迎",他的书刚好迎合了年轻人的阅读需求。有需求就有市场,一旦他的书推向市场,很容易激起青年人的购买欲望,所以20岁左右的青年人是这本书的主要目标读者。另外,受作者知名度的影响,该书上市后将在一定程度上成为整个社会的话题,而社会关注是所谓注意力经济的源泉,只要书籍内容好,就不愁没有销路。

2. 出版过程

作者的号召力再大,如果书籍内容一般也不能真正打动读者掏钱购买,所以运作畅销书并不能一味依赖于某些畅销因素,比如作者知名度等等,而必须从根本上提高书的品质,从内容到形式上尽可能地提高该书的价值,使读者觉得物有所值,从而欣然购买。

(1)约稿过程。华艺出版社最重要的出版标准是内容。他们从是否具备阅历和写作能力两个方面去寻找作者。崔永元的《实话实说》一开播,他就引起了金丽红的注意:"我认为他表现的幽默不是简单的耍贫嘴,是一种能力,是需要长期的知识积累的,我认为崔永元的幽默能够变成文章来表述。"于是开始尝试了解他的写作能力,在约他给陆幼青《生命的留言》写序之后,金丽红感到他的文字水平不错,于是主动找到崔永元,邀请他出书。但刚开始崔永元并没有出书的打算,金丽红为了说服他,一连跑了30趟,打了几十个电话。"并且每次上门,都专捡北京刮沙尘暴的日子,风尘仆仆。一见面就会递上一本新书,轻描淡写地说,你看,人家谁谁谁,又弄一本。那口气,就像说有人吃了一碗干饭。"约稿3年后,崔永元终于答应写书,因为"老金、黎波两位编辑30次以上的谈话,让我觉得不写就没法做人"。

(2)创作过程。崔永元写书是在与出版社的不断沟通中完成的。出版社对他的初稿提出了不少意见,因为崔永元尽管也在传媒界工作,但对写书不是很清楚,出版社必须和他共同完成前期的创作。经过大约一年半时间的磨合期,华艺出版社与崔永元进行了30次以上的谈话,许多稿件几乎全部推倒重写,终于有了现在的《不过如此》。

(3)命名过程。书名是书籍和读者第一次见面的名片,因此一要与作者气质相符、与书籍内容相符,二要能吸引读者的关注。金丽红说:"我们了解到,崔永元是一个平民主持人。他说到现在为止,还没有找到做名人的感觉。他写一些日常生活中的琐事,写领导,我都觉得写得特别好,敢写,不掩饰自己对领导的看法。不掩饰对老师的看法。他对他的数学老师至今耿耿于怀,认为数学老师使他失去了对数学的兴趣。"而这本书也是在讲述他个人成长中的点点滴滴,并没有跌宕起伏的情节或者大是大非的价值判断,根据作者的性格特点以及书籍的内容,出版社打算起一个平实的书名。

当然,平实并不意味着平庸,因为我们的书名在某种意义上说是"促销宣传员",它在宣传造势时必须有冲击力,能很好地引起人们的注意并勾起大家的好奇心去买来看看。

循着这样一个思路,崔永元构思着书名。最终俞平伯先生的《中年》里的一段话给了他灵感:"泛言之,渐渐觉得人生也不过如此。这'不过如此'四个字我觉得有余味。变来变去,看来看去,总不出这几个花头。"崔永元说:"不过如此就是不过如此,想的念的都在里面了。没有沮丧和看破红尘,因为论年龄和资历,这些还轮不上我。但总有几分苦涩,有几分感悟,有几分甘苦,有几分无奈。"

"不过如此"有一定的文化底蕴,切合作者的心境,又能引起读者的好奇——不过如此,是怎样的一个"如此"? 行,书名就是它了。

(4)定价及其他。《不过如此》首印数即达30万册,定价19元。他们的这个首印数是史无前例的,但又是在华艺出版社进行市场调查的基础上制定的。因为肯定会买这本书的只有10万名读者,要让更多的读者买这本书,要发行到30万册以上,就要降价。19元,几乎等于买一本豪华杂志的价格,能够让广大读者接受,尤其是符合青年人的购买能力,这就极大地拓展了市场。华艺出版社的习惯是,书籍定价一般不突破20元。有的书字数达到30多万字,也要压缩到24万字左右,以帮助读者下决心买书。这就是畅销书面对目标市场最大限度地争取受众的一种价格策略。畅销书不仅要在内容上亲民,价格上更要走亲民路线。仅仅拥有高品质是不够的,只有同时采取低价位策略才能达到最大限度的占有市场的目标。

当然,一本书要提高其附加价值,保证读者的购买"物超所值",必须精益求精,在形式上也必须有其独特性。华艺出版社在封面设计和照片说明上做了精心设计,力图合读者的"眼缘";在内容简介和专家评点上也下了一番工夫,这些都提高了这本书的整体品位。

3. 发行过程

书的发行,尤其是畅销书的发行,离不开宣传造势的过程。因为每年我国出版的图书品种有十几万种,码洋有几百万元之多,一本书要从万种图书中冒出头来,非得在宣传上花大力气不可。《不过如此》上市以前,出版社就向社会发布了"崔永元出书"这一新闻,但又不公布书名,吊足了读者的胃口,于是第一轮宣传,人们就以"崔永元新书"为名打听着这本书的内容和出版时间等等,该轮宣传为将来的运作做了很好的铺垫。因为那些关心崔永元的人们开始对该书有所期待,该书的知名度也已经慢慢产生。

等到书正式向全国发售之时,无数热心读者拥到各大售书中心购买,形成了全国抢购一本书的热闹场面。以成都购书中心为例,《不过如此》周末下午 3 点在书城上架销售,截止到当晚 9 点便卖出了近 50 本。第二周周六、周日,销售量更节节攀升,日销售量接近 200 本,远远超过书城单本畅销书日销售 70 本的记录。摆放《不过如此》的展台都被读者围得严严实实。书城工作人员不得已只好把它从其他书中"隔离"出来专门摆放到书城的空旷地,但依旧是里三层外三层地围满了人。

为了刺激卖场销售,出版社还在报纸上推出连载,并开展崔永元的签名售书活动;卖场销售之外,出版社还展开网上销售。这些都有效地推动了该书的销售,以至于在销售速度和销售总量上该书都创下了记录。书刚推出几天就已经卖出了 45 万册,销售了半个月,该书的追加订数已经达到 58 万册,后来在销售总量上也超过了 100 万册。

(七)案例点评

1. 选题策划

书籍的出版以选题策划为龙头,这一点已经得到了大家的公认。因为选题是一本书内容的精髓,读者购买一本书,归根到底还是看其选题是否吸引人。一般而言,选题应该符合目标市场读者的审美观和价值观,有着健康向上的主题。而畅销书的选题,又有着自己的特点。正因为它是畅销书,出版社在出版它时有着明确的目的,就是要最大限度地挖掘受众群体,扩大销售量,争取在全国形成销售热潮。因此选题必须有很强的亲和力或者是吸引力。

名人出书的风尚一直在影响着各大出版社，华艺出版社推出这本书作为畅销书，在选题上就是走名人传记的路线。名人效应是永不过时的卖点，而传记凭借特定人物独有的传奇经历和个人魅力，有一定的"票房"保证。且不说国际上贝克汉姆、克林顿等体育界、政界名人纷纷著书立传，并创下销售记录，国内的各类名人也纷纷"笔墨"登场。余秋雨作为文化名人继《文化苦旅》一炮而红之后，以《霜冷长河》、《千年一叹》连连冲击市场，赢得了极佳的销售成绩；米卢这位足球洋教头也带着《零距离》在市场上掀起一阵销售热潮；还有不少影星歌星的书或与之相关的书也在销售排行榜上占据了一席之地。出名人传记意味着选题在市场反应上有一定的保证。

此外，随着名人们出书越来越多，出手越来越快，读者的阅读目的也从最初对名人生活的好奇逐渐转向更深层次的情感交流，像《不过如此》这样以名人生活感悟为内容的书会赢得读者青睐。

2. 作者选择

选题的魅力在很大程度上取决于作者的选择。同一选题，如果作者不同，很可能会获得不同的市场反应。因为每个作者吸引的读者在层次、数量上都是不一样的。华艺出版社在作者选择上是有一番考虑的。

首先，崔永元的知名度决定了他作为作者的受欢迎程度。作为全国谈话类节目《实话实说》的前任主持，他的独特主持风格征服了全国无数观众，他也成了全国人民面前的熟面孔。一旦他出书，必定有人热烈追捧。

其次，崔永元不是一般的名人，他是全国性电视栏目的主持人，是媒体大腕名角。电视是现代社会最强势的媒体。一般名人能影响的只是跟其领域有关的一部分人，而电视则是在更广的范围内影响着更多的人，因此电视名人无疑有很强的读者号召力。考察以往的记录，过去许多这样的书都获得了不错的销售成绩，比如倪萍的《日子》、赵忠祥的《岁月随想》等，其中吴小莉的《足音》、敬一丹的《声音》、白岩松的《痛并快乐着》都由华艺出版社出版，出版社在出版这类媒体名人的图书上也有一定经验和把握。

最后，崔永元背靠中央电视台的经典谈话栏目《实话实说》，因此《不过如此》和《实话实说》存在一种特殊的媒体互动关系。传统的影视互动是指将图书内容改编为电视节目或电影，随着电视节目或电影的热播，作家声名鹊起，图书可以借势大卖。《小姐你早》、《永不瞑目》、《牵手》、《突出重围》等图书的热销都是无一例外地借了影视这股东风。《实话实说》虽然和《不过如此》不存在改编关系，但是该书确实有部分篇幅与栏目紧密相关，关心《实话实说》的人们会关心发生在栏目背后的故事；同时，《实话实说》每周都会在固定时间对全国播出，崔永元这张面孔的出现也在一定程度上提醒着观众去关注《不过如此》这本书。

所以，作者崔永元就是《不过如此》最好的一则"广告"，他即使不参加签名售书活动也能在无形中起到宣传作用。

3. 内容控制

出版物制作因素中最重要的是内容，内容，还是内容！畅销书的内容必须经得起市场的检验，因为该类书销售量大，传播范围广，社会影响力大。从社会效益角度讲，出版社责无旁贷地应该保证其内容健康向上；从经济效益角度讲，群众的眼光是雪亮的，要达到畅销目的，就必须要在上市前就保证其内容的可靠性。"因为现在谁也无法去蒙读者，读书的人虽然越来越少，而真正读书的人是很精的。他们不喜欢的书，就是送到他们面前也不看。"该书的编辑金丽红如是说。

华艺出版社跟崔永元约稿整整三年，当他动心的时候，华艺出版社就开始跟他说出书的事情，出版社编辑提醒崔永元要注意两点：一个是不能离开电视，因为他是通过《实话实说》节目成名的，但是第二条，绝不能完全是电视。因为华艺出版社有市场记录作为横向参照，那些照搬主持人和嘉宾谈话的书根本不受欢迎。这就在书籍内容上大体制定了一个规范。崔永元在后来的写作过程中，又和出版社编辑不断交流，共同修改，这才有了最后的成书。

所以，出版社必须在内容上进行严格把关，按照市场要求和作者一起塑造出版物，而不能任由作者自由发挥。因为畅销书是严格按照市场规律运作的，而作者一般情况下不会像出版社这么了解市场需求，即使了解了市场需求，创作毕竟有着感性的一面，写作过程中未必能严格按照市场需求来操作，需要出版社以策划意识介入作者的创作过程，对内容进行微观调控。

该书的出版过程自始至终贯穿着精益求精的精神，内容经过了反复推敲，因此最后获得了市场的肯定。

4. 渠道建设

渠道建设对于畅销书运作是至关重要的，一本书纵使内容再好，若没有渠道支持,无法顺利及时地流入市场,就会延误商机,最终失去市场。因为读者的需求若是得不到满足就会寻求同类替代品,市场经不起等待。

因此我们说,内容固然重要,建立合适的渠道让读者能买到书,却是成功的关键。华艺出版社的经验是在发行领域引进区域代理制,分片分区发展大代理商,这和经营一般商品没什么区别。由于该社以往做的名人传记异常畅销,图书流通的主渠道新华书店积极性很高,愿意先打款,并接受统一营销安排,民营渠道也很配合。

同时,华艺出版社与分销商建立起了良好的互惠合作关系,这保证了渠道的通畅。《不过如此》自2001年7月投放市场,已发行100多万册,创造了极其丰厚的利润空间,除去一部分出版利润,有80%~90%的利润由8家图书代理商和成千上万的图书零售商瓜分,这样的利润空间刺激了分销商花大力气去沟通信息、扩大销售。

另外,华艺出版社以民营渠道为销售畅销书的主渠道。在发行《不过如此》时,华艺出版社为它在北京发展了8家代理商,其中民营渠道6家,新华书店系统2家。到2001年7月31日为止,北京总共销售14多万册,其中民营渠道9万册,新华书店5万册。民营渠道以其灵活的机制给畅销书提供了很好的销售业绩。

案例4 中信出版社版权资源开发和利用的案例分析

(一)背景资料

(1)1988年,中信出版社成立,是部委"一报一刊一社"的产物。

(2)1995年之前,中信出版社每年出书30种左右;2001年,中信出版社出版图书50余种,码洋1000万;2002年200余种,码洋2000万;2003年450余种,码洋1.45亿。

(3)2001年2月16日,国内金融业巨擘中信集团涉足文化产业领域。集团成立了中信文化体育产业有限公司,由中信集团和天平文化经济有限公司共同出资(51%对49%)。公司计划3年内投资10亿元,覆盖20多个文化领域。集团内部曾产生裁掉出版社的念头,后来集团认为,规模不大的中信出版社是一个很好的资源平台,于是明确了发展目标:在2~3年内成为国内一流的出版机构,寻求超常规发展。

（4）2001年7月，王斌就任中信出版社社长。中信出版社进行大规模的人员更换，开始了企业化方式运作的二次创业。

（5）2003年，中信文化体育产业有限公司向中信出版社投资2000万，远期投入1亿元。中信出版社社长王斌透露，该社计划在5年内保持150%的增长速度，计划在2005年进入中国出版业十强。

（6）2004年，中信出版社出版的图书涉及经管、保健、法律、医学、教材等多个方面。

（7）中信集团2004年2月成为国家正式授权投资的机构。

（二）中信出版社版权资源开发的三个阶段和各阶段的主要问题

1. 第一阶段：版权资源大规模引进

2001年，中信出版社确立了以版权引进的方式快速建立品牌的战略。2003年，中信出版社的引进版图书占到出版品种的90%以上。

2002年，两本书，让中信出版社在国内声誉鹊起。《谁动了我的奶酪》，由中信出版社与读书人共同策划，这本4万字、定价为16.8元的小册子已20多次重印，连续30个月居北京开卷图书市场研究发布的非文学类畅销图书排行榜的前10位，总印数超过200万册；《杰克·韦尔奇自传》，中信出版社独立策划，借全球第一CEO再创佳绩，被国内许多企业老总列为案头必备之书，发行量达60万册。

两部畅销书的总码洋超过4000万元，90%以上是现款交易。两本书的中文版权分别经由两家美国版权代理机构购买。《谁动了我的奶酪》通过美国Big Apple代理，预付版税几千美元；《杰克·韦尔奇自传》来自于Arts & Licensing，预付版税大约3万美元。这两本书的后续销售版税都是8%，低于国内畅销书12%~15%的版税标准。

这两本书只是中信出版社版权引进的"冰山一角"。在第一个阶段，借由版权引进，一个全新的出版社浮出水面。由于在语言学习、技术应用、经济管理等许多方面，国外的水平和出版水平比较高，引进是现实之途和明智之举。而且，引进版图书还能给出版社带来国际化的声誉，起点比较高，起步也快。在本土原创水平比较低、市场又有需要的时候，中信出版社的引进高潮可能还会持续两三年。

这一阶段，中信出版社在版权资源利用方面主要遭遇了两个问题：

（1）版权资源扩张速度过快。年出版新书从40种到200种，400%的非常规增长速度会很自然地带来一些不适应性的问题。

首先是资金的短期回报率低。中信出版社所购买的版权一般是通过许可使用方式得到的,只有 3~5 年的版权使用期限,因此像一台需要不停输血的机器,整体选题的丰富、出版框架的支撑需要大资金量的投入。由于版权资源是迅速积累起来的,与版权的开发有一个时间差,因此造成的市场风险也很大。同时,中信出版社注重图书营销,在图书宣传和渠道建设上花费不菲。造成整体在资金运作上的风险加大。

另一个突出的问题是中信出版社文本质量的问题,就中信的出版类型来说,一般都需要大规模的翻译工作量。从事科研工作的人都知道,翻译著作,尤其是专业著作,往往都需要认真领会原文含义以及对相关知识的钻研才能透彻理解并使译文表达准确畅达。而正是由于版权资源的时间限制(签订授权合同时,授权人出于尽快收到销售版税,往往要求出版社在 1 年或 1 年半内出版中译本著作),造成保证速度而忽略了质量。很多网络论坛上都有网友对中信版中译本的翻译质量提出质疑,这对一个出版社,尤其一个将目标读者群设定为高知人群的出版社,不啻为一个硬伤。

(2)为了吸引国外版权资源,不惜放弃自己的一些利益。要得到国外高质量的版权资源,需要与国内其他出版社竞争。竞争的手段除了提高版税的预付金、提供专业的财务和信息交互平台,有时还需要牺牲一些出版社方面的利益来吸引国外出版社。比如,在引进版权时有两个比较容易混淆的权限——重印权和合作出版权。这两个权限在前文的分析中都提到过,都是指 A 出版社具有的,向 B 出版社提供出版物的文本和图片的胶片、印刷用光盘等,许可其复制并在第二市场销售的权利。两者主要的差别在于,重印版权是在 A 出版社出版发行了出版物,并在销售过了旺季之后向 B 授予的权利,旨在对剩余市场的进一步利用;合作出版权则是 A 和 B 出版社的出版物同时在两地出版发行,并且在出版物的版权页上会标注两家出版社的版权声明,旨在同时铺开市场、加大市场影响,并能有效预防盗版。合作出版权的版税高,版权时限短,但是中信出版社在很多事实上取得重印权的时候,与外方都签订了合作出版权,意欲以较高的版税率吸引国外出版社的授权。

还比如,在半年的版税结算期中,出版社常常会虚报印数和销售量。按照常理,出版社应该会虚报压低的印数或销售量以逃避应付的版税,因为在固定的版税率下,印数和销售数越高,应向外方支付的版税就越高。然而,中信出版社往往会报高印数和销售量,目的在于使外方出版社对中信出版社的版权运作和市场营销能力有信心,以此加强彼此之间的合作关系,并且强化中信出版社的品牌实力。

2. 第二阶段:品牌扩张,资源吸引能力加强

在这一阶段,中信出版社的企业品牌成为一种有一定市场价值的无形资产,并产生了良好的品牌扩张效应。因此,要求与该出版社合作的企业、个人纷至沓来。例如,著名的未来学家阿尔文·托夫勒主动找到中信出版社,愿意与该社合作推出他的新著《财富的未来》。

在中信出版社,一般重点图书推出之前都会建立详细的项目计划书,探讨书的装帧设计、研究市场推广手段等等。从市场、读者的角度考虑问题,在中信出版社的几乎所有工作中都有体现。比如一般出版社的图书大都按照学科来划分类别,但翻开中信出版社的订书单,仅仅是经济管理大类下就细分了十几个小类,管理经典、品牌建设、领导艺术、前沿经济、营销策略与实战……从栏目名称上就能大约知道图书的内容,市场之细可见一斑。

这一阶段中信出版社在整体品牌、市场运作和专业的业务效率方面给了国外出版商充足的信心,但是也同时出现了一些问题。在版权资源的利用方面出现的主要问题是,这一阶段出版结构的调整造成了出版社一定的版权资源浪费。

在前一阶段的版权大规模引进之后,出版社无论在版权资源的规模和种类上都得到充实,但是在确立主要品种和出版框架的时候,出版社不得不对现有的版权资源进行整合和调整,而这种调整背后的成本是很高的。由于中信出版社成立时计算机图书市场还未饱和,因此向国外购买了大量的计算机图书的版权,但是到2003年,计算机图书市场基本上被几家理工类出版社垄断,市场空间越来越小,已经无法承担出版社快速增长的要求,因此在编辑部门和整体出版框架的调整中,许多单签和双签的计算机图书版权合同被整理并转让给了其他的出版工作室。在这个过程中耗费的各项成本包括:版权引进的合同成本;联系和样书的费用;出版社的合同管理和人员费用,等等。

通常,出版社获得版权的环节与具体开发版权的环节之间总会存在一个时间差,出版社在引进版权的时候一定要将这一时间差带来的开发风险

估计在内。

3. 第三阶段:作者资源的开发

中信出版社在原创作品能够支撑市场的时候,将引进版降到出书品种的 10%。引进版权的成本较高,但是技术难度小,较高的回报率短期内还能承担某些出版社高速发展和品牌延续的任务。但是没有一流的作家队伍,很难基业长青。时代华纳等国际出版界巨头的核心优势就在于拥有一批忠实的签约作家。就国内目前的环境来看,完成这一步仍有困难,但是中信出版社希望将来引进版的图书只占出版图书的 10%左右,而更多的是拥有自主版权的原创作品。

中信出版社出版的《水煮三国》向我们证明了本土原创的经济管理类图书成功的可能性。北京开卷图书市场研究发布的图书销售排行榜显示,该书连续 4 个月居"非文学类畅销书排行榜"第一名,并取得 35 万册的成绩。

《水煮三国》以《三国演义》故事为主框架,将人力资源管理和市场营销管理中遇到的各种问题及对策,以"大话三国"的方式娓娓道来。该书以内容特色取胜:第一,它是只有中国人才能写出的财经书,它有启发性、接近性,都是中国读者心中熟悉和倍感亲切的一些东西;第二,该书谈及的问题是用三国故事做底料;第三,作者出色的文字表达能力,赋予了作品非常大的魅力。作者成君忆是具有 10 年从业经验的资深企业管理顾问。

目前,出版社正在建立作者本身的一个品牌。同时在后期,出版社有计划会做《水煮三国》的很多的延伸产品,如广播剧、话剧、情景喜剧等等。输出版权方面,中信出版社凭借自己丰富的版权引进经验,该书出版一个月后就成功转让了繁体版和韩文版版权。海外市场的定位也非常清楚,就是对三国这个故事内容和文化背景了解比较深透的地方, 像东亚、东南亚、台湾地区等等。该书的版权营销项目已然形成。

这一阶段存在的主要问题来自国内的原创力不足, 不能满足出版数量和规模的要求。

(三)分析:出版社版权资源开发的支撑点

1. 体制和资金平台

中信出版社是全国为数不多的由企业主管的出版社, 作为"企业婆婆",中信集团愿意中信出版社朝着企业化的方向快速发展;作为出版社,它的一些市场化、企业化改革也更易于取得主管部门的支持。中信出版社有一个开放的资本结构和业务平台。中信联合发行公司,是中信集团的全资子公司,注册资金 600 万元人民币,在政策允许的范围内,发行公司和出版社将会整合更多的社会资源。

2. 中信集团的国际品牌效应

国外许多出版社之所以能够与中信出版社开展长期的版权合作,主要是认同中信集团在金融方面的品牌。这有些类似于哈佛大学商学院在前沿经济学领域、Bloomberg Press 在金融咨询方面建立的权威效应。

3. 出版理念

出版理念是一个出版社的灵魂。中信出版社提倡,要能为读者提供最前沿的思想与最优秀的学习实践,通过有价值的、有享受的阅读,倡导与展示新的文化主流;在出版文化方面,关注时代的特点和人的需求,是中信出版社出书的主线。在《杰克·韦尔奇自传》出版后,也有人主动找上门来,要求合作出版《麦当娜传记》,中信出版社拒绝了,因为品牌需要高品质的图书来建立,畅销是在高品质的前提下存在的。

中信出版社提倡激情出版。首先是出版人热爱出版,在出版中发挥创造性,在每一本图书中体现自己的智慧、能力、价值和事业心。其次是出版社强调要与国内外的大出版集团竞争。强调要想进入一流,就需要激情,要在进入市场的视角、出版节奏、读者的培育、作品的特色,以及整个出版过程中体现团队的激情。

4. 高效的业务流程和分工

中信出版社的部门设置是真正以市场为导向的。编辑业务主要由大众图书市场部、专业图书市场部、高教图书市场部、中小学图书市场部四个业务部门组成,每个部门都含有选题、策划、组稿、编辑、营销支持、发行等功能;发行业务由中信联合发行公司承担,成员 40 余人,目标是成为中盘商;版权管理部门专职人员 3 人,主要进行版权合同管理。在 2004 年年初进行的社内部门和人员调整中, 有一批年轻的编辑充实到发行和市场部门,并且开创性地将发行和编辑部门的主要领导对调。虽然部门调整的最终效果现在还不得而知,但是这种方式无疑会加强部门间的协作,更新工作思路。这种对流程和分工的整合过程将提高版权资源开发的效率。

5. 良好的合作关系

中信出版社在国内和国际两个维度上都建立了良好的伙伴关系。尤其是它一开始就将自己定位在一家国际化的出版社,因此与国际范围内优秀出版社的合作关系是中信出版社开展版权资源合作的一个亮点。

(1)国际方面的合作。中信出版社将国际范围内的合作伙伴按照出版方向分为两个大类,Academic(学术)类和 Trade(一般图书)类。

其中,Academic(学术)类图书的主要合作伙伴包括:汤姆森学习出版集团,该集团是全球四大教育出版集团之一,与中信出版社合作的项目主要涉及财经教材和英语教学;麦格劳—希尔教育出版集团,该集团也是全球四大教育出版集团之一,与中信出版社合作品种涉及经管、金融、心理、大众生活类图书;哈佛商学院出版社,其经管图书加强了中信在经管专业领域的思想深度;麻省理工学院出版社,该社是全美惟一一家专门从事科技出版的大学出版社,中信出版社与该出版社在经济学、财经领域展开了积极的合作;剑桥大学出版社,世界上历史最悠久及规模最大的大学出版社之一,中信出版社积极与其在财经领域展开合作;哥伦比亚大学出版社是一家非营利性的大学出版社,中信出版社在经济学领域与其展开了大规模的合作,前沿经济学也因此得到了进一步的提升;ASPEN Publishing 为律师、法律专业的学生和商业专家提供领先的专业信息,中信出版社借此全面进入法律专业出版领域;布隆博格出版公司是彭博咨询经济咨询公司下属的一家出版社,出书范围主要涉及财经、金融、证券投资等专业系列图书,它是中信出版社在财经领域内的重点合作伙伴之一;此外,中信出版社与财经世界出版社在金融风险系列图书出版方面也展开了大量的合作。

Trade(一般图书)类图书的合作伙伴主要包括:华纳图书出版公司,它是中信出版社产品线延伸的重要支持伙伴,如心理励志、职场教育等图书品种;亨利霍厄特出版公司,美国最早成立的出版社之一,除了 Henry Holt 品牌以外,公司还有另外 5 个品牌:Metropolitan Books,Times Books,Owl Books,Picador USA,Books for Young Readers;珀尔修斯出版社,一家独立的大众图书出版商。

(2)国内方面的合作。由于中信出版社从一个小规模的出版社成长起来,在书号、编辑力量方面也需要寻求国内出版社的帮助与合作,达成共赢。

据辽宁教育出版社的总编辑刘国玉介绍,辽宁教育出版社与中信出版社开展合作的项目在 2002 年有 50 多种,2003 年达到 200 多种。首先,两社都以"建立书香社会"为自己的出版宗旨,都尽可能出版高品质的一般图书。其次,两社都在引进出版外版书方面有一定经验,并且都力求将国外一流的作品,尤其是那些已经过国外市场检验的畅销图书介绍给中国读者。中信出版社依靠引进版图书建立市场形象;辽宁教育出版社从1995年开始下大力气做引进版图书,与牛津、剑桥、贝塔斯曼等国际知名图书出版公司都有过成功的合作经历。再次,中信出版社地处文化中心北京,信息、人才等资源相对丰富,有着其他地区难以替代的地域优势。

在方式上,辽宁教育出版社与中信出版社的合作可以说是全方位的。目前,辽宁教育出版社有8位编辑长驻中信出版社,与中信出版社的编辑一起,共同开发选题,进行营销策划,共同参与出版的全过程。

案例5 四川新华书店集团的改制实践

在四川新华书店集团改制的过程中,我们可以看到国有图书发行企业集团的改革是一个系统工程,它不仅仅涉及产权体制的改革,还涉及企业经营管理机制的改革。在积极应对WTO和增强国有图书发行企业实力方面,四川新华书店集团成为国有图书发行企业改革的一个缩影。

(一)四川新华书店集团改制基本状况分析

1. 产权投资体制

在产权投资体制中,四川新华书店集团的改革分为三个方面:一是授权经营体制;二是母子公司体制;三是多元化投资体制。

在授权经营体制上,四川新华发行集团公司是中宣部、新闻出版总署确定的全国首批发行集团改革试点单位之一,并于2003年6月被中央确定为中西部地区惟一的全国文化体制改革试点企业集团。2000年3月,四川省政府将省新华书店、省外文书店、省出版对外贸易公司3家事业单位进行转制和资产重组,组建出版物发行骨干企业——四川新华书店集团公司(后改为四川新华发行集团公司),将全省新华书店国有资产授权集团公司经营管理,由集团公司行使国有资产的股东权益。这种股东权益主要体现在对企业的最终索取权和控制权上,而董事会成员都是经过省政府和省新闻出版局确定的。集团公司实行董事会领导下的总经理负责制,总经理直接向董事会负责,负责企业的全面经营活动,最终目标是为了国有资产的保值增值。

在母子公司体制上,集团公司拥有对全省新华书店系统资产的所有权,它通过投资体制设立了 17 家分公司,拥有对全省 162 个市、县、州新华书店的资产所有权,共拥有 839 个直营发行网点。这些分公司相对于集团公司来说就是子公司,母子公司的关系为投资与被投资的关系,母公司拥有对子公司的股东权益。在集团管理体制上,它实行了矩阵式管理和扁平化管理相结合的管理方式。根据公司不同的业务和权限,集团公司将子公司分为三类,一类公司(A 类)、二类公司(B 类)、三类公司(C 类)。根据公司的类别分别赋予不同的权限和待遇,鼓励公司之间的竞争和合作。

在多元化投资体制中,四川发行集团作为产业集团,它的核心是出版业,以图书和报纸出版、发行、印刷、广告、外贸为主体,同时开拓集团的相关文化产业,这是其积极寻求新的效益增长点的体现。2002 年投资建立四星级的新华国际酒店,并设立新华旅行社、新华国际酒店出租汽车公司,在简阳投资建立三岔湖花岛度假酒店,设立股份制企业蜀新经贸有限公司开展纸张、文化用品、书架和导购系统的业务。此外,还投资了皇鹏物业公司,介入物业管理行业。到 2003 年末,3 年来集团公司资产总额由 19 亿元上升到 25 亿元,净资产由 10 亿元上升到 13 亿元;年销售收入由 34.6 亿元上升到 46.5 亿元,利润由 7479 万元上升到 1.4 亿元,上缴税金由 1.2 亿元上升到 2.1 亿元。2004 年上半年,集团公司实现销售收入、利润比 2003 年同期分别增长 10%和 19%。

2. 渠道与物流战略

渠道和物流战略是新华书店集团主要围绕出版发行业开展的战略规划,主要包括三个方面:连锁经营系统的建设、出版发行系统供应链管理改革、物流与信息流的系统建设。

第一,连锁经营系统的建设。四川新华书店集团公司、成都市新华书店和四川少儿出版社共同投资建立文轩连锁有限公司。2002 年 1 月,"文轩连锁"正式挂牌营业,成都市所有的新华书店门市统一换上"文轩连锁"的招牌。它主要从事外文和一般图书批发和零售业务,包括了 50 家图书零售店,其中西南书城、成都购书中心两个大型零售中心占有了成都 60%的图书市场份额。"文轩连锁"成立以后,将采购工作重点由原来的进货品种选择转变为供应商管理,即与每个出版社的供应关系都有专人负责维护，使每个供应商都清楚了解到他们的产品在连锁公司的陈列和销售情况。并在计算机网络共享的条件下，开创了一种全新的采购模式——协同采购，即在适当的时候将一部分采购工作交由出版社完成，使出版社与连锁公司可依据共享的预测数据与实时需求信息自动补充库存，也使各方面能更全面地了解采购计划。同时，在音像电子出版物发行方面，2003年1月四川新华书店集团耗资1000多万元在省外文书店原址上改建成西南最大的音像城——时代新华旗舰店。新建立的"时代新华连锁"在各街区积极发展零售网络，以平均每三天开一家直营连锁店的速度占领各大社区。这两大连锁公司积极探索连锁经营的三种不同的发展形式，因地制宜发展连锁网络。截至2002年12月31日，文轩连锁公司建立了图书连锁门店50个，其中包括30家直营店；时代新华连锁公司拥有69家音像连锁门店，其中直营音像连锁店17家。两大连锁公司把连锁整合与基层新华书店改制有机结合起来，继续推进"文轩连锁"和"时代新华"连锁营销网络和物流中心的建设。2003年6月，四川省市级新华书店完成了图书直营连锁网点和音像直营连锁网点的建设计划，2003年年底初步建立覆盖全省各市和主要县区的出版物零售连锁系统。连锁经营后，集团销售额普遍增长，2002年，文轩连锁公司实现销售码洋2.4亿元，时代新华连锁公司电子音像制品销售净收益达6799.62万元。

第二，出版发行系统供应链管理改革。在加快市县连锁整合步伐的同时，四川新华书店集团两大连锁公司与全国各地出版单位密切合作，着力引进全国各地的名社精品，努力扩大中外文一般图书、电子出版物、音像制品的市场占有率。2002年，文轩连锁公司成功举办了"全国少儿精品书订货会"和"秋季文教类图书看样订货会"。在订货会的基础上，集团与国内几家知名出版社、出版集团达成协定，共建出版发行供应链。首先，建立出版社和书店共享数据库，主要包含库存与销售环节的数据，这样就会对选题、印数和采购量上有一个清晰的数据支持系统，增强对市场的把握能力。还确定了今后要重新划分社店双方的业务范围，重新确认各自的职业和义务，完善双方的信息系统并实现信息共享，努力实现协同计划和协同采购。

第三，物流与信息流的系统建设。实行连锁经营，最重要的两个系统就是物流与信息流系统的建设。在改革中，集团公司启动了"中国西部出版物物流配送中心"建设项目，完成了其对海内外的公开招标工作。筹建物流配送中心,具备代理、采购、仓储、发运、结算等功能,以信息化为主导,建立高效的信息网络。自动化的分拣系统、智能化的仓储系统、覆盖全省及周边省区的物流网络,为客户提供各种增值服务,这将为连锁经营提供强有力的支持系统。2002年4月,集团公司成立了信息领导小组,加强对集团公司信息化建设的领导。信息领导小组制定了集团信息化建设总体规划及实施方案,先后邀请汉普、普华永道等国内外知名管理咨询公司对集团进行调研,并组织人员赴境内外考察学习。新星信息技术有限公司在书业软件的开发与推广上取得了新的进展,完成了智能星图书管理系统升级,成功开发了新星信息交换平台,顺利实施了文轩连锁图书管理系统、时代新华音像管理系统和教材系统的推广。新华在线公司初步完成了与文轩连锁公司的对接和业务流程的重新设计,目前正在探索中国电子商务的发展之道。

3. 人力资源战略

在人力资源管理上,四川新华书店集团的改革主要体现在三个方面:劳动用工制度、员工培训制度、职业经理人制度。

第一,在劳动用工制度上,四川新华书店集团制定了一系列的改革措施:按照专业分工、精干高效、责权明确的原则设置机构,按需设岗,定岗、定责、定薪;实行管理人员竞聘任期制,根据管理绩效适时调整,动态管理,优胜劣汰,取消企业干部的行政级别;全体员工一律实行聘用制,竞争上岗,取消干部与工人、正式职工与外聘员工的身份界限,多渠道分流冗员;改革分配制度,效率优先、兼顾公平,对人力资本按质论价、公平赋值,以岗位工资为基础,辅之以绩效薪,以岗定薪,同工同酬,岗变薪变,使员工收入与其岗位职责、绩效挂钩。通过竞聘,在原来三家国有单位517名正式职工中,妥善分流了136名,其中包括处级干部4名,科级干部12名。同时,通过转岗培训等方式,转移过剩人才或更新其技能。并在社会上公开招聘员工近1000名,占集团现有员工总数的77%。通过竞聘上岗,减岗360多个,减少干部20%。通过竞争,优化了人员结构,具备大专学历的中层以上管理人员由原来的49.5%提高到75.6%,平均年龄从38.2岁下降到35.7岁,基本上形成了比较合理的经营团队。目前,集团公司初步形成了"能者上,平者退,庸者下"的动态管理机制和员工能进能出、人员流动有序的局面。

第二,在员工培训制度上,集团坚持了以下原则:一是坚持动态管理

305

原则,注重员工的流动性;二是能力原则,使用适合岗位需求的人才,努力做到人尽其才;三是竞争原则,让企业内部的人员流动形成良性循环;四是互补原则,能把一群不同专业、不同能力和特长的人才进行合理搭配,形成人才合力;五是辩证原则,力求做到德与才的统一、扬长与避短的统一、育才与用才的统一;六是成长性原则,对于人才既要使用,又要注重员工的未来发展,经常培训员工,增强他们对不断变化的环境的适应能力,促进其成长。同时,又树立人才不等于全才的观念,不求全责备;同时清醒地意识到,工作绩效不等于人才潜力的全部,工作绩效只能证明过去,不能证明现在和未来。在具体活动中,集团公司先后请业内的一些专家以及武汉大学、中国人民大学和四川大学等高校的学者开设培训班,对员工进行培训,提高管理者和员工的业务知识和素质。

第三,在职业经理人制度上,四川新华书店集团开始迈出了步伐。在公司内部,试行模拟职业经理人制度和分公司经营者年薪制,并将各业务公司分为 A、B、C 三类实行管理,在各公司全面推行市场化经营、精耕化管理。集团公司对各经营公司进行明确定位,实行专业化分工,努力避免内耗式竞争,有效地协调了集团各分公司的业务关系,最大限度地发挥了集团的聚合效益。集团公司强化了各业务公司的预算管理,以业绩为中心进行日常监控、过程管理,要求所有子公司的往来资金必须通过集团资金结算中心进行集中管理。在对职业经理人的管理上,公司赋予了职业经理人相对较大的权力,使得他们能够专心进行企业经营活动并承担相对的企业行为风险和责任。目前,企业职业经理人制度还在试点过程中。

4. 一体化战略

在四川新华书店集团发展的过程中,它相继与北京、上海等地的出版发行企业建立战略伙伴关系,共享各自的战略资源,努力实现高起点、跨地区的协同发展。在向下游图书零售渠道开拓的过程中,四川新华书店集团也逐步把业务范围向上游延伸。集团公司成立了全国新华书店系统首家出版选题策划、经营公司——四川新华出版公司。公司定位于文教类、少儿类、社科类三大版块,进行图书的选题策划。在作者队伍方面,与一批知名作家、学者建立密切的联系;在运作模式方面,与有关出版社密切协作,确保图书出版的规范性;在人力资源建设方面,充分运用社会支持系统;在市场营销方面,建立国有书店、民营渠道并举的省内外销售网络。同时,创办了电子商务公司,首批获得网络出版权,为进军网络出版做好了准备。

(二)四川新华书店集团改制的问题与方向

1. 产权体制改革

在改革的过程中，四川新华书店集团进行了合理的产权投资制度的改革。

首先在投资体制中，授权经营历来被作为国有图书发行业改革的难点，被摆在改革的第一位。在四川新华书店集团改革的过程中，授权经营虽然得到了省人民政府的认可和批准，但在具体的执行过程中，却遇到了很大困难。省店的资产比较容易划分清楚，但是各个县店的资产却很难核清。因为各市、州、县店资产的积累并不全都是省店投资建设的结果，很大程度上还带有了地方政府和职工的资本和劳动投入。所以，党的十六大明确规定地方国有资产属于国家和地方共同所有，这种事实无疑就增加了地方企业集团资产核查的难度。四川新华书店集团在开始组建集团的过程中，虽然规定了把各市、州、县店的资产全部划归集团公司整体管理，但集团公司却很难行使对这些公司的实际管理权。这就为企业集团行使对资产的所有权增加了难度，加大了内部交易成本。所以人事上的变动与其说是人力资源开发战略的一部分，倒不如说是为了减缓改革阻力而进行的一种"内部清退制度"。虽然这种制度不是符合企业集团组建初衷的，但是它毕竟为集团的发展扫除了障碍，从整体上来说是一种有效的改革措施。

其次在多元化投资体制中，国有企业集团最容易犯的一个重大的失误就是盲目多元化投资。研究中国国有企业集团的专家和学者都不能否认的一个事实，就是几乎所有的国有企业集团都是多元化投资的公司，而且大多数都投资在旅游、餐饮、娱乐和房地产领域。这也反映了一个现实就是国有企业集团行政和公关成本的高昂。四川新华书店集团投资在旅游和餐饮方面的建设，与其说是开拓新的经济增长点，倒不如说是为了节省大量的公关成本和集团内部交易费用。这种支出加上其他的各种公关活动，为集团的发展提供了良好的社会形象和机遇。董事长王庆频频参加各种会议并发表改革演说，目的就是为了给集团的发展提供一个良好的社会机遇，获得政策层、学术界和实业界的认可，为他的改革措施寻找社会支持。四川新华出版公司的成立，使得集团名正言顺地步入了出版行列,这不能不算是一种社会支持的成果。

2. 连锁经营分析

在四川新华书店集团改革的过程中,连锁经营是被作为一项战略重点来实施的。文轩连锁有限公司和四川新华电子有限公司,分别作为图书和音像电子制品销售的连锁公司,体现了新华书店固有的出版物零售的功能。一般我们衡量连锁经营的成败,主要关注以下三个问题:品牌价值、规模效应、网络优势。在品牌价值的塑造方面,四川新华书店集团着力打造了"文轩连锁"和"时代新华连锁"两个闻名全国的品牌;在规模效应方面,它完成了一般图书销售 2.4 亿的营业额,具有强大的进货和零售能力;在网络优势方面,截至 2002 年 12 月 31 日,文轩连锁公司建立了图书连锁门店 50 个,时代新华连锁公司拥有 69 家音像连锁门店,基本上覆盖了成都全市。

尽管如此,四川新华书店集团还是没有把出版物发行供应链管理和连锁经营有机结合起来。一是出版物发行供应链管理战略并没有一个周密的部署和计划。2002 年,文轩连锁公司只是在借助"全国少儿精品书订货会"和"秋季文教类图书看样订货会"的期间来提倡建立出版物发行供应链系统,并没有拿出具体的建设方案和步骤。而且,借助仓促的图书订货会的机会来商谈出版物发行供应链系统的建设,并不能起到明显的作用。因为图书订货会的主要功能不在于商谈并构建企业发展战略,各个出版集团和出版社并没有准备好来商谈这一问题,它们的主要目的还在于图书订货交流这一主要功能。二是供应链管理系统是一个巨大的工程,出版社和新华书店都没有做好充分的物质准备。四川新华书店集团虽然在分销渠道的建设方面发展很快,但是在各连锁店的物流配送和信息流建设方面却还不到位,图书零售系统和连锁店信息管理系统建设并没有结合起来。而且,各个出版社在信息化建设方面举步维艰,很多关于信息标准化规范方面的问题还大大的存在,这就为出版物发行供应链系统建设造成了巨大的障碍。所以,目前所提及的出版物发行供应链系统主要还在于解决出版社供货问题。如何把图书零售的情况反映在进货中,这就是要解决的核心问题。四川新华书店集团要建立发行供应链系统,就必须在计算机网络技术等方面来加大改进的力度。

案例 6　云南新华书店集团的股份制改革

国有图书发行业目前所经历的，是一个由传统政企管理方式向现代企业制度转变的历史时期，这其中涉及两个问题，一个是产权制度问题，一个是企业经营机制问题。从企业经营所涉及的这两个问题来看，股份制的作用主要是明确了政府与企业之间的产权界限和集团与其母子公司、参股公司之间的产权关系，并且为现代公司制经营完善了法人治理结构、投资决策机构和利益分配制度。云南新华书店集团的股份制改革，从某种程度上是对这两个问题所做出的实践探索。

(一)云南新华书店集团股份制改革的特色突破

图书发行业处在计划经济向市场经济的转型之中，其股份制改革体现出行业阶段性特征。

1. 贯彻母子公司的职工持股会

云南新华书店集团体制改革中始终贯穿着一个基本的股份制改革形式，即职工持股会。省店职工持股会成员是由新华书店系统内绝大多数在册职工和离退休职工出资认股组成，并选举持股会理事会成员 7 人，代表行使持股会会员法人身份的权利并承担有限责任。持股会股金来源包括个人股和集体股两部分。个人股包括职工交纳的现金，还有经中介机构审计验证的历年节余的应付工资和应付福利费；集体股则是有关部门批准让渡的盈余公积金。持股会总股金近 1 亿元，其中个人股占 60%以上。此外，在昆明、大理、丽江、玉溪、红河、曲靖、思茅等 10 个地、市、州新华书店中，也分别成立了职工持股会，和集团公司、图书公司一起参与对地、市、州新华书店的投资。其中昆明市新华书店作为集团公司的子公司，其职工持股会出资 625 万元，占昆明市新华书店有限公司股份的 41.67%。它的持股会会员权益则由董事会 5 名成员代表行使。

职工持股会是企业集团中股权型报酬的一种具体的实现形式，它的组织思想与指导原则依据于员工持股计划(ESOP)，这是美国经济学家路易斯·凯尔索提出的，它所体现的基本原则就是职工劳动收入与资本收入的权利。云南新华书店集团在具体实施中，基于两点考虑：一是以前对于国有资产界限和价值的判定的模糊，造成了经营管理上责权利的混乱不堪，应该通过职工持股会来组织资金，核清资产并审计价值；二是原来对于企业职工所创造的价值的非公正评价减弱了职工积极性，分散甚至丧失了企业竞争能力，必须通过职工持股会重新凝聚企业核心竞争力。

事实上，云南新华书店集团的职工持股会所确立的这种形式，在企业改革的初期起了重要的产权改革的作用。首先，通过对职工个人股的综合集中，重新把握了股份制企业中职工的地位和作用。它所确立的职工的出资者与劳动者双重身份的运作模式，是对企业体制进一步演进与优化的准备和过渡。其次，在对各级公司的控制中，都树立了职工持股会的重要法人地位，使得各级公司从原来的领导主观控制变为法制约束下的权力制衡的一种机制，促进了决策民主化的运行。如职工持股会对图书公司股金占其公司股份的69.83%，对音像公司的投资占其公司股份的68%，都是绝对控股的法人社团，可见其对公司决策的影响至关重要。在对昆明市新华书店有限公司的投资中，市持股会占41.67%，图书公司占41.73%，集团公司占16.6%，可见，三方股东根据其股份额的力量对比，产生制衡关系，有利于决策民主化的运行。可以说，在图书发行业改制的初期，这种相对有益的职工持股会的形式是适合我国国情与行业发展趋向的。

2. 多元有序的主权资本

社店参股、职工入股是云南新华书店集团主权资本的基本构成形式。我们讲它的主权资本的多元有序性，主要可以从以下数据来说明：

云南新华书店图书有限公司注册资本8300万元，股东为云南新华书店集团有限公司（2204万元）、云南全省新华书店职工持股会（5796万元）、北京师范大学出版社（100万元）、上海世纪出版集团（100万元）、云南教育出版社（100万元）。云南新华电子音像有限公司注册总资本300万元，股东包括云南新华书店集团有限公司（36万元）、云南省新华书店职工持股会（204万元）、人民教育出版社（30万元）、广东海燕电子音像公司（30万元）。昆明市新华书店有限公司实收资本1500万元，股东包括云南新华书店集团有限公司（249万元）、云南新华书店图书有限公司（626万元）、昆明市新华书店职工持股会（625万元）。

可以看出，主权资本的多元化是指图书公司、电子音像公司以及昆明市新华书店有限公司等的股东，既有新华书店、出版单位，还有社会法人团体（职工持股会）的参与。尽管除职工持股会外都是国有资本，但其多元化的格局已经形成。它的有序性至少包含了两个方面：一是股东（集体）数量少，构成关系相对简单；二是核心股东地位突出。这是依据出版发行业及国有企业改革的经验与现实以及云南的社会历史环境所做出的客观思考和布局。

首先，国有新华书店系统的改革还处于初期，对国有资产的授权和经营运作还没有先进的模式借鉴。因此，确立明确的稳定发展的观念是十分重要的。由于出版发行业处于改制初期，筹资不是主要问题，关键在于主权资本关系的界定与处理上。股东构成的多样化容易产生各种复杂关系，特别对于行政关系来说，是根本无法彻底解决的。股东之间有各种权利与责任、收益与风险的关系，往往使得决策在很大程度上难以确立并持久贯彻实施。这样，管理成本的大量消耗会在初期制约集团发展。广东新华发行集团包括96家法人单位，包括省内外多种书店和出版社，它的股权多元化模式，就是现在都面临着管理成本与决策权的协调问题。尽管其核心企业（广东新华发行集团股份有限公司）的改革制度相对靠前，并且生在广东这样一个商业操作经验纯熟的经济环境中，但其仍旧无法避免各种主权资本之间的剧烈冲突。这是对将股份制引入国有图书发行业这一举措认识不明的结果，所以，对国有发行业股份制改革要进行冷静分析与思考。

其次，核心股东地位的突出也并不是没有民主化，没有体现投资多元化的实质意义。任何企业的发展都需要树立明确的市场定位和市场开发战略，以新华书店为龙头的企业集团应该对各子公司的投资占有控股的地位。并且，产权改革初期的股份制改革，在一定程度上需要赋予权力的效能，明确权力的方向和作用程度，求得稳定与发展。所以，在吸收其他国有资本时，云南新华书店集团采取了慎重的态度，不但精选参股的出版单位，而且规定了入股金额。例如在对电子音像公司的投资中，人民教育出版社就曾设想过投资1000万元。由于对吸收主权资本的慎重把握，目前省职工持股会与集团公司的核心地位是十分突出的，在图书公司中股份合占到96.39%，在电子音像公司中占到80%。这对保证企业从中盘做起的整体战略定位奠定了资产与决策保障。

在主权资本的实现方式中，国有资产权益的实现是集团股份制改革的主要目标，这就是国有资产如何行使股东权益并承担有限责任的问题。我们可以通过两点来观察云南新华书店集团改制的特别之处。一是授权经营。云南省新华书店国有资产由国有资产管理局直接代管,国资局又授权新闻出版局代行股权,目前是国资局与新闻出版局共同管理的局面。被授权的云南新华书店集团有限公司统一经营的国有资产,是依据其对子公司的投资来确定权益并承担相应的风险,即集团公司通过对图书公司、电子音像公司以及各地、市、州公司的投资行使其国有资产的股东权益。而江苏新华发行集团和四川新华书店集团,尽管也通过国有授权经营的方式,同样也是国资局与新闻出版局共管,但新闻出版局直接拥有国有资产的监管权和人事管理权。这不是依据在董事会和监事会的法律程序来行使股权,而是在行政管理与行业管理上混淆职责来实施的,这本身又构成了新闻出版行政管理者对被管理者权力的制约,使得两者重新在人事和利益分配上交叉模糊,国有资产权益的实现仍旧没有明确的保障。二是董事长与总经理兼任问题。由于现阶段国有图书发行业面临的是体制改革与资产盘活问题,相当程度上企业的投资决策权和经营管理权可以统一暂行。二权统一,就能更大限度地凝聚企业职工力量。并且,国有企业领导人的威信也是激发职工活力的重要因素。江苏新华发行集团、四川新华书店集团、上海世纪出版集团、辽宁出版集团的实例都说明了这个问题。所不同的是,这些集团的董事长兼总经理是出版管理部门任命的,与政府没有明确地割断行政或职能部门的联系。人事管理与收益关联多多少少地还存在于董事长兼总经理甚至是党委书记的企业领导人与新闻出版局的关系中。而云南新华书店集团由于实行了股份制,严格规定了企业法人的权限和收益,并按其法人财产权的大小承担有限责任。而且,其法人代表的产生是经过企业职工公平选举的,与出版管理部门没有直接的操作关系。这就表明董事长与总经理的兼任只是过渡阶段的形态,大大减弱了政府与企业的行政关联。这种形态将伴随着企业市场化的步伐而得到调整并改进。

3. 项目合作上的外资股份

早在1993年,云南省店就已经寻求与新加坡泛太平洋集团股份有限公司合资建立新华大厦的项目。可以说,在云南新华书店集团股份制改革的多年以前,就已经在项目投资上进行股份制性质的尝试。当时,新华大厦总投资为1800万美元,其中,云南省店占70%,新加坡方面占30%。按照王世钧的说法是,引进外资不是目的,重要的是引进先进的管理技术和经验,实质上就可以深入到企业管理制度。

严格地说，新华大厦项目的合作还未深入至股份制改革的范畴。但是，从改制的源头来考虑，我们认为这是促使云南省店锐意改制的动因之一。既然引进管理经验与技术是关键，那么，作为股份制公司的新加坡泛太平洋集团股份有限公司对其影响是不能低估的。并且，发行集团能否引进外资进行股份制改革，在法律规定上已经逐步放宽，在实际操作中也将更加完善。

在与外资的项目合作上，云南新华书店集团对新方的经营思路和模式也做了调整。原来新方以 70%的股份控股，准备把新华大厦用作房地产经营，而云南省店根据自我发展战略与市场定位，决定以 70%控股，重点实施与发行企业相关的职能经营。目前，云南新华大厦有限公司已成为一体化发展的功能型大厦。具体涉入了三项经营：书城与俱乐部经营、物业经营、餐饮经营。在这些经营类目之中，中方主要吸收了新方的标准化经营和管理方式，并从观念上逐步加深对于股份制的理解。这些经营本着为文化企业服务的目的，积极加快集团战略步伐，依靠管理塑造品牌，积累资产，为与国际市场接轨做好准备，并对国际经济格局和业内动态的发展也做出积极应对战略。

(二)云南新华书店集团股份制改革的局限分析

股份制不是结局，它只是一种前提，国有企业股份制改革的过程中还存在大量遗留问题需要解决。

1. 国有资产监督不完善

国有资产作为被授权的企业法人财产，其具体的处理涉及很多问题。可以说，目前的国有发行集团中，能够彻底解决产权问题的几乎没有。一提到企业的国有资产产权，就意味着政府力量的介入。云南新华书店集团的股份制改革在一定程度上规定了产权的明确界限，但由于集团公司属国有独资公司，国有资产产权与企业法人财产重合，并且，没有监事会的状况只表明一点，就是政府在董事长或总经理职务上握有一定的控制权。名义上国有资产管理局与新闻出版局共管被授权的国有资产，但实际上国资局以对行业不熟悉为名，轻易放弃代管权力。于是又由新闻出版局代行国有资产管理的行政行为，所以，行政管理职能与行业管理职能又混为一体，对企业的制约很大。政府作用的力量仍然存在，政企关系依旧不明了。

本来产权问题上要国有资产的股东代表仅以法人地位说话，而且对国有资产的处理仅以其资产的作用和数额来运营。这样只有一个途径，就是由国有资产管理部门而不是由地方政府接管资产并行使权益。领导人由国有资产管理部门聘用，监事会由国有资产管理部门指派人员组成。国资局权限仅以现代企业制度的规定来依据法律程序行使。从现实状况来看，国家真正不肯放权的目的就在于对国有图书发行体制改革存在两个方面的担忧：一是国有资产保值增值问题，二是图书发行业的社会效益问题。其实，如果按国家体制改革的具体规定来实施，不但国有资产增值没有问题，图书发行业的社会效益也会得到提高。

此外，在国有资产的收益问题上，企业要严格按照现代企业制度的规定提取公积金、盈余公积和公益金，确保留存收益的合理性。当然，企业在利用国有资产获得收益的同时，也要承担相应的业务风险与财务风险。

2. 员工股权参与机制与收益机制不对应

"工者有其股"是通过职工持股会来实施的，职工持股会所确立的思想在于集中企业内员工各自分散与独立的股份，以期获得企业核心资本与决策集中的优势。在这个过程中，我们必须注意到两点：一是职工持股会有一半以上的股份是私有个人股，私有权占主体；二是出资会员权益的行使由持股会理事会成员代行。这样，在具体的股权管理与使用方面，应该建立独立的"职工股权证托管中心"，由该中心负责员工股份的管理、分红、转让等有关事宜。否则，职工则会因为身为出资人而失去参与决策的权力而逐步丧失积极性。并且职工持股会对股份控制之后，职工个人股就不得退出或转让，使员工在一定程度上失去了对股份的处置权。所以说，职工持股会会员的分散出资与集中决策的矛盾是存在的。这种矛盾在企业赢利、利息上升时期可能还不太明显，一旦企业风险来临并加大，那么无论是省店职工持股会还是市职工持股会，它们的稳定将成为首要问题。

另外，职工持股会中员工的出资与其承担的风险并不对等。员工持股会作为主体分别向图书公司和音像公司投资时，图书公司的职员则希望职工持股会的资金都投向图书公司，这样自己的努力全部转向自己的投资，收益与风险完全挂钩；同样，电子音像公司存在相对应的想法。由于职工持股会分别向两个集体投资，个人员工由于股权份额极小，所以对收益并不能构成强烈的动力。职工持股会会员权益是由少数人代表集体劳动人民行使的，个人决策与风险的挂钩也不是直接的，这是否又形同于旧的

"国企形态"? 这种状况的出现实质上是企业没有区分优先股和普通股而产生的一种混沌状态。从昆明市新华书店有限公司与其分公司的实际考察来看,个人与企业的关联并没有通过产权联系起到应有的激励作用。所以,风险的过分加大将意味着亏损对员工自身利益和积极性的严重挫伤。投入与参与、收益与风险的对应将是职工持股会应深切思考的问题。

收益机制与参与机制的结合,其在股份制上的突破就是对公司证券进行多样化改革的探索。这主要是围绕公司主权资本而进行的一系列收益与风险的规定。以两权分立以及容纳巨额社会资本为特色的股份公司,仅仅利用普通股的作用是不够的,还应当随着公司制的改进实施优先股、公司债和可转换证券等多种形式。普通股形成参与权力与风险共担,优先股则优先体现利益分配,可转换证券则对想积极参与公司经营决策的人构成巨大的激励作用。这些形式不仅为企业融资解决障碍,还对股份制进程起到更大的推动作用。

3. 产权纽带与业务纽带联系不密切

国有图书发行业改革的进程中也曾经出现过由业务纽带所建立的发行联合体,但由于没有产权保障,都是不成熟的。特别对于股份制企业集团来说,产权纽带是一切关联中最核心的部分,也是最基础的部分。随着项目经营的兴起,项目投资与项目管理成为企业发展的重要趋向。目前,在新的产权制度下的业务合作制度还不成熟,云南新华书店集团还没有把项目和业务关系与产权制度很好地结合起来。云南新华书店集团曾在1993年尝试引进新加坡泛太平洋股份有限公司合资建立新华大厦,当时就已经有了项目入股的雏形,今后,项目投资不仅能帮助企业解决融资、扩大产业,还能进一步为企业建立更完善的激励制度。

具体来说,长期项目的投资主要为引进产权资本,短期项目则可以通过引进债务资本,同时可以进行项目负责人与执行者入股的形式,可以借助虚拟股票,最大限度地激发职工创造与工作的积极性。销售项目、进货项目等都可以作为项目经理入股的形式,这种入股形式可以打破现有的行政级别,灵活性强,收益明显,并且见效较快,未来发展的空间将会很大。

由产权纽带向业务纽带拓深是股份制改革发展的一个方向,它使得长期的抽象的产权联系在短期内具体地实现,对现代企业制度的完善和现代企业集团的发展,具有不可估量的实际意义。

案例7　日本图书出版业的流通体制

(一)日本图书出版流通体制概况

1. 图书流通渠道概况

日本在第二次世界大战之后出版事业飞速发展,目前有出版社4500余家,上市图书品种50万种,每天出版新书100种,年出版新书36 000种。据1992年的统计,日本共有图书代销公司150家,其中东京就有117家,占79%,其他的代销公司分布在大阪、神户、名古屋等地。起主导作用的是东贩、日贩、大阪屋、栗田、太洋社、日教贩和中央社等7大书刊贩卖公司,它们的总经销额为15 303亿日元,所占市场份额为92%,形成了寡头垄断的地位。截至1995年年底,日本有书刊零售网点共88 300个,其中书店27 800家,CVS(24小时销售超市)46 000家,车站报亭12 000家,生活合作社2300家,书亭2000家。日本大概每709人便有一家图书发行网点。

随着图书出版业的发展,日本出版物发行渠道也逐步呈现多样化趋势。

(1)主渠道:出版社——代销公司——书店——读者的渠道。这条渠道的图书流通量占全国出版物总量的80%,代表着日本图书发行的基本交易规则。在日本,出版社与书店基本上没有直接的交易关系,一般的图书批发交易都是通过日本的图书代销公司来完成的。应该说,日本建立的由出版社——代销公司——零售书店这种特定的交易关系构成的销售体制,赋予了日本书刊代销公司比其他各国书商都大得多的权力,出版社和零售书店都在中盘商的支撑下开展工作。

(2)其他销售渠道。日本出版业的其他销售渠道主要包括:①出版社自贩渠道:出版社——读者;或出版社——书店——读者。主要通过分期付款公司或出版社推销员直接向学校、图书馆、大学生协会、图书俱乐部或个人读者销售图书的渠道。②铁路弘济会渠道:出版社——国营或私营铁路车站售货点——读者。铁路弘济会是日本书商协会成员,在全国各个车站具有4000多个书亭。1986年它的书刊营业额占全国书刊零售总营业额16%,营业额为543亿日元,仅次于纪伊国屋书店。它的销售以期刊、袖珍图书和消遣类读物为主。③教科书及教材渠道:审定教科书渠道是教科书出版社(约70家)——代销业者(日教贩、大阪屋等)或教贩(大型教科书出版社的送货公司)——特约供应站(各都道府县的统筹机构)——代销供应站(当地的书店,约4700家)——学校这种途径供应的。由于教科书实行预定发行制度,所以基本上没有积压或者退货现象。非审定教材的销售渠道有五种:幼儿园直接销售渠道、学校直接销售渠道、家庭直接销售渠道、私塾直接销售渠道和专门学校直接销售渠道。非审定教材的销售特点就是取消了中间商,出版社和学校等团体直接交易。除了这几种主要的销售渠道以外,在日本还存在即卖渠道、报纸销售店渠道、政府出版物渠道、专门商店渠道、工作单位直接销售渠道、生协渠道(生活合作社)、农协渠道、宗教书渠道、流派宗师渠道、邮购渠道、送货上门渠道和进出口渠道。这些渠道都是借助特定的部门、规则和礼仪在不同领域内达到图书销售的目的。

2. 发行中盘概况

日本以其不大的国土和不多的人口支撑起4500多家出版社和27 800家书店,且年出书总量(含新书与重版重印书)达到5.1万种,出刊种数达到3万多种,销售额高达26 000亿日元,其原因就在于具有畅通的出版流通体系和强大的出版中盘力量。中盘是日本出版流通体系中委托销售制和定价销售制得以维持的基石。在全国45家中盘商中,东贩和日贩包揽了70%的业务,成为支撑日本图书流通的支柱。由于它们两家代理了绝大多数出版社的图书,因此,出版社的销售、送货等工作完全可以由中盘商来代劳,而不必花费过多的资金和精力,从而有利于出版社在上游领域内展开图书内容和质量管理的竞争。同时,对于书店来说,由于中盘商强大的批发功能和信息处理功能,书店可以简单地从中盘商处获得全国5万种图书的信息并由中盘商根据书店的经营历史数据对其挑选出适销对路的产品并迅速供货,这在很大程度上解决了零售店难以应付的技术困难和管理问题,使得读者和图书见面的机会增加了。

日本的中盘商具有以下几个特点:一是规模宏大。以东贩为例,在市场份额上,根据陈昕《日本出版流通体系考察报告》提供的数据,东贩与日贩两家公司的市场份额占到70%。在图书吞吐量上,它们能够将4500多家出版社发行的近50万种图书以统一而低廉的价格提供给全国27 800多家书店及其他众多的网点。1995年日本全国发行的图书不到10亿册,其中东贩就发行了 3 亿册，每天的发行量为 100 万册，退货量为 180 万册。在职工人数上东贩有 3000 名正式员工和 3000 名散工，大量用于处理杂志和图书的装运与退货事务。二是功能齐全。根据古洪宁《中日图书发行业比较研究》分析，东贩和日贩等大型的代销公司具有以下四种功能：①商务流通功能。代销公司具有代理众多出版社图书的实力，从而实现对出版社和书店进行商品销售、支付商品贷款和处理业务订货的功能。②信息流通功能。代销公司充分利用电脑联机网络，根据对各种数据资料的收集、计算和分析，提供出版、销售情报的功能。东贩就拥有相当健全的情报信息系统，包括供各类出版商、零售商了解销售情况的周刊、月刊和各种信息材料共 10 多种，此外还有东贩与出版社和书店进行业务交易时处理的出版物订货单、发货单和库存情况以及书店的营销趋势和市场动态情报等。这些情报经东贩处理后反馈到出版社和书店，有利于出版社开发选题和制定出版计划，也有利于书店在进货、销售等业务活动中掌握主动权。③商品流通功能。即建立在其庞大的物流系统和大规模运输能力基础上，代销公司所具备的进货、分类、打包、出货、配送、库存管理、补书调配、退货处理的功能。在东贩和日贩都各自引以为荣的物流系统中，两大代销公司都通过设置退货中心和多个发货中心，运用电脑联机网络，更新各种现代化机械设备，高效率处理订单和搬运图书，保证了大量册数的出版物在全国范围内迅速、准确地发售。④支援功能。对出版社和书店的一些经营管理和市场公关调查活动开展相应的支援措施，如提供选题意见、制定推广计划、帮助设计店面、分析营业前景、进行销售改良和经营培训等方面的活动，更好地为出版社和书店服务。

3. 图书产销机制概况

在购销形式上，日本出版界实行寄销制非常普遍。它是指出版者以寄卖形式委托发行机构销售某类图书。实行寄销制的图书，总发行权仍属于出版社，书店对受托的图书进行售卖，在一定时期内可将没有出售的图书寄回到出版社，书店不承担经济损失。寄销制在日本已经有 80 多年的历史，它开拓了日本出版物大量生产、大量销售的新途径，与定价销售制并称为日本出版流通体系的两大基石。它主要分为三种类型：①新书寄销，是指对新版、重版的图书以新版委托的方法来分配，1 个月后结算，4 个月后可退货。②长期寄销，是指对已经出版的出版物，以主题或季节来成批销售，6 个月后结算，售完为止，没有补充。③常备寄销，出版社将质量较高的图书送到书店,让其陈列宣传 12 个月,然后结算。委托的图书在税务上是作为出版社的在库商品来处理的,约占出版社 20%的资金。常备寄销被日本出版界认为是严格意义上的委托制度。从出版物的销售比例来看,采用新书寄销的占 25%左右,长期寄销和常备寄销各占 5%左右。同时,日本出版界也实行经销制,它是由各图书发行机构自己承担所订购的图书销售风险的一种买断经营形式,总发行权还属于出版社,在日本大约有 45%的图书是依靠经销制销售出去的。日本实行经销制,也是以寄销制的销售行情为参照进行进货和添货,读者也可以直接向出版社订购,订数相对比较精确,故而中间商和书店承担的风险依旧很小。最后,日本实行包销制的图书比例较小,主要是重印书。一些豪华版、医学书、西文书和特定出版物采用买断包销制度。包销的图书大致占出版物销售比例的 18%,而且大部分属于包销延期的图书。

在购销折扣上,根据寄销的办法,全国性批发商得到 8%的折扣,零售书店得到 22%~23%的折扣。依据不退货办法发行的图书则给批发商 10%的折扣,零售店折扣则为 30%,相对较优惠。这反映了书业经营者推销图书难易程度的高低。另外,在日本由于专业图书比一般消闲图书造货成本高,所以零售店对于前者可获得 21%~30%的折扣,对于后者只得到11%~20%的折扣。

在产销关系上,日本出版界之所以能够形成定价销售制和寄销制这样的传统,是由于出版社和图书代销公司所形成的股份制产权纽带。以东贩和日贩为例,1983 年年底,东贩资本有 33.75 亿元,讲谈社、小学馆等 360 名出版社股东占有 52.8%的股份,书店占有 9.3%,东贩内部占有 23.8%,其他股东占有 14%左右的股份;1983 年年底,日贩资本有 30 亿日元,其中以讲谈社和小学馆为首的 321 家出版社占有 58.8%的股份,书店及其他占有 32.6%,日贩内部占有 8.6%。由此可见,这种股份制组织形式,将书业的产销联为一体,出版社与书店形成了财产互有、利益均沾的产销关系,也更容易达成一致的产销协议。在图书备货所要承担的风险上,因为日本出版界大量采用寄销制,图书的备货主要由出版社来承担。新书出版后出版社大体拨出 70%交批发公司,自身储备 30%。这是建立在日本印刷业极为发达的基础上,在日本图书重印一般只需要一到两个星期,因此出版社一般采用大量备货的做法。在货款结算上,由于全国已经实现联网,出版商与批发、零售之间通过银行系统及邮政系统用支票而非现金结算款项。一般书款回收时间为 10~15 天。在日本,包销图书可延期几个月付款,经销图书在批发公司发书后 4 个月内结算;寄销书更长,一般在寄销期满后才结算,有时寄销期满后还将有很长的一段延迟时间。

(二)分析与思考

纵观日本图书出版流通体制,寄销制和定价销售制作为两大基石巩固并繁荣了日本出版发行产业。出版社和书店可以在大型的批发商充分发挥作用的基础上自主增强自己的业务能力,由此出版业呈现出一副井然有序的发展态势。但日本出版业也同样体现出这种流通体制下的危机和弊端。根据小林一博《出版大崩溃》的分析,日本出版业自 1997 年以来已经连续 7 年销售额逐步下降,呈现出一片崩溃的迹向。该书记述了在日本出版行业鼎盛时期,业内有 7000 多家出版社、2 万多家书店和在流通体系中属于中流砥柱的东贩和日贩为代表的数十家图书交易公司,统统被卷入出版崩溃之中。出版业出现大量的不断膨胀的退货,每年有 1000 家左右的书店倒闭。日本出版大崩溃是从大量退货开始的,图书、杂志年发行共 60 亿册,其中就有 20 亿册要作为退货返回来。平均退货率达到 50%,高的甚至达到 80%~90%。这样就把出版业推向了一个艰难的发展境地。从日本图书出版流通体制来看,我们着重分析这种流通体制对于出版业带来的双面效应。

首先来谈寄销制。日本大约有 35% 的图书是通过寄销制来售卖的,另外有相当数量的买断经销的图书也是在与寄销制相配合的情况下实行的。而寄销制最大特点就是出版社承担图书销售的风险,书店不承担任何经济销售损失,它可以无条件退货。当出版社把图书通过批发公司送到零售书店时,零售书店在自己的有效经营面积被占用的情况下发现寄销图书没有销售业绩时,就会丧失图书销售的积极性而在规定时期内退货,这就会给出版社造成巨大的退货负担。另外,寄销制还容易导致书店把经销的图书当作寄销图书来退回给出版社。根据东贩近几年的调查资料显示,事实上每年仍有 23% 左右的经销书被当做寄销书退回到出版社。这也就是书店通常对同一种书采用经销和寄销两种购销形式的原因,如果灵活组合运用,能使得自己的销售利润最大化。这样,出版社无形中也加重了退货负担。一方面,退货不但加重了出版社的成本负担,而且使得出版社更容易把大众出版向娱乐化功能转化,因为这样市场消费容易测定,能够加速出版业资金的流转，为出版社快速输入资金，所以日本漫画书刊泛滥。1996 年以前，日本漫画书刊占全部出版物销售的 20%~30%。这种娱乐化的阅读风潮一旦过去，必然引起出版业整体文化水平的跌落。同时，把出版物极度商品化的做法，产生了日本出版业"大量生产、大量宣传、大量销售、大量消费"的状况，图书充当快速消费品之后，很容易就被短信、图片、音频、视频等新型的信息传播方式所取代。另一方面，巨大的退货负担加大了出版社支付退货资金的压力。在资金流问题上，出版社更不愿意把到手的资金直接支付给书店，这样就会导致出版社出大量的新书来抵补退货的书款。同时又开出更加优惠的退货条件。这样，图书就经过批发商流到了书店手中，又随着书店卖不动而经过批发商退回到出版社手中。出版社的新书越来越多，占压资金越来越多，却又不断用新出的书来填补书款。这样金融链条发生了危机，于是东贩和日贩等大型的中盘商就发挥了巨大的融资功能，代理商和批发商施加强大的压力从书店手中获得了大笔资金，而书店和出版社都是东贩和日贩的股东，自然不能让东贩和日贩停下来。日本的出版业就如同一辆行走的自行车，谁也不愿意停下来，停下来整个出版业就停滞了。

其次是定价销售制度。定价销售制度容易形成很多弊端：一是不利于书店发挥主动性来竞争，这样长期下来就降低了书店的竞争能力。由于价格机制是市场竞争一个非常有利的手段，而日本的定价销售制度在塑造有序的竞争秩序的同时，严格限制了书店的促销行为。这样就把许多书店挤到了破产的边沿。二是定价销售制产生的最终后果就是书店对于销售不出去的图书没有降价销售的权力，因此只好把它作为退货品退回到出版社，这样同样加重了出版社的负担。然而退货越多，为弥补已经收取购书款造成的亏空，就越要接受更多的新书。新一轮的出版流通怪圈又这样形成了。三是定价销售制是对中小书店的一种严重的摧残。图书批发公司为了向部分出版社支付货款，被迫要求书店早期支付。但是，中小书店销售额小，根据金额确定比率，"进款回报率"的比率也低。而图书批发公司还是每月要求中小书店支付刚刚进来还没有销售出去的图书的购书款。中小书店在没有大量的商品和资金后盾支撑的情况下，却要承受来自图书批发公司的催款，中小书店被迫借钱支付，但它们拿到的回款奖金又被借钱的利息抵消了。所以，对中小书店来说，比起进款奖金的利润来，支付的负担要沉重得多。所以，大量的中小书店纷纷倒闭，与日本出版流通体制有着巨大的关联,这样也必将长期影响日本出版业的整体发展。

案例 8　亚马逊网上书店的营销策略

(一)亚马逊网上书店营销策略与方式

1995 年 7 月,亚马逊网上书店成立,当时投入的资金是 30 万元。到了 1999 年年底,它的书目数据库中含有 300 万种图书,顾客涵盖了 160 个国家和地区,达到 1310 万名,公司市值也达到了 90 亿美元。这种爆炸式的发展速度,除了适应计算机与网络技术发展的趋势以外,与其采用一系列的营销策略和方式是分不开的。

1. 产品营销策略

在产品营销策略中, 亚马逊网上书店主要完成了从一个纯网上书店向网上零售商的转变,把产品范围从图书扩展到了光盘、录像带、化妆用品、宠物用品及杂货领域,并提供了拍卖和问候卡片服务。在亚马逊网上书店创立之初, 其创始人杰夫·贝佐斯曾经设想了 20 种适合于网络销售的商品,包括图书、音乐制品、杂志、PC 机和软件等。他最后选择了销售图书基于三个理由:一是美国每年出版的图书的数量有近 130 万种,而音乐制品的数量则只有 30 万种;二是美国音乐图书市场由 6 家大的录制公司控制,而图书市场还没有形成垄断,即使是巴诺连锁书店的市场占有率也不过 12%,每年图书行业的营业额能达到 250 亿美元,全球图书更是多达 300 万种,有 820 亿美元的零售市场;三是美国大约有 80%的人把读书作为他们的业余爱好之一。因此, 图书就被作为了网上书店零售的突破口。

1997 年,亚马逊网上书店在纳斯达克上市以后,它的营业额逐步迅速上升。1998 年 3 月,贝佐斯开通了儿童书店;6 月,开通了音乐书店;7月,与 Intuit 个人理财网站及精选桌面软件合作;8 月,收购 Plant Alland Junglee 企业;10 月,建立英国网站和德国网站,进入欧洲市场;11 月,加售录像带和其他礼品。1999 年 2 月,收购药店网站(Drug Store. com)股权,投资药店网站;3 月,投资宠物网站(Pets. com),同期成立网络拍卖站;4 月,提供问候卡片服务,于堪萨斯成立配送中心;5 月,投资家庭用品网站(Home-Grocer. com)。2000 年 1 月,购买网上轿车销售商 Greenlight.

com 公司 5%的股份;3 月,与 Adobe 在电子图书方面的合作,进军移动商务;4 月,组建网上酒饮料超市 Wine Shopper. com 并开业。通过这些扩张计划,亚马逊网上书店的在线销售产品从最初的图书开始,几乎囊括了所有的行业,先后涉足软件、服装、花卉、电器、古董、影视、旅游、照相器材、电子图书、电脑产品等所有的市场,共有 1800 多万种商品陈列于网上。2000 年年初,股票面值突破 400 美元大关,其市价总值达 210 亿美元,比美国最大的巴诺书店的市值高出 8 倍多。

2. 价格营销策略

亚马逊网上书店由于减少了众多的中间商环节,产品的价格大大下降。亚马逊曾自称是最大的折扣者,有高达 30 万种以上的书目可以进行购买折扣优惠。贝佐斯自己就一直坚持价格的重要性,他把价格优惠作为企业竞争的坚定信条。亚马逊网上书店提供的所有商品,均低于市值。亚马逊网上书店特别选定的图书,将给予顾客 40%的折扣;一般精装本的图书给予 30%的折扣,平装本则为 20%的折扣。当然也有一部分特约书和所有绝版书都不提供折扣的优惠。另外,亚马逊网上书店还制定了对待错误索价的规则:一是如果真实价格低于亚马逊列出的书价,以真实价格为准;二是如果真实价格高于亚马逊列出的书价,亚马逊将与订购的顾客联系,在获得同意后才以真实价发出送货单;三是直接将书送到顾客手中,亚马逊才会从顾客的信用卡中取钱。如果用支票结账,对于多索要的部分,亚马逊会立即把准确的退款用支票返还。

在整个图书行业高达 30%的退货率面前,亚马逊网上书店的退货率却只有 0.25%。主要原因在于它及时了解了顾客需求,能够有针对性地进行零售服务。因此,很多出版商都乐意给予亚马逊极为优惠的订货待遇,这就增强了其打"价格战"的能力。另外,亚马逊还凭借着巨大的顾客信息,对顾客的购书喜好和订购模式进行追踪分析,并及时反映给出版商,使之成为出版商预测市场需求的重要参考资料。同时,亚马逊充分发挥了自己的网络经营优势,保持了极低的图书库存量,降低了库存成本,保证了图书价格的低廉。它一般只维持几百种最受欢迎的畅销图书。因为亚马逊的销售模式是顾客先订书,亚马逊再订货。

3. 交易过程便利性

在网络交易的便利性方面,亚马逊网上书店走在了网络零售业前列。贝佐斯将亚马逊网上书店定位于高科技企业,而不是流通业。他把商业价值和科技进步紧密联系在一起，通过大量的软件工程师不断开发新的软件，来满足日益增长的业务的需求和顾客购买过程的方便性和安全性。

（1）亚马逊高质量的综合书目数据库和方便的图书检索系统。1999年年底，亚马逊经营的图书已达 400 多万种，这就需要为读者提供快速查询的能力。主要包括两个方面：一是图书的出版基本信息，二是图书内容检索。其一，亚马逊提供了图书外部形态的标引，包括封面、开本、页数和装帧形式；图书的出版信息，书名、作者、出版者、出版日期、美国国会图书馆图书分类号、ISBN 号；图书的销售信息，书价、销售排行和销售量等信息；图书的内容信息，书评、内容提要、内容摘要等。其二，在内容检索方面，提供了关键词快速检索、作者检索、书名检索、出版社和出版日期检索、有关儿童和青年人的图书查询、非英语语种图书的查询、强力关联检索（主要用来描述一些模糊的特征组合的检索）。此外，亚马逊还提供了很多特色服务，包括推荐中心窗口，亚马逊编辑筛选了一批图书供读者选择；畅销书窗口，专门用来查询最畅销的图书。对检索入口做了丰富的设计：尽量利用主页空间，在各个页面增加了检索入口出现的频率，随时方便读者；推荐中心以 8 种不同的思路向读者推荐，例如根据时间界限、根据获奖作品、根据特定作者及读者阅读习惯等检索；在每个检索入口都提供了许多"帮助信息"，在查询作者、书名和主题时提出具体的建议或者给出实例供读者参考。

（2）方便订购服务。亚马逊提供了两套订购服务的操作程序。一种是常规的"五步订购模式"，即放入购物篮——点"购物篮"——查看"购物篮"内商品——选择服务方式——提交订单。这样就完成了商品定单的签订过程。另外一种方式是对已经消费过一次的会员提供的一种便捷服务方式，通过以前消费建立的个人档案系统，把所有的信息存到个人虚拟账户中，购买图书时只要通过一个按钮就可以来完成之后的任何手续，方便性大大提高。这点在巩固老顾客方面起到了非常重要的作用。

（3）配送系统服务。网上书店重要的一点就是其配送系统的完善程度。在 1995 年创立之初的时候，贝佐斯就亲自负责图书的开箱、装箱，并且亲自运送到邮局寄送。通过业务的逐步扩大，他不断加强其商品的配送能力。2000 年与网络快运公司 Kozmo. com 达成了价值 6000 万美元的合作协议，使用户订购的商品在 1 小时以内就能送货上门，大大加强了其物流运作的效能。截至 2000 年第二季度末，亚马逊一共建立了 7 个配送中心，总面积达到 328 650 平方米。

在亚马逊书店,有一个恒等式:"找到订货商品+装运时间=所需要的送货时间",这就把送货的时间精确量化了,增强了企业服务的时间观念。亚马逊网上书店对于许多类的商品都标榜说全天候 24 小时购得,再加上装运时间,那么全美境内在 3~7 个工作日内都可以送货上门。而且,亚马逊还提供退书政策。读者在收到订货的 30 天内,可以将完好无损的图书或者未开封的 CD 退回亚马逊,亚马逊将按原价退款。如果由于亚马逊的操作而造成的商品损失的话,它还将承担相应的运输费用。

(4)交易的安全性服务。在对信用卡结算上,亚马逊建立了专门的"安全消费保证"。如果顾客在亚马逊的消费中获得了错误的索取,可以分文不付。另外,顾客可以在亚马逊建立一个账户,预支一定数额的钱,每次的消费都可以在账户中自动扣除。在付款方式上,顾客可以选择信用卡、现金汇款或支票等方式。顾客可以为自己的支付渠道设置密码,通过全显示卡号或只输入后 5 位卡号来支付款额。亚马逊网上书店不公开顾客的卡号,卡号被专门的机器保管。这就建立了相对安全的隐私防护机制。

4. 品牌营销策略

关于品牌营销策略方面,亚马逊网上书店做出了成功的努力。这主要表现在以下几个方面。

(1)在品牌投资体制上,亚马逊网上书店从小小的一家网上书店起家,先后涉足软件、服装、花卉、电器、古董、影视、旅游、照相器材、电子图书、电脑产品等,其目的就是扩展产品经营的范围,增强亚马逊的品牌对于整个电子商务产业的号召力和影响力。而亚马逊网上书店在经历 1995 年到 1999 年的业务扩展的快速发展时期后,出现了长达两年多的亏损期。以 1999 年为例,亚马逊的营业额达到 16.4 亿美元,但净亏损额却达到 7.2 亿美元;尤其在 2000 年 4 月 14 日,网络股全球崩溃,亚马逊的股价飞流直下,2000 年 6 月与上年同期相比,亚马逊的销售收入增长了 83.3%,总资产增长了 7.07%,但边际毛利率减少了 55.35%,流动资产减少了 7.19%,总负债增长 58.6%,库存增长 190.24%。在面临亚马逊网上书店能否继续生存的危机面前,贝佐斯仍旧坚持其商品多元化的扩张战略,注重培养长远的顾客价值,而不是只从图书赢利方面考虑。他不断进行大量的营销广告宣传,试图树立一个全世界人人皆知的网络零售商的品牌形象。有人形容,亚马逊每收入 1 美元,广告营销费就需要花掉 0.36 美元,而传统的书店只有 0.04 美元。这就是品牌投资的价值。

（2）服务营销的品牌特色。在品牌建构上，贝佐斯注重的不仅仅是对品牌进行投资宣传，更重要的是他在用品牌树立一种消费权威，树立一种信任和效率机制。因为他的所有品牌方面的服务都是以提供特色服务为基础的。在产品系列、价格体系、消费便利性、配送及时性和结算安全性上都发挥了网络零售业的优势。除此之外，亚马逊还提供了独具特色的书评服务。它的书评主要来自作者、出版者和读者三个群体，从不同的方面反映了不同位置的人对于图书的感受，并提供了大家相互交流的空间。同时，亚马逊还提供了读者在网络 BBS 中发表意见的权利，鼓励读者相互交流并对网站提出建议。还通过为读者提供一些软件的免费服务等措施，来增强品牌的吸引力。

（3）会员制网络营销。会员制网络营销又称联合网络营销，是亚马逊在 1996 年首创的一种网络营销模式，正是这种营销方式帮助亚马逊书店奠定了网络零售业的第一品牌的地位。会员制营销就是一个网站的所有者在自己的网站（称为会员网站）推广另一个商务网站（称为主力网站）的服务和商品并依据实现的销售额取得一定比例佣金的网络销售方式。亚马逊于 1996 年夏天推出了这种联合方案，规定任何网站都可以申请成为亚马逊网上书店的会员网站，在自己的网站上推介亚马逊书店经营的图书，并根据实际销售额可获得 5%~15%的佣金。这样，亚马逊网上书店声名鹊起，到目前为止加入的会员网站已经超过 50 万家。

（二）分析与思考

1. 投资战略分析

亚马逊网上书店提供了贸易类电子商务网站发展的典型，为整个电子商务产业的发展提供了良好的模板。

网上电子商务是一个规模化效应非常明显的行业，需要建立庞大的读者数据库才能实现规模效应。亚马逊网上书店自从 1997 年纳斯达克上市之后，就大力拓展业务经营范围。这包括迅速建立了一些贸易类网站，并收购了一批相关业务的网站，利用商品经营范围的扩展来迅速扩大用户数据库系统。这样做有两个依据：一是当时电子商务发展的产业环境不成熟。1995 年网络技术刚刚兴起，电子商务发展的产业环境还不成熟。贝佐斯投资图书电子商务网站，处于产业先行者的位置，需要培养读者的网上消费习惯,网上支付手段和物流配送就成为重要任务摆在了他面前。如果贸然把网络交易的商品范围限定在图书领域,就有可能由于读者和市场不成熟而导致网站迅速流产。二是网络读者规模太小。不能体现网络营销的规模效应,贝佐斯通过业务经营范围的扩展,迅速发展壮大了用户数量,建立了庞大的读者数据库,因此就能支撑起综合性电子商务网站运营所要承担的成本。

许多研究者对亚马逊网上书店的研究只停留在盈亏分析上,以亚马逊资产负债比重和亏损额的增长来否认亚马逊投资战略的成功性,这是用传统的研究商业经济形态的眼光来评价网络电子商务,忽视了网络经济建立在规模效应和信息透明的基础上,从而一直对亚马逊巨大的品牌投资做出消极的评价,这是不适应网络经济发展形势的。在 1999 年到 2001 年亏损期间内,亚马逊网上书店经历了巨大的亏损,承受了巨大的风险和压力。终于在 2001 年年底重新实现赢利,实现了首次季度净赢利 150 万美元。2002 年年底,在全球经济不景气的情况下,亚马逊销售额出现强劲升势,销售业绩增长 77%,达 12 亿美元。公司预计 2004 年的销售额将达到 57.5 亿至 62.5 亿美元,实现亚马逊的全线赢利。在经历了公司赢利之后,亚马逊网上书店所要做的,就是在巩固并发展自己的核心业务的基础上,加强战略联盟的合作方式,通过自己庞大的网络用户数据库系统来与传统企业进行资源共享,互通有无。而且,在网络用户发展到一定规模以后,应当根据读者细分几个重点的市场,公司的投资战略将重点集中在这几个优势领域,不断通过优势领域的扩张来发挥自己的独特价值,逐步剥离多元化过程中的劣势业务,这也是贸易类综合性电子商务网站发展的方向。

2. 物流配送投资分析

亚马逊网上书店建立了庞大的物流配送系统,这一方面对其商品的销售起到重要的推动作用,但同时,自建配送中心给网络书店也带来了巨大的成本负担。

首先,自建配送中心容易产生巨大的库存问题。亚马逊已经开办了 2 个国外网站、13 个本土网站,向全球 160 多个国家的 3000 多万消费者出售 470 万种商品。如此庞大的规模,如果管理不善就会导致库存增长过速、库存周转次数减少,况且管理大型的电子商务公司的库存,还没有现成的经验可利用,亚马逊网上书店自然面临着更严峻的挑战。亚马逊网上书店的库存周转率从 1998 年的 6.63 次下降到 1999 年的 2.91 次，2000 年第二季度再次下降为 1.35 次，库存的不断增长降低了网站的运营效率，为网站的正常运转背上了沉重的包袱。其中最主要的原因就是只注意对顾客提供及时配送的服务，从而忽视了自建配送中心所带来的巨大运营成本。到 2000 年 6 月，亚马逊的商品销售成本比上年同期增长 111.59%，销售费用增长 67.50%。这些成本很大程度上就来自物流配送中心的成本消耗。

其次，容易占用大量的流动资金。1999 年发行的 20 亿美元的可转换证券，由于股价大跌，可转换证券的利息不能以股息方式偿还，因为为债券持有人偿付本息将给公司带来巨大的现金压力。这就导致 2000 年第二季度末公司的现金流只有 10 亿元，还不够偿还本金。2000 年 6 月与上年同期相比，亚马逊的流动资产减少了 7.19%，总负债增长了 58.6%，这与大量的现金被库存占用是分不开的。假如要跟上公司现行的扩张速度的话，产生合理的现金流机制就显得非常必要。这也是亚马逊产品线扩张中一直需要关注的问题。

3. 会员制营销分析

从亚马逊网上书店的发展来看，会员制营销起到了非常重要的作用，它一方面扩大了亚马逊的品牌营销，另一方面也拓展了亚马逊的分销渠道，节省了广告宣传费用，使得它的业务量迅速扩大。

会员制网络营销有四种基本的计划类型：佣金计划、固定酬金计划、点击计划和 CPM 计划。佣金计划是按照会员制站点推荐的访问者进行的产品或者服务交易额给付的一定比例的收益。固定酬金计划是根据会员网站推荐的每个新访问者成为主力网站的注册会员来支付固定酬金的一种方式，与其交易额的发生与否没有关系。点击计划是只按照会员网站推荐的访问者的点击率来支付相应的报酬，与交易额的发生与否没有关系。CPM 计划是会员把主力网站的每千个广告展示印象以一定价格出售给主力网站，通过主力网站的广告链接给访问者看见的次数来支付报酬的一种方式。

从目前亚马逊的会员制营销的特征来看，佣金式的会员制度很容易被其他网站复制，很容易就使亚马逊丧失营销传播的优势。而且不同商品的价值和运输成本花费有可能大不一样，针对所有的商品都实行佣金计划，这样很容易导致会员网站的歧视性推介，最终影响网站的不同商品的销售比重。所以,应当把几种会员制计划有机结合起来,既要关注影响高价值商品销售的佣金计划,也要关注影响低价值商品销售的固定酬金计划,还要注重亚马逊品牌的影响力,在点击计划和 CPM 计划上也采取一些相应的策略,实现一种高效有序的配比方案,最终实现产品销售和品牌扩张的最大合力。同时,在会员制计划中还可以开辟出一些特权激励计划,比如享有某种信息资源、物质资源和荣誉的权利;另外还可以开展多层次奖励计划,使得会员网站能够发展分支会员网站,这样容易组建庞大的会员站点网络,逐层激励,最终形成会员团队,成为亚马逊能够独立控制的营销网络系统。

五、论文索引[*]

出版与出版学

"出版"概念与出版史/刘辰//中国出版,1997.3.58~60

"出版学"概念的历史考察/张志强//编辑学刊,2001.2.66~71

20世纪中国出版文化的两个视角/李白坚//出版广角,1998.6.55~57

21世纪出版产业形态——再论大出版概念/刘拥军//出版广角,
2002.1.18~21

90年代以来图书发行学著作出版述评/巢乃鹏//出版发行研究,
1997.5.37~39

80年代出版理论研究概述——十年出版理论研究回顾之一/肖月
生//新闻出版报,1991-02-27(3)

比较出版学学科构建问题探讨/李凌芳//出版发行研究,2003.5.
17~20

编辑·出版与编辑学·出版学/王振铎//编辑之友,1995.6.20~23

编辑出版理论与编辑出版对策研究/刘进社//编辑学刊,1995.5.7,9

编辑出版学要重视结构研究/刘辰//石油大学学报:社科版,1996.1.
90~92

编辑出版研究断想/范军//编辑之友,2002.5.46~47

编辑学研究与编辑素质提高/畅引婷//编辑之友,2000.6.33~34

出版:需要理论支持/邵益文//编辑之友,2001.4.2~4

出版传播的特点分析/金兼斌//清华大学学报:哲社版,1996.1.121~124

---

*1. 本索引收录了1983年至2004年在国内报刊正式发表的有关出版学基础理论研究的论文。

　2. 本索引参照国家标准局颁布的《检索期刊条目著录规则》(GB3793-83),按照题名、责任者、出处的顺序进行著录。

　3. 本索引参照普通高等教育"十五"国家级规划教材《出版学基础》的章节进行分类编排,为方便起见,各类目下的条目按照音序排列。

出版构成要素分析/施勇勤//编辑学刊,2001.2.33~35

出版经济学的意义、任务及其理论体系/梁宝柱//河南财经学院学报,1993.3.34~38,33

出版经济学及经济政策研究的拓展——十年出版理论研究回顾之四/周彦文//新闻出版报,1991-04-15(3)

出版经济学学科构建探讨/王秋林//出版发行研究,2002.7.5~9

出版科学的研究工作需要加强/袁亮//编辑之友,1985.3.4~7

出版企业管理学/钟明信//重庆社会科学,1986.3.95~96

出版社会学发微/陈东//新闻出版报,1992-05-22(3)

出版审美文化简论/黄理彪//中国出版,1997.5.49~51

出版文化的双层结构/徐明松//新闻出版报,1993-08-27(3)

出版文化学初论/王余光,李天英//出版发行研究,2001.12.12~15

出版文化与社会主义精神文明建设/周涤尘,谢珩//湖南师范大学社会科学学报,1993.5.45~51

出版学的方法/〔日〕箕轮成男;贺鑫昌译;张启新校//现代外国哲学社会科学文摘,1986.8.22~25

出版学的几个重要范畴/阙道隆//新闻出版报,1992-04-22(3)

出版学理论研究述评/罗紫初//出版科学:出版科学年评(第一卷)(1999~2000),2002.增刊.4~11,17

出版学识论/何桂林//苏州大学学报:哲社版,2000.4.131~132

出版研究与图书质量/边春光//出版发行研究,1988.2.3~8

出版与出版者:摘译美国约翰·德索尔《出版学概说》/姜乐英,杨杰译//出版发行研究,1988.3.54~55

出版与科学/老鸣//出版科学,2001.1.34~35

出版与文化的选择/李苓//编辑学刊,1989.4.28~31

从信息的角度看出版传播的特点/郭健//编辑学刊,1993.2.23~25.42

大出版概念与出版集团/贺剑锋//编辑之友,1993.1.25~27

当代出版思想体系的特征及辩证关系刍议/王超明//中国出版,2001.12.24~25

当代中国出版研究述评/孙琇//山西师范大学学报:社科版,2001.4.113~115

电子出版物的发展、制约因素及对策/安林等//新闻出版导刊,1996.

5.35~36

电子出版物的发展及影响/孙东升//新闻出版导刊,1996.5.33~34

读者研究述评/吴平//出版科学:出版科学年评(第一卷)(1980~2000),2002.增刊.54,55~59

对编辑出版分立的探讨/钟明信//体制改革探索,1986.2.88,58

对电子出版物的几点认识/谌术勇,何龙//编辑之友,1994.1.22~25

对几种出版理念的重新厘定/景琳//出版发行研究,2000.11.11~14

对网络出版中几个基本问题的探讨/高朝阳//科技与出版,2001.2.38~39

对我国出版理论研究的回顾/王铸人//出版工作,1990.11.100~106

对中外出版业比较研究的几点看法/罗紫初//新闻出版天地,1997.4.11~28

繁荣出版与出版伦理建设/孙宝寅,金兼斌//科技与出版,1998.1.7~8,17

关于出版概念/刘光裕//编辑学刊,1996.3.11~14,22

关于出版理论研究的问题/胡真//出版与发行,1987.3.11~15

关于出版学的构建问题/吉田公彦//河南大学学报:社科版,1994.2.103~106

关于出版学理论体系的构想/张立//编辑之友,1992.3.45~47

关于大出版的若干思考/张秋林//编辑之友,1991.4.25~29

关于读者学的几个问题/阙道隆//编辑之友,1986.2.13~17

关于加强出版科学研究的几点意见/边春光//出版与发行,1987.3.3~7

关于深化出版学研究的几个问题/吴赟//图书情报知识,2003.4.90~92

关于图书发行学的探讨/郑士德//图书情报知识,1986.4.64~70

韩国出版学研究概况/闵丙德//出版发行研究,1996.2.31~35

韩国出版学研究回顾与展望/〔韩〕李钟国//出版发行研究,2002.5.19~21

加强编辑研究 促进出版发展/刘杲//新闻出版报,1992-10-19(1)

加强对图书发行学的研究/陈协景//图书发行研究,1994.1.43

结构方法与编辑出版学/刘辰//出版科学,2001.1.21~24

连续出版物本源论/高家望//情报科学,2002.1.53~56

略论隋唐五代版本学的发展及其观念/张次弟//郑州大学学报:哲社

版,2003.5.98~103

论编辑学、出版学、传播学的关系/邵益文//编辑之友,1995.4.21~23

论编辑学是出版学的分支/王波,王锦贵//编辑之友,1999.4.41~47

论出版理念/侯晋公//出版发行研究,2002.4.21~22

论网络出版与传统出版的结合/郝捷//出版发行研究,2002.1.70~72

论文化出版与出版文化的发展/杨小岩//武汉大学学报:人文科学版,2002.2.239~245

漫谈"出版文化"/陆侃//北京日报,1986-03-17(3)

面向新世纪的出版学研究/朱静雯//出版发行研究,1999.5.19~20

明确"出版"概念,加强出版学研究/林穗芳//出版发行研究,1990.6.13~20,12

日本的出版研究及出版教育/〔日〕植田康夫//中国编辑,2003.3.74~75

社会科学不能没有出版学/郭志坤//编辑学刊,2002.1.14~15

社会信息化进程中的出版研究/何皓//编辑之友,1997.3.2~4

社会转型期的出版理念/钱宏//中国图书商报,2000-01-21(6)

什么是出版学的研究对象/彭建炎//新闻出版报,1992-06-17(3)

实践环节是编辑出版学科建设和发展的重要基础/吴培华//中国出版,2003.10.45~46

世纪之交关于编辑出版学研究的几点注记/钟海平//吉首大学学报:社科版,2000.4.108~110

试论出版观念的更新/张天蔚//大学出版,1998.3.9~10

试论出版文化/向新阳//出版科学,2004.2.28~31

试论图书出版美学/黄理彪//广西师范大学学报:哲社版,1998.3.84~89

试论中国当代出版理念与出版思想体系的建设和发展/阎现章//河南大学学报:社科版,2001.3.114~121

谈出版观念的变化/阙道隆//编辑之友,1988.1.4~9

谈谈出版经营学/于光远//中国企业家,1986.6.7,16

图书:物载知识产品/冯国祥//编辑学刊,1997.1.13~17

图书编辑美学初探/杨泰予//大学出版,2001.3.41~43

图书出版美学的本质、体系与意义/黄理彪//社会科学家,1999.5.11~17

图书出版中的审美文化问题/黄理彪//广西师范大学学报:哲社版,1997.2.90~95

图书发行学的研究对象/刘秉书//图书情报知识,1986.1.61~63,74

图书也是媒体/关键//出版广角,2001.11.59~60

汪昂与还读斋:明末清初的出版研究/杨梅//出版发行研究,2000.3.45~47

网络出版刍议/张国华//上海交通大学学报:社科版,2002.1.57~59

网络出版的界定/张明/科技与出版,2002.3.54~56

网络出版的特点与优势/谭斌,张继红//新闻出版导刊,1998.1.47

网络出版论/匡文波//中国出版,1999.2.55~57

网络出版浅议/林莉//情报探索,2002.1.32~33

网络出版析义/曾建华//图书情报知识,2002.3.93~94

网络出版研究/杨祖彬,曾莉红//渝州大学学报:哲社版,2002.6.120~123

网络出版研究综述/张志强,唐舸//出版科学:出版科学年评(第一卷)(1980~2000),2002.增刊.65~73

文化视野下的编辑与出版/刘辰//出版科学,2004.2.21~25

信息传播网络化、信息组织智能化与编辑出版学研究/钟海平//编辑学报,2002.1.12~14

选题学刍论/刘景琳//编辑之友,1993.4.11~14

要研究出版经济的特殊矛盾/巢峰//编辑之友,2000.1.8~10

也论编辑学与出版学/张敬华//编辑之友,2000.5.34~37

由甲骨版文探编辑出版之源/王振铎,王刘纯//编辑之友,2001.3.41~45

中国出版文化审美论/许宗元//江淮论坛,1996.6.90~94

重视发行学基础理论研究/罗紫初//新闻出版报,1992-05-08(3)

出版业和出版系统

WTO 与世界出版业/杨贵山//中国图书商报,2001-01-09(18)

WTO 与我国出版业的发展/张雪峰//情报杂志,2001.1.61~62

奥地利出版业概况/高玉珍//世界图书,1992.3.9~10

百年磨砺,再铸辉煌:本世纪中国出版业回眸/魏玉山//中国文化报,1999-06-18(2)

北欧四国的图书出版业/江向东//世界图书,1991.4.3~6

出版产业的市场作用机制及产业调控政策/毕伟//中国出版,1998.6.

16~17

出版产业规模经济略论/张千骥//中国出版,1999.3.14~15

出版传播事业中把关人的地位和要求/师曾志//编辑之友,1997.5.34~35

出版工作的宏观调控问题/阎晓宏//新闻出版报,1994-02-28(3)

出版管理论/方振益//图书情报知识,1986.2.52~54

出版活动中的市场作用与宏观调控/阙道隆//中国出版,1994.1.13~14

出版机构产业化与股份制的探讨/常虹//中国出版,1998.8.16~17

出版机构改革探索/杨靖//编辑之友,1998.3.5~6

出版经济与知识经济/吴江江//新闻出版报,1999-06-14(3)

出版社存在结构性调整问题/滕文渊//图书发行研究,1997.4.27~28

出版社的专业分工问题(上)/陆本瑞//中国出版,1995.7.16~18

出版社的专业分工问题(下)/陆本瑞//中国出版,1995.8.20~22

出版社专业分工制度亟待改革/曹光哲//出版发行研究,1998.3.9~14

出版事业四十年概论/许力以//中国图书评论,1990.1.83~87

出版体制改革与行业自律机制/唐学荣//中国出版,1998.6.18~19

出版问题的宏观经济分析/李勉//群言,1986.5.24~25

出版业:面临新世纪的八大关系/王建辉//中国图书商报,1998-04-17(5)

出版业的经济特征/〔英〕米歇尔·雷恩;练小川译//出版发行研究,1988.2.55~59

出版业发展战略要以先进生产力为基础/欧阳广//出版发行研究,2001.1.11~12

出版业管理政策制定的数理方法探讨/姚德海,杨惠龙//编辑之友,2001.3.10~14

出版业宏观调控中的经济手段运用/朱静雯//出版发行研究,2003.12.27~31

出版业价值取向刍议/高伟//新闻出版报,2000-12-18(3)

出版业面临的挑战和机遇/尤建忠//科技与出版,1998.6.8~9

出版业面临的新课题/刘东杰//大学出版,2001.2.20

出版业如何对待外国资本的进入/刘杲//中国图书商报,1998-03-27(4)

出版业与市场经济的关系/豫海//中国出版,1993.7.17~19

出版业中的省域经济/王建辉//出版广角,2000.3.5~10

出版业转型中的理性思考/继才//编辑之友,1996.2.9~10

从出版发展史看教育与出版/杨惠龙//编辑之友,1997.1.57~59

从欧美出版之比较看中国出版的发展/安庆国//出版广角,2000.9.43~47

从系统论观点看图书出版业/黄毅//系统辩证学学报,1998.4.60~66

当今美国书业状况/新华书店总店赴美考察团//出版发行研究,1996.2.42~43

当前我国图书发行管理体制存在的突出问题/方平//中国出版,2002.7.32~33

德国出版发行业概况/刘新明//科技与出版,1993.5.41~42

德国出版业面面观/张志君//新闻出版报,1999-07-23(4)

德国的出版管理体制/魏玉山,杨贵山//出版发行研究,1995.5.42~47

德国的图书销售业(一)/韩云//世界图书,1992.4.3~4

德国的图书销售业(二)/韩云//世界图书,1992.7.5~9,23

德国新闻出版业现状/熊剑//新闻出版报,1998-10-05(7)

东京的地方产业——日本出版业/李长声//编辑学刊,1997.6.95~96

东欧出版业:遭遇市场化与全球化/史建华,杨贵山//中国图书商报,2001-07-10(10)

读者需求的变化及其对出版业的影响/徐丽芳//图书情报知识,2002.4.91~92

对入世后我国出版行业的透视分析/张晓京//学术交流,2002.3.155~157

对我国出版业市场进入与退出关系的思考/贺剑锋//中国出版,2003.3.16~18

对中国出版业分流管理的战略构想/郑俊琰//编辑之友,1995.1.4~6

俄罗斯出版业十年回顾、现状、前瞻/张冰//出版发行研究,2001.5.67~68

法国出版业概览/朱福铮//新闻出版报,1996-06-28(4)

改革开放以来中国出版业十大变化/潘国彦//出版发行研究,1996.5.13~15

构想网络时代的出版业/王卉//中国出版,1998.5.43~45

关于出版社专业分工/李大星//编辑之友,1999.5.17~18

关于加强出版物市场管理的思考/肖凌之//中国出版,2000.10.29

关于加速实现出版业信息化的思考/刘杰//图书情报知识,1998.2.68~70

关于建立出版发行双向制约机制的研究/谢振伟//编辑之友,1995.1.21~23

关于建立出版机制的几个问题/袁亮//编辑之友,1995.1.10~12

关于图书出版业的外向型发展/张彦彬//编辑之友,2000.6.69

关于我国电子出版物发展的思考/熊澄宇//中华读书报,1998-09-02(7)

关于现代出版业诞生的几个问题/魏玉山//出版发行研究,1999.5.11~14

关于新华书店系统行业管理的思考/李翼鹏//图书情报知识,1994.3.68~69

关于转轨变型时期的出版体制/王涛//出版发行研究,1996.1.12~13

国际化进程中的日本出版业/路英勇//中国出版,2002.7.55~56

国外图书发行事业的发展趋势/罗紫初//世界图书,1988.2.6~8

韩国出版业现状/魏玉山,赵丛旻//出版发行研究,1997.3.34~40

宏观环境对我国图书出版业的影响/孙晔//大学出版,2002.2.20~21

几个主要出版国的出版概况/尚文//世界图书,1987.10.10~12

技术进步与新时代出版/徐丽芳//出版科学,2002.2.54~55

加快出版业信息化步伐/刘杲//中国图书商报,2000-12-15(1)

加快我国出版业市场化进程的意义与前景/张先立//出版科学,2001.1.43~45

加拿大的出版政策/杨贵山//科技与出版,1995.2.43

加强出版业行业管理的思考/孙鲁燕//编辑学刊,1995.2.15~17,88

加入世界贸易组织对我国出版业的影响/杨贵山//出版发行研究,1998.3.15~23

加入世贸组织与我国出版产业的发展/沈仁干//中国出版,2001.1.18~21

简论出版业建立现代企业制度的途径/黄先蓉//出版发行研究,1998.8.7

见识美国出版/杜凤宝//中国新闻出版报,2002-07-12(8)

建立出版有效管理机制/贾鸿鸣//中国出版,1995.2.8~10

近代出版的文化自觉与民间立场/马永强//西北师范大学学报:社科版,2002.2.51~53

近代出版与近代教育/王建辉//编辑之友,2001.6.59~64

近代中国图书出版特征论/邓文锋//河北学刊,2001.6.93~97

近五十年中国图书出版的量化分析/朱平//中国图书评论,2002.4.14~16

九十年代日本出版业/许力以//中国出版,1993.10.57~61

两汉图书出版与贸易研究/章宏伟//东南文化,1997.1.139~144

两宋编辑出版事业研究/章宏伟//山东大学学报:哲社版,1997.4.33~38

略论有中国特色的社会主义出版事业/汪诚//出版发行研究,1990.4.5~8

论出版产业/张辉冠//江苏社会科学,1994.4.140~144,125

论出版产业整合/姚德鑫//出版发行研究,2001.4.5~7

论出版改革的文化视野/丁少伦//编辑学刊,1995.6.36~40

论出版业的文化认同功能及其实现机制/贺修铭//图书情报知识,1995.6.134~136

论电子出版业的发展/胡珏//出版发行研究,1998.3.47~49

论非常时期图书出版系统的作为及其社会功效/袁复生,吴赟//编辑学刊,2003.6.66~69

论书业对经济的作用/卿家康//出版发行研究,1996.2.6~9

论宋代的出版管理/郭孟良//中州学刊,2000.6.159~164

论现代出版业起源的决定/王清//出版发行研究,2000.4.11~14

论中国古代编辑出版发展史的基本特征/璞石//湘潭大学社会科学学报,2000.2.150~152

美国出版业概况分析及市场准入/韦启福//中国出版,2000.6.48~50

面向知识经济时代的出版业/刘奇俊//中国图书评论,1999.5.36~37

民间出版业对二十一世纪中国文化事业的影响/杨扬//文艺理论研究,1999.3.93~95

欧洲的出版趋势/〔法〕马赫夫德·伽洛//中国出版,2000.4.55~57

剖析出版现状与走向/胡守文//中国图书商报,1999-01-01(10)

浅析出版业从传统向现代的嬗变/袁亚兵//中国出版,2002.6.19~20

浅析专业分工体制对我国出版业发展的影响/封延阳//科技与出版,2002.5.6~7

日本出版发行九个特点/恒文//新闻出版报,1995-09-04(7)

日本出版发行业的概况及其特点/中国新华书店访日考察团//图书情报知识,1985.3.41~46

入世给我国出版业带来的具体影响及其应对/钱建初//出版发行研究,2002.2.5~8

瑞典图书出版发行业现状/张景厚//世界图书,1987.3.4~6

社会转型与我国图书出版的趋势、特点/张金柱//中国出版,2002.5.15~16

试论编辑活动的文化传播特性/樊亚平//科技·经济·社会,1997.3.74~75,73

试论三国时期的图书出版结构/李文才,张莉莉//河北大学学报:哲社版,2004.1.32~37

试论我国出版结构的战略性调整/阳建国//学术论坛,2001.4.14~20

试析晚清教科书出版的几个主要特征/吴赟//图书情报知识,2002.5.94~96

书海无涯商为路:从经济学角度看出版业的发展/梁小民//科技导报,2002.7.2~4

宋代对出版传播的控制体系与手段/徐枫//中国出版,1999.2.51~54

宋代政府主办的出版事业/方厚枢//中国出版,1997.1.28~31

台湾出版业面面观(一)/仓师//编辑之友,1990.1.70~72

台湾出版业面面观(二)/仓师//编辑之友,1990.2.62~64

台湾出版业面面观(三)/仓师//编辑之友,1990.3.68~72

台湾出版业面面观(四)/仓师//编辑之友,1990.4.65~68

谈出版物市场管理的主要内容/黄先蓉//出版发行研究,2003.9.56~58

图书出版的经济分析与经营策略/江建新//中国出版,1997.11.28~29

图书出版的舆论引导/夏兴通//出版科学,2002.2.22~24

图书出版宏观调控机制改革探讨/董克让//出版发行研究,1990.2.10~12

图书出版微观经济问题概述/周旭洲,刘卫国,黄祥喜编译//世界图

书,1985.2.4~8,13

图书结构与出版事业的发展分析/李国维//编辑之友,1998.6.14~15

图书市场的宏观调控必不可少/彭松建//中国出版,1993.9.4~5

完善我国出版产业管理的思考/田方斌,钱建国//武汉大学学报:哲社版,1999.4.150~152

网络时代的中国出版业/谭歌斯//中国人民警官大学学报:哲社版,1995.4.59~64

文化矛盾与出版业发展/马美著//中国新闻出版报,2001-11-27(3)

我国出版业结构问题及其调整/贺剑峰//出版发行研究,2001.3.14~18

我国出版业可持续发展初探/张开群//党政干部论坛,1998.4.35~36

我国出版业也要调整结构/阳建国//中国改革,1999.9.52~53

我国电子出版物产业的现状与发展/刘燕飞,商鸿业//现代图书情报技术,1997.6.12~16

我国电子出版物的现状及对策(上)/易然//中国图书评论,1996.8.9~11

我国电子出版物的现状及对策(下)/易然//中国图书评论,1996.9.6~8

我国电子出版业的现状与发展对策/匡文波//情报科学,1998.3.264~267

我国近代出版事业初探/陈东//出版发行研究,1990.2.57~61

我国宋代的图书发行事业/高信成//出版发行研究,1988.3.56~59

我国图书出版产业的集中度和规模经济分析/周蔚华//中国出版,2002.10.14~17

我国图书出版现状及展望/阎晓宏//出版发行研究,1999.6.5~7

我国网络出版时代:网络出版与传统出版之比较分析/吕棣//西部社会,2002.7.21~22

五四运动开创的近代出版传统创新/宋原放//新闻出版交流,1999.3.30

五四运动时期的思想发展和报刊图书出版/许力以//编辑之友,2002.1.14~16

西方八国的出版管理/朱福铮//世界图书,1992.10.13~14

西方出版管理概说(上)/周奇//编辑之友,1991.5.9~17

西方出版管理概说(下)/周奇//编辑之友,1991.6.21~27

西方出版业/〔美〕D.L.麦克卡梅//图书馆,1985.3.7~9

西方国家政府调控出版业的主要经济手段/董涛//出版发行研究，1998.1.54~55

西方国家政府如何保护本国出版业/杨贵山//中国图书商报，1997-01-02（15）

西学输入与我国近代的出版事业/李占领//文史知识，1989.9.58~61

系统工程理论在图书出版中的应用/李琪//大学出版，1998.1.40~41

现代出版的产业定位经济功能/周蔚华//中国人民大学学报，2003.5.53~56

现代出版管理的市场学思考/杨泰俊//编辑学刊，1993.4.20~25

现代出版业的建立及其影响因素/师曾志//出版发行研究。2001.6.19~21

新闻出版管理中的新问题及对策/冯辉//成都行政学院学报，2000.1.26~27

兴旺的德、奥、瑞新闻出版业/舒刚//瞭望，2000.25.53~54

行业协会，任重道远/杨贵山//中国图书商报，2002-06-20（8）

行业协会与图书市场管理/郑士德//光明日报，1995-01-26（7）

因特网与现代出版业/张峻，陈松明//电子科技大学学报：哲社版，2000.4.14~26

英国出版管理/杨贵山//出版广场，1997.6.43~44

英国出版宏观管理的重要支柱——出版法律体系/杨贵山//中国图书商报，1997-11-14（13）

英国图书出版新趋势/陶明远//出版发行研究，2000.6.72~73

优化出版结构的三个层次/邓光东//新闻出版报，1998-05-04（3）

元代图书出版事业述略/莎日娜//内蒙古大学学报，1995.2.43~49

知识经济对图书出版业的影响与对策/刘先中//中国出版，1999.4.12~13

知识经济环境中的出版业变革及我国的发展对策/曾建华，任仕之//图书情报知识，1999.4.68~70

知识经济与出版产业/周蔚华//大学出版，1998.2.45~46

中俄出版业改革对比与分析/郝黎明//中华读书报，2002-09-04（10）

中国出版的近代化/王建辉//华中师范大学学报：人文社科版，2002.5.82~87

中国出版发展战略举要/王於良//中国图书商报,1998-01-09(7)

中国出版集团研究/中国出版科学研究所,"中国出版集团研究"课题组//出版发行研究,2001.1.5~11

中国出版现代化进程探析/陈阳凤//湖北大学学报:哲社版,2002.4.101~104

中国出版业:现状、问题与对策/吴尚之//中国出版,2001.1.75~76

中国出版业现状与走势分析/王姗姗,王大路等//中国图书评论,2002.1.4~8

中国出版业的现状与发展对策/黄先蓉//经济研究参考,2000.79.40~45

中国出版业发展研究/吴尚之//中国党政干部论坛,2003.1.37~39

中国出版业垄断行为浅析/卓晓辉//编辑学刊,2001.2.36~38

中国近代出版的民本思想/朱屹//新闻出版交流,2002.4.40~42

中国书业:面对困惑与抉择:新世纪出版业深层次问题思考/郑骏//经济日报,2001-01-18(12)

中国书业发展的三个阶段与出版组织的培育/陈昕//中国图书商报,1997-07-11(4)

中国图书出版产业的垄断分析/周蔚华//大学出版,2002.4.13~15

中国图书出版业现状观察与未来展望/程三国//中国图书商报,1999-10-22(6)

中美图书出版发行比较表(上)/王益//出版参考,1997.1.13~19

中美图书出版发行比较表(下)/王益//出版参考,1997.2.12~15

中日出版业发展规模比较/古洪宁//出版发行研究,1999.8.52~55

中外出版业发展规模的比较/罗紫初//武汉大学学报:哲社版,1997.6.108~112

中外出版业经济政策比较/罗紫初//大学出版,2004.1.29~32

中外书业协会的比较及启示/江翠平//出版发行研究,2003.7.14~19

中文出版与世界出版/赵斌//编辑学刊,1996.1.2~7

中西出版业法律调控之比较/吴赟,何春华//新闻出版交流,2003.4.7~9

转轨时期出版产业发展探析/雷永利//新闻出版报,1999-05-28(6)

走出出版业发展的观念误区/白小平//编辑之友,2000.6.70~71

出版工作的性质、方针与作用

"市场导向"规律性与图书经营两面性/尹涛//出版发行研究,2001.4.
29~30

出版部门的经济效益和社会责任/边春光//文汇报,1985-04-29(4)

出版的效益难题和编辑的人格追求/李保平//中国出版,2002.5.47~48

出版方向与效益略论/卓支中//暨南学报(哲学社会科学版),1994.2.
136~140

出版工作的社会功能/王鸣阳//出版发行研究,1990.1.16~18

出版工作日益成为经济活动的思考/刘孟泽//光明日报,1994-11-25
(5)

出版工作要注重社会效益/邓光东//江西日报,1985-11-08(3)

出版工作与价值规律/王科铸//社会科学战线,1987.2.38~39

出版工作者的社会责任/许力以//光明日报,1985-07-19(1)

出版社"企业属性"考/宋木文//出版发行研究,2003.9.5~8

出版事业的最高准则/易木//四川日报,1986-01-30(4)

出版物的商品性与两种效益及有关问题/陈弛//台州师专学报:社科
版,1993.3.80~84

出版物的特殊性/巢峰//出版研究年会文集(1983),中国出版工作者
协会编,山西人民出版社,1984.1~13

出版物的性质/袁亮//出版发行研究,1996.5.3~12

出版业价值趋向刍议/高伟//新闻出版报,2000-12-18(3)

出版业属性的再认识/曹光哲//新闻出版报,1999-06-21(3)

出版职业道德建设与"双效益"/陈红//暨南学报(哲学社会科学版),
1996.2.122~124

党性原则与出版物内容的深化改革/周涤尘//湖南师范大学学报:社
科版,1992.4.18~21

对出版物"两个效益"的几点思考/辛全伟//青海民族学院学报:社科
版,1999.2.110~113

关于出版"两重性"与"两符合"的思考/胡国祥//湖北社会科学,
1999.9.15~17

对图书出版的社会效益与经济效益的考察/张剑宇//大学出版, 1997.3.9~11

对图书发行社会效益的几点认识/罗紫初//图书情报知识, 1989.1. 63~66

繁荣我国出版事业的指导原则/袁亮//人民日报, 1994-06-10(5)

关于"社会效益与经济效益统一"的思索/龚钢//科技与出版, 1991.1. 8~11

关于出版的政治地位/范卫平//中国出版, 1997.2.14~15

关于出版事业性质的思考/郭明刚//江淮论坛, 1994.3.83~87

关于坚持社会主义出版方向的几点思考/豫海//中国出版, 1991.11. 3~6

关于图书基本特征的思考/陈景春//编辑学刊, 1997.6.13~19

关于图书生产的两个效益的几点思考/欧阳维诚//编辑之友, 1990.3. 10~13

坚持出版工作的党性原则/中央党校出版社研究组//出版发行研究, 1991.6.4~7

坚持出版工作的社会主义方向/韩志德//社会纵横, 1990.6.55~59

坚持出版社的社会主义文化事业性质/蔡克难//编辑之友, 1990.5. 24~27

坚持两个效益统一是促进出版事业发展的惟一途径/张庆锟//河北 财经学院学报, 1988.1.69~72

建立综合的出版效益评估体系/郑重//出版发行研究, 2000.4.14~16

经济效益是编辑出版的基本目标/李继峰//编辑之友, 2004.2.36~38

连续出版物属性研究进展/江乃武//晋图学刊, 1999.1.16~20,34

两个效益问题的思考/老铁//中国出版, 1991.12.21~23

两个效益与读者观念/李大星//编辑学刊, 1995.5.22~24,30

略论图书出版的个性特征/姚军//新闻出版交流, 1998.1.6~8

论编辑的文化功能/顾荣佳,马国柱//辽宁大学学报:哲社版, 1994. 6.87~91,95

论编辑工作的特性及其社会文化功能/钟鸣//理论探讨, 1994.7.100~ 101

论编辑工作的性质/钟仲南//杭州大学学报:哲社版, 1993.3.116~120

市场经济与出版工作的关系/肖凌之//出版发行研究,1996.1.36~37

试论出版导向/肖兰//出版发行研究,1997.4.15~16

试论出版物的社会效益/李冰封//学习导报,1986.3.6~8

试论精神产品的特性及其功能/山曰比//出版发行研究,1988.1.39~43

试论图书编辑在社会文化建设中的作用/徐燕//中华文化论坛,1998.3.112~114

试论图书出版的社会效益和经济效益的辩证关系/王振中//经济与社会发展,1992.6.46~49,56

试论图书出版与市场经济的辩证关系/张茂才//新闻出版交流,1998.2.4~6

试论图书的社会经济特性/冯国祥//编辑之友,1986.1.12~18

试论图书的社会效益与经济效益/叶伟,王信生,胡国民//图书情报知识,1994.4.72~73

试论用经济手段保证图书生产的社会效益/李芙//理论思维,1990.4.62~64

谈谈图书的属性/郑清源//博览群书,1989.10.14~16

图书出版经济效益小议/郑新//编辑学刊,1992.4.54~55

图书出版效益的目标动力机制分析/范琳//大学出版,1998.4.10

图书的出版功能与社会效益/张自文//出版与发行,1987.5.33~36

图书的社会效益及其评价初探/张沛泓//中国出版,2001.10.15~16

图书商品化辨析/蒋敦雄//求索,1989.3.27~28

图书商品特殊性琐谈/刘进社//编辑之友,1994.1.20~22

图书社会效益的概念及标准探究/邓子平,杨惠龙//编辑之友,1997.4.7~8

图书效益论/巢峰//编辑学刊,1995.3.1~6

图书效益评价的二元结构/刘子馨//编辑学刊,1995.5.18~21

图书质量和效益/蔡学俭//新闻出版报,1992-04-22(3)

我国图书发行工作性质初探/罗紫初//图书情报知识,1983.4.62~65

现代出版体制与双效统一原则/曲仲//科学社会主义,1997.2.38~41

寻找出版效益的结合点/喻建章//新闻出版报,1993-09-15(3)

也谈出版社的性质问题/陈俊峰//出版发行研究,1999.3.12~13

正确处理出版发行事业中社会效益与经济效益的关系/徐召勋//安

徽大学学报：哲社版，1987.4.95~96

正确处理两个效益的关系/陈志强//中国图书评论，1987.2.30~33

出版资源及其配置

编辑出版人才资源的二次开发/江星//出版发行研究，2001.7.39~40

出版产业与出版资源配置/毛娟//编辑学刊，2003.1.10~13

出版社人力资源的开发和管理/朱孔宝//编辑学刊，2002.4.15~18

出版社如何有效地开发人力资源/白国娟//出版发行研究，2002.2.21~22

出版业人力资源现有问题之探析/胡博//新闻出版交流，2003.3.12~13

出版资源产业优势/王立强，魏晓微，韩为卿//中国新闻出版报，2003-03-20(2)

出版资源的开发与出版生态的平衡/王坤//出版发行研究，1999.1.14~16

出版资源的类型与特征/费润民，张中民，王晓莉//新闻出版报，1998-05-15(3)

出版资源的优化利用与出版业的可持续发展/董中山//编辑之友，1998.6.10~11

出版资源开发研究——从出版资源的运用论当前出版物的质量及对策/胡福生//出版发行研究，1997.6.36~38

出版资源也要优化配置/王丹方//出版发行研究，1997.4.17

出版资源与面向世界/刘克苏//新闻出版报，1997-07-21(3)

稿酬机制与出版资源的开发/朱晓军//新闻出版交流，2000.1.16~18

关于出版资源的"二次开发"/杨为民//新闻出版报，1997-11-12(3)

开发智能化出版资源/夏晓//编辑学刊，1997.4.13~15

开发作者资源的营销策略/朱胜龙//新闻出版导刊，1999.6.22~23

论出版社人才资源的开发与整合/陈海洋//编辑之友，2003.5.30~32

论出版资源/张辉冠//出版发行研究，1996.3.15~16

论出版资源的政府配置/钱建国，田方斌//图书情报知识，1998.4.62~64

论选题资源的整合策略及其意义/张美爱//出版发行研究，2001.9.20~22

人力物力资源的开发策略/李人凡//新闻出版报,1998-07-10

深度开发出版资源——谈图书向音像电子出版物的转化/王春林//出版发行研究,1998.4.56~57

试论出版人力资源的合理开发/罗志梅//中国出版,2003.7.19~20

试论出版社无形资产的经营管理/刘敏//出版发行研究,2001.9.16~18

挖掘本地出版资源，创造地方特色品牌/王占英//出版发行研究,2000.10.9~10

网络编辑与出版资源/袁杰,吴雪涛//惠州学院学报:社科版,2002.4.108~112

网络技术对开发利用出版信息资源的挑战/顾石生//出版发行研究,2002.2.12~15

整合出版物流资源　提升供应链竞争力/张美娟//图书情报知识,2003.6.88~89

直面出版资源的竞争/李伟国//新闻出版报,1999-04-26(1)

中国出版业的无形资产辨析/宋城//中国出版,1997.12.16~19

中外书业企业人力资源管理比较/江翠平//编辑之友,2004.1.31~33

出版物生产活动的组织

"校是非"的必要性与可能性/王保健//出版发行研究,1999.10.33~34

编辑策划的哲学内涵/王建辉//编辑学刊,1998.1.27~31

编辑策划论/任火//编辑之友,1999.1.53~54

编辑创造性劳动的几个基本特征/杭炜//编辑之友,1995.6.28~29

编辑发现论/任火//编辑之友,1998.1.23~24

编辑工作的创造性/姚广义,张国琴//中华新闻报,1998-10-01(3)

编辑工作的哲学思维方式/王冰//沈阳师范学院学报:社科版,1998.3.91~93

编辑过程的基本矛盾/王华良//编辑学刊,2001.2.24~30

编辑活动的文化性及其文化选择与再创造/彭建国,游滨,刘敢新//重庆大学学报:社科版,1999.4.111~113

编辑活动特征管窥/杨勇//编辑之友,1991.3.8~11

编辑加工润色的艺术/王敬业//出版发行研究,1999.5.26~27

编辑加工在出版流程中的地位/赵兴元//编辑学刊,1997.3.43~45

编辑劳动的创造性及其隐匿特征/余昌谷//编辑学刊,1999.3.16~18

编辑劳动在出版物中的含量及评价/林敏//福建师范大学学报:哲社版,1998.4.104~106

编辑审稿的理论界说/赵运通//出版发行研究,1999.4.36~37

编辑审美论/邵京起//辽宁师范大学学报:社科版,1994.4.59~66

编辑选题的一般原则/于员勋//山东教育学院学报,1992.4.77~81

编辑选择论/任火//编辑之友,1997.1.29~31

编辑与成本预测/沈小梅//出版发行研究,2002.4.25~27

变季节性生产为均衡性生产/任一琼//新闻出版导刊,1998.1.53~54

策划编辑与编辑策划/陈亚新//大学出版,2000.1.20~21

出版策划的特点/朱胜龙//编辑学刊,1996.2.18~20

出版策划的主体、难点、误区与对策/张新涛//出版发行研究,1999.4.28~29

出版策划的主体与运作/张作明,梁前刚//新闻出版报,1997-07-15(3)

出版策划与运作/曹琳//出版发行研究,1998.2.28~29

出版经营决策中几个重要成本概念的应用/张其友//科技与出版,2002.3.10~13

出版社成本控制试析/蒙宁//大学出版,1998.3.40~41

出版社成本核算刍议/赵跃进//科技与出版,2002.2.14~16

出版校对体制改革与校对质量提高/刘海//苏州大学学报:哲社版,1998.4.132~134

从编校质量看编校同异与责任/梁烈//中国出版,1998.10.40~41

从实际出发改进"三审制"/钱伯年//编辑之友,1998.5.6~8

当前图书出版工作中的几种倾向分析/朱仲南//出版发行研究,2001.5.15~16

读者心理、作者心理与编辑工作/周可福//编辑之友,1997.3.17~20

读者意识在图书出版过程中的体现/姜玉敏,刘辉//河北学刊,1998.5.107~108

对编辑活动规律探索的反思/罗庆华//社会科学研究,1995.6.134~136

改革传统校对机制,适应现代出版发展/陈红燕//新闻出版报,1998-05-15(3)

关于编辑的选题策划/刘晴//工会理论与实践,1995.5.71~73

关于三审制/应伯根//浙江大学学报:社科版,1997.2.131~133

国外图书发行事业的组织形式与规模/罗紫初//世界图书,1987.10.3~5

建立选题决策责任机制/胡荣威//新闻出版报,1998-09-23(3)

降低图书出版成本的方法/肖正华//新闻出版交流,2001.1.30

降低图书印刷成本的两种途径/孙继班//出版发行研究,2003.1.28~29

略论图书的装帧设计/吴悦明//泰安师专学报,2002.2.116~118

论编辑出版活动的策划/晏建章,陈曙光//编辑学报,1997.4.211~213

论编辑的策划与创新/张天定//河南社会科学,2001.6.154~156

论编辑的选题策划/元健//国际关系学院学报,1997.1.60~64

论编辑工作的创新力/陈淮//中国出版,2002.4.58

论编辑工作的原则/何皓//图书情报知识,2002.66~68

论编辑活动的整体规范/符浩//广西大学学报:哲社版,1998.4.103~105

论编辑活动形态的双重性/周杰林//周口师范高等专科学校学报,2000.4.103~105

论编辑加工的若干问题/龚军//理论学习与探索,1994.4.64~66

论编辑劳动的创造性/张秀红//辽宁师范大学学报:社科版,1998.3.74~76

论编辑劳动的功能及特点/马清颖//辽宁大学学报:哲社版,1998.4.76~77

论编辑劳动的特点/李启贤//广西师范大学学报:哲社版,1997.3.101~104

论编辑劳动的性质和特点/宾长初//社会科学家,1998.3.86~91

论编辑审稿/王华良//编辑之友,1988.1.10~15

论出版成本管理/何皓//大学出版,2001.4.46~48

论三审制/李金安//中国出版,1993.4.25~27

论书籍装帧/杨森茂//阴山学刊:社科版,1989.1.79~84

论校对的学术价值/吴惠娟//出版发行研究,1999.4.44~46

论校对工作的规范化/陈红燕//中国出版,1997.10.34~35

论选题与需要/缪宏才//编辑学刊,1996.1.34~39

论选题与组稿/玉纶//天府新论,2000.6.54~56

论以人为本的校对管理/尚新莉//出版发行研究,2001.5.41~42

论直接编辑过程和编辑总过程/高哲峰//编辑学刊,1998.3.14~17

浅谈出版社的均衡业务生产/韩旺辰//新闻出版报,1998-03-09(4)

浅谈现代选题策划的基本原则/梁前刚//中国出版,2001.3.45

浅谈选题策划的原则/张新泰//科技与出版,1998.2.8

浅谈优化图书选题结构/乌力吉//实践,1998.6.45~47

全程策划:出版运作的现代追求/方敏//出版发行研究,2000.6.17~19

三审制:现状及思考/崔庆喜//出版发行研究,1997.3.10~11

三审制的规范和实施/桂海盛//中国出版,1997.9.18~19

三审制的回顾与审视/张小萍//编辑之友,1998.5.4~6

三审制与审稿原则/于贺清//政法论坛(中国政法大学学报),1998.4.
112~117

社会主义市场经济条件下图书编审工作的新特点/段展样//新闻出
版交流,1998.5.8~10

审稿:判断与评价/徐柏容//中国出版,2002.2.41~42

实行三审制中存在的问题及对策/崔庆喜//编辑之友,1996.5.17~18

实用图书成本控制模型及应用/周玉波,向绪言//出版发行研究,
2004.4.43~46

市场经济条件下编辑工作特点初探/蒋振邦//科技与出版,1997.6.9~10

市场经济下的"哑铃模式":浅谈图书的选题策划和宣传策划/要力
石//中国图书商报,1999-04-16(7)

市场经济与选题策划/杨小岩//出版发行研究,1997.6.32~33

试论图书的定价/余世英//图书情报知识,1999.2.68~70

试论选题策划的层面与特点/贺圣遂,张永彬//编辑学刊,2001.5.12~13

书籍装帧设计的新态势/翟墨//文汇报,1999.10.23(6)

书籍装帧设计构成要素之认识/韩新顺//洛阳师范学院学报,2002.1.
132~133

谈审稿/阙道隆//编辑之友,1985.1.14~19

谈谈文化选择与选题策划/张涵,苗遂奇//出版发行研究,2004.1.30~33

谈校对工作的重要性/葛保英//聊城师范学院学报:哲社版,1997.2.53

图书保本分析初探/扈红杰//科技与出版,1996.1.21~22

图书出版流程与管理三要素/于国华//出版发行研究,1995.1.24~28

图书选题策划的基本原则/向洪//西南民族学院学报:哲社版,2002.5.205~206

图书选题策划体会/张荣菊//科技与出版,1998.2.8

图书选题策划之我见/胡毓坚//中华读书报,2001-08-29(14)

图书选题策划中的文化因素/董中锋//出版科学,2001.4.35~36.31

文化构建与编辑劳动/魏正书//锦州师范学院学报:哲社版,1997.1.121~125

我国出版业的成本管理/孙茂竹//经济理论与经济管理,2003.2.25~29

我国图书发行管理体制改革的回顾与展望/罗紫初//图书情报知识,1987.3.71~74

校对的理论与实践/卜庆华//南通师范学院学报:哲社版,2001.3.153~156

校对浅说/郭鸿林//锦州师专学报:社科版,1991.2.82~84

校对新议/陈维新,郑凤霞//东疆学刊,1997.3.78~80

校是非的必要性与可能性/李菡//大学出版,1999.2.37~38

校是非之我见/张利勇//上海师范大学学报:社科版,1998.3.145~147

选题策划的思维模式/宋韬//编辑之友,1998.2.16~18

选题策划方法论/周蔚华//中国图书商报,2002-08-13(6)

选题策划机制的不同形式及其政策/孙成林//出版发行研究,2002.6.29~30

选题策划三题/郭运庆//编辑之友,1999.6.49~50

选题策划应遵循的几个原则/王玉成//编辑之友,2000.6.57~58

选题的选择与设计/李建国//编辑学刊,1996.2.31~34

选题方式探索/刘传志//大学出版,1997.4.12~13

选题论证应具备的条件/杜恩龙//中国出版,2001.2.50

也谈编辑的劳动性质与劳动价值/赵喜桃//西安教育学院学报,2001.1.86~89

影响图书成本的若干因素/刘海英//出版发行研究,2000.1.21~22

优化选题结构四原则/张莉//新闻出版报,1998-10-14(3)

再论编辑加工/宁晓青,刘春燕//邵阳师范高等专科学校学报,2000.
1.100~102

转换策划运行机制,促进选题质量提高/余世芳//大学出版,1997.4.
13~14

组稿方法论/尤红斌//上海大学学报:社科版,1998.1.93~96

出版物市场及其需求

出版物市场竞争研究/蓝明春//西南民族学院学报:哲社版,2000.增
刊.135~136,139

出版物需求预测的风险分析/姚建中//出版发行研究,2001.8.37~39

大学图书市场分析与出版社的对策/秦宝林//大学出版:专辑,2001.
增刊.31

当前基层出版物市场存在的问题及治理对策/龙芳//中国出版,
2002.4.38~39

电子出版物市场发展中的若干问题/王耀平//新闻出版交流,1997.3.
9~10

对农村图书市场的反思/文志强,杨咏玲//新闻出版交流,2000.3.22~23

对推动农村图书消费的探讨/庄葆森//图书发行研究,1998.3.18~20

关于图书的定价问题/何成德//编辑学刊,1994.6.30~33

关于图书价格与图书需求弹性的结合及图书价格改革的思考/黄明
辉//图书发行研究,1996.3.14~16

关于我国图书价格体系的分析与思考/舒平//江西社会科学,1999.1.
35~37

国内图书市场的现状及发展趋势/王志明,张振忠//出版发行研究,
2001.7.48~52

简论出版物市场/王本金//新闻出版导刊,1993.5.12~13

建立全国统一图书市场的四大障碍/凡谷,柯杨//新闻出版报,1994-
05-06(3)

美国出版商谈欧洲图书市场/林珊//中国图书商报,1998-07-31

美国图书市场见闻录/张黎洲//中国出版,1995.3.14~18

农村图书市场需求与发行/徐建国//中国出版,2000.10.30~31

农村图书需求规律探析/赵宙//图书发行研究,1998.4.31~35

浅谈图书出版物的需求价格弹性/谭焕忠//沈阳师范学院学报:哲社版,1992.2.29~31

如何开拓农村图书市场/韩翊//中国出版,1999.7.22

社会主义市场与出版体制改革/唐似葵//暨南学报(哲学社会科学版),1996.1.121~124

社会主义图书市场策略之我见/叶伟//图书发行研究,1995.2.31~33

生产过剩与市场危机——治散治滥背景论/玄言//新闻出版导刊,1997.1.29~31

世界图书市场与中国出版业/陆本瑞//新闻出版天地,1997.4.11~28

市场挑战分析与战略对策探讨/李万钧//图书发行研究,1998.3.7~9

试论图书市场最大化/贲勇//图书发行研究,1998.2.41~43

谈加强农村图书市场的开发/崔坚志//科技与出版,1999.3.7~8

谈农村潜在图书市场的培养和开发/王安民,李少宾//图书发行研究,1998.3.12~15

探讨图书的市场需求弹性规律/李星//图书发行研究,1996.4.18~20

图书定价的影响因素及其策略的选择/陈培斌//科技与出版,1997.6.43~44

图书定价过程中的读者定位问题/贺林香//大学出版,1998.3.44~45

图书价格与农村图书市场/周亦翔//中国出版,1999.3.25~26

图书商品与市场经济/于波//社会科学实践,1999.4.230~233

图书市场机会的寻找/王利明//中国图书商报,2000-12-01(11)

图书市场竞争的内容、形式与手段/张威//大学出版:专辑,2001.增刊.31

图书市场竞争论/巢峰//编辑学刊,1995.4.2~13

图书市场潜在需求的容量与开发/谢振伟//中国图书商报,1997-10-24(4)

图书市场细分与最佳市场机会/罗达顺//大学出版:专辑,2001.增刊.31

图书市场需求发展规律探索/周一苇//出版发行研究,1988.5.40~43

图书市场需求与走向透视/李寿芬//中国图书评论,1997.6.49~52

我国世纪末图书市场的特点与出版社跨世纪的市场策略初探/黄思铭//科技与出版,1999.6.11~14

我国图书买方市场的特征及对策研究/贺剑峰，刘炼//出版科学，2001.4.47~49

我国图书市场供需特征分析/陆祖康//暨南学报(哲学社会科学版)，1996.2.137~141

我国图书需求影响与市场走势分析/董宝生//中国出版，1999.11.45~47

西欧的图书市场/燕汉生//编译参考，1992.8.30~33

营造图书市场，出版事业发展不容忽视的问题/黄春//出版发行研究，1996.2.15~16

影响读者购买行为的诸因素/杨长安//中国出版，1996.8.36~37

中国电子出版物市场分析及发展策略/张奇//新闻出版报，1998-05-19(3)

中国读者图书消费状况分析/黄若清//中国出版，1999.3.27~29

中国近代图书市场研究/陈刚//编辑学刊，1995.2.68~74

中国图书市场史话/万杰//图书馆杂志，1999.4.45~46

中外图书消费总量与水平的比较/卿家康//图书情报知识，1996.1.65~70

转换经营机制,打破地域分割,研究市场问题/刘杲//中国新闻出版报，2002-07-04(3)

出版物流通活动的组织

"寄销"形势下图书储运工作面临的新问题/刘慕宗//图书情报知识，1985.4.58~59

编辑活动规律论/杨晓鸣//编辑之友，2001.6.28~29

补进勤添——书店备书的品种和内部管理/季学众//新闻出版报，1997-09-04(3)

步履蹒跚的图书发行代理制/左锋//中华读书报，1998-02-18(2)

城市书店中心功能初探/王焕然//图书发行研究，1998.2.9~11

出版社库存控制与存货策略/郭盛民，李岩//新闻出版报，1998-01-26(3)

出版社自办发行刍议/张晓秦//中国出版，1997.12.28~30

当前加强出版社发行工作需要研究的几个问题/周一苇//中国出版，

2001.5.22~23

德国的图书俱乐部对我国出版业的启示/吴凤萍//大学出版,1999.4.63~64

地方级书店图书进销存一体化管理的构想/刘海平//新闻出版交流,1995.6.38~40

店社矛盾与图书发行改革/赵从旻//新闻出版天地,1996.1.39~41

读者俱乐部目前面临的问题及对策思考/刘晓宇,侯红昕//出版发行研究,2001.9.36~38

读者俱乐部与图书市场/徐雁平//出版发行研究,1995.5.27~29

独立书店与连锁书店/毕吕贵//中国图书商报,1997-07-25(6)

对寄销发行的几点思考/何清福//图书情报知识,1999.4.73

对书店经营品种的宏观控制/金琳//中国出版,1998.7.24~25

对我国图书批发体制的思考/余世英//图书情报知识,1997.4.71~72,74

俄国图书发行渠道与书展/贝磊//中国图书商报,1998-10-02(10)

二渠道在我国出版发行中的地位和作用/韩赣东//大学出版,1998.3.31~32

发行渠道溯源流/孙庆国//中国图书商报,1999-11-19(9)

发行网点与心理研究/崔平//中国出版,1991.12.28~29

改革购销形式推行试销寄销/张有能//新闻出版报,1993-10-15(3)

搞好图书寄销之管见/李翼鹏,许新民//图书情报知识,1995.4.73~74

关于"包销书"若干问题的探讨/王金楚//河南大学学报:社科版,1998.3.126~127

关于出版物发行连锁经营的思考/钱启民//新闻出版导刊,2002.10.50~51

关于供销社卖书问题的思考/张有能//图书发行研究,1998.1.25~28

关于加强出版社自办发行的思考/熊玉莲//武汉大学学报:哲社版,1997.4.122~124

关于建立图书新批发体系的几点思考/张佩清//中国出版,1998.7.16~19

关于图书发行体制改革的一些思考/王涛//中国经济时报,1998-05-29(7)

关于我国书业物流系统改革的思考/杨玲//中国出版,1999.4.14~15

国外图书连锁经营六大特点/陈磊//中国新闻出版报,2002-03-08
(4)

韩国出版流通现状及其革新措施/〔韩〕尹炯斗//出版发行研究,1998.
1.52~53

加快出版物流通市场化进程/桂梅//出版发行研究,2000.11.46~47

建立统一开放的图书市场:关于建立图书批销中心的思考/杨忠民//
图书发行研究,1994.4.27~29

建设发行大市场 组织图书大流通/赵庆祥//图书发行研究,1996.3.
23~25

解剖日本书店/朱炳和//中国图书商报,1997-08-08(11)

经销包退购销形式有待改善/刘兴春//大学出版,1999.1.27

科技图书发行机制酝酿新突破/呼延华//中华读书报,1998-03-11
(3)

连锁经营:国有零售书店的出路/陈锦涛//中国图书商报,1998-02-
20(1)

零售书店进货方式发生了哪些变化/文东//中国图书商报,1999-10-
29(1)

略论图书调剂工作/刘亚威//图书发行研究,1998.3.38~39

略论新华书店的主渠道作用/饶乾坤,张泽玉//新闻出版天地,1996.
4.12~14

论加强新华书店中心门市部的建设/李超一//新闻出版导刊,1998.1.
51~52

论价值规律在图书发行中的作用/罗紫初//图书情报知识,1986.2.
58~61

论图书发行区域代理及其主分/兰祖伸//图书发行研究,1997.4.22~25

论图书库存的合理性/洪澎,黄思龙//图书情报知识,1993.3.70~73

论我国图书批发工作的特色与改革/杨道诚//图书发行研究,1995.1.
24~26

论现代出版产业市场运动规律/于友先//出版发行研究,2003.1.7~11

论现阶段我国图书发行业的新特点/罗紫初//新闻出版天地,1997.2.
32~35

论新华书店音像发行/田玉林//图书发行研究,1997.4.29~31

美国图书的仓储和发货/魏龙泉//图书发行研究,1998.3.43~45

美国图书的特殊销售/吴迪//出版发行研究,1998.2.47~48

美国图书发行渠道一览/尤建忠//出版发行研究,1998.3.57~58

美国图书批发商的竞争方式/林穗芳//新闻出版天地,1996.1.59~60

明代图书的国内流通/王伟凯//社会科学辑刊,1996.2.105~109

农村图书发行状况之思考/陈先琨//图书发行研究,1998.3.15~18

欧美超级连锁书店运营模式初探/杨贵山,史建华//中国图书商报,2001-06-12

浅议调整和优化图书发行产业结构/方平//出版发行研究,2002.9.45~46

浅议图书发行代理制/徐建国//新闻出版报,1995-05-29(3)

区域代理与新形势下的主分/兰祖伸//中国图书报,1997-11-21(5)

日本出版流通体系考察/陈昕//编辑学刊,1997.1.32~43

日本出版流通体制研究/李常庆//北京大学学报:哲社版,2000.3.142~150

日本的图书经销业/吴宁//中国出版,1996.7.62~63

如何创建图书的销售渠道优势/敖裕兰//科技与出版,2000.5.32~34

实施"主分包退"购销形式初探/周伟民//图书发行研究,1998.3.18~20

市场经济条件下的出版社自办发行/罗紫初//出版广场,1997.3.3~9

试论农村图书发行成本与效益的关系/张福安//出版发行研究,1998.6.29~30

试析农村图书发行的连锁经营/杨瑞虎//出版发行研究,1998.6.34~35

书业连锁经营的几个难点/陈锦涛//出版广角,2002.8.24~25

谈谈图书发行代理制/蔡培根//图书发行研究,1997.1.17~19

谈图书发行代理制/刘学武//图书发行研究,1995.1.9~11

谈图书发行代理制/缪临平//大学出版,1997.1.21

图书储存期规律/陆宝琪//图书发行研究,1993.3.9~10

图书发行代理制亟待法律规范/米华甫//中国出版,1999.4.26~28

图书发行区域代理及主分/兰祖伸//中国出版,1997.11.36~38

图书发行区域代理制及其保障机制初探/周华//图书发行研究,1998.2.22~25

图书发行业在英国/刘杰//中国出版,1995.3.42~43

图书发行周期研究/徐志华//出版发行研究,1991.6.34~39

图书寄销前景广阔/汪耀华//书讯报,1985-02-25(1)

图书俱乐部,谁主沉浮/宋吉述//书与人,1998.4.12~21

图书连锁经营发展分析/杨宗周//出版发行研究,1999.9.33~34

图书流通业概念下的图书出版发行/陈悟朝//中国出版,2003.9.25~27

图书批发中心辨/杨瑞虎//图书发行研究,1994.4.10~11

图书市场呼唤地市级批销中心/刘强//图书发行研究,1998.1.10~11

图书市场急呼退货制/孙庆国//中国图书商报,1997-10-17(4)

图书物流新发展:图书配送/张美娟//出版发行研究,2000.6.43~44

图书营销的渠道选择与决策/李国庆//中国图书商报,1999-04-23(6)

推行图书发行代理制刍议/段桂荣//经济师,1995.7.41~42

我国读者俱乐部的组建及其运行机制/田方斌,李英//图书情报知识,1998.2.73~74

我国网上书店的六大发展策略/苏广利//图书情报工作,2001.11.75~78,21

西方国家的图书俱乐部/朱福铮//新闻出版天地,1996.2.54~55

西方国家的图书零售业/宇痕//新闻出版天地,1996.4.57~59

新华书店:走出困境迎接挑战/何志刚//新闻出版导刊,2001.4.62~63

新华书店的物流优势/文惠安//图书发行研究,1996.1.37~40

新华书店建立读者俱乐部初探/李中//图书情报知识.1999.1.72~73

新华书店连锁经营中的利益协调问题/李中,李予济//出版发行研究,2002.4.32~35

中国发行业改革的深层思考:书店集团化、连锁化、股份化的量级及其相关问题探索/周立伟//中国图书商报,2002-10-11(26)

中国古代图书发行体系/刘大军//编辑学刊,1996.4.85~92

中国近代图书发行体系的剧变/刘大军//编辑学刊,1996.5.74~81

中国网上书店发展模式研究/褚峻,巢乃鹏//图书情报工作,2000.8.71~74

中外零售店图书进货比较/李纲//新闻出版天地,1996.4.40~42

中外图书产销体制的比较研究/孟凡舟//图书情报知识,1993.2.74~77

中外图书发行常规方法的比较/黄凯卿//新闻出版天地,1997.4.11~28

中外图书发行渠道的比较/戴纪锋//出版发行研究,1988.1.35~38

中外图书贷款结算之比较/方卿//出版发行研究,1996.2.29~30

中外图书退货问题的比较及其对策和思考/汪林中//中国出版,2003.1.28~31

逐步建立和完善现代图书批发市场之我见/张振忠//科技与出版,2001.1.28~30

总发行与总代理两个轮子转起来/谢振伟//中国图书商报,1996-03-08(3)

出版教育与人才培养

编辑·教学·科研三结合是提高编辑人员素质的有效途径/徐志东//大学出版,1996.2.23

编辑必须注重自我道德修养/张秉尧,李凤玲//大学出版,1997.3.8~9

编辑出版学教学中批判性思维和创造性思维的培养/刘兰//出版发行研究,2002.2.32~33

编辑出版专业的学科建设/黄凯卿//编辑之友,2000.4.45~47

编辑出版专业培养目标和课程设置的现状与思考:基于武汉大学编辑出版专业课程设置问卷调查的分析/陶莉,毛娟//图书情报知识,2003.6.30~32

编辑出版专业学科体系与课程建设构想/汪琴,黄凯卿//出版发行研究,1999.6.37~38

编辑道德能力的形成与培养的理论探析/徐前进//编辑学报,2000.1.1~3

编辑的创造精神二论/莫剑敏//出版发行研究,2002.9.19~20

编辑的素质/胡燕华//社会科学论坛,1999.11/12,72~75

编辑队伍建设中的三个问题/彭匋//出版发行研究,1999.12.31~32

编辑人才的素质结构及培养目标/刘亚良,陈红石//河南大学学报:哲社版,1990.6.107~110

编辑人员的修养/马大谋//出版发行研究,1990.4.13~15

编辑素质断想/刘卫//编辑之友,1999.1.39~40

编辑素质与当代社会/马光//中国社会科学院研究生院学报,2000.5.

45~52

编辑文化与编辑素养构成/陶振民//出版发行研究,2002.2.23~28

编辑心理初探/袁士迎//信阳师范学院学报:哲社版,1998.1.97~98

编辑心理素质三论/高鸣涵//中国出版,1998.9.28~29

编辑学研究与编辑素质提高/畅引婷//编辑之友,2000.33~34

编辑知识结构重组论/罗国干//编辑之友,1999.6.39~40

编辑职业道德随想/刘杲//编辑之友,1998.1.16~20

编辑专业素质研究/吴东水//出版发行研究,1997.6.34

不断提高编辑的自身素养 迎接新世纪的到来/杜小平//黑龙江高教研究,1997.6.107~109

出版、教学、科研一体化之路:北京师范大学出版社培养出版专业研究生的新探索/陶艺军//大学出版,1997.4.8~10

出版编辑人员的政治素质亟待提高/吴忠烈//大学出版,1996.2.19~20

出版产业发展与出版队伍素质/高亢//中国出版,2001.11.16

出版道德建设的时代意义与基本途径/张天蔚//大学出版,1998.1.7,12

出版队伍素质建设/李世琦//中国出版,1996.9.11~12

出版发行学教育的现状和趋势/乔好勤//武汉大学学报:哲社版,1995.3.106~110

出版工作应当讲求职业道德/彭松建//光明日报,1996-11-10(3)

出版工作者的文化职责/袁因//中国出版,1997.9.23~24

出版教育:过去、未来共斟酌/王波//编辑之友,2001.3.48~51

出版企业人才论/郭爱民,焦团平//编辑之友,2000.5.8~10

出版人才大流动/红娟//中华读书报,2003-01-08(25)

出版人才社会价值论/张辉冠//南京社会科学:文史哲版,1996.8.74~76

出版社:流入人才"活水"/孟叶//中国图书商报,1998-05-15(3)

出版社社长素质的新要求/方羽//中国出版,1998.8.28~29

出版事业改革和发展的根本出路:关于出版教育问题的建议/王振铎//出版工作,1990.4.30~34

出版与教育的关系/李祥洲//中国出版,1996.10.28~29

出版职业道德建设需要坚持三个"结合"/周绍华,罗月花//中国出版,1997.3.12~13

从出版职业资格制度谈起/吴培华//出版广角,2003.2.10~12

从就业困境看编辑出版专业人才的培养/刘范弟//出版发行研究,2004.2.21~25

从中国出版教育体制的差异看编辑人才的培养/诸葛蔚东//中国出版,2003.5.29~30

打造出版人力资源基石:欧美出版教育与培训概述/陶明远//中国图书商报,2002-10-11(46)

当代出版的人文精神/王建辉//光明日报,1995-09-14(7)

对编辑出版教育若干争议问题的思考/许淳熙//编辑之友,1996.5.38~39

高学历,职业化,多主体:法荷日出版教育简述/杨贵山//中国图书商报,2001-10-02(15)

构建新闻出版职业道德系统工程/查结联//中国出版,1997.2.11~13

关于21世纪出版教育的思考/周奇//中国出版,2000.9.55~56

关于编辑出版学专业系列教育的一些想法/邵益文//出版发行研究,2001.12.34~37

关于编辑职业道德的思考/徐庆春,高平//沈阳教育学院学报,2000.2.75~77

关于编辑智能结构的思考/吴守风//呼兰师专学报,1997.3.73~74

关于出版人才队伍建设的思考/邵明义,刘杰//图书情报知识,1999.2.65~67

关于加强出版校对工作队伍建设的思考/朱彩翩//大学出版,2002.2.47~48

关于加强出版职业道德建设的思考/王乃庄//出版发行研究,1997.3.8~9

国外出版高等教育培训概况(上)/蒋伯宁//编辑之友,1992.5.64~66

国外出版高等教育培训概况(下)/蒋伯宁//编辑之友,1992.6.73~74

加强出版职业道德建设/王岳//编辑学刊,1995.1.44~45,54

加强出版职业道德建设/张晓丹//中国出版,1996.7.10~11

加强出版专业教育,为出版产业发展提供智力支持/冯志杰//中国出版,2002.8.56~57

建立出版职业资格制度/孙文科//出版广角,2003.2.6~9

2000.4.45~47

论校对人员的职责与素养/赵小兵//新闻出版导刊,2002.10.39~40

论新形势下的编辑的素质/黄桂坚//广西大学学报:哲社版,1999.2.94~97

论知识经济时代的编辑素质/胡蕊//学术交流,1999.3.273~275

培训标准及内容多元化:美国出版教育综述/杨贵山//中国图书商报,2001-10-02(14)

浅谈图书编辑职业道德建设/张珍//湖南社会科学,1999.5.69~70

浅谈新时期图书编辑的修养/贺睿征//出版发行研究,1998.6.27~28

让人才脱颖而出——关于建立出版人才机制的思考/孙永大//中国出版,1999.7.14~15

人才是制胜之本——浅议入世后出版社人才战略/钟永诚//新闻出版导刊,2002.1.33~34

日本出版教育概况/〔日〕吉田公彦//编辑学刊,1994.5.2~6

日本出版业与出版教育/〔日〕吉田公彦;毛劲遒摘译//中国出版,1997.5.58~60

社会主义市场经济与编辑精神/严奉强//南昌大学学报:社科版,1997.3.124~126

市场经济原则和新闻出版职业道德建设/查结联//新闻出版报,1997-01-07(3)

试论编辑的职业道德/周奇//中国出版,2004.4.17~19

试论编辑人才的基本素质/木雨//人才与现代化,1989.4.31~34

试论出版人才的成长机制/张伟建//编辑之友,1995.1.13~15

试论出版人才的继续教育/张辉冠//编辑之友,1995.5.4~6

试论发行企业家队伍的建设/楼松眉//图书发行研究,1998.2.25~27

试论教育与出版的关系/吴永贵//中国出版,2002.12.49~50

试论新时期的编辑素质/李雯//中共山西省委党校学报,2000.5.37~40

试析全国出版专业职业资格考试的命题趋势/琢行//科技与出版,2004.1.14~16

谈编辑的政治修养/刘艳//东北财经大学学报,1999.6.93~95

谈谈出版工作者的职业道德/许启贤//大学出版,1997.3.6~8

图书编辑的素质与能力解构/冯晓立//编辑之友,1999.3.45~47

图书编辑素质浅谈/车向前//新闻出版导刊,2000.11.33

图书发行需要高等教育/罗紫初//新闻出版报,1992–11–27(3)

图书发行业的职业道德/周一苇//出版发行研究,1996.5.32~33

图书市场出版繁荣与基础教育发展的关系/张一帆//求索,2002.2.67~68

挖掘本地出版资源,创造地方特色品牌/王占英//出版发行研究,2000.10.9~10

我国编辑出版学教育的回顾与展望/肖东发,许欢//河北大学学报,2003.1.102~107

我国编辑出版学教育的历史沿革及其创新走向/黄先蓉//出版发行研究,2001.10.32~34

我国编辑出版专业的建设与发展/李牧力,孙文科//河南大学学报:社科版,1999.6.102~105

我国出版高等教育的特点与展望/萧舟,李晓晶//中国出版,1997.9.60~61

现代编辑知识结构研究/史庆华//辽宁师范大学学报:社科版,2002.1.56~58

现代出版敬业精神论/王建辉//编辑学刊,1997.2.89~91

新华书店的员工素质问题谈/陈祖国,黄德志//图书发行研究,1997.2.23~25

新时期编辑素质浅议/任燕//陕西经贸学院学报,1997.4.75~78

新闻出版队伍的职业道德建设/邓雷仓//新闻出版交流,1997.4.6~8

新闻出版业人才培养的有效途径/阮小扣//新闻出版天地,1997.2.40~41

应当成立编辑资格考试制度/时培育//编辑之友,1998.2.21

英国出版教育:非正规与正规并举/杨贵山//中国图书商报,2001–10–02(13)

与出版正相关的搜索:教育的问题在哪里/杨向群//出版广角,2002.5.31

在高等教育整体改革中发展编辑出版专业/刘凤泰//河南大学学报:社科版,1999.6.98~101

朝阳专业的发展之路——我国编辑出版学专业建设略论/李牧力//中国出版,1999.8.17~19

争市场者必须争人才——论出版社管理人才培养/史广江//中国出版,1997.11.30~31

正规化,多样化,国际化:国外出版教育综述/杨贵山//中国图书商报,2001-10-02(12)

知识经济时代编辑素质的培养/丘克军//出版发行研究,1998.6.4~5

中国编辑出版学教育的思考与探索/肖东发//编辑之友,2003.1.37~39

中国编辑出版学专业教育检视与分析/王刘纯//编辑之友,2002.2.33~35

中国编辑继续教育的现状和对策/刘雪立//中国科技期刊研究,1996.3.28~31

中国出版教育管窥——编辑学专业的现状及其展望/向新阳//编辑之友,1993.6.12~15

中外高校出版类专业课程设置比较/罗紫初//出版发行研究,1999.4.56~58

重视编辑出版专业人才的培养/卢玉忆//求是,1992.17.25~27

出版业的发展趋势

21世纪上半叶中国出版业展望/杨荣//书与人,2000.1.17~26

Internet时代的网络出版/彭静//现代图书情报技术,1998.3.3~7

产业组织化与中国出版产业发展/王晨//中国出版,2000.2.18~20

出版产业发展趋势论/樊希安,张弘//新闻出版报,1999-02-23

出版产业化是历史发展的必然趋势/程孟辉//编辑之友,2003.5.19~20

出版业产业化经营的若干理论问题/史玉德//经济经纬,1999.5.31~33

出版业的产业化、集团化和现代化/朱银昌,吴明新//江苏理工大学学报:社科版,2001.4.124~128

出版业的数字化趋势与应对策略/赵玉山//科技与出版,2002.6.48~52

出版业的全球化趋势与应对策略/赵玉山//科技与出版,2003.1.48~52

出版业的集团化趋势与应对策略/赵玉山//科技与出版,2003.2.55~59

出版业的产业化趋势与应对策略/赵玉山//科技与出版,2003.3.49~54

从产业竞争结构看中国出版产业发展的方向/李明杰//出版发行研究.2002.3.5~8

读者需要发展大趋势/朱胜龙//新闻出版交流,1999.4.4~5

关于出版产业化若干问题之探讨/张忠晔//科技与出版,1999.6.8~10

关于出版的跨世纪思考/刘生全//大学出版,1999.4.15~17

关于出版业未来走向的思考/李岩//中国出版,1999.3.16~17

国外出版业的发展趋势和我们的对策/林穗芳//出版广角,2000.2.18~22

集团化、网络化、国际化:德国出版业发展的重要趋势/张克非//大学出版,2002.1.63~64

渐入数字时代的图书出版/杨晓原//合肥工业大学学报:社科版,2001.2.129~131

论我国出版产业经营/冯志杰//出版发行研究,1999.12.12~15

全球化与中国出版业的发展/张志强//中国出版,2002.5.10~12

世纪之交出版社发展的前瞻性思考/熊玉莲//大学出版,1998.2.56~58

世界出版业格局及发展趋势/杨贵山//大学出版,2000.1.58~62

市场化、产业化探索/吴江江等//出版广角,1998.1.10~16

试论出版产业化/罗鉴宇//浙江学刊,1998.3.36~41

谈中国出版业跨世纪发展趋势(上)/罗紫初//出版广场,1999.1.4~7

谈中国出版业跨世纪发展趋势(下)/罗紫初//出版广场,1999.2.5~7

网络出版的特点与发展前景/李庆//出版科学,2001.4.59~60

网络与未来出版/唐圣平//科技与出版,1997.6.24~26

新闻出版业发展趋势刍议/宋木文//人民日报,1998-04-30(10)

信息化时代出版业的出路/梁玉玲//编辑学刊,2002.4.23~26

知识经济与出版业发展/刘金凯//书与人,2000.3.4~8

中国出版产业化的未来走势探析/李明杰//中国出版,2001.12.11~13

中国出版的走向/许力以//中国出版,2001.1.72~73

中国出版业国际化的思考/冯志杰//出版发行研究,2001.8.10~13

中国出版业——新态势预示新发展/陈斌//中国图书商报,2002-08-29(1)

中国出版走向和世界图书发展态势/许力以//新闻出版天地,1997.4.11~28

中文图书市场发展的大趋势/祝君波//编辑学刊,2002.5.4~10

六、论著推介

出版学研究专著推介

图书发行学概论(第二版)/罗紫初编著. 武汉：武汉大学出版社,1992

本书的第一版出版于 1988 年,为我国高校出版专业最早出版的经国家教委审定的高等学校文科统编教材。本书对于图书发行学的创立和发展起到了重要的作用。作者将图书发行基本理论与图书发行实践相结合,总结了图书发行事业发展的历史经验,研究了我国图书商品的流通规律,并适当介绍了国外图书发行事业的现状和发展趋势。全书内容可概括为四大部分:图书发行学与图书发行工作的一些基本理论;图书商品与市场经营;图书发行事业的组织管理;图书发行事业的发展趋势。

出版学原理/罗紫初著. 武汉：武汉大学出版社,1999

本书是一部专门研究出版学基础理论的学术著作,主要内容包括出版学学科理论体系的探讨、出版活动一般规律的阐释及出版事业发展规律研究三部分。本书有较完整的内容体系,从宏观上对出版活动的一般原理与基本规律进行了探讨,对出版活动的基本问题,如出版资源、出版教育、出版物流通与消费等等都加以描述,尤其是对近几年出版业发展中出现的新知识,如代理制、连锁店、出版集团、股份制改造、出版信息网络建设等等都予以较规范的阐释。

出版发行学基础/罗紫初等著. 太原：山西经济出版社,2000

本书以大出版的观念为指导,从宏观上对出版活动的一般原理与基本规律进行了较为全面而系统的探讨。包括近几年出版发行改革实践中出现的许多新事物,如出版策划、发行代理制、连锁经营、出版发行企业集团、股份合作制、图书超级市场、电子信息网络等,在书中有专门叙述。全书 12 章,前 9 章是对出版活动从整体上进行探讨,后 3 章则是专门对出版发行业务的组织进行具体的描述。

图书发行教程/罗紫初著. 沈阳：辽海出版社,2001

本书总结了图书发行实践经验,揭示了图书流通的客观规律,指导出版社的图书发行工作走上更加科学化的道路。本书在重视图书发行理论研究的同时,对图书发行的基本知识也做了简略叙述;在探讨图书发行一般规律的同时,对出版社图书发行工作的特定内容进行了重点描述;在侧重探讨国内图书发行运行机制的同时, 对国外图书发行中可资借鉴的做法也进行了适当介绍;在重点分析图书发行现实矛盾的同时,对发行活动的历史轨迹也做了初步探讨。

比较发行学/罗紫初主编. 北京：高等教育出版社,2000

本书是从中外比较的角度来研究出版发行的理论著作, 内容全面系统,材料丰富详实,对比分析有理有据,观点明确。作者以比较研究的基本方法,对中国与国外出版业中先进国家图书发行业的主要方面,如事业规模、产销关系、流通渠道、市场消费、经营组织、宣传促销、对外贸易、技术和手段等, 进行了系统的对比分析, 其独特的研究角度与详尽的资料引证,不仅能促进我国出版发行界对国外图书发行业的全面了解,而且能为我国图书发行体制改革、跨世纪出版发行业的发展提供一些新的思路。

出版概论/〔英〕斯坦利·昂温著. 谢琬若, 吴仁勇译. 北京：中国书籍出版社,1989

该书原名《出版实况》,于 20 世纪 20 年代出版后影响甚广,曾多次再版,并被译为多种文字,因而在当今出版界享有"圣经"的崇高声誉。本书深入地总结了出版工作的实践经验, 并就其中的许多问题提出了卓越的见解,尤其是对于书籍的印装、发行以及涉及版权利益的诸多方面,作者都给予了富有指导意义的忠告。

现代出版学/〔日〕清水英夫著. 沈洵澧, 乐惟清译. 北京：中国书籍出版社,1991

《现代出版学》成书于 20 世纪 70 年代初期,它反映的主要是当时日本出版界的状况和出版学研究的成果,也涉及一些西方出版大国的情况。这本书有助于我们了解日本出版学研究的情况,特别是早期的情况,有利于开阔我们的视野。该书内容涉及出版学研究的对象和方法、对出版新闻事业的理解、现代世界的书籍与阅读、电视时代的印刷媒体、知识出版物的大众化和专业化、出版中的编辑权问题、现代出版的生产和流通结构、出版广告论等方面。

出版学概论/彭建炎编著. 长春：吉林大学出版社，1992

本书是我国较早的一部有关出版学研究的著作，其对出版学研究的各个方面作一鸟瞰，为深入研究和探讨出版工作中编辑、制作和发行的实际问题和理论问题辟一门径，打一基础。通过这本导论性的《出版学概论》，大家可以熟悉了解关于中国出版业的发生发展历史；关于出版的社会文化功能及出版学的学科理论；关于出版系统的组织结构和出版的业务流程；关于出版的经济理论和经济活动。

出版学概论/袁亮主编. 沈阳：辽宁教育出版社，1997

这部教材总结出版经验，探求出版规律，根据"百花齐放、百家争鸣"方针，对出版工作中的各种不同学术观点做了实事求是的介绍。书中论述了出版物、出版工作、出版系统、出版过程、出版方针和原则、出版法制和出版自由、出版队伍、出版与社会的关系、出版与市场、出版国际交流、出版管理、出版现代化等范畴和内容。本书为揭示出版工作客观规律，建立出版学理论体系，发展有中国特色社会主义事业提供了一定的理论基础、基础原则和科学方法。

编辑出版学概论/叶再生著. 武汉：湖北人民出版社，1988

本书是作者在总结多年编辑工作实践经验的基础上，进行理论提升而完成的。本书内容涉及的范围较广，对出版的历史、现状和发展趋向，出版的原则、内容和形式，出版工作的经营管理和人才培养，国际的出版动向都进行了阐述，这些阐述是有助于出版研究工作的，读者可以从书中得到不少启示。

现代图书出版导论/〔德〕汉斯·赫尔穆特·勒林著. 邓西录译. 北京：商务印书馆，1998

本书成书之目的是向感兴趣的读者，特别是向在校的大学生以及刚刚开始职业生涯的人介绍有关现代图书出版社的知识。内容主要包括德国的出版业简介,现代图书出版社的组织结构,编辑的职业生活,如何出书,著作权和出版权,图书的生产过程,图书项目的经济结算,销售与促销,版权贸易,选题政策等。

出版学/余敏主编. 北京:中国书籍出版社,2002

本书主要是总结近百年来出版学的发展历程及取得的主要成就,收集有关的研究著作并进行分析、归纳和比较。编者根据众多学者的研究成果以及自身对出版学学科体系的认识,把出版学的学科体系分为理论出版学、应用出版学和出版史学三个大的部分,并按照这样的划分,对百年来的出版学研究活动成果进行了分类和梳理,以使读者对出版学的研究有一个全面、系统、清晰的了解。除此之外,本书还介绍了国外出版学研究和21世纪出版学发展趋势,有利于读者拓展研究视野,并进行前瞻性的研究。

现代出版论/邓本章著. 北京:中国大百科全书出版社,2003

本书坚持以马列主义、毛泽东思想、邓小平理论和"三个代表"重要思想为指导,以中国加入 WTO 和党的十六大召开为时代背景,以推动中国出版业跨越式发展为动力,针对现代中国出版理论和实践相结合等问题进行了相应的探索和思考。本书共分十章,对现代出版业的定位、发展趋势、特色及规律、出版热点等方面进行了认真的分析;并对出版导向、出版发展、出版创新、图书出版与管理、出版物发行与管理、出版队伍建设、出版管理与依法行政、非法出版活动及对策以及中国出版业的 WTO 时代等理论问题和实践问题分别进行了一定的理论探讨和系统研究。

现代出版学/张志强主编. 苏州:苏州大学出版社,2003

本书是现代出版学丛书中的一本理论著作,力求对出版业的历史、现状和未来,宏观与微观的构成都有所涉及。其中,出版与出版学,介绍出版与出版学的简要历史,这门学科的构成及研究意义;出版与社会,揭示出版产生的社会原因,以及出版与社会之间的互动关系;出版方针与原则,阐述出版过程中应该遵循的方针与原则;出版组织与管理,介绍出版组织的构成方式及国家对出版业的管理方式;出版物的生产与流通,介绍出版物的概念、种类与功能,揭示出版物的生产及流通过程;出版人员的素质与职业道德,介绍出版人员的构成,以及作为出版业从业人员应该具有的素质和职业道德;新时代的出版业和未来发展展望,对近几年出版业发生的变化进行介绍,对出版业的未来发展趋势进行分析。

现代出版产业发展论/于友先著. 苏州: 苏州大学出版社,2003

本书是"现代出版学丛书"中对现代出版产业进行宏观与微观相结合研究的一本理论著作,可以说是首部综合论述现代出版产业的书。它对出版产业的整合性、前瞻性、高层次、宽视野的研究,正适应了我国目前新闻出版业不断推进阶段性转移的需要。本书的中心议题是现代出版产业及其主体现代出版人。其篇章包括:世界现代出版产业百年回顾,现代出版产业的整体内涵,现代出版产业的经营管理,现代出版物的跨世纪革命,现代出版人的新世纪的崇高使命,造就中华现代出版巨人。

图书发行管理学/陈国斌主编. 北京: 高等教育出版社,1986

新中国成立以来,我国的图书发行事业有了很大的发展,积累了不少经验,建立了一整套管理制度和管理办法,但同两个文明建设的要求相比,同国外同行业的先进水平相比,差距仍很大。因此,研究和学会科学管理是我国图书发行工作的当务之急,也是培养图书发行人才的必修课程。本书就是适应这种需要而出版的。本书内容涉及图书发行目标和目标管理,质量管理,领导和决策,计划管理,经济责任制,进发货管理,销售管理,储运管理,人事管理,财务管理,会计控制和考核。

图书发行学导论/高斯主编. 南京: 江苏教育出版社,1991

本书结合江苏图书发行工作的实践经验,又着重结合图书发行体制改革以来的一些体会以及所面临的新情况、新特点,对图书发行做了有关规律性的探讨。其内容包括:图书发行学的学科范畴,中国图书发行史概述,社会主义图书发行的性质、方针和任务,图书市场,城市、农村图书发行,出版社自办发行,网点建设,图书进货、储运、财务管理,宣传推广,企业文化,图书发行改革等。

图书发行基础教材/潘柏华,金瑞阳主编. 上海: 学林出版社,1993

本书是国内一些知名的发行家和老发行工作者集思广益,在总结历史和自身经验的基础上写成的一本供图书发行人员等级培训使用的专业书。全书共十四章,内容涉及:我国图书发行事业的未来和发展,新华书店的光荣传统及我国图书发行工作的性质、方针和任务,我国图书发行事业的组织与管理,图书出版、印刷常识,图书购进、销售、储运,图书商品分类、宣传,图书发行企业管理,业务基本技能,图书发行职业道德。

图书发行实用教程/曹悟善,黎昌福主编. 成都:四川教育出版社,1996

本书由四川省书刊发行业协会邀请图书发行业的专家精心编写,以供县级新华书店经理和管理人员岗位培训和业务进修使用。本书内容包括社会主义市场经济概述,图书发行事业的发展简史,图书发行事业的性质、任务及政策法规,图书与出版印刷,图书市场,图书购进,图书销售,门市发行,图书储运,业务管理,计算机在书店的应用,国外及港台出版发行业概况,领导科学与经理素质。

编辑与出版基础课程/阮波主编. 北京:中国展望出版社,1998

本书作为培训编辑出版人员的参考教材,共分 16 讲,由出版界专家和一些具有丰富编辑出版工作经验的老同志撰写。内容包括国际出版业概况及我国出版工作的改革,出版事业系统工程,社会主义出版方针,国际合作出版,编辑学探讨,编辑人员的职业道德修养,国外新技术在编辑出版工作中的应用,编辑管理工作,图书评论基础知识,书籍装帧设计,校对和编辑工作,版权和版权保护,图书发行工作等。

出版经济学导论/梁宝柱著. 北京:中国书籍出版社,1991

本书是专门研究出版经济学的理论著作。作者认真总结了我国编辑、出版、印刷、发行、出版对外贸易和版权管理工作的实际经验,理论联系实际,提出了系统的出版经济学科学体系及其实现编、印、发良性循环,实现出版再生产顺利进行的原理、方法和途径;并对诸环节的经营、财务、经费、价格、消费等管理问题进行了研究。它适用于出版、编辑、印刷、发行、版权等工作者、管理者和中、高等院校有关师生阅读。

图书出版美学/黄理彪著. 北京:首都师范大学出版社,1998

本书是我国第一本系统完整的研究图书出版美学的学术著作,作者创立了一个新的学科——图书出版美学，用以研究图书出版中审美活动的本质、审美关系的构建、图书出版美的创造规律，对推动美学和美学分支学科的发展有深远意义。本书从整体研究、过程研究、成果研究和效应研究四个方面进行综合研究，以和谐美学为理论总纲，结构了一个完整的图书出版美学的理论框架。其内容囊括：图书出版美学的本质、体系、辩证逻辑方法与意义，图书出版美学审美文化，图书出版美，图书出版流程美，图书美，图书的内容、形式美，图书美的范畴，图书的审美价值，图书出版美的生成机制，图书出版环境美。

中国出版文化概观/李白坚著. 南宁：广西教育出版社, 1999

本书是以散文的笔调来写出版学术著作，文笔隽永流畅，文章脉络清晰，从史学的角度诠释了作者对于出版文化的理解。本书的内容包括：中国出版文化的走向，出版文化的优良传统，出版文化人，出版文化中心，中国出版文化的亚文化，中国出版文化现象，中国出版法权文化，中国文化出版研究述评。

编辑学概论/向新阳著. 武汉：武汉大学出版社, 1995

本书是专门研究编辑学的理论著作之一，它为编辑学学科体系的建立和完善提供了理论上的支持。本书把编辑劳动同编辑学研究紧密联系起来，从研究编辑劳动的产生、发展、性质、作用出发，揭示编辑劳动的主要矛盾和基本规律，提出了"编辑学的主要研究对象是编辑劳动"这一命题，并由此展开了对编辑劳动过程和编辑劳动者的论述，编辑劳动是贯穿全书的主线，也是据以立论的基点。全书共 5 章，内容包括编辑和编辑学概说，编辑劳动概说，编辑过程概说，编辑劳动者概说，社会主义出版方针概说。

书籍编辑学概论/阙道隆, 徐柏容, 林穗芳著. 沈阳：辽宁教育出版社, 1995

本书内容共分为上下两篇：上篇为书籍编辑的原理和范畴，内容包括总论，书籍，编辑工作，编辑人员，编辑与作者、读者的关系，以及编辑方针和原则、编辑构思、编辑艺术和风格等问题；下篇为书籍编辑学的实践和方法，对书籍编辑过程中的各环节工作原理和要求做了具体深入的阐述，末章介绍了国内外书籍编辑工作现代化的内容与发展趋势，读者可以从中得到一些有益的启迪。

编辑学原理论/王振铎,赵运通著. 北京：中国书籍出版社,1997

这部编辑学的理论专著，系统地阐述了普通编辑学的基本概念和理论内容，勾勒出一个比较完整的理论体系。本书提出编辑学三条基本原理：文化缔构原理，符合建模原理和讯息传播原理。认为一切编辑活动都是编辑主体遵循这三条原理而进行的社会文化创构；各种各样的编辑活动都是对这三个基本原理的具体运用和创造性发挥。

编辑学新论/张积玉编著. 北京：中国社会科学出版社,2003

本书以编辑活动为研究的逻辑起点，以探讨编辑活动的基本规律为目的，选择了我国编辑学学科建设中 12 个基本理论问题——编辑本质、编辑社会、编辑文化、编辑传播、编辑主体、编辑心理、编辑策划、编辑美学、编辑规范、编辑出版现代化、编辑史、编辑学方法进行深入的研究,力图在全面总结前人研究成果的基础上，对每一个基本问题所涉及的基本概念做出新的界定,对基本内容做出新的梳理,并提出了经过著者独立思考的新见解,从而为建构较为系统、科学的编辑学理论体系并解决有关难题奠定了基础。

现代图书编辑学概论/朱胜龙编著. 苏州：苏州大学出版社,2003

本书是现代出版学丛书中专门研究现代图书编辑理论的著作。本书将理论与实践相结合,对编辑活动的主体、客体、性质、功能、流程等都进行了详细的阐述。本书共 11 章,内容包括：图书编辑工作的性质、功能和基本特征,图书编辑工作的基本方针和原则,图书编辑工作面临的挑战和机遇,图书编辑工作的基本制度和其他制度,图书编辑工作的基本流程,图书选题策划的特点、原则、基本内容,图书评论与图书宣传,图书的种类,编辑队伍建设等。

图书商品学/王益,汪轶千主编. 北京：人民出版社,1999

本书是帮助图书发行人员知书识书的新尝试。本书仿照一般图书商品学的体例,分成总论和分论两部分。总论篇幅约占全书的 1/7,把商品作为一个整体,概括介绍其性质、意义、特点、类别、质量、价格等。分论共分23章,由有关出版社的负责同志分头撰写,介绍了20多类图书的性质、特点、意义,有代表性的著作及其作者、读者对象、销售特点等,行文注意将思想性、科学性与实用性、可读性相结合。

图书校对学/欧阳广主编. 南宁:广西人民出版社,2000

本书是中国第一部现代校对学著作,该书分为导论、学科篇、术科篇三部分。导论探讨了图书校对立学的意义,校对学的研究对象、体系、研究方法;学科篇内容包括校对史略、校对地位、校对主客体、校对功能、校对价值、校对心理、校对思维、校对角色、校对职业道德;术科篇内容包括校对职责、校对方法、校对技术、校对重点和难点、图书版式校对、磁盘书稿校对、校对管理。

选题论/赵航著. 沈阳:辽宁教育出版社,1998

本书是对出版物选题进行全方位、多角度、立体式探讨的学术著作。本书内容全面系统,论证充分有力,材料充足,信息量大。作者从理论与实践的结合上,围绕"选题"这个论题进行了深入的挖掘,从选题的概念及其重要性谈起,对选题的创造性思维、选题的基本原理、选题的操作程序、选题成功的基本条件与要求等,都进行了详尽的论述。在内容的安排上,作者在本书中充分发挥其视野宽阔的特长,不是就事论事,就选题谈选题,而是将与出版物选题有关的知识科学地、有机地结合到一起,形成一个关于选题问题的特定知识系统。

出版学研究文集推介

中外编辑出版研究/林穗芳著. 武汉:华中师范大学出版社,1998

本书选收1980年以来作者所写的与主题有关的文章22篇。在书中,作者对图书编辑学的性质和研究对象进行探讨;对"编辑"、"出版"、"出版物"、"著作"、"杂志"、"书籍"、"期刊"等有关概念进行界定,并把其所了解的相关国外资料加以介绍;作者还对新时期责任编辑的主要职责问题进行了探讨,并对编辑工作在国内外何时形成一种独立的社会职业提出了自己的看法;除此之外,作者还就图书编、校、译的质量评估撰写了相关的论文和综述,并对国外图书出版业的概况进行了介绍。

出版文化散论/范军著. 武汉:湖北教育出版社,2004

本书是作者将十多年写作的编辑出版论文进行选编而成集。"文化视野"是作者从事编辑出版研究的着眼点和着力点。这部论文集的 50 多篇文章共分四辑,"文化"是贯穿其中的主线,"出版文化论"从整体上阐述了作者关于出版文化的观点;"期刊艺术论"是从文化的角度切入,全面探讨了期刊的导向、方针、风格、特色、读者定位等问题;"编辑出版史论"则是把文化史和编辑出版史联系起来研究;"书刊广告论"集中论述了古今书刊广告,主要不是讨论广告的商业功能,而是着重阐明其文化艺术价值。

出版论稿/巢峰著. 上海:上海人民出版社,2001

本书是作者有关编辑出版方面论文的集萃。文集分为出版理论、出版改革、出版评论、辞书研究、《辞海》纪事、图书评介 6 部分。作者的论文有较强的理论性、实践性、前瞻性、论战性,这本文集收入的大部分文章都有重要的主题,阅读这些文章犹如回顾十多年来我国出版业的发展历程。这本文集在一定程度上成为这一时期出版改革和发展的记录。

新出版观的探索/王建辉著. 武汉:华中师范大学出版社,2002

这部文集收录了作者有关编辑出版的文章 80 多篇。全书共分为四辑,第一辑《文化思想论》,是对党的领导集体的文化思想的研究,对于现实工作有一种宏观的理论指导意义;第二辑《宏观出版论》分为上、下两部分,是有关出版的宏观思考;第三辑《出版工作论》,是作者在出版管理工作中的一些讲话稿,能体现作者的一些新见解;第四辑《编辑工作论》,是作者多年在一线的编辑工作实践中,对编辑工作所进行的深入思考。

出版改革探讨/张训智,蒋敦雄著. 长沙:湖南出版社,1993

本书是湖南地方出版管理部门的工作人员在工作实践中,对于遇到的理论和实际问题进行认真思考、探索并加以解决后所写成的心得体会和经验的结集。本书收录的论文围绕建设适应社会主义市场经济体制的出版体制这一课题,对出版领域的多方面的问题进行探讨,具有重要的实践指导意义和一定的理论意义。

市场经济与编辑出版/孙五川主编. 天津：天津教育出版社,1994

本书是中国编辑学会首届年会的成果。入选该文集的 50 篇论文,着重反映了本届年会的主题：社会主义市场经济条件下编辑出版工作的理论和实践。论文可大致分为 7 类,即社会主义市场经济与出版、市场经济条件下的编辑工作、选题、图书质量、图书商品的二重性、编辑出版队伍及其他、编辑出版科研状况等。

图书市场规律探求/张有能著. 厦门：厦门大学出版社,1992

本书是作者在几十年书店工作实践的基础上, 对书店工作进行理论研究的成果。本书是我国出版工作者积极进行理论探索的例证,它既能为理论界提供素材和新的见解, 又能为出版尤其是发行从业者提供理论上和经验上的指导。全书主要就以下 4 个方面的问题进行了探索和研究:图书供需规律研究、图书进销业务研究、图书发行体制改革研究、图书发行社会效益研究。

编辑出版学文集(第一辑)/张积玉等主编. 西安：陕西师范大学出版社,2002

本书是陕西师范大学编辑学研究的部分成果展示,全书分为综合篇、期刊篇、出版篇。综合篇收录的论文涉及编辑学理论、方法、主体、历史等方面的研究,期刊篇的论文内容涉及期刊和学报的经营管理、现状与发展等方面的研究,出版篇的论文内容涉及出版理念、机制、经营管理、发展方向等方面的研究。

建立出版机制的经验和理论/袁亮主编. 哈尔滨：黑龙江教育出版社,1995

本书是中国出版科学研究所第九届出版科研年会的成果。收入该论文集的文章,着重探讨建立保证出版物质量的激励机制、竞争机制、制约机制和人才成才机制以及有关的政策措施。本书包括综述各类出版机制的文章 5 篇,关于出版宏观调控机制的文章 8 篇,关于出版社经营管理机制的文章 21 篇,关于图书发行机制的文章 4 篇以及关于出版人才培养与成长机制的文章 10 篇。

加强出版业宏观调控研究/余敏主编. 北京：中国书籍出版社,2003

本书是中国出版科学研究所 1998 年至 2001 年的部分出版科研成果。其中"加强出版业宏观调控的研究"是 1997 年立项、2001 年完成的国家社会科学基金项目,"网络出版专题研究"、"出版业文化工作室和文化公司现象研究"、"盗版活动现状分析与反盗版问题研究"也都是中国出版科学研究所从 2000 年到 2001 年的科研成果。这些课题报告反映了当时出版业的发展状况和科研人员对有关问题的认识和分析。这些问题本身也反映了我国加入 WTO 后,出版业外部环境和内部机制发生的深刻改变,在新形势下出现的新问题需要出版业界给予充分关注。

加入 WTO 与中国出版业的发展/余敏主编.北京:中国书籍出版社,2001

本书是中国出版科学研究所有关出版业与 WTO 的一项研究成果,收录了"加入世贸组织对我国出版业的影响和对策"这一课题主报告,报告内容包括:世界贸易组织概况,世界贸易组织与出版业的关系,世界贸易组织成员在开放出版业方面的做法,中国加入世界贸易组织后对出版业的影响以及我们的对策和建立民族出版业保护体系。除此之外,本书还收录了该所部分研究人员的有关文章以及世界贸易组织《服务贸易总协定》和《与贸易有关的知识产权协定》两个法律文本。编者希望通过这些研究报告、文章和文件为业内人士提供一个参考,使读者对 WTO 与出版业之间的关系有一个更加全面的认识。

发达国家出版管理制度/北京太平洋国际战略研究所.北京：时事出版社,2001

本书是一部系统研究发达国家出版管理制度的专著,通过对发达国家出版管理的基本制度、出版市场的调控和管理制度、政府管理出版的主要职能以及这些国家出版管理制度存在的问题等方面的研究,梳理出发达国家出版管理变化的脉络,回答了出版界普遍关心的在市场经济条件下发达国家怎样管理出版的问题,该书还对我国应怎样借鉴发达国家的出版管理制度进行了探索。

国际出版原则与实践/〔英〕伊恩·麦高文,詹姆士·迈考尔编. 徐明强译. 北京：中国书籍出版社,1999

为帮助读者了解西方出版业的经营管理方式和成功经验,英国斯特林大学出版研究中心主任伊恩·麦高文博士等为中国出版界人士编写了这本书。书中涉及出版的各个方面,具体讨论了出版人需要掌握的知识、能力和技术,详尽的提供了绝大多数西方国家出版商生存的背景资料,他们的雇员责任, 以使中国同行在将来图书商业化过程中能更好地了解图书选题、版权、授权许可、财务要求等方面的工作。本书以深入的探索、丰富的资料反映出世界出版业过去的成功, 并分析今天存在的问题以及明天的机遇,为出版业提供了一部有益的教材。

中国书业调查/蒋晞亮等著. 沈阳：辽宁人民出版社,2002

本书是《中国图书商报文丛》(第一辑)中的一本,从 1995 年至 2000 年发表于《中国图书商报》的相关文章选编而成。本书收录的是关于读者调查研究,图书市场零售观测,版权及少儿读物专题调查三种调查报告,这些调查报告从一个侧面记录了中国书业在市场化的进程中市场研究由一般定性分析进而实行定量调查研究的过程；从而更深入地揭示书业的具体变化和真实面貌, 为一定范围内准确认识和把握图书市场的规律提供了科学决策的参考依据和数据支持。

中国书业思考/王益等著. 沈阳：辽宁人民出版社,2002

本书是《中国图书商报文丛》(第一辑)中的一本,由 1995 年~2000 年发表于《中国图书商报》的相关文章选编而成。本书分为书业改革、书业现状与发展、书业营销、发行与连锁四部分,侧重收集这几年刊发的关于书业的改革与发展、经营与管理的专论文章,可大致反映中国书业上个世纪最后几年思想轨迹,许多话题曾引起业界广泛讨论。

中国书业透视/欧宏著. 沈阳：辽宁人民出版社,2002

本书是《中国图书商报文丛》(第一辑)中的一本。其中《产业观察·问题篇》主要就少儿图书、爱情小说、卡通书的出版及版权贸易的现状及问题做了报道并进行探讨；《产业观察·改革篇》对中国书业进行回顾与前瞻,并对省级新华书店的改革之路展开了系列的报道；《产业观察·看潮篇》对

1998 年、1999 年我国图书市场的风云变幻进行了报道和分析;《产业观察·评论篇》中作者对科技出版、主渠道与二渠道的竞争、出版资源等问题提出了自己独到的见解。此外,书中还收录了作者关于书市订货会的评述和关于商务印书馆、中华书局的出版史话。

编辑人的世界/〔美〕格罗斯主编. 齐若兰译. 北京：中国工人出版社, 2000

本书是一部在美国出版界和作家当中有着重要影响的经典读物,自 1962 年以来,一直是美国编辑艺术和技巧的标准读本,也是各类作家研讨会和作家写作班使用最广泛的参考书。本书分为三部分:第一部分"编辑的角色",对于编辑在美国出版界作用的演变,编辑应扮演的角色以及编辑应恪守的伦理道德等多方面的编辑理念,给予了深入而精辟的论述;第二部分"编辑工作现场",引领读者深入了解选题编辑、策划编辑、文稿编辑、文字编辑、编辑顾问等在出版流程中所扮演的不同角色;第三部分"类型出版面面观",由犯罪小说、爱情小说、科幻小说、传记、学者著作、儿童读物、工具书诸领域的杰出编辑,分别带领读者一览万千变化的出版世界。

韩国出版学研究/〔韩〕韩国出版学会编. 汉城：汎友社,2001

本书是关于韩国出版学研究的论文集。收录了 12 篇论文,内容涉及电子出版的概念和分类,网络出版的内容和形式,外文出版的现状和发展,传播媒介环境和阅读方式的变化,网上书店与传统书店之间的冲突以及韩国出版研究者对韩国出版教育、出版理论研究、出版业竞争等方面的探讨。本书有助于把握韩国出版业发展的新动态,了解韩国出版理论研究的新进展。

七、模拟试题

模拟试题一

一、填空(20分)

1. 出版学之所以是一门社会科学学科,是因为＿＿＿＿＿＿＿＿＿。

2. 我国的出版活动产生于＿＿＿＿＿,其具体标志是＿＿＿＿＿＿。

3. 出版资源是指＿＿＿＿＿＿＿＿＿＿＿,它由＿＿＿＿＿＿＿资源与＿＿＿＿＿资源两大类型资源构成。

4. 征订包销与征订经销这两种购销形式的最根本的区别是＿＿＿＿不同。

5. 出版业的贷款结算,依货款支付方式的不同,可分为＿＿＿＿＿与＿＿＿＿＿两大类型。

6. 我国图书市场有买方市场与卖方市场之分,其中卖方图书市场是指在出版物供求矛盾运动中＿＿＿＿＿的发展满足不了＿＿＿＿＿增大要求时,所出现的商品＿＿＿＿＿＿＿这样一种市场状态。

7. 我国图书批发交易的三种基本方式是＿＿＿＿＿、＿＿＿＿＿与＿＿＿＿＿,在相当长的时期内这三种交易方式将会形成一个三足鼎立的局面。

8. 我国的新华书店,可按照职能划分为＿＿＿＿＿店、＿＿＿＿＿店与＿＿＿＿店三种基本类型。

9. 中国国际图书贸易总公司属＿＿＿＿＿＿＿＿＿领导,主要经营＿＿＿＿＿＿＿＿＿业务。

10. 我国的图书发货方法主要有＿＿＿＿、＿＿＿＿、＿＿＿＿及集运分发等。

二、名词解释(15分)

1. 多媒体电子出版物　　2. 码洋对等调剂　　3. 中转运输

4. 专业性网点　　5. 图书发行渠道

三、简答题(40分)

1. 为什么说出版学可以成为一门独立的学科?

2. 为什么说社会教育的发展,能够促进出版物市场需求的增长?

3. 什么叫图书发行代理制? 为什么当前应该积极推行图书发行代理制?

4. 什么叫书业连锁经营? 发展书业连锁经营的意义何在?

四、论述题(25分)

论编辑工作在出版工作中的地位。

模拟试题二

一、改错题(将各题中错误部分或不完整处用横线画出,并加以改正或补充;如无错误,则在题号上打"√",20分)

1. 出版学之所以是一门社会科学学科,是因为从事出版学研究必须运用大量的社会科学知识,如探讨读者服务规律要运用心理学知识,编辑规律的探讨要掌握历史文化知识等。

2. 2002 年 2 月实施的《出版管理条例》将我国现阶段的出版物分为报纸、期刊、图书、音像制品、电子出版物、画册、网络出版物等 7 种类型。

3. 出版活动的主要环节包括出版物质供应、出版物生产、编辑工作、出版物流通、出版物消费、出版物流组织等。

4. 邹韬奋于 1897 年创办的生活书店和陆费逵 1912 年创办的商务印书馆,是我国近代最有影响的两家民族资产阶级的出版发行企业。

5. 就总部与分店的关系而言,书业连锁店中最为松散的是加盟连锁店。

6. 在各类图书发行网点中,专业性网点是指专门经营图书零售业务的网点,如新华书店的门市部、集体书店、个体书店等。

7. 征订包销和征订经销这两种购销形式的区别包括:总发行权不同,存货损失负担责任不同,进发货程序不同。

8. 书业社会文化资源又称之为智能资源,它由作者资源、旅游文化资源、历史文化资源、现实社会文化资源、国际出版资源等构成。

9. 我国图书零售方式包括:经销、批销、门市销售、流动销售、寄销、代销、赊销、上门推销等。

10. 编辑发稿"齐、清、定"基本要求中的"定",是指出版物的印刷厂家已经确定。

二、名词解释(15 分)

1. 买方出版物市场　　2. 按需印刷　　3. 垂直发货

4. 网络出版　　5. 三审制

三、简答题(40 分)

　　1. 出版学的研究对象是什么？为什么？

　　2. 出版活动中编辑工作的存在有何意义？

　　3. 概述校对工作的基本功能及其相互关系。

　　4. 为什么说,我国现阶段的出版资源配置中,必须实行市场配置与政府配置相结合?

四、论述题(25 分)

　　我国出版业贯彻党的十六大提出的"三个代表"重要思想之我见。

模拟试题三

一、选择题（将各备选项中最符合题意的一项的号码填入空白处。每小题1分，共15分）

1. 之所以说出版学是一门社会科学学科，主要是因为＿＿＿＿＿。
   A. 出版工作的对象是图书，而其中社会科学类图书又占很大比重
   B. 从事出版学研究，需要运用大量社会科学知识
   C. 出版物的商品供求矛盾作为出版学的研究对象，是一种社会现象

2. 在我国的出版外贸机构中，＿＿＿＿＿属文化部领导，主要经营书刊对外发行业务。
   A. 中国国际图书贸易总公司
   B. 中国图书进出口总公司
   C. 中国出版对外贸易总公司

3. 按照我国《出版物市场管理规定》要求，担负全国性图书连锁经营的出版企业，其注册资本为＿＿＿＿＿。
   A. 不少于 2000 万元
   B. 不少于 300 万元
   C. 不少于 1000 万元

4. 关于出版物的集稿方式，下列描述中最为完整的是＿＿＿＿＿。
   A. 约稿、自投稿、翻译稿、选编稿和征稿
   B. 约稿、自投稿、推荐稿、选编稿和征稿
   C. 约稿、自投稿、推荐稿、注释稿和征稿

5. 下列选项中属于出版物固定成本的是＿＿＿＿＿。
   A. 编校费　　　B. 印刷费　　　C. 废品损失费

6. 征订包销与征订经销这两种图书经销形式的主要区别在于_____。

    A. 总发行权不同

    B. 进发货程序不同

    C. 存货损失责任承担不同

7. 图书发运过程中,我们把需要转换运输工具的运输形式称之为_____。

    A. 二级分发　　　　B. 转站分运　　　　C. 中转运输

8. 书刊批发与零售的根本区别在于_____。

    A. 销售书刊的用途不同

    B. 一次销售的数量不同

    C. 是在国营书店系统内销售,还是对系统外单位销售

9. 1879 年由_____等人在上海创办的商务印书馆,是我国近代最有影响的民族资产阶级的出版发行企业之一。

    A. 陆费逵　　　　B. 夏粹芳　　　　C. 邹韬奋

10. 在各种类型的图书发行网点中,专业性网点是指那些_____。

    A. 以经营图书为主要业务的网点,如新华书店门市部,集体、个体书店等

    B. 专门销售某一类或几类专门类别图书的网点,如少儿书店、文艺书店等

    C. 由专门单位负责筹建的网点,如三联书店武汉分销店等

11. 新华书店成立时,毛泽东同志曾为其三次题词,目前各地新华书店所用的店招,即为毛泽东同志于_____年为新华书店题词的字体。

    A. 1939　　　　B. 1946　　　　C. 1948

12. 图书再版与重印的主要区别是_____。

    A. 封面需要更换

    B. 需要改变定价

    C. 内容有较大修改

13. 石家庄街头一书商当众用算盘进行演算,以宣传推销《珠算快算技巧》一书,从图书宣传的角度看,该书商所采用的宣传策略是_____。

    A. 暗示宣传法   B. 反喻宣传法   C. 演示宣传法

14. 出版企业财务管理中的库存图书资金,是指_____。

    A. 企业已经支付,由以后分期负担的费用所占用的资金

    B. 货款已付,但尚未验收入库的图书实价

    C. 企业自身为销售而储备的图书码价

15. 某书店 1999 年以 70 折购进 1998 年出版的某书 100 册,每册定价 10 元,到 2004 年底,尚未销出一册。那么,按照图书分年核价的要求,到 2004 年该批书被核低的价值则为_____元。

    A. 500   B. 600   C. 350

二、名词解释(18 分)

    1. 图书发行代理制   2. 出版资源   3. 校是非

    4. e-book   5. 图书的需求价格弹性 6. 出厂成品收货

三、简答题(40 分)

    1. 为什么说,出版学是一门社会科学学科?

    2. 什么是电子出版? 与传统出版相比,它有那些主要优点?

    3. 出版资源的市场配置需要具备什么样的社会条件?

    4. 从生产成本控制角度说说印刷厂商选择的意义与要求。

    5. 以某出版社为例,说明出版社应该如何开拓发展本版书的流通渠道?

四、论述题(27 分)

论出版工作的文化性和经济性及其相关关系。

图书在版编目（CIP）数据

出版学基础研究/罗紫初主编．—太原：山西人民出版社，2005.12
ISBN 7 - 203 - 05369 - 5

Ⅰ.出... Ⅱ.罗... Ⅲ.出版工作–理论研究–教学参考资料 Ⅳ.G230

中国版本图书馆 CIP 数据核字（2005）第 097277 号

出版学基础研究

主　　编：罗紫初		网　　址：www.sxskcb.com	
副主编：吴 赟　马北海		经销者：新华书店	
责任编辑：郭立群		承印者：山西新华印业有限公司	
出版者：山西人民出版社		新华印刷分公司	
地　　址：太原市建设南路 15 号		开　　本：787mm×1092mm 1/16	
邮　　编：030012		印　　张：24.75	
电　　话：0351 - 4922220（发行中心）		字　　数：387 千字	
0351 - 4922085（综合办）		印　　数：1—3000 册	
E - mail：Fxzx@sxskcb.com（发行中心）		版　　次：2005 年 12 月第 1 版	
Web@sxskcb.com（信息室）		印　　次：2005 年 12 月第 1 次印刷	
Jingjshb@sxskcb.com（综合办）		定　　价：45.00 元	